文化生活叢書・藝文采風

皖遊札記
——解析中國近現代歷史上 若干事件和人物的眞實細節

夏如秋　著

爭你自己的自由就是爭國家的自由，爭你自己的權利就是爭國家的權利。因為自由平等的國家不是一群奴才建造得起來的。

——胡適

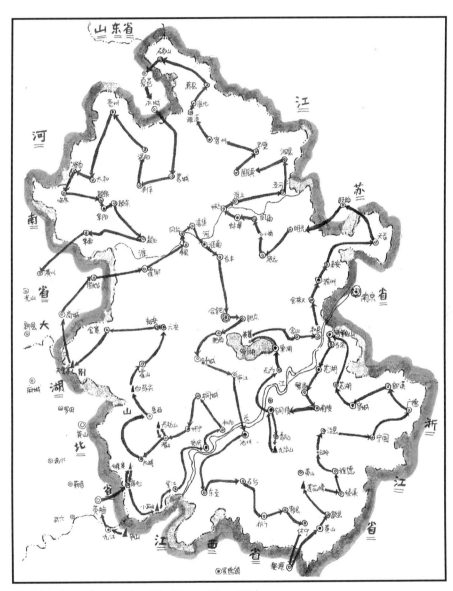

皖遊線路圖（2011年4月1日—6月28日）

目次

自序

　　一九八五年，我大學畢業分配到四川一家黨報做記者、編輯。經年累月的走南闖北，著實寫下不少文字。但在固定思想指導下形成的這些文字，很難說有什麼持久的價值，自己不願多看，更不願以此示人。所幸的是，勤於讀書的習慣始終不曾改變。不僅閱讀自己喜歡的文、史、哲，也廣泛涉獵政治、經濟、軍事、法律、社會學等各方面的書籍。在寂寞的旅途中，在紛繁的事務間，只要一打開書，就像在沙漠中長途跋涉之後找到希望的綠洲，在驚濤駭浪之後回到寧靜的港灣。讀書，使我永遠不會孤獨，成為一個樂觀的人；讀書，也使我充滿懷疑精神，成為一個「另類」的人。

　　牟宗三曾經說過，四十五歲以前多讀、多看、多經歷，四十五歲以後再著述。我以為老先生說得不錯，便在多年前給自己製訂了一個人生計畫：到四十五歲時，無論如何要放下所有事情，閉門寫一些自己喜歡的文字。二〇〇八年，我任職於報社派駐德陽的一個機構時，發生了「五一二」特大地震。職責所繫，我自然不能在這個關鍵時刻逃避，自私自利去做自己的事情。從救援到安置，到援建，經常和記者們一起跑災區。直至二〇一〇年對口援建的人全部撤出，我才得以從二〇一一年一月一日，開始過起自己嚮往已久的清閒生活。

　　要著述，首先面臨一個問題：寫什麼？怎麼寫？以我的實際情況，自然不會再去寫那些人云亦云、鸚鵡學舌、蘿蔔白菜之類的文字。最後還是決定揚長避短，寫我擅長的東西，圍繞文、史做文章。

四川地處西南一隅，人文氣氛比較稀薄。我有幾個搞學術的大學同學，這時已頗有成績和聲譽，我與他們時有聯繫，可惜長期天各一方，很難有機會深入交流。加之多年來遠離學術界，對最新研究動態也不完全瞭解。偏偏我對自己的要求，又不能有絲毫降低。與那些有成績的同學相比，我著述的水準肯定存在差距，但我希望差距不要太大──接連多日，我為此而苦惱。

正在這時，一個大學同學邀請我去廣東過春節，便欣然應允。我們一起暢遊了珠江三角洲和粵東的一些歷史遺址，觸景生情，撫今追昔，頗有感慨。於是我產生了以一個省為視窗，以實地考察為方式，分析、探索中國近代以來若干人物和事件的想法。同學以為這個辦法好，極力慫恿。大假結束時，他們各自離粵，我則背起旅行包，從洪秀全故居開始，經江門、陽江到湛江，再北行清遠、韶關，進入湖南，直至三月中旬才回到成都。

最初我想以廣東為視窗，但發現不夠典型，然後將眼光轉向湖南、湖北、浙江、江蘇、福建、陝西等省，經仔細推敲先後放棄。回到成都時，已經決定以安徽為視窗。其理由是：一、安徽在中國近、現代史上的各個時期，都有代表性的人和事；二、在政治、經濟、軍事、外交、文學等各方面，都有鮮明的特點；三、在中共黨史上，尤其是新中國成立後的歷史，佔有重要地位。換句話說，我對中國近代以來若干重大問題的觀點、看法和思想，都能在安徽找到載體、找到源頭。比如廣東，可以在鴉片戰爭、太平天國、維新運動、國民革命等方面找到很多素材，但難以找到述說洋務運動、北洋政府和托派的代表人物；抗戰的人物雖多，但不能說明國、共兩黨力量的消長和中共抗日部隊內部矛盾等若干問題；文學上也沒有從新文化運動到左聯，再到社會主義現實主義的代表作家。再比如湖南，在太平天國、洋務運動、維新運動、國共兩黨執政時期的人物眾多，但難以找到新

文化運動、反右派運動和新中國農村政策演變中的代表人物；現代民主政治雖然有宋教仁這樣的先驅，但不能延續論述到臺灣；雖有彭述之這樣的托派領袖，但他在新中國成立前就逃往海外，無法講清楚留在大陸的托派人物的命運。而在安徽，上述欠缺都不存在。

選擇安徽還有一個重要理由，是出於對本書的總體結構的考慮。我力圖寫一本集政論、史論、文論於一體的著作，自然必須闡述我的政治觀點、歷史觀點和文學觀點。這需要一個源頭，也需要一個總結。多年以前，我看吳思的《潛規則》和《血酬定律》，對於安徽宿松這個地方留下極深印象。他觀察歷史的角度新穎、有趣，我雖然不打算採用其敘事方法，但以此為起點重新解釋歷史大概是可以的。所以我決定第一篇〈初入宿松〉，就寫中國歷史敘事方法的轉變。因為毛澤東喜歡讀史，也經常論及曹操，而曹操是亳州人，於是我把〈從曹操評價談毛澤東讀史〉放在最後一篇，希望對新中國歷史研究的來龍去脈，以及歷史研究對現實政治的影響，有一個總體的認識。

大別山見證了中共領導的武裝革命的始終，這在中國是獨一無二的。相比之下，井岡山、瑞金、延安、西柏坡，只是見證了某一個歷史階段。在革命時期，大別山反復受到血洗，次數之多，時間之久，範圍之廣，是其他地方沒有的。在毛澤東時代，大別山人民不僅沒有受到任何關照，反而因國家政策失誤付出了比戰爭年代更大的代價。從一九二八年到一九七八年，整整半個世紀，大別山人民不得片刻安寧，用血淚凝成一部痛史。我早就想為大別山寫一些東西，現在終於能夠如願以償。可以說，大別山最終促使我選擇了安徽。

二〇一一年三月下旬，我獨自一人，駕車從成都出發，駛向安徽。四月一日，從宿松縣進入安徽；六月二十八日，從阜南縣離開安徽返回四川。整整八十八天，走遍了安徽的每一個縣，其中重點是皖西的大別山和皖南的古村落。雖然艱苦、孤寂，但一路浮想連翩、激

情燃燒。回到成都時，全書的結構和篇目已大致有譜。

最初我擬定了四十個篇目。除現在已經形成的三十篇外，還有楊振寧、海子、巫寧坤、張恨水、陶行知、柯慶施、蘇雪林、萬里、朱湘、鄧稼先等十人。所有篇目以安徽的人和事為主，其中也包括幾個在安徽有過重要活動或事蹟的外地人，如賽珍珠、張國燾、高敬亭、曾希聖、鄧子恢、劉少奇等。

在接下來的日子裡，我關掉手機，杜絕應酬，閉門不出，完全沉浸於歷史與現實之中，緊張而充實。先用大半年時間閱讀、收集相關資料，二〇一二年春節後動筆，到二〇一三年七月二十五日全部完稿。在寫作過程中，對原來的篇目有所調整和刪減。原計劃陳獨秀只寫一篇，但寫成後意猶未盡，最終寫成了三篇。原計劃胡適寫兩篇，一篇評價其學術貢獻，一篇評價其民主政治思想。但在閱讀其生平資料時，被曹誠英的事蹟深深吸引，便放棄其學術貢獻的文章，增寫成〈曹誠英傳〉。到鳳陽本來打算寫農村改革，但曾希聖和鄧子恢兩篇文章已基本講清楚了這些問題，現場看了沈浩事蹟，於是改變主意，寫成了〈榜樣的力量是有限的〉。

必須承認，儘管以前我對於歷史和現實問題有一些看法，對相關判斷也有一些自信。但在寫作過程中，還是有很多新的發現、新的收穫，甚至修改了過去的一些看法，因此寫作過程也是一個重新學習、重新認識、不斷提高的過程。

三十篇文章寫成後，我將其裝訂成冊，分別送給一些同學、朋友徵求意見。陸續回饋的資訊令我振奮：他們對這些文字給予相當的肯定和熱情的鼓勵，有的作了詳細的批註，有的對語病和錯別字作了修正，有的提出一些完善意見，甚至還在小範圍進行座談等。所有這些，都令我非常感動。根據這些意見，我修改了一些證據不是很充分的判斷，使其留有餘地，經得起嚴格的檢驗。由於我的水準有限、經

驗不足，此書肯定還有不少沒有發現的問題。

　　有朋友認為我對現實的批判不夠徹底，對現實還抱有幻想，影響了全書的思想深度。這個批評雖有一定道理，但我不完全同意，覺得有必要加以簡單說明。歷史不止一次告訴我們，徹底否定歷史繼承性的社會轉型，往往過於迅速、激烈，且後遺症多，會給國家和人民帶來巨大的災難。我還是贊成梁啟超、胡適的政治主張，即尊重歷史，承認現實，在體制內進行循序漸進的改革，採取溫和手段調整各方利益，以實現中華民族的偉大復興。當然這需要各方以國家和民族利益為重，拿出最大誠意，進行溝通、合作、互動。如果有人一味要開歷史倒車，或者執意要以暴力解決問題，從而激化社會矛盾以至不可收拾，另當別論。

　　本書缺點及不足在所難免，希冀廣大讀者不吝給予包涵和指教正，歡迎來信至xrq12358@hotmail.com，將不勝感激。

夏如秋

二〇一三年十月二十六日於成都

宿松篇一

初入宿松
──從《潛規則》看中國歷史敘述方式的轉變

一

　　二〇一一年初春，我在廬山住了三個晚上後，於四月一日駕車經江西九江、湖北黃梅，前往安徽宿松──這是我醞釀已久的安徽之行的第一站。中午時分，在宿松縣趾鳳鄉草草吃了一碗麵條，便興致勃勃登上具有六百八十年歷史的白崖寨。這個古山寨，位於大別山南麓與沿江平原交界的地方，山勢險要，林木蔥蘢。

　　白崖寨建於一三三〇年。時值元末，戰亂頻仍，民不聊生，當地義士吳仕傑為保一方百姓平安，捐鉅資率眾壘築而成。後來朱元璋起兵，以此為據點，蕩平群雄。明末天下大亂，史可法、左良玉據險死守，重創張獻忠大軍。太平天國時期，曾國藩率湘軍退守宿松，白崖寨再次經歷戰火，令英王陳玉成一籌莫展，無奈引兵撤圍而去。

　　一九三二年十月，張國燾率紅四方面軍主力西征。十月八日，紅軍餘部奉命聚集白崖寨，在郭述申、徐海東等人主持下，成立紅二十七軍。第二天，紅軍投入戰鬥，與包圍過來的國軍陳調元部激戰。雙方反復衝殺，死傷二千多人。

　　白崖寨石牆綿延五公里，依山勢而建，目前保存完好。牆內的古建築，在「文化大革命」中損毀嚴重，幾無遺存。登高南望，長江浩浩蕩蕩，蜿蜒東去。撫今追昔，不勝感慨。

下得山來，已是日暮時分，山間的農家，炊煙四起。在附近的涼亭鎮，我找了一家簡陋、清潔的旅店住下。房東送晚飯來時，我問他知不知道當地清朝一個名叫段光清的人，房東愣了一下，茫然搖頭。

當天晚上，萬籟俱寂之時，我翻閱隨身攜帶的《潛規則》、《血酬定律》和《鏡湖自撰年譜》──這是涉及宿松縣人事的幾本書籍，可惜都沒有記載白崖寨的文字。作為十九世紀當地著名的官僚、文人，難道段光清沒有去過近在咫尺的白崖寨？我想於情於理，他應該去過，只是他沒有記載而已。

二

我看書有隨時查閱地圖的習慣，所以第一次知道宿松縣，是看吳思的《潛規則》和《血酬定律》。其中《潛規則》的第一篇〈身懷利器〉，就提到了這個地方。

《潛規則》引用段光清所著《鏡湖自撰年譜》裡記載的不少故事：

一八三七年九月，在今天的涼亭鎮鄉下（當時叫仙田莊），三十九歲的段光清還沉浸在考中舉人的喜悅之中。一天，他家的幾個佃農找到段光清兄弟，訴說接到縣役傳喚，一口咬定他們窩藏了賊贓。段光清立刻聯想到父親說過的一些往事，判定這回又是失主與縣役串通好了，目的是要敲詐一筆錢財。他們與佃農一起商量，權衡利弊，是硬抗報官划算呢，還是妥協退讓划算？最後大家一致決定妥協退讓，湊一筆經費，每年給負責本地區的縣役數千，作為他們辛辛苦苦為大家抓捕盜賊的獎勵，同時要求他們別再誣陷良民。大家踴躍掏錢後，問題很快得到圓滿解決。此後官民達成默契，彼此相安無事。

吳思又講了若干類似的故事，認為擁有「合法傷害權」的大大小小的官吏，有如手握一把把「利器」，每時每刻都在損害社會的健康：

合法地禍害別人的能力，乃是官吏們的看家本領。這是一門真正的藝術，種種資源和財富正要據此分肥並重新調整。

《潛規則》以明清兩代為重點，以官民矛盾為主線，總結了自戰國以來，包括民國和新中國在內的二千多年的中國歷史。他發現在國家正式的法律、法規和道德倫理的束縛之外，還有一種隱性規則實際支配著社會生活的運行。人們根據利害計算和趨利避害的心理，選擇自己的行動方式。段光清的《鏡湖自撰年譜》，還記載了一個寧波漁民花錢雇兵防海盜的故事。當時寧波外海不靖，海盜橫行。這本來是軍隊的失職，因為他們是百姓納稅養起來的。商人和漁民對他們的不作為沒辦法，就自己湊錢激勵水師，麻煩他們出海維護治安。可惜日子一長，這筆錢好像成了水師該得的陋規，水師再次懈怠。百姓花了兩次錢仍然沒有買到安全，被迫掏錢請洋人的戰船護航，而洋人認真履行職責，打敗了海盜。

在這種利益格局的基礎上，國家官僚機構及其附屬人員（包括軍隊）越來越多，日益懶散。因為貪官污吏的風險很小，麻煩很少，收益卻特別高，想擠進來的人就特別多，隊伍迅速壯大。而與此同時，可供榨取的良民越來越少——最終官僚集團和生產集團比例失調，天下大亂，導致舊的王朝死亡，新的王朝誕生，歷史循環往復，形成「週期」。由此吳思提出和論證了「潛規則」的概念。他寫道：

> 正式規則的「軟懶散」，潛規則就要支配官場，而以收取更多的費、幹更少的活兒為特徵的潛規則，勢必造就大批的貪官污吏……同時降低清官的比重。

吳思對「潛規則」的定義是：一、潛規則是人們私下認可的行為約束；二、這種行為約束，依據當事各方的造福或損害能力，在社會

行為主體的互動中自發生成，可以使各方的衝突減少，交易成本降低；三、所謂約束，就是行為越界必將招致報復，對這種利害後果的共識，強化了互動各方對彼此行為的預期的穩定性；四、它背離了正義觀念或正式制度的規定，不得不以隱蔽形式存在，當事人對這種隱蔽形式也有明確認可；五、通過這種隱蔽，當事人將正式規則的代表置於互動地位，以共同謀求正式規則不能提供的利益。

他特別強調：在潛規則的生成過程中，當事人實際並不是兩方，而是三方：交易雙方再加上更高層次的正式制度代表。他宣稱，黃仁宇的《萬曆十五年》，繞來繞去一直想說明白卻沒有說明白的，正是這個潛規則。

他尖銳地指出：「潛規則」是「真正管用的規則，不懂這個規矩的人，將在官場上碰得頭破血流。」他以大量的事實說明：「惡政好比一面篩子，淘汰清官，選擇惡棍。」每一個惡棍勝出，在他的「腳下就躺著一片經他手淘汰出局的清官」。作者激憤之情，溢於言表。

作者在書裡透露出一個強烈的意思，「潛規則」的盛行，除了正式規則的代表，即大大小小的官吏，可能有短期收益外（他們的風險其實也很大，一旦事發或激起民變，有可能被殺頭），沒有一個贏家。其長期的、最終的受害者，其實是正式規則的制定者——統治集團。當然舊的統治集團退出歷史舞臺後，新的統治集團上臺，由於政治體制不變，「潛規則」依然存在，一旦土壤和氣溫適宜，就會茁壯成長。而生活在社會底層的老百姓，是永遠的受害者，是永遠的冤大頭。

在「潛規則」的支配下，蘇軾、海瑞、張居正等一批歷史上的正人君子，永遠鬥不過小人。他們力圖匡正社會陳規、陋習的理想，終究只能曇花一現。

《潛規則》一書於一九九九年出版後，很快轟動全國。吳思順理

成章，被人們稱為「潛規則之父」。他本人出面糾正了一下，說應當叫做「潛規則概念之父」。經過時間的檢驗，「潛規則」這個概念，如今已走進千家萬戶，深入人心。紅道、黑道皆宜，官場、商場通用，上層、下層全包。《潛規則》一書也在二〇〇八年改革開放三十周年時，被輿論評為三十年來影響中國思想界最大的三十本書之一。

三

四年之後的二〇〇三年，吳思沿著《潛規則》的思路再接再厲，繼續追尋「合法傷害權」這種能力的蹤跡，追究隱藏在各種規則深處的規則，於是產生了第二本歷史著作《血酬定律》。同時我們也跟著《鏡湖自撰年譜》作者段光清的官場足跡，從安徽宿松到浙江寧波，從鄞縣民變到洪楊天國，從太平盛世到天下大亂。一路看過來，怵目驚心。

所謂血酬，即流血拚命所得的酬報，體現著生命與生存資源的交換關係。血酬的價值，取決於所拚搶的東西，這就是「血酬定律」。他說：

> 勞動換取的收益叫工資，土地換取的收益叫地租，資本換取的利益叫利息，那麼，流血拚命換取的收益叫什麼？我稱之為「血酬」。血酬的價值，取決於拚命物件的價值。如果拚命的物件是人本身，譬如綁票，「票」價取決於當事人的支付能力和支付意願。這就是血酬定律。在此過程中，人們的核心計算是：為了一定數量的生存資源，可以冒多大的傷亡風險？可以把自身這個資源需求者損害到什麼程度？

在吳思看來，血酬定律有三個要點：一、血酬就是以生命為價從

事暴力掠奪的收益;二、當血酬大於成本時,暴力掠奪發生;三、暴力掠奪不創造財富。從晚清到民國,中國吃這碗飯的人比產業工人多得多。

他以大量的歷史事實為依據,詳細分析從古至今民、匪、兵、官的生存現狀,和他們之間能夠實現角色互換的種種內在原因。他認為:

> 龐大的搏命集團的存在,不斷製造這個集團的社會機制的存在,乃是解釋中國歷史,理解中國社會的核心要素……辛亥革命的領導者之一,民國總統黎元洪,對這種歷史悠久的交換常規還做過一句時髦的概括。他對馮玉祥部下的士兵訓話說:「什麼叫做革命?就是拚過命的必定都有飯吃。」黎元洪生活在流行革命的時代,為賣命披上了革命的外衣。不過,革命者大體都是搏命者,這一點並不錯。

本書的最後,吳思在「血酬定律」的基礎上,提出了「元規則」的概念:「所有規則的設立,說到底,都遵循一條根本規則:暴力最強者說了算。這是一條元規則,決定規則的規則。」作者認為,這個概念觸及了生命、生存資源和資源分配規則三者之間的關係。暴力最強者的選擇,體現了對自身利益最大化的追求,而不是對正義的追求。暴力最強者甚至可以選擇並修改正義觀念本身。當然,平民並非不重要。在長時段上,平民的選擇和對策,從熱烈擁護,到俯首貼耳,到怠工偷懶,到揭竿而起,可以決定暴力競爭勝利者的選擇的成本和收益,決定選擇者的興亡榮辱,從而間接地影響統治者對法規的選擇,間接地影響正義觀念和統治者對正義觀念的選擇。

成吉思汗依靠當時最強大的暴力,橫掃歐亞大陸。他和他的子孫到處立法,生殺予奪,隨心所欲,就充分體現了暴力最強者說了算的元規則。朱元璋打下江山後,親自審查儒家經典。他讀到孟子「君視

臣如土芥，則臣視君如寇仇」這句話時，勃然大怒地說道：「這老兒要是活到今天，非嚴辦不可！」他下令撤銷孟子在孔廟中的牌位，又命令刪去《孟子》原文八十五條，重新編成《孟子節文》，以作天下讀書人科舉考試的依據。朱元璋制訂《大明律》時，請了幾個大儒參照唐朝的法律逐條草擬，他則逐條品評、修改，最後頒佈實施。而他本人另外編撰了一套個人色彩濃厚的嚴刑苛法《大誥》。建文帝即位，放棄執行《大誥》。而朱棣打敗建文帝奪得皇位，又恢復了《大誥》……從上古到清朝，從民國到新中國，從史達林到毛澤東，無不體現這個元規則。

掌握最強暴力的人，總是以自己的意志確立是非標準，壟斷解釋權，甚至可以朝令夕改、指鹿為馬，不容他人有任何討論和置疑的餘地。作者指出：

> 史達林在前面走，毛澤東在後面跟……史達林他們並不認為自己知識不足，他們覺得真理在握，掌握了歷史規律，根本不容反對，顯現出極端的自負。那麼，問題到底出在什麼地方？面對歷史上沒有固定答案的問題，無論是謙虛還是自負，都應該允許試錯和調整，如果不允許爭論，讓自負的掌權者一條道走到黑，這才是大問題，而且是中國和俄羅斯歷史上的致命之病。

有意思的是，吳思還將金庸的武俠小說，拿來作為自己的論據。金庸筆下的那些大俠，武藝高，拳頭硬，都具有超強的暴力，滿足了中國人對加害能力和自衛能力的熱切幻想，而這正反映了中國歷代政治、社會制度的缺陷。

吳思覺得，「血酬定律」這個概念，可以簡明有力地解釋歷代興亡。打天下的過程，就是以生命換取生存資源的過程。坐江山的制

度，就是用暴力攫取生存資源的制度。這個概念還可以解釋那些憑藉害人手段榨取的錢財的本質，包括「潛規則」帶來的灰色收入的本質。由此，他有了探入歷史核心的感覺。

四

吳思一九五七年生於北京，父親是一個「階級異己分子」，母親大概是一個「反動學術權威」。「文化大革命」期間雖然被三次抄家，但沒有動搖他的信仰。在主流意識形態的影響下，他仍然是一個「極左」的下鄉知青，當過大隊黨支部副書記。

他在〈我的極左經歷〉這篇文章中，對自己進行了無情的解剖：那時他充滿激情，立志要按照毛澤東思想改天換地，學習大寨特別認真。不僅自己不怕苦不怕累，還像工頭、奴隸主似的逼著大家幹活，為此得到過代表先進知青到山西大寨大隊參觀學習的機會。一九七六年粉碎「四人幫」時，他還感覺資本主義可能要復辟了。在農村時，他得知有一個內蒙知青寫了一本書，基本觀點是：中國農業只有一條路，就是劉少奇主張的包產到戶。在當時的吳思看來，這句話簡直就是大逆不道，標準的修正主義路線。說這種話的人不抓起來，天理何在？然而他看到的農村現狀是，農民對集體勞動不感興趣，卻對自家的一小塊自留地格外上心，這讓他感到困惑不解。

作為生在新中國，長在紅旗下的一代人，他從小看過《星火燎原》、《歐陽海之歌》這類政治性很強的書籍。受到的歷史教育，就是范文瀾、郭沫若的那種以階級鬥爭為主線的研究、解釋歷史的方法，即是被史達林、毛澤東閹割了的馬克思主義歷史觀，這使他很多年無法從中間跳出來。當時能夠看到的，最多還有司馬遷《史記》、司馬光的《資治通鑑》這類傳統的歷史敘述方式。多年以後他在回答

記者提問時坦率地說：

> 灌輸給我們的這套東西是什麼呢？唯物史觀，政治經濟學，用這套概念體系去認識社會，就會發現，生活不是那麼一回事，往往是反著的……我們接受的教育和所見到的實際情況衝突太激烈了，以至於不能不尋找一種能夠描述和表達我們親眼所見的現實的理論，這個東西又沒有，我們就被迫重建。

一九七八年吳思考進大學之後，轟轟烈烈的上山下鄉運動停止了，而被指責為資本主義道路的農村大包乾，受到億萬農民的熱情歡迎，並極大地改善了中國人的生活狀況。這個事實，造成他的世界觀的崩潰，他從研究陳永貴大寨之路的失敗開始反思。

吳思主要從自身經歷出發進行反思。他沒有提到的可能還有以下因素：一、幾乎與此同時，中國一場前所未有的思想解放運動拉開帷幕。過去長期宣傳的社會發展「五段論」（即原始社會、奴隸社會、封建社會、資本主義社會、社會主義社會），社會主義必然戰勝資本主義的歷史決定論，人民群眾是歷史的創造者，農民起義是推動歷史發展的動力……一系列毛澤東時代不容置疑的主流觀點受到衝擊，被認為是馬克思主義庸俗化、教條化的具體表現，官方主導的歷史敘事方式，在學術界受到相當嚴重的挑戰。二、一九八〇年代初，北京高校以北京大學、清華大學、中國人民大學為中心，以下過鄉、進過廠、當過兵的老三屆學生為主體，以競選北京市基層人大代表為載體，開展了一次意義深遠的民主運動，無異於是對西方自由、民主觀念的一次基礎教育和現場示範。三、西單民主牆的熱鬧，以及後來在中央高層引起的爭議、批判和最後的強行清理。四、理論界對於人道主義與異化問題的廣泛爭論。五、文學作品中，先是「傷痕文學」崛起，後是「反思文學」流行，對長期極左路線和政治運動造成的嚴重

後果，以及對人的精神創傷，進行了充分的揭露、批判和思考。這些具有思想啟蒙意義的事件相繼發生，構成當時的社會大環境，受到社會各界的普遍關注。吳思儘管有極左經歷，但他是善於思考的，不可能對發生在眼前的這些事件無動於衷，接受其影響也屬正常。

不管怎麼說，他為此猛攻以前沒有見過的西方理論，試圖尋找自己滿意的答案。他說：

> 整個大學期間都在找，畢業之後接著找，找了十年八年找不著，只好創造。動力來自絕望，沒法描述又不得不描述，別人的描述我又不滿意導致的絕望。對別人絕望了，只好自己創造。

這就是吳思發現和概括「潛規則」理論的由來。

《潛規則》和《血酬定律》這兩本書，最初以歷史隨筆的形式寫成，在刊物上陸續發表，然後結集出版。可能是因為這個原因，結構略顯鬆散，邏輯不夠嚴謹，用語也有欠準確。作者本人也承認他的理論「有不夠系統完整的感覺，好似描繪全豹身上的斑斑點點」的缺點，甚至還有一點「劍走偏鋒」的傾向。在正規的學院派的歷史學家看來，或許還有一些以論帶史、學術不規範等方面的問題。但是誰也無法否認，其獨闢蹊徑的「野路子」，獨樹一幟的風格，為我們提供了一個觀察歷史的嶄新角度。讀者由此得到的啟發，甚至比從歷史學家那裡得到的還要多一些。

五

從《潛規則》到《血酬定律》，作者明顯在構架一種新的歷史觀，建立一種新的歷史敘述方式。他本人也坦率地承認：「我想重新

解釋歷史。」他以建房為例，對自己所做的努力，有過不失謙遜而又充滿自信的評價：

> 在舊的歷史觀崩潰的時候，新的歷史觀的地基打在哪兒，幾根柱子，幾根房樑，先蓋起一兩層，最後可能到七八層，我覺得基本上可以看出來。我覺得我能說到十之六七。

「潛規則」從概念提出到理論闡述，實際影響已超出學術界、思想界，被社會各界接受並廣泛引用，成為二十一世紀中國各種場合出現頻率最高的詞彙之一。因此從客觀效果來看，已經在很大程度上獲得成功。

作為一種歷史觀，作為一種「理論」，雖然有待於進一步完善，但其探索、研究的方向，無疑值得肯定和提倡。作者宣稱他還在繼續努力，讀者對此也有許多熱切而真誠的期待。畢竟一座完整的房子，只有建造完工，從外在樣式到內部裝飾都無可挑剔，才能讓人耳目一新，也才能夠更加好看、更加適用。

《潛規則》和《血酬定律》之所以受到重視，不僅在於以史為鏡，創造性地提出並被社會普遍接受的新鮮的概念，還有兩點值得特別注意：

一、平視權貴、權威、權力，具有強烈的平等意識和懷疑精神。

作者在構架自己的理論體系時，坦言自己曾經極左，曾經信仰崩潰，曾經艱難求索。自始至終堅持獨立思考、秉筆直書的原則，看不出有絲毫媚上媚俗、明哲保身的功利嫌疑。他在陳述、分析歷史事件和人物時，態度誠懇，觀點鮮明，絕沒有遮遮掩掩、欲言又止、拖泥帶水的毛病。

在吳思的筆下，始終用同樣的標準評論袁世凱創建的北洋政府、蔣介石領導的國民政府、和毛澤東建立的新中國。他將中國近代史上

的所有政府，與歷史上一切朝代放在一起進行等量觀察，而不受任何意識形態的左右，因而具有強烈的現實批判性。

他在談到北洋政府時說：從一九一九年開始，軍閥們在北京周圍爭奪地盤，對村民進行毫無節制的攤派勒索。吳店村不願意盤剝村民的村長逃離，而把這個位置當做一種撈油水的手段的人頂了上來。他們因侵吞公款被捕，但很快又被放出來繼續幹村長。因為沒有好人願意幹，當政者需要那些心狠手辣、泯滅良心的人為他們做事。在談到國民政府的三民主義時，他說：「民國號稱是人民的國，偏偏不肯讓人民當家作主，說要經過軍政和訓政這兩個歷史階段後，才能『還政於民』，實行憲政。」在談到毛澤東的社會主義時，他更加尖銳地指出：

> 中國人付出了差不多三十年的代價。其實如果再往遠處說有更廣更深的背景。世界範圍內，從一九三〇年代世界經濟危機開始，全體知識份子開始「向左轉」，以馬克思主義作為理論指導的前蘇聯等社會主義國家「蒸蒸日上」，資本主義世界感到一種強大的威脅，直到前蘇聯解體後，從一九九〇年代開始，重新接著自由主義往前走。人類繞了一個大圈……我們呢，也是在為人類的一段歷史付出代價，為全人類的天真付出代價。

作者根據二十世紀九〇年代《南方週末》報導，安徽渦陽幾十個村莊，存在大規模生產劣質黑木耳的事實。他痛心地指出，一個人偷偷摸摸幹點傷天害理的事，任何時代任何地方都不稀奇。而一個地區在光天化日之下，如此明目張膽地大幹，我們就有理由懷疑，整個社會還有沒有道德良心這種東西。作者認為，這是「原來的意識形態和政治體制失效的證明」。

二、他以民主憲政思想為依據，指出要從根本上禁止「潛規

則」，出路在於建立人民能夠監督各級政府的民主政治制度。

　　他以大量事實證明，生活在「潛規則」盛行的社會裡，買官賣官嚴重，貪污腐化成風。人民談不上自由、幸福，而是痛苦不堪。黑龍江省綏化市委書記馬德大肆買官鬻爵，根本原因在於他的官是買來的，自己掌權後當然一定要加倍撈回來。作者嚴肅地指出，這種「官天下」的政治機制，比封建社會「家天下」的政治機制更糟糕。如今有些官員的升遷仍然取決於與上級的關係，層層遞升上去，每一層的成功與否都取決於爭當「接班人」的技巧，而整個過程中都像明清一樣沒有老百姓插手的分。

　　解決問題的根本辦法，是要適應經濟發展的變遷，取消一個由官方主導的社會，建立一個由資本主導的社會。他說：

> 我以為西方人的主意並不壞。公民人格很有資格成為我們今天乃至未來數代人的理想人格。假使這個理想真能成為現實，馬克思描繪的靠資本獲取剩餘價值的現象雖然不會壽終正寢，赤裸裸的坑蒙拐騙總不會有了。此外，「滿口仁義道德，一肚子男盜女娼」之類的痼疾，滿口的為人民服務，一肚子營私舞弊之類的頑症，居然出乎意料地失去了流行的適宜溫度。剩下一個大家誠實地勞動，乾淨地掙錢，尊重自己也敬重別人的社會。

　　作者對建立一個杜絕「潛規則」的社會持有信心。他預測中國要走向民主化，在一兩代人的時間中是擋不住的，「官天下」早晚得變成「民天下」，變成民主社會。他說：

> 一旦將政治體制改革這個坎兒跨過去，一條路就鋪平了，就順了，就和諧了。不僅以前的成績都水到渠成、順理成章的為現

在的改革做了鋪墊，而且這個坎一過，前面可謂是一馬平川。

六

段光清經歷了二十多年的宦海沉浮之後，終於在一八六六年回到了他的宿松老家，一個坐落在白崖寨下名叫段家院子的地方。此時正值同治中興，天下太平。他功成名就，享有「清官」美譽，再也用不著為生計發愁，更用不著害怕那些貪官污吏前來騷擾，逼著他像三十年前那樣按「潛規則」出牌。他自一八四四年至一八六六年一直在浙江各地為官，歷任知縣、知府、台道及至浙江按察使，有資料還說他曾經當過吏部侍郎。為官期間，他多次受到皇帝親自召見，竭盡全力為清政府獻計獻策。他諳熟官場規矩，精通人情世故，有膽有識，在清末社會也算得上一個不錯的官員。

沐浴著從大別山吹過來的清風，段光清縮在自家院子裡的躺椅上，眼睛半睜半閉，看來似睡非睡。回想往事，他一定多有感慨。躺久了，他起身回到書房。書僮早已按照他的吩咐，備好了紙筆。他要在閒暇之餘，總結自己的一生，寫一部自傳──這便是《鏡湖自撰年譜》的由來，裡面記載了自己從嘉慶二十五年（1820）到同治七年（1868）的所見、所聞、所感，算是對自己一生為官有一個詳細的交待。

此書對鴉片戰爭前後和太平軍戰亂時期的社會歷史發展脈絡，有清晰的記載。對當時社會動盪的現實，從朝廷中樞到地方官場，從市井生活，再到鄉間民眾的生存現狀，包括各類人物的行為和心態，均有真實的敘述。一些遙遠的日常生活的歷史細節，在他的筆下格外生動。其中對這一時期安徽宿松、浙江寧波的各個方面，如官場惡習、

風土人情、外國侵略、兵匪橫行、官府無力，以及寧波的商業發展和海運情況，都有清晰再現。全書行文從容，敘事簡潔，文史價值兼備。

《鏡湖自撰年譜》對當前現實社會有兩方面的意義：一是對於社會群體性事件多有描述，他本人的處理方法也頗為老道，直面問題，親民對話，改革弊政，分化瓦解；二是對社會世態百相觀察仔細，對於官場之間、官民之間實際運行的「潛規則」多有敘述和感悟。可惜他未能明確提出「潛規則」這一個概念，否則吳思要出名，將面臨很大的困難。段光清在書中敘述的大量事實，或多或少間接幫助了一百二十多年後的吳思，使這位富於思考的學者，依靠《潛規則》一書暴得大名。

段光清於光緒四年（1878）去世時，當朝最有權勢的大臣李鴻章，特意為他撰寫了墓誌銘。而他這本生前未曾出版示人的《鏡湖自撰年譜》，得到後人的精心保存。歷經晚清、民國的風風雨雨，轉眼就到了一九五七年。段氏後人感到應該向黨和政府捐獻一些東西，便把這部手稿交了上去。十七萬字的文字，去除不少「自我吹噓」的內容，刪減到十二萬字，由中華書局於一九六〇年公開出版。

這個時候，正是全國人民餓肚子的緊要關頭，安徽全省餓死五百萬人。不知段家後人在上交文稿時有過怎樣的利益盤算？是否得到過稿費？是否因此有所收益而挺過難關？

七

第二天一早，我從涼亭鎮出發，希望按圖索驥，能夠找到當年段光清生活過的段家院子。我想去看一看一百八十多年前，他年輕時和他家的佃農一起商量如何應對縣役敲詐勒索的地方；去看一看一百五

十多年前，他晚年撰述《鏡湖自撰年譜》的地方——以加深對《潛規則》、《血酬定律》的理解和感性認識。但由於沒有嚮導，路邊的行人也不知所云，駕車胡亂尋找了一通，終於無功而返。

當天中午，經宿松縣城，尋訪石蓮洞。在據說是一千多年前晚唐詩人羅隱居住過的地方流連片刻，然後過千嶺、復興，沿長江一路東行，登上長江邊聳立如塔的小孤山，其險峻陡峭，似凌空展翅。在小孤山頂，儘管涼風習習，我卻興致勃勃地規劃著安徽之行：晚上趕到望江縣，接著到安慶，再經樅陽、桐城，折回懷寧、潛山、太湖，進入大別山……

我將沿著陳獨秀、尹寬、章伯鈞、高敬亭、王明、張國燾、臺靜農、李鴻章、段祺瑞、項英、胡適、劉少奇等人在安徽走過的足跡，重溫中國近現代歷史。我要去察看他們的鮮血與淚水，去體驗他們的艱辛與掙扎，去見證他們的輝煌與落寞，去分析他們的成功與失敗，去探索他們的思想價值和歷史局限。他們的歷史，是中華民族一百多年來苦難史和奮鬥史的一部分，波瀾壯闊，撲朔迷離，似是而非。我要去尋找歷史的真相，去弄清楚今天的中國是怎麼一步一步走過來的，也想弄清楚今後的中國應該怎麼走。

遠處響起一陣春雷，黑雲翻滾，江風甚緊。我清楚地知道，我該下山了！

二〇一三年七月二十二日於成都

全部文稿共三十篇

主要參考文獻

〔清〕段光清撰　《鏡湖自撰年譜》　北京市　中華書局　1960年版

方濟仁主編　《白崖寨》　2004年內部刊印

吳　思　《潛規則》　上海市　復旦大學出版社　2011年版

吳　思　《血酬定律》　北京市　語文出版社　2009年版

吳　思　《我想重新解釋歷史——吳思訪談錄》　上海市　復旦大學
　　　　出版社　2011年版

孟晉編　《宿松名勝》　安慶市　宿松縣人民政府辦公室　1985年編
　　　　印

鄔正階、鄭敦亮主修　《宿松縣誌》　合肥市　黃山書社　2011年版

安慶篇二

大革命時期中共駐地為何不在廣州？
——陳獨秀政治生涯的一個重大失誤

問題的提出

　　一九一九年五四運動的爆發，是中國新文化運動的結果，最終又導致了新文化運動的分裂、中國共產主義運動的興起。以陳獨秀、李大釗為代表的激進知識份子，痛感「強權戰勝公理」，對依靠英美民主國家主持正義、維護中國利益不再寄予希望。

　　一九一九年七月二十五日，蘇俄政府發佈〈對中國人民和中國南北政府的宣言〉，表示蘇維埃政府願意將「沙皇政府獨立從中國人民那裡掠奪的或與日本人、協約國共同掠奪的一切交還給中國人民」，歸還中東鐵路，同時放棄庚子賠款，放棄領事裁判權。在一九一九年春夏之交短短的三個月內，蘇俄政府與歐美列強完全不同的對華政策，促成了中國各種政治力量的分化和重組。在共產國際的幫助下，中國共產黨從北京醞釀到上海成立，逐漸走上政治舞臺。在蘇俄政府的幫助下，孫中山領導的國民黨建立了自己的武裝力量，並在他逝世後統一了全國。莫斯科的「捏合」，有了第一次國共合作和轟轟烈烈的大革命。

　　在一九二四年至一九二七年的大革命中，國民黨著力進行民族革命，而共產黨試圖將民族革命引向社會革命，雙方的分歧無法消除。最重要的是，蘇聯政府一方面在政治、軍事上支持南方國民政府，另

一方面又與北洋政府談判並建立外交關係，不僅重新確認中東鐵路及附屬產業歸蘇聯所有，還派兵進入外蒙古，或明或暗支持外蒙古獨立，對華宣言似有一紙空文之嫌。莫斯科本意要在中國建立一個親蘇政權，但其前後矛盾、自食其言的對華政策，南北拉扯、多處點火的「騎牆」做法，很容易讓人懷疑其支援中國革命的真實目的。蔣介石是靠蘇聯和中共的支持起家的，一九二七年的清黨，修正孫中山的既定政策，實屬反蘇反共的背叛行為。但他能迅速獲得國民黨的支持，並在短短一年多的時間內統一全國，說明在一定程度上順應了盼望國家統一的廣泛民意，其中也包含了維護國家主權和民族獨立的堅強決心。

張學良東北易幟後，蔣介石開始「削藩」。我們長期所說的「新軍閥混戰」，對蔣而言實際是艱苦的削藩戰爭。對中共紅色根據地的多次「圍剿」，也是削藩戰爭的一部分。只不過蔣介石對中共下手特別狠，沒有任何妥協、迴旋的餘地，對於逮捕、俘獲的中共領導和紅軍將領，一旦確認身份，只要不投降，統統處決。蔣氏的高壓，引起中共更加激烈的反抗，最終自食其果，兵敗大陸。

作為中國共產黨的總書記，陳獨秀完整經歷了大革命的興起和失敗，但他並不是一系列決定國共關係走向的歷史大事件的親歷者和見證人，甚至游離於事件之外。在大革命期間，中共中央總部的駐地始終遠離國民革命的中心廣州，陳獨秀本人也不曾到過廣州。這種情況，對國共關係的惡化，對大革命的失敗，或多或少產生了一些影響。對於陳獨秀個人的政治生命而言，也造成了難以彌補的損失。

這是一個長期以來被人忽略的歷史現象，產生的原因和造成的後果，都值得探討。

陳獨秀與廣州

陳獨秀一生中，到廣州去過三次，都在二十世紀二〇年代初期。

一九二〇年十一月一日，孫中山任命陳炯明為廣東省長兼粵軍總司令。此時陳炯明宣稱自己是社會主義者，欲借助陳獨秀的名望樹立自己的形象，於十二月十一日電邀陳獨秀為廣東省教育委員會委員長兼大學預科校長，並保證至少以全省收入的百分之十為教育經費。陳獨秀與李大釗商量後，將《新青年》的編輯工作交給陳望道，上海中共組織的工作交給李漢俊，於十二月十七日晨從上海登上輪船，二十五日到達廣州。

陳獨秀的第一次廣州之行，主要工作集中在三方面：一是在譚平山、陳公博、譚植棠等昔日北大學生協助下，成立了中共廣東支部，對區聲白、黃凌霜等無政府主義者進行了思想批判；二是與胡適就《新青年》的編輯方向進行了爭論，兩位新文化運動的主帥分道揚鑣後，五四時期的學生運動領袖也各奔東西，傅斯年、羅家倫追隨胡適成為著名的自由主義知識份子，彭述之、張國燾、鄧中夏、羅章龍追隨陳獨秀成為中共早期著名的領導人；三是雷厲風行，全力革新廣東教育，但由於許可權和經費不能完全落實，加之陳氏超前的教育思想和獨特的做事風格，與廣東的保守力量發生激烈衝突。一九二一年七月，中共在上海成立，陳獨秀缺席當選中央書記。當年九月中旬，陳獨秀回到上海主持中央工作。

一九二二年四月下旬，第一次直奉戰爭爆發之際，為出席第一次全國勞動大會和社會主義青年團第一次全國代表大會，陳獨秀第二次來到廣州。此前蘇俄全權代表達林和翻譯張太雷、瞿秋白，繼馬林在桂林與孫中山的三次會談之後，又在廣州與孫中山就合作事宜進一步溝通。因此在大會期間，達林建議陳獨秀召開了一個有二十多人參加

的小型會議，專門討論與國民黨的合作問題。儘管在合作方式上有不同的意見，最後還是同意與國民黨合作，建立聯合戰線，以共同對付帝國主義和封建軍閥。但這時陳獨秀理解的國共合作，是平起平坐的「黨外合作」。不久陳獨秀回到上海，參加了七月舉行的中共第二次全國代表大會，明確了中國共產黨與共產國際的上下級領導關係。這年夏天，孫中山因陳炯明叛變到達上海。根據共產國際「國共黨內合作」的決定，陳獨秀、李大釗拜訪了孫中山，並由孫中山親自主持儀式，加入了國民黨。幾天後，孫中山在上海任命陳獨秀為國民黨參議。

一九二三年三月二十六日，陳獨秀為籌備中共第三次全國代表大會，第三次也是最後一次來到廣州。孫中山立刻任命陳獨秀為大本營宣傳委員會委員長。六月，中共三大決定全體共產黨員以個人名義加入國民黨。對陳獨秀而言，這次廣州之行的結果是不愉快的：他與孫中山的關係由親密到誤解，再到惡化。國共兩黨領袖出現的矛盾，並未得到及時修復，為後來國共分裂埋下了伏筆。

作為二十世紀初期對中國歷史產生深刻影響的兩個重量級人物，陳獨秀與孫中山有很多共同點。他們都是具有很高文化修養的知識份子，善思考，重實幹，不畏艱難，勇往直前；他們都是堅定的愛國主義者，九死不悔探尋救國之路，經歷了從晚清體制內的改良者到武裝暴動推翻清政府的革命者的轉變，從最初的醉心英美民主制度，失望後不約而同選擇了蘇俄式的革命道路。他們性格直率，人格高尚，真誠待人，不耍手段，也絕不搞陰謀詭計。他們為共同的事業──國民革命──奮鬥過，但遺憾的是，他們未能成為同志，也未能成為朋友，更談不上深厚的情誼。究其原因，有意識形態的不同，也有性格和氣質的衝突。

他們在政治舞臺上相逢時，是一九二〇年三月三十一日的上海。

那天孫中山宴請陳獨秀，由胡漢民、廖仲凱、戴季陶作陪。同年十一月，孫、陳兩人又共同出席祝賀上海機器工會成立大會。一個月後，陳獨秀接受陳炯明的邀請到廣州——這是陳政治生涯中一次重大失誤。從年齡和革命資歷上講，陳幾乎是孫的晚輩，但作為新文化運動領袖的陳獨秀，積累的社會名望直線上升，至少不亞於此時尚無作為的孫中山，是有一定資格與孫中山平起平坐的。陳獨秀出任廣東教育委員會委員長，事實上成為孫中山下屬的下屬，與自己實際擁有的社會地位是不相稱的。沒有資料顯示孫中山在陳獨秀出任這一職務時的作用和態度，但有兩點負面影響是肯定的：一、陳獨秀第一次在廣東期間，與孫中山交往不多；在他離開廣東不到一年，陳炯明反叛孫中山，孫中山對陳獨秀的信任降低。時過境遷，我們已很難分清在國共合作初期，哪些是對共產黨組織的不信任，哪些是對陳獨秀個人的不信任。二、自己下屬的下屬成為共產黨總書記，使孫中山此後與陳獨秀打交道時，始終將陳看作下屬，並保持巨大而明顯的心理優勢。這是擁有豐富經歷、深刻思想、自視甚高、自尊心極強，此時又是中共領袖的陳獨秀不能接受的。

他們相識相交時都已大名鼎鼎，孫中山是百折不撓從職業政治家的道路上拚殺過來的，而陳獨秀是從新文化運動中思想革命的道路上單槍匹馬闖過來的。兩人都很自信，也都很自尊。彼此不以為然，又相互防範。

中共三大前後，以陳獨秀為首的中共領導人通過寫信、發表文章等方式，闡述對時局的看法。在中共看來，這是責任和建議。但在孫中山看來，這是批評和教訓，也是無組織、無紀律的行為。他不能接受年輕的共產黨人的「指手畫腳」。這年七月，孫中山甚至當著馬林的面暗示，如果陳獨秀不放棄公開批評的方式，他一定要將陳開除出黨。

一九二三年十月，國民政府聘請的蘇聯顧問鮑羅廷來到廣州。中共領導人曾經向孫中山提出過的意見，尤其是改組國民黨的黨建問題、習慣與軍閥為伍的軍事問題，經鮑羅廷提出後，孫中山欣然接受。但孫中山並不願意向共產黨人檢討自己，反而在年底裁撤宣傳委員會，變相免了陳獨秀的職。同樣意見和建議的兩種結果，刺痛了陳獨秀的心。他感到被輕視的羞辱，負氣回到上海，從此再也沒有到過廣州。

既然是國共合作，中共領袖陳獨秀理所當然應在國民政府和國民黨中央擔任要職，但孫中山似乎無意這麼做。在中共黨內討論陳獨秀是否作為國民黨中央候選人的問題時，已看透孫中山心思的鮑羅廷，認為這種做法太早，對工作沒有好處，陳本人也只好同意鮑的意見。陳獨秀不是一個看重官位的人，但即使個人修養再好，在這件事上的不愉快是完全可能的。

一九二四年一月，國民黨召開第一次全國代表大會，陳被孫中山指定為代表，但他拒不出席。中共黨內敢於公開批評國民黨、富有遠見、精明強幹的一流人才如陳獨秀、蔡和森、鄧中夏、張太雷、毛澤東等人，被排斥在國民黨中央領導之外。倒是較少棱角、相對溫和的譚平山擔任了組織部長，林祖涵擔任農民部長。

在中國共產黨眼中的國共合作，在國民黨眼裡只是中蘇合作。在這一次不平等的合作中，共產黨抱有的誠意和付出的熱情，遠遠超過國民黨。

中共中央總部駐地之爭

中國新文化運動的發源地在上海，後隨《新青年》一起在北京發揚光大。對馬克思主義和俄國革命的宣傳發源於北京，但在上海達到

高潮。中共中央總部設在上海，主要體現了陳獨秀的意思。

陳獨秀五四時期在北京入獄三個月，釋放後住所被監視，行動不自由。一九二〇年春，李大釗護送陳獨秀第二次離京，途中商議南北同時建黨。與陳獨秀一起來到上海的，還有新文化運動的主要刊物《新青年》。陳獨秀在創建中共上海發起組時，以法租界漁陽里為基地，開辦外國語學社，翻譯出版馬克思主義經典著作，創辦《共產黨》月刊，並以《新青年》為中共組織的機關刊物。共產國際代表馬林在上海提出正式成立中國共產黨時，陳獨秀在廣州表示，他正在申請一筆經費，不能去上海，指派陳公博、包惠僧參加。中共一大召開後，陳獨秀回上海主持中央工作，中共總部自然而然設在上海，沒有任何人提出異議。

一九二二年初，莫斯科召開遠東各國共產黨及革命團體代表大會，列寧提出中共的首要任務是進行反帝反封建的「國民革命」。要與孫中山領導的資產階級政黨合作，中共中央總部是否遷到廣州的問題便提了出來。共產國際遠東書記處一名叫利金的工作人員於一九二二年七月，在給共產國際的一份報告中首先提出。他在直率批評中共脫離群眾、活動範圍狹小之後，闡述了中共總部遷往廣州的理由：一、在南方有廣泛的合法條件；二、在廣州有最先進的工人運動；三、廣州是國民黨的活動中心。他懇切地寫道：「如果我們共產主義小組中央局遷到廣州，這種情況就有助於把國民革命運動的各種聯繫集中到中央局手中。在南方，中央局較容易把勞動群眾從國民黨的影響下吸引過來，使之接受共產主義小組的影響。」利金強調，這有利於使中共儘快走上更廣闊的活動舞臺。

利金的建議很快有了回應。一個月後，馬林帶著共產國際的秘令返回中國，維經斯基給中共中央寫信，建議將駐地遷往廣州，以便與國民黨保持緊密聯繫。但當時在共產國際和中共黨內，對國共合作還

有爭論，此事並不顯得急迫。

一九二三年一月，共產國際作出〈關於中國共產黨與國民黨關係問題的決議〉，確定了國共合作的基本準則。二月，共產黨單獨領導的京漢鐵路大罷工慘遭吳佩孚鎮壓。在這種情況下，陳獨秀進一步意識到建立統一戰線的重要性，儘管內心不情願，但還是下決心將中共中央機關遷往廣州，並在廣州召開中共三大。得知這一消息，維經斯基又致函陳獨秀，指出中共中央在孫中山眼皮底下生存可能出現的一些負面影響，其中最重要的一條是：國民黨很可能會認為他們給了共產黨好處，而要求共產黨無條件服從自己。

沒過多久，維經斯基的擔心就變成了事實。共產黨人直率尖銳而不乏真知灼見的批評，使孫中山怒不可遏，雙方矛盾迅速激化。年輕氣盛的共產黨人於七月十九日晚開會，決定中央機關一周內離開廣州，重回上海。中共中央以廣州為總部駐地，前後不到四個月。

後來的歷史證明，中共能否堅持自己的獨立性，與中央駐地在什麼地方沒有太大關係。倒是遠離國民革命中心，導致資訊溝通不暢，情況判斷不准，國共雙方嫌隙越來越深。國民革命就目標而言是一次流產的革命，共產國際和聯共中央的戰略失誤是主要原因，但中共中央和陳獨秀本人也應承擔部分責任，哪怕這是很小的一部分責任。

陳獨秀和中共中央機關回到上海，並未放棄對孫中山及國民黨的批評，中共事實上成為國民黨內部的反對派。但時間改變了一切，不論陳獨秀的個性，還是中共中央的獨立性，在莫斯科的強大壓力之下，都在一點一點喪失。對國共合作起過重要作用的馬林，在一九三五年痛苦地回憶道：共產黨人變成了國民黨領袖的工具，他們此後不過是為蔣介石作嫁衣裳。

沒有共產黨人在軍事、組織和群眾運動方面的辛勤工作，國民黨人很難脫胎換骨，贏得全國政權更是遙遙無期，孫中山也難以獲得目

前在歷史書上所擁有的聲望。這也是宋慶齡在蔣介石當政時期，對共產黨人感到愧疚，千方百計保護共產黨人，並最終留在大陸與共產黨人合作的關鍵之處。

隨著革命形勢的發展，中央駐地似乎仍然是一個問題，時有爭議。一九二六年一月，陳獨秀因病失蹤一個多月。中共中央機關為防不測，被迫遷往北京。在北京召開的二月特別會議上，有人主張中央留在北京，有人提出遷往廣州。此時陳獨秀露面了，他在三月二日接見蘇聯中央委員布勃諾夫時，針對布勃諾夫的疑問，闡述了中央駐地留在上海的理由：「第一，上海是無產階級的地區，這裡畢竟集中了中國無產階級的多數；第二，上海有著很好的通信聯絡設備。」最後他行使職權，不同意中央委員會遷出上海。

其中第二個理由並不成立。當時中共中央沒有電臺，全靠信函和當面彙報。上海與廣州之間，海路乘輪船約需五到七天；陸路因粵漢鐵路未全部通車，火車到韶關後轉乘汽車到株洲，再乘火車到武漢，最後從武漢乘船順江而下到上海，快則七天，慢則半月。所以中共中央要準確獲得廣州的情況，往往在一個月以後。指示到達廣州，情況又發生新的變化。

如果說孫中山在世時，陳獨秀不願去廣州是出於自尊，那麼這時他仍不願去，很可能是出於自傲——他沒有把汪精衛和蔣介石放在眼裡。當然也可能太迷信蘇聯，認為蔣、汪之輩絕不敢反蘇。一九二六年國民黨和共產黨之間發生的幾件大事，「三二〇」事件、整理黨務案、北伐勢如破竹……陳獨秀一件也沒有想到。事件發生後，他又根據一些不準確的資訊作出決策，應對失措。

我們必須提出一個假設：如果陳獨秀一直在廣州，以妥當方式與孫中山坦誠交換意見，或在孫中山逝世後，或者乘五卅運動聲威大振之時，他能率中央總部回到廣州，認真調查研究，作出正確的應對之

策，中共的遭遇會不會向好的方向發展呢？

無法挽回的悲劇

一九二三年七月，中共中央決定從廣州遷回上海，有點意氣用事。

即使兩個人在一起共事，尚難免發生磨擦，何況是在不同歷史背景下產生的有很大不同的兩個政黨！對於孫中山和國民黨存在的問題，共產黨人站在新的角度看，確實切中要害。但有些事，尤其是涉及孫中山本人的缺點，如軍事上喜歡依靠軍閥等，宜於私下溝通，而陳獨秀等人從喚醒民眾的思維出發，習慣於使用新文化運動時效果很好的方法，在報刊上公開予以披露、分析和抨擊。因政治與文化大不一樣，這種多少有點反客為主的方法，令孫中山感到突然、難堪，繼而懷疑共產黨人的居心。

孫中山早年深受民主、自由、平等、博愛等西方核心價值觀影響，因此歷經欺騙和挫折，常常被軍閥、政客所譏笑。後來他意識到在革命時期，必須加強個人權威，於是有了軍政、訓政、憲政三個政治階段，有了打手印、宣誓效忠等做法。對於國共合作，他有疑慮也有希望，喜怒表現在臉上。共產黨人的觀點，通過鮑羅廷換一種說法表達出來，孫中山就欣然採納，這件事從反面說明，正確的意見，只要通過正確的方式，孫中山是能夠接受的。孫中山與蔣介石相比，打交道的難度要小得多！

可惜陳獨秀未能從孫中山的曲折經歷，準確理解孫氏現在的風格和處境，予以體諒和適應。陳獨秀和孫中山有太多的一致，他若能以低姿態與之共事，雙方當受益無窮，並對孫中山逝世後的南方政局產生深遠影響。當然，陳獨秀不回廣東，也可能還有一個原因，他不願

讓人認為他只是鮑羅廷的一個附庸。陳獨秀與人交往時太剛，也太過自尊。作為中共總書記，個人缺點不能不說已是一個政治缺陷。

陳獨秀帶著中共總部回到上海，國共合作實際由中共廣東區委單獨支撐，中共雖然也在各地開展工作，但對國民黨上層影響相當有限。中共廣東區委書記先是周恩來，後是陳延年，他們更多通過鮑羅廷的指令進行活動。在大革命中，陳獨秀和中共中央的地位日益邊緣化。

鮑羅廷直接受命於史達林，代表蘇聯政府擔任國民政府的政治顧問。他不承擔發展中共組織的任務，理所當然將中共廣東區委作為「工具」使用。他實事求是肯定了「工具」的重要性能和作用。加倫（布留赫爾）是國民政府的軍事總顧問，具體負責黃埔軍校的課程設置、國民革命軍的組建和北伐戰略規劃的制訂。雖是軍人，加倫體現了大政治家才具有的綜合分析能力和準確的判斷力。一九二五年夏天，他根據對中國政治、經濟、軍事、文化、社會結構的仔細研究，得出結論：實行北伐以對付軍閥，不僅條件成熟，而且必定成功。蔣介石對加倫深信不疑，據此明確了自己的位置和應該採取的行動方案，力主北伐，終至成功。

從陳獨秀的經歷來看，雖然辛亥革命後三次擔任過安徽省都督府秘書長，擔任過北京大學文科學長和廣東省教育委員會委員長，在一系列文章中體現出擅長宏觀政治分析的特點，但實際政治鬥爭經驗有限，不善於在複雜多變的環境中謀生存、求發展，勇敢有餘而謀略不足。遠離廣州，也就失去了積累政治經驗的機會。作為一個革命領袖必須具有的軍事意識和軍事素質，也未能得到提高。

後來的歷史證明，大革命時期在廣州工作過的共產黨人，率先重視槍桿子的作用，一般都具有較高的軍事水準——蘇聯軍事顧問和黃埔軍校的存在，使廣州彌漫著濃厚的軍事氛圍，不同於舊軍閥統治的

軍事氛圍。而同一時期在其他地方工作的共產黨人，包括上海中共中央總部的人，大多成為文職幹部。很難想像，毛澤東如沒有大革命時期廣東的閱歷，他能形成「槍桿子裡面出政權」的思想？在革命年代，槍桿子就是實力，有槍桿子才有發言權。翻開陳獨秀大革命時期的文章，甚至一生的文章，極少從軍事方面考慮問題，即使有也是錯誤的，如北伐戰爭、蘇德戰爭、太平洋戰爭。

陳獨秀對國共合作的方式不滿，不願意與國民黨人打交道，但又必須按照莫斯科指示保持這種合作關係。孫中山逝世後，他終於找到機會，單獨領導了震驚中外的五卅運動，體現了中共的膽識和組織能力。但他滿足於造大聲勢，不能做到有理有節，見好就收。因失控而帶來的尷尬，在提高中共的政治影響之後，又極大了損傷了中共的威信。尤其是省港大罷工，竟然持續了十六個月之久，是靠國民政府的財政接濟才得以維持，已完全失去了意義。布勃諾夫一九二六年三月到廣州時，立刻看出了群眾對罷工的反感，建議馬上結束罷工。但直至維經斯基親自到廣州調查後，才於當年十月宣佈罷工結束。省港大罷工對當地社會生活產生嚴重的負面影響，成為國民黨攻擊共產黨的理由。

因不能及時掌握真實情況而失策的，還有中山艦事件。事件發生時，毛澤東、周恩來、陳延年、張太雷等主張堅決反擊，但當時正在廣州的布勃諾夫深知史達林的政策，採取大事化小的方式息事寧人。遠在上海的陳獨秀，是從報紙上得知事件的，但不知具體情況難以表態，後來又輕信布勃諾夫路過上海時輕描淡寫的談話。直至四月中旬，陳獨秀才得到廣東區委的詳細報告，對蔣介石的真實目的有了清醒認識，但木已成舟，無可挽回了。因此事無辜下臺的汪精衛得出結論：共產黨靠不住。

在莫斯科的支持和縱容下，蔣介石勢力不斷膨脹。而蔣介石似乎

早已看清蘇聯「騎牆」政策的真實用意，民族主義情緒日益強烈，加之他不願當傀儡，也許還為了自保，於是與蘇聯公開決裂。清黨，既是針對中共，更是針對蘇聯，甚至主要是針對蘇聯。在大革命時期，忠實執行蘇聯指令的中共，首當其衝成為犧牲品，包括陳獨秀兩個兒子在內的一批共產黨精英慘遭屠殺。史達林需要有人為他在中國的錯誤政策埋單，陳獨秀下臺即成定局。

蔣介石與蘇聯反目後，中共駐地從上海遷往武漢。寧漢合流，中共中央機關重新遷回上海。史達林在遠東政策徹底破產後，一方面加緊對外蒙古的控制建立緩衝帶，一方面扶持中共反對現政府的蘇維埃活動。

一九三三年，中共中央總部遷往江西瑞金時，陳獨秀已第四次入獄，開始長達五年的鐵窗生涯。他沒有因個人的不幸怨天尤人，而是從自己獨特的親身經歷出發，對史達林政治體制進行了深刻反思，達到同時代共產黨人絕無僅有的思想高度，在中國乃至世界政治思想史上留下光輝的一筆。

二〇一二年七月九日於成都

主要參考文獻

〔蘇〕卡爾圖諾娃　《加倫在中國》　北京市　中國社會科學出版社　1983年版。

〔蘇〕萊布索恩、希里尼亞　《共產國際政策的轉變》　求實出版社　1983年版

中央編譯局國際共運史研究所編　《共產國際大事記》　哈爾濱市　黑龍江人民出版社　1989年版

中共中央黨史研究室　《中國共產黨歷史》（第一卷）　北京市　中共黨史出版社　2002年版

朱　洪　《陳獨秀父子仨》　北京市　東方出版社　2005年版

任建樹主編　《陳獨秀著作選編》（6卷本）　上海市　上海人民出版社　2009年版

任建樹、唐寶林　《陳獨秀傳》（上、下冊）　上海市　上海人民出版社　1989年版

任建樹　《陳獨秀大傳》　上海市　上海人民出版社　2012年版

姚金果　《解密檔案中的陳獨秀》　北京市　東方出版社　2011年版

沈志華主編　《中蘇關係史綱》　北京市　社會科學文獻出版社　2011年版

周文琪　《史鏡——共產國際和中國共產黨》　北京市　中國社會科學出版社　2011年版

安慶篇三

民主的力量
——陳獨秀晚年民主思想的現實意義

　　從一九二七年七月在武漢被解除中共中央總書記職務，到一九四二年五月病逝於四川江津，是為陳獨秀晚年，包括了他從四十八歲到六十三歲的十五年間的全部個人歷史。

　　大革命失敗後共產黨人血流遍地，使他痛心疾首，深感愧疚；共產國際和史達林的諉過於人，使他悲憤交加，無處申冤。作為一個不知疲倦的思想者，他沒有自怨自艾悲歎於個人不幸，而是以積極的姿態上下求索，九死不悔。

　　他從檢討大革命失敗的原因出發，遭遇托派思想，組建了中國共產黨左派反對派，並因此於一九二九年被他親手創建的中共開除出黨。但托派組織的混亂、思想的極端，脫離現實的政治主張和永無休止的內部攻訐，使他深感失望。九一八事變後，面對日益加深的民族危機，他逐漸從組織上、思想上和感情上遠離托洛茨基主義。一九三八年十一月三日，他在致托洛茨基的信中寫道：「群眾眼中所看見的『托派』，不是抗日行動，而是在每期機關報上滿紙攻擊痛罵中國共產黨和國民黨的文章……這樣一個關門主義的極左派的小集團，當然沒有發展的希望；假使能夠發展，反而是中國革命運動的障礙。」他與托派徹底決裂了。

　　「行無愧怍心常坦，身處艱難氣若虹。」陳獨秀的最後三年，是在四川江津一個名叫鶴山坪的石牆院裡度過的。貧困、孤獨、疾病和

社會的誤解，沒有摧毀他的意志。這位五四新文化運動的領袖、中國
共產主義運動的老戰士，思想鋒芒不減當年。他不計較個人恩怨得
失，以民主和科學為思想武器，以深邃的眼光、開闊的胸襟，審視戰
火紛飛的現實世界，對社會主義的命運與人類的未來憂心忡忡。他提
出的許多見解，尤其是關於民主與專制的論述，成為超越時代的思想
豐碑，在蘇聯東歐巨變後突顯其價值，至今仍然具有重要的現實意
義。

民主政治是人類智慧的結晶

民主是陳獨秀一生的思想主線。早在新文化運動時期，陳獨秀就
高舉民主與科學大旗，以法國大革命思想為武器反對封建專制主義。
一九二〇年他接受馬克思主義思想和十月革命影響轉向共產主義，也
是基於對民主政治的終極追求。

不可否認的是：陳獨秀晚年的民主思想來源於五四時期，又超越
了五四時期；來源於個人的坎坷遭遇，又超越了個人的利益得失；源
自於對社會主義的擔憂，又超越了意識形態的局限——他以高屋建瓴
的氣勢，在歷史與現實之間尋找證據，表現了革命家的激情和思想家
的理性，體現了對人類命運的終極關懷。

一九三二年十月，陳獨秀因從事托派活動被捕入獄。入獄前後，
他站在托派立場，結合史達林體制，開始思考「民主與專制」問題。
這裡的「專制」，已不是傳統的封建主義，而是史達林體制，也包括
德、意的法西斯體制。一九三二年一月，他在《火花》上撰文稱：
「列寧同志在世所領導的布爾什維克黨自始至終黨內都有不同意見，
每次重要的不同意見之爭辯，都是向群眾公開的，從來不曾隱諱過，
黨員及群眾的政治鬥爭，就是這樣提高了，黨也就是這樣強大了。到

了史大林的領導才發明了嚴守秘密、封鎖加懲罰的制度代替了公開的爭辯……這正是我們左派反對派和史大林派爭辯的問題之一，也就是他們不敢容留我們在黨內的原因之一。」同年四月，在〈我們要怎樣的民主政治？〉一文中，他仍然嘲笑了歐美民主政治的虛偽，「為資本主義狹窄框子所限制的民主政治，實際上只能是利於富有階級少數人的民主政治。」在他看來，「『真』的民主政治，決不是和平方法可以實現的，只有工人貧農一切勞苦大眾以血來推翻整個的榨取階級，實現立法權力和執行權力合一化的蘇維埃政制，才能夠表現出來。這樣的民主政治，是民主主義在歷史上發展到今天的最新最高階段，也是一切政制在歷史上發展到今天的最高最後形式。在一定意義上，我們共產主義者，本是最忠誠最徹底的民主主義者。」在入獄後的一九三三年，仍稱「英、美、法、德等號稱為民主之國家，其實無一非資產階級專政，所謂民主更無不限於其階級之狹小範圍……」此時他對西方民主政治仍持否定態度。也就在這一年，他的思想開始轉變，逐漸肯定西方民主政治。

二十世紀三〇年代法西斯主義的形成，莫斯科審判大肆誅殺無辜，「二戰」初期史達林與希特勒的沆瀣一氣，促使陳獨秀重新思考民主與專制的問題。一九三八年初，王明、康生反復在中共主辦的報刊上誣衊陳獨秀為漢奸，陳懷疑是中共中央所為，在感情上斬斷了與中共的聯繫。江津歲月，他對西方民主政治制度給予了前所未有的高度評價。在放棄托洛茨基主義後，對民主政治的嚮往，成為他晚年最後的精神寄託。他對民主政治的論述，也達到了一生中最高的思想認識水準，這是他留給中國人民最寶貴的遺產。

陳獨秀晚年將法西斯主義與史達林主義相提並論，認為德、俄兩國包括意、日，「是現代的宗教法庭，此時人類若要前進，必須首先打倒這個比中世紀的宗教法庭還要黑暗的國社主義與格柏烏政治」。

直至蘇德戰爭爆發，才因其成為「敵人的敵人」轉而不主張蘇聯失敗。他著重分析了專制主義是民主主義的天敵，指出：「法西斯主義和格柏烏政治，是大眾的民主運動的制動機。」

他強調：「民主是自古代希臘、羅馬以至今天、明天、後天，每個時代被壓迫的大眾反抗少數特權的旗幟，並非僅僅是某一特殊時代歷史現象，並非僅僅是過了時的一定時代中資產階級統治形式，如果說民主主義已經過了時，一去不復回了，同時便可以說政治及國家也已過了時即已經死亡了。」在一九四〇年九月〈給西流的信〉中，他進一步發揮：「近代民主制的內容，比希臘、羅馬要豐富得多，實施的範圍也廣大得多……此制不盡為資產階級所歡迎，而是幾千萬民眾流血鬥爭了五六百年才實現的。」也就是說，民主政治是人類智慧的結晶；只要國家存在，民主政治永遠不會過時。陳獨秀理解的民主政治，包括言論、出版、集會、結社的自由，也包括多黨制、議會制和三權分立──都是人類智慧的結晶。

陳獨秀認為：「民主制是人類政治的極則，無論資產階級革命或無產階級革命，都不能鄙視它、厭棄它。」「應該把它當作戰鬥的目標。」但在論述無產階級民主時，陳獨秀陷入了矛盾之中。他從理性上認為，無產階級民主優越於資產階級民主。但現實世界中，尤其是史達林獨裁下的蘇聯，使他對無產階級（社會主義）民主產生懷疑，進而予以否定：「十月以來，拿『無產階級的民主』這一抽象的名詞做武器，來打毀資產階級的實際民主，才至有今天史達林統治的蘇聯。」他斷言：「俄國的蘇維埃制，比起資產階級的形式民主還不如。」六十年後回頭看，我們不得不肯定陳獨秀的遠見卓識。

陳獨秀一生對民主的追求孜孜不倦，但有兩個欠缺：

一是他從自己個人的角度來評價國家關係，未能從對內與對外關係的不同，來考察西方民主政治，往往把英美法的對外政策等同於對

內政策，也未能看到蘇聯與德國締結和約是一種策略。五四時期他就以英美的對外政策懷疑對內奉行的民主政策，認為資產階級民主存在虛偽性。其實從十七世紀資產階級登上歷史舞臺到二十一世紀初，英美法對外殖民主義加霸權主義，對內卻是貨真價實的民主主義。儘管這種民主制度並非完美，但總的來看，它確保了國家的強大和有序，具有可持續性，是迄今為止最好的政治制度。

二是沒有完全放棄以階級觀念來思考民主問題。晚年陳獨秀是在否定法西斯和史達林的專制主義時肯定西方民主政治的，但仍稱其為「資產階級民主制」。在他看來，還有更好的民主制——大眾民主，他始終沒有還原「民主」的真實內涵——民主是沒有階級性的。二十世紀的歷史告訴我們，如果在「民主」和「人性」、「道德」、「人道主義」、「現實主義」等基本概念前面，硬是要貼上意識形態的標籤，往往只能否定概念本身的內容，從而導致災難性的後果。對這個概念的解釋，最終也淪為一種詭辯和虛無。

在蘇聯的史達林時代，在中國的「文化大革命」中，在批判資產階級民主、資產階級人性論的同時，在「人民」和「革命」的旗幟下，製造了多少喪失基本人性、挑戰人類道德底線的悲劇事件啊！

民主主義最終必定戰勝專制主義

早在一九三八年四月，陳獨秀就預言了史達林體制和法西斯體制的必然滅亡。他在〈各黨派應如何鞏固團結？〉一文中，批判國民黨以一黨專政為抗戰之條件，指出：「如果別黨消滅了，科學地說來，任何一黨也就不能存在。」最後他斷言：「現在俄、德、意所謂一國一黨的辦法，即令政權的階級性不同，都不過是一種人為的外表形式；正因為這種人為的外表形式，招來國內不斷的紛爭，將來還會成

為崩潰之一因素。」他甚至很有針對性地說：「統一思想信仰根本是一個荒唐無稽的幻想。」

在同月發表的〈抗戰與建國〉中，他寫道：「自從十五六世紀一直到今天，本是資產階級性的民主革命時代，法西斯特運動，乃是這一整時代的大流將轉變為另一時代之暫時的逆流。」「民主任務不完成，即建立近代國家的根本問題不曾解決，在國內外任何事變中，這些國家根本問題都會很自然的提到全國人民的面前，成為革命的酵母。」

陳獨秀支持國民黨領導中國抗戰。但對國民黨的一黨專制，陳獨秀是不贊同的。他較早注意到，這種政治體制必然導致說假話。一九三八年七月，他發表〈說老實話〉一文，從科學的角度指出說假話的危害：「個人不說老實話，其事還小；政府使人不敢說老實話，事情已經夠嚴重了；社會不容許人說老實話，則更糟……說老實話的人一天多似一天，說老實話的風氣一天盛似一天，科學才會發達，政治才會清明，社會才會有生氣，如此國家，自然不會滅亡，即一時因戰敗而亡，其復興也可坐而待；否則只會有相反的結果！」

不僅如此，陳獨秀還精心列表，將英、美、法與德、意、蘇的政治體制，在五個方面作了詳細對比：

英、美、法政治制度	德、意、蘇政治制度
一、多黨競選議會，各黨發佈政綱，選民有投票權，開會允許爭論。	一、蘇維埃或國會選舉由政府黨指定，開會時只有舉手，沒有爭辯
二、無法院命令不能捕人殺人。	二、秘密政治員警可以任意捕人殺人。
三、反對黨甚至共產黨可以公開存在。	三、一國一黨不允許別黨存在。
四、思想、言論、出版相當自由。	四、思想、言論、出版絕對不自由。
五、罷工本身非犯罪行為。	五、絕對不許罷工，罷工即是犯罪。

　　陳獨秀有強烈的政治傾向性，在他的心目中，兩種不同政治制度的優劣，一目了然。他自信地說：「每個康民尼斯特看了這張表，還有臉咒罵資產階級的民主嗎？宗教式的迷信時代應當早點過去，大家醒醒罷！」

　　蘇德戰爭和太平洋戰爭爆發後，戰火蔓延世界各地。陳獨秀在一九四二年初寫的〈戰後世界大勢之輪廓〉、〈再論世界大勢〉兩篇文章中，雖然認為獨裁政府內部問題大於英美，但恐怕這些問題尚未暴露、激化就已取得勝利。果真如此，「民主自由將喪失數百年才能恢復」，因此他作了最壞、最悲觀的心理準備，旨在「以警策自己，以喚起別人，加緊事前之努力……在此次大戰中，徹底擊潰希特勒及其夥伴的勢力，而加以嚴厲的懲戒，以民主自由的巨大潮流，淹沒法西

斯蒂的思想，使之不能在戰後勝利的國家內，以別種形式而復甦，而蔓延，使人類近代的進化史，走向另一道路，即不經過整個黑暗時期的法西斯蒂專制，而由資產階級民主制，直接走到未來世界更擴大的民主制；即令不可能，也要用『知其不可為而為之』的精神，影響下一代青年，繼續努力縮短將來的法西斯蒂黑暗時期，至可能的極限。」

他堅信民主主義最終必然戰勝專制主義。他從支援民主政治和中國民族解放的雙重目的出發，主張英、美、蘇勝利，主張支持重慶蔣介石政府。他在給友人鄭學稼的信中坦言：「以中國抗戰計，當望希特勒失敗，特恐蘇聯不久即屈服。」「鄙意只有英美勝利，中國民族雖說不上解放，而政治經濟才有發展希望。」

即使如此，他始終不看好蘇聯。他在〈我的根本意見〉中說：「沒有事實使我們相信在人類自由之命運上，史大林黨徒好過希特勒黨徒。」

陳獨秀的預言在後來的歷史中得到了驗證。在第二次世界大戰中，德、意、日法西斯專制政權在取得短期勝利後，很快就灰飛煙滅。幾十年後，東歐和蘇聯一黨政制也紛紛垮臺。

曾經被全世界人民敬仰、並被寄予厚望的無產階級政權，有十多萬黨員時取得內戰勝利，一百多萬黨員時戰勝法西斯德國，一千多萬黨員時不見敵人一兵一卒便亡黨亡國。人們看到的事實是，專制政權下的受益者，最終成為這種體制的掘墓人。沒有民主制度作保障的政權，依靠武力獲得思想信仰的表面統一，可以短時期凝聚人心，甚至創造科技進步和經濟高速增長的奇蹟。但這種扼殺人類思想和個性的政治體制，終究缺乏活力，時間一久便會百弊叢生，民生艱難，沒有可持續性。在冷戰時期與民主制國家的競爭中，東歐和蘇聯不戰自潰。歷史告訴我們，一黨專政沒有出路，即使它的出發點是很好的，

即使它對未來的描繪是很美麗的，即使它宣稱自己的力量是無敵的，但始終無法解決內部的矛盾和問題。面對民主的力量，它不堪一擊！

反觀民主制國家，以法治國，政治穩定，經濟繁榮，文化豐富多彩。民主政治是集眾人智慧治理國家，提倡和尊重個人的創造力；而專制政治則依靠一個人或一個集團治理國家，要求人人成為「螺絲釘」，壓制個人創造力──其優劣一目了然。不是說民主制國家沒有問題，相比之下，在公開、公正、公平的法制社會，這些問題容易被發現，也容易重視和解決。

陳獨秀「根據蘇俄二十年來的經驗，沉思熟慮了六七年」，他晚年關於民主與專制政治的比較，具有不朽的思想價值。

社會主義應當比資本主義更民主

陳獨秀至死都是一個堅定的社會主義者。他認為「科學，近代民主，社會主義，乃是近代人類社會三大天才的發明。」他理解的「社會主義」，對外具有國際主義的正義和責任，對內具有比資本主義更深更廣的民主。

他對社會主義愛之愈深，對打著「社會主義」旗號，而行「專制主義」和「獨裁」之實的史達林體制，便恨之愈切。

從陳獨秀留下的文章來看，他對蘇聯的態度經歷了三個階段：一、從五四運動後的一九二〇年到接受托派思想被開除中共前，對蘇聯的道路和蘇共有關中國革命的指示深信不疑，即使大革命失敗遭受不公正待遇時，他也更多從中共和自己身上找原因。二、從一九二九年到一九三八年，接受托派影響，肯定列寧時期的蘇聯，懷疑、否定和批判史達林時期的蘇聯。三、從一九三八年他被誣為漢奸，加之蘇聯大清洗的刺激，他開始從蘇俄十月革命後的政治體制上尋找產生史

達林獨裁政治的原因，不承認蘇聯是社會主義國家。他認為蘇聯的社會主義是「小資產階級的社會主義」。一九三八年，他作了題為「資本主義在中國」的演講，肯定「無產階級的社會主義」，否定「小資產階級的社會主義」，認為「小資產階級的社會主義，在政治上是革命的而卻是幻想的，在經濟上則是反動的；資本主義比起小資產階級的社會主義還是革命的，因為前者使生產力提高，後者使生產力停滯甚至萎縮。」

一九四〇年九月，陳獨秀在〈給西流的信〉中，將他理想中的民主稱為「大眾民主」，是比資產階級民主還要徹底的民主。他寫道：「非大眾政權固然不能實現大眾民主；如果不實現大眾民主，則所謂大眾政權或無級獨裁，必然成為史大林式的極少數人的格柏烏政制，這是事勢所必然，並非史大林個人的心術特別壞些。」「以大眾民主代替資產階級的民主是進步的；以德、俄的獨裁代替英、法、美的民主，是退步的。」「如果說史大林的罪惡與無產階級獨裁制無關，即是說史大林的罪惡非由於十月以來蘇聯制度之違反了民主制之基本內容（這些違反民主的制度，並非創自史大林），而是由於史大林的個人心術特別壞，這完全是唯心派的見解⋯⋯試問史大林一切罪惡，那一樣不是憑藉著蘇聯自十月以來秘密的政治警察大權，黨外無黨，黨內無派，不容許思想、出版、罷工、選舉之自由，這一大串反民主的獨裁制而發生的呢？若不恢復這些民主制，繼史大林而起的，誰也不免是一個『專制魔王』，所以把蘇聯的一切壞事，都歸罪於史大林，而不推源於蘇聯獨裁制之不良，仿佛只要去掉史大林，蘇聯樣樣都是好的，這種迷信個人輕視制度的偏見，公平的政治家是不應該有的。蘇聯二十年的經驗，尤其是後十年的苦經驗，應該使我們反省。我們若不從制度上尋出缺點，得到教訓，只是閉起眼睛反對史大林，將永遠沒有覺悟，一個史大林倒了，會有無數史大林在俄國及別國產生出

來。在十月後的蘇俄，明明是獨裁制產生了史大林，而不是有了史大林才產生獨裁制，如果認為資產階級民主制已至其社會動力已經耗竭之時，不必為民主鬥爭，即等於說無產階級政權不需要民主，這一觀點將誤盡天下後世……不幸十月以來輕率的把民主制和資產階級統治一同推翻，以獨裁代替了民主，民主的基本內容被推翻，所謂『無產階級民主』、『大眾民主』只是一些無實際內容的空洞名詞，一種抵制資產階級民主的門面語而已。」

陳獨秀沒有料到的是，第二次世界大戰後蘇聯依靠武力鞏固了政權，一度成為與美國抗衡的超級大國，而且還支持建立了大大小小的十多個史達林式的社會主義政權。陳獨秀料到的是，包括蘇聯在內的這些政權中的絕大多數，都沒有支撐多久就滅亡了。

陳獨秀晚年反復提到「大眾民主」的概念，應該是他理解的真正的社會主義民主。綜合考察他晚年的思想，他只是反對虛偽而空洞的「無產階級民主」。他認為社會主義民主，應當比資本主義更民主。在〈我的根本意見〉中，他指出：「『無產階級民主』不是一個空洞名詞，其具體內容也和資產階級民主同樣要求一切公民都有集會、結社、言論、出版、罷工之自由。特別重要的是反對黨派之自由，沒有這些，議會或蘇維埃同樣一文不值……『無產階級革命』出現了，而沒有民主制做官僚制之消毒素，也只是世界上出現了一些史大林式的官僚政權，殘暴、貪污、虛偽、欺騙、腐化、墮落，決不能創造什麼社會主義……」在他逝世前十多天，他寫下最後一篇文章〈被壓迫民族之前途〉，沉痛宣告：「直至現在，人們對於蘇聯雖然內心還懷著若干希望，而在實際上只得認為它是世界列強之一而已，若要硬說她是社會主義國家，便未免糟塌社會主義了。」在他心目中，社會主義首先必須具有資產階級的民主，其次必須比資產階級（或資本主義）更民主，其範圍更廣更深。社會主義是很神聖的，容不得半點污穢的

東西。

對於史達林體制的危害，對社會主義民主的認識水準，陳獨秀超越了當時中共黨內瞿秋白、王明、張聞天、毛澤東、劉少奇等具有一定理論水準的革命家，與二十世紀六七〇年代陶里亞蒂、卡里略所宣導的歐洲共產主義思想，頗有相似之處。

同樣是堅決反對史達林獨裁體制，比陳獨秀晚三十多年的顧准，以二十世紀五、六〇年代中國現實為依據，更多注意到在追求理想的過程中，主觀願望與客觀效果的巨大差異。他從善意的願望出發推測他人：為了美好的終極目的而不擇手段，也可以幹出慘絕人寰、令人髮指的壞事，從而帶來全域性的災難後果，使終極目的成為根本不可能實現的空想。顧准關於民主與終極目的的論述，是對陳獨秀民主觀點的完善和補充。

作為思想家的陳獨秀，曾經是中共總書記，這實在是中國共產黨的光榮。儘管他的這些思想是在被中共開除出黨以後形成的，但仍然不影響他成為二十世紀中國最傑出的思想家。

民主統一中國

在陳獨秀晚年思想中，有一個至今仍未引起重視的觀點：民主統一中國。

自一八四〇年鴉片戰爭後，中國的主權與領土完整受到損害。甲午中日戰爭中，清政府一敗塗地，只求技術進步而不求政治改革的洋務運動宣告破產，從此中國要求進行政治體制改革的呼聲日益成為社會思想的主流。

陳獨秀在一九三七年出獄後不久，就發表〈為自由而戰〉等一系列文章，說明戊戌變法、辛亥革命、五四運動和北伐戰爭從本質上來

講既是「建國運動」，同時也是「民主運動」，目的在於建立一個「近代國家」。陳獨秀所謂的「近代國家」，包括先進的科學技術，更包括有利於資本主義經濟發展的經濟制度和政治制度。在〈資本主義在中國〉一文中，他強調社會主義必須在資本主義經濟充分發展的基礎上才能建成。他提出「無產階級的社會主義」和「小資產階級的社會主義」的概念，指出：

> 小資產階級的社會主義，在政治上是革命的而卻是幻想的，在經濟上則是反動的；資本主義比起小資產階級的社會主義還是革命的，因為前者使生產力增高，後者使生產力停滯甚至萎縮。

很顯然，他將史達林領導下的蘇聯，劃歸為「小資產階級的社會主義」。抗日戰爭的意義，也在於對外爭取民族獨立、對內爭取民主憲政。他認為：「根據歷史經驗，以前德意志、義大利、日本、土耳其都是經過對外戰勝，循外交途徑，收回了獨立國家所必須的主權，脫離了半獨立國的地位……如果中國抗日戰爭得到勝利，列強在中國的特權，或者不必經過戰爭，而循外交途徑，以次收回，這是一種比較溫和的辦法，然而絕對不是幻想。」他的預言在他死後一年變成現實，一九四三年，英美宣佈放棄在華一切特權。

到達武漢後，陳獨秀越來越深刻地認識到「思想自由」和「民主政治」在抗戰中的作用。他在武漢大學發表題為〈怎樣才能夠發動民眾〉的演講時指出：

> 人類是政治動物，人民必須有政治的自由才算是自由民，是國民，而不是被征服的奴隸，奴隸是不會愛國的……

他從「戰爭是政治的延續」的觀點出發，認為：「我們此次軍事

之失敗，實際是政治之失敗，不改進政治，民眾是不會自動參加抗戰的。」「人類的智慧必須不受束縛，才能自由發展，換言之，人類智慧之發展，和所獲得的自由程度成為正比例。」他在〈抗戰與建國〉一文中強調抗戰期間確立「立憲政治」的重要性：「處在全世界歷史發展之民主革命時代行將完結而東方猶未完結的中國，民主任務不完成，即建立近代國家的根本問題不曾解決。」在他看來，實行「民主政治」，是建立近代國家的基本標準，也是國家獲得獨立與統一的前提。

思想家是孤獨的。越是偉大的思想家越孤獨。陳獨秀「民主統一中國」這一獨特思想，在蔣介石和毛澤東時代連面世的機會都沒有，但其真知灼見在中國改革開放的歷史發展中得到驗證——鄧小平的「一國兩制」思想，本質上是以向民主制度的讓步，來處理香港、澳門這兩個歷史遺留問題，從而獲得國家的進一步統一。

但「一國兩制」的構想，無論是蔣經國的一黨執政時代，還是後來的多黨政治時代，在臺灣都受到冷遇。究其原因，一是歷史上的政權法統，二是現實中的民主政治，而生活水準的差距則成為幾乎可以忽略不計的因素。

抗戰勝利後，共產黨以軍事實力為後盾，成為中國僅次於國民黨的最重要的政治力量。如果沒有國際因素的影響和參與，中國是有可能實現民主政治的。毛澤東領導的中共，當時即以「反對一黨獨裁」、「實現民主政治」為口號，以建立「聯合政府」為目標，爭取國內各種政治力量的支持。毛澤東在接受美國記者福爾曼採訪時承諾：「中國共產黨不是蘇聯那樣的共產黨，不會模仿蘇聯的社會和政治制度。」中共在自身力量處於劣勢的情況下，要求實行民主政治的心情溢於言表。蔣介石預見到蘇美冷戰對峙的必然性，也看透了美國遏制共產主義的意圖和決心，拒絕民主，一九四九年兵敗後退守臺

灣。即將奪取全國政權的中共宣佈「一邊倒」，加入以蘇聯為首的社會主義陣營，全面照搬蘇聯的經濟制度和政治制度。中蘇交惡後，更將蘇聯的制度推向極端。

毛澤東時代的社會主義，為陳獨秀所反對的「小資產階級的社會主義」，作出了生動而詳細的註解。蔣介石和毛澤東都是「一個黨，一個領袖，一個主義」的忠實信徒，兩者的區別在於，蔣介石略顯溫和，毛澤東更加極端。故兩人在大陸執政時代給中國人民帶來的危害，毛澤東大於蔣介石。

美國對蔣介石的支持，並非對其一黨政治感興趣，而在於他是共產主義的敵人。朝鮮戰爭爆發後，美國「馬歇爾計畫」的適用範圍擴大到臺灣。加之臺灣在日據時代形成的經濟基礎，國民黨從大陸帶去大量黃金的支撐，以及「兩蔣時代」的勵精圖治，終於創造經濟奇跡，獲得「亞洲四小龍」之一的美譽。

二十世紀八〇年代末期，臺灣的專制政體已與經濟發展水準不相適應，一黨獨裁難以為繼。蔣經國臨終前順應民心開放黨禁，民進黨得以合法存在，並在李登輝時代形成對國民黨的政治攻勢。二〇〇〇年，國民黨在選舉中失去政權，卻實現了新生。二〇〇八年，國民黨在選舉中獲勝，重新成為執政黨。如今，民主政治已成為臺灣人民日常生活的一部分。

允許言論、出版、集會、結社自由，允許反對黨存在，允許民主選舉並坦然接受選舉結果，承認國家利益大於黨派利益——國民黨真正做到了還政於民，成為一個成熟的現代政黨。可以想像，如果國民黨像蘇聯、東歐各國那樣頑固不化，堅持一黨政治走到底，它很可能在臺灣政治生活中被邊緣化。當然臺灣民主政治也有缺點，也不完善，套用我們經常說的一句話：那是「發展中的問題」。

鄧小平開創的改革開放，本質上是一場深刻的洋務運動。在社會

經濟發展水準極低的條件下，中國大陸綜合國力得到空前提升，人民生活水準得到顯著改善。但經濟上的自由主義和政治上的專制主義，矛盾日益尖銳。幾乎每一個社會問題，最後都因政治體制的束縛而得不到根本解決。日積月累，消耗和葬送經濟發展成果的可能性越來越大。沒有反對黨的存在，沒有政治民主，祖國統一大業也因此受到影響。

實踐證明，「一國兩制」不被臺灣朝野接受，臺灣民眾對此也很冷淡。在全球一體化的大背景下，我們必須重新審視陳獨秀「民主統一中國」的觀點。

主要參考文獻

任建樹主編　《陳獨秀著作選編》（6卷本）　上海市　上海人民出版社　2009年版

任建樹、唐寶林　《陳獨秀傳》（上、下冊）　上海市　上海人民出版社　1989年版

任建樹　《陳獨秀大傳》　上海市　上海人民出版社　2012年版

祝　彥　《晚年陳獨秀》　北京市　人民出版社　2006年版

孫旭培　〈建國前黨對新聞自由的說法與做法〉　載《炎黃春秋》2012年第八期

鄭超麟　《鄭超麟回憶錄》　北京市　東方出版社　2004年版

羅銀勝編　《顧准——民主與“終極目的”》　北京市　中國青年出版社　1999年版

顧　准　陳敏之編　《顧准文集》　福州市　福建教育出版社　2010年版

安慶篇四

酒旗風暖少年狂
——陳獨秀的文學革命與毛澤東的革命文學

　　在中國革命史上，國民黨與共產黨是當然的主角。兩黨的區別，在於現實色彩濃厚的三民主義和理想色彩濃厚的共產主義。兩黨的成敗，與國際力量的角逐息息相關，也與自身的鬥爭策略和方式有關。其中重要一點，共產黨人更重視在作家、詩人和藝術家中尋找同情、理解和支持，並通過他們的作品影響普通民眾，從而將自己樹立為進步力量代表者的形象。中國新文學前三十年最有文學創作成就中的絕大多數人，成為共產黨革命年代的同盟者。他們在一九四九年為共產黨的勝利熱情歡呼，真誠迎接解放大軍的到來。

　　中共對文藝大軍的重視，無疑增強了戰勝國民黨的「軟實力」。而這一成就，得益於中共領袖陳獨秀和毛澤東，他們的文學觀和文學創作實績，深刻地影響了不同時代的熱血青年。胡耀邦曾經說，他是因看了一些左翼文學作品非常激動，然後才去參加紅軍的。

　　從一九二一年到一九四九年，中共實際掌權的領袖依次為陳獨秀、瞿秋白、李立三、王明、張聞天、毛澤東，他們都與文學結下不解之緣。瞿秋白具有典型的文人氣質，年輕時著有散文集《餓鄉紀程》、《赤都心史》，臨終前著有《多餘的話》，文字簡潔，感情內斂、含蓄；李立三學生時代酷愛古典詩詞，著有《芋園詩草》，在蘇聯生活期間還翻譯過西蒙諾夫的劇本和別爾文采夫的小說；王明喜歡古詩，也寫現代新詩，創作數量可觀，去世後經其夫人整理，出版了

四百九十六頁的《王明詩歌選集》；張聞天年輕時寫過文筆不錯的愛情小說；陳獨秀和毛澤東最為著名，不僅自己是詩詞、文章的高手，文學觀念更是開啟了一個新時代的大門，深刻影響了歷史的發展進程。

有意思的是，陳獨秀與毛澤東雖有多次交往，但並未留下談及文學問題的記載。他們之間的相互評價，局限於政治思想方面，而且極不對等。

一九一七年九月二十二日下午，毛澤東、蔡和森、張昆弟相聚嶽麓山暢談。張昆弟當天日記寫道：「毛君潤之云，現在國民性情，虛偽相崇，奴隸成性，思想狹隘……前之譚嗣同，今之陳獨秀，其人者，魄力頗雄大，誠非今日俗學所可比擬。」一九三六年，毛澤東在陝北接受斯諾採訪時說：「《新青年》是有名的新文化運動的雜誌，由陳獨秀主編。當我在師範學校做學生的時候，我就開始讀這一本雜誌。我特別愛好胡適、陳獨秀的文章。他們代替了梁啟超和康有為，一時成了我的模範。」一九四五年中共「七大」時，毛澤東仍舊充滿感情地說：「陳獨秀是五四時期的總司令，那時我們都是他的學生。」一九五三年，已取得全國政權的毛澤東路過安慶時，得知陳獨秀之子陳松年生活困難，特意囑咐地方政府給予關照。中共執政後，宣傳機器由於要突出毛澤東的偉大形象，淡化了包括陳獨秀在內的所有中共領袖的歷史地位──但這並沒有影響毛澤東對陳獨秀個人的尊重。毛澤東對陳獨秀的總體評價，是比較公正的。

相比之下，陳獨秀對毛澤東的評價偏低。毛澤東是經楊昌濟介紹，在一九一九年第一次進京時認識陳獨秀的，但陳獨秀對毛的印象似乎並不深。一九一九年底，毛澤東領導驅張運動的消息傳到北京，陳獨秀在一九二〇年一月五日發表了〈歡迎湖南人的精神〉一文予以鼓勵，認為湖南的精神，「在一班可愛可敬的青年身上復活了」，算

是對毛澤東的間接肯定和鼓勵。晚年陳獨秀有兩次談到毛澤東，一次是間接的，一次是直接的。一九四〇年六月十二日在致友人楊鵬升的信中說：「示函云：『恩來昨日來蓉』，不知是否周恩來，兄曾與彼接談否？此人比其他妄人稍通情理，然亦為群小劫持，不能自拔也。彼等對弟造謠誣衊，無所不至，真無理取鬧。」信中所稱之「群小」，當包括毛澤東。一九四二年一月六日，陳致信鄭學稼稱：「以前毛和我私人無惡感，我認為他是一個農運中實際工作人員，政治水準則甚低。」在毛澤東領導的中共已經擁有幾十萬軍隊割據一方時，陳的用辭頗有輕視之意。

沒有資料表明陳獨秀讀過斯諾的《西行漫記》，因此基本可以斷定，陳獨秀生前並不知道毛澤東曾有過的對他的高度評價。陳獨秀的私人信件，毛澤東在世時沒能公開發表，毛始終不知道自己在陳獨秀心目中的糟糕形象。

毛澤東清楚陳獨秀在新文化運動中主張的文學革命的深刻影響，但陳獨秀永遠不知道毛澤東主張的革命文學的嚴重後果。

文學觀念：放與收的不同效果

陳獨秀與毛澤東各有一篇闡述文學觀點的經典論文，分別被不同時代的現當代作家奉為文學創作的「聖經」，當不是浮誇之詞。

以〈文學革命論〉為標誌，陳獨秀開創的文學革命——即中國新文學，影響一九一七年至一九四九年的中國。就在如此短的時期內產生如此多的文學流派並形成廣泛社會影響而言，這是中國文學史上少有的百花齊放、碩果累累的時代。

以〈在延安文藝座談會上的講話〉一文發表為標誌，毛澤東宣導為工農兵服務的革命文學，影響先是生根在解放區，一九四九年至一

九七九年盛行於整個中國大陸地區。就文學在社會生活中的地位而言，這是中國文學史上罕見的百花凋零、乏善可陳的時代。

陳獨秀主張的文學革命，在舊派文化人的圍攻、謾罵中逐漸深入人心，終於勢不可當，在全國生根開花。毛澤東主張的革命文學，在進步文化人的一片叫好聲中開局，初期也有些許讓人耳目一新之作，但始終沒有大的成果，有才華的文學家要麼封筆，要麼坐牢，要麼自殺，要麼出賣良知粉飾現實。陳獨秀和毛澤東，作為中共最著名的領袖，作為文學天賦很高的文人，他們的文學主張，為什麼得到如此相反的結果？

梳理歷史，我們不得不承認：陳獨秀文學主張的核心是自由主義，而毛澤東文學主張的核心是功利主義。

清末民初，雖有黃遵憲「詩界革命」和梁啟超「小說革命」的呼籲，但文學落後於現實社會的變化是顯而易見的。一九一七年一月，《新青年》發表胡適應陳獨秀之邀撰寫的〈文學改良芻議〉，該文重點放在提倡「白話文」的語體革新方面。陳獨秀似嫌力度不夠，次月發表〈文學革命論〉，以堅決而自信的態度，高舉「文學革命」大旗，主張從內容到形式，向封建文學徹底宣戰：一、推倒雕琢的阿諛的貴族文學，建設平易的抒情的平民文學；二、推倒陳腐的鋪張的古典文學，建設新鮮的立誠的寫實文學；三、推倒迂晦的艱澀的山林文學，建設明瞭的通俗的社會文學。在文章的結尾處，陳獨秀帶著強烈的感情色彩高呼：「有不顧迂儒之毀譽，明目張膽以與十八妖魔宣戰者乎？予願拖四十二生之大炮，為之前驅。」之後他宣稱：「自由討論，固為學術發達之原則，獨至改良中國文學當以白話為文學正宗之說，其是非甚明，必不容反對者有討論之餘地，必以吾輩所主張者為絕對之是，而不容他人之匡正也。」用辭很有點霸氣。

與陳獨秀的霸氣和對古典文學幾乎全面否定的偏激情緒不同，毛

澤東的〈講話〉是經過廣泛的調查研究產生的。文章行文舒緩，用辭委婉，說理性更強，理論色彩更濃，論述的範圍更廣泛，對創作源泉、民族形式、民族風格、文學的普及與提高等某些問題的論述也有精闢之處。作為黨的領袖，毛澤東更多考慮的是黨如何領導文藝工作，因此在關鍵問題上，他同樣毫不含糊：「在現在世界上，一切文化或文學藝術都是屬於一定的階級，屬於一定的政治路線的。為藝術而藝術，超階級的藝術，實際上是不存在的。無產階級的文學藝術是無產階級整個革命事業的一部分，如同列寧所說，是整個革命機器中的『齒輪和螺絲釘』。」

　　從政治方面來考慮文化或文學問題，陳獨秀的〈文學革命論〉和毛澤東的〈在延安文藝座談會上的講話〉，表面上有一些相通之處，但實際上有本質區別：一、目的不同。一九一七年前後，北京政府具有形式上的民主政治制度，而思想文化領域則是一潭死水，陳獨秀主張的文學革命，目的在於打破封建禁錮和一切束縛，立足於「放」，屬於思想啟蒙和個性解放的一部分；而一九四二年，國共兩黨在抗戰期間的暫時聯合已出現裂痕，針對延安文藝界組織不純、作風不純、思想不純的自由主義現狀，毛澤東的〈講話〉旨在統一思想，立足於「收」，使文學事業成為無產階級革命事業的一部分。因此可以看出，陳獨秀文學革命的核心是自由主義，毛澤東革命文學的核心是功利主義。二、思想來源不同。陳獨秀的文學革命，以法國大革命建立的民主、科學、自由、平等、博愛的民主主義為思想武器，反對愚昧，推倒偶像；毛澤東的革命文學更像蘇俄初期的「拉普」，力圖創造純潔的「無產階級文學」，將三〇年代中國左翼文學與蘇聯社會主義現實主義的文學主張相結合，以更好地「為人民群眾服務」、「為工農兵服務」。三、為政治服務的方式不同。辛亥革命後，陳獨秀先後三次出任安徽省都督府秘書長，如果在官場按部就班走下去，也會

有一個不錯的前程。但他遠走上海創辦《青年雜誌》（《新青年》前身），意在改造國民劣根性以喚起民眾覺悟。由此可見，陳獨秀後來主張文學革命，是間接地為政治服務；而毛澤東強調文藝從屬於政治並為現實政治服務，同時以階級觀點出發，強調為無產階級政治服務，實際上是直接為政治服務。四、權力在文學中的作用不同。陳獨秀提倡文學革命，靠的是「有理走遍天下」，北京政府始終沒有支持，也沒有干涉。唯一的回應是一九二〇年發佈公告，宣佈全國統一使用白話文，顯示出難得的開明態度。毛澤東的無產階級革命文學，始終有權力或明或暗地介入，後來成為左右作家取捨的關鍵因素。

陳獨秀在文學革命中摧毀的各種束縛，毛澤東以「人民群眾」和「無產階級」的名義，重新建立了，甚至束縛得更緊。如果說毛澤東的〈講話〉促成了解放區文藝隊伍的思想統一，在奪取全國政權過程中起到了一定的積極作用，那麼新中國成立後沒能及時調整，清除其弊端，加之隨意解釋，於是成為極左思想的根源之一，最終釀成大禍。百花凋零倒在其次，造成的中華民族的心靈創傷至今未能修復。

毛澤東的〈講話〉，就文本而言瑕瑜相間，就實踐而言弊病叢生。在二十一世紀的今天，任何對〈講話〉高度評價的言行，只能理解為極左思潮的某種形式的復活，於國於民於文學，都是有害的。

面對魯迅的不同態度

毛澤東革命文學的功利主義，在尊崇魯迅這個問題上，表現得最為充分。

魯迅是二十世紀中國文學的泰山北斗，是苦難中國的靈魂和良心。其文學作品擁有的藝術水準、思想高度和戰鬥精神，至今沒有人能出其右。魯迅是陳獨秀文學革命的踐行者，是毛澤東樹立的無產階

級革命文學的一面旗幟。但陳獨秀和I毛澤東對魯迅的態度是不一樣的。

魯迅是在陳獨秀高舉「文學革命」的大旗後開始文學創作的。可能是性格氣質的緣故，兩人缺少深厚的私人友誼，屬於君子之交，相互的評價也很客觀公允。

一九三三年，魯迅在〈我怎麼做起小說來〉一文中回憶道：

> 這裡我必得紀念陳獨秀先生，他是催我做小說最著力的一個……是「遵命文學」。不過我所遵奉的，是那時革命的前驅者的命令，也是我自己願意遵奉的命令，決不是皇上的聖旨，也不是金圓和真的指揮刀。

當時左翼文學如火如荼，魯迅被奉為「盟主」。而陳獨秀作為托派領袖被捕，是中共的叛徒，又是南京國民政府的要犯，正羈押在獄中。魯迅卻不怕惹下來自國共兩黨的麻煩，仍然稱其為「革命的前驅者」，可見他是非常敬重陳獨秀的。他還以文學家的形象語言，描寫了陳獨秀的坦蕩人格：

> 假如將韜略比作一間倉庫罷，獨秀先生的是外面豎一面大旗，大書道「內皆武器，來者小心！」但那門卻開著的，裡面有幾枝槍，幾把刀，一目了然，用不著提防。

一九一七年的魯迅，任教育部職員，閒暇時默默研究石碑。已經大名鼎鼎的陳獨秀能夠「一回一回地催」，可謂三顧茅廬，慧眼識珠。在一定程度上，陳獨秀是胡適的「伯樂」，也是魯迅的「伯樂」。正是有了胡適和魯迅的參與，中國文學革命這臺大戲，才唱得有聲有色。

魯迅去世後，陳獨秀發表題為〈我對於魯迅之認識〉的懷念文章：

世之毀譽過當者，莫如對於魯迅先生……魯迅先生的短篇幽默
文章，在中國有空前的天才，思想也是前進的。在民國十六七
年，他還沒有接近政黨前，黨中一班無知妄人，把他罵得一文
不值，那時我曾為他打抱不平。後來他接近了政黨，同是那一
班無知妄人，忽然把他抬到三十三層天以上，仿佛魯迅從前是
個狗，後來是個神。我卻以為真實的魯迅並不是神，也不是
狗，而是個人，有文學天才的人。

　　陳獨秀對魯迅的評價非常中肯。他文中所指「政黨」者，即是中
國共產黨。陳獨秀自從接受馬克思主義和俄國革命影響後，忙於中共
事務，與魯迅少有來往。對中共的建立和國共合作的大革命，魯迅也
沒有發表太多評論。及至陳獨秀被撤銷中共總書記職務，後又被開除
出黨，魯迅才開始與瞿秋白、馮雪峰等中共人士交往，逐漸認識中共
的政治主張，同情中共的遭遇。其中原因，耐人尋味，值得研究。

　　紅軍在江西蘇區的活動情況，通過不同管道源源不斷傳遞給魯
迅。直到與魯迅交往密切、頗有文學天賦的左聯五烈士被殺，促使魯
迅思想日益左傾。他參與領導的中國左翼作家聯盟，與中共軍事活動
遙相呼應，令國民政府頭痛不已。其好友瞿秋白之死，使他感到震驚
和憤怒。參加過長征的馮雪峰，向他描述了紅軍的艱苦歷程，使他激
動和佩服。魯迅不是一個盲從的人，也不是一個功利主義者，何況當
時親近中共，也不能獲得任何好處。魯迅的選擇，當是真誠而無私
的，也是理性的。他臨終前那封著名的〈答托洛茨基主義者的信〉，
對陳獨秀參與其中的托派活動，給予了刻薄的回應，並對毛澤東領導
的中共，給予了高度讚美。據考證，此信並非魯迅手書，當時他已病
重不能言語，由馮雪峰起草後念給他聽，他點頭認可。

　　毛澤東沒有見過魯迅。他在廣州代理國民黨宣傳部長，在江西擔

任中華蘇維埃共和國主席，都沒有提到過魯迅。帶領幾千中央紅軍到陝北後，勢單力薄，生存艱難。毛澤東在「槍口對外，一致抗日」的口號下，一方面提筆給周圍的地方實力派如張學良、楊虎誠、閻錫山、傅作義等寫信，言辭懇切，以求諒解；另一方面派人遠赴上海，以求進步人士聲援，其中魯迅是一個重點。當時為了團結魯迅，在「兩個口號」的論爭中，毛澤東不便得罪其中一方，認為都有一定道理，但在自己的文章中明顯支持魯迅的「民族革命戰爭的大眾文學」。當時以毛澤東為首的中共，對魯迅的尊敬也是發自內心的。

魯迅去世前後，陳獨秀批評的「毀譽過當」的現象，才剛剛拉開序幕。陳獨秀不知道的是，在紀念魯迅逝世周年，他正忙於寫作那篇〈我對於魯迅之認識〉的同時，毛澤東也在延安窯洞裡狠讀魯迅的書。一九三七年十月十九日，毛澤東在陝北公學發表了後來題名為〈論魯迅〉的專題演講，給魯迅以很高的評價，稱他不僅是一個偉大的文學家，而且是一個民族解放的急先鋒：「他是中國的第一等聖人」、「是現代中國的聖人」。毛澤東極力將魯迅的名字同中國共產黨聯繫在一起：「他並不是共產黨組織中的一人，然而他的思想、行動、著作，都是馬克思主義的。他是黨外的布爾什維克。」在延安，中共創辦了魯迅圖書館、魯迅師範學校和魯迅藝術學院——毛努力將魯迅的名字，與中共領導的革命事業牢牢捆在一起。對中共而言，魯迅死得不早不晚，恰到好處。

在〈新民主主義論〉中，毛澤東稱：「魯迅是中國文化革命的主將，他不但是偉大的文學家，而且是偉大的思想家和偉大的革命家」；「魯迅是在文化戰線上，代表全民族的大多數，向著敵人衝鋒陷陣的最正確、最勇敢、最堅決、最忠實、最熱忱的空前的民族英雄。魯迅的方向，就是中華民族新文化的方向」。在〈講話〉中，毛澤東發出號召：

> 一切共產黨員，一切革命家，一切革命的文藝工作者，都應該
> 學魯迅的榜樣，做無產階級和人民大眾的「牛」，鞠躬盡瘁，
> 死而後已。

樹起一面旗，走活一盤棋。毛澤東不愧是一個天才的戰略家，他高舉魯迅大旗，團結、吸引了大批熱血青年和知識份子，在奪取全國政權過程中起到了不可低估的重要作用。

新中國成立後，雖然與魯迅晚年交往最親密的幾個朋友如胡風、馮雪峰、蕭軍、丁玲等，大多數被打入冷宮，但魯迅本人的地位和形象，依然神聖不可侵犯。據說有人曾經問毛澤東，如果魯迅活到一九五七年該當如何，毛澤東輕鬆地用手在脖子邊比劃了一下，做了個「殺」的動作。如果此事確實，又該如何理解毛澤東對魯迅的尊崇？

毛澤東親自導演的「神化魯迅」的大戲，上演了將近半個世紀才落幕。走下「神壇」的毛澤東，已沒有他在世時被宣傳的那麼偉人。走下「神壇」的魯迅，依然偉大。

寫詩填詞，陳獨秀略輸文采

陳獨秀和毛澤東都是具有詩人氣質的政治領袖。政治活動是他們的主業，詩詞寫作是他們的副業。詩言志，讀他們各自的詩詞，我們能夠更加完整地看到在政治論文中不能體現的個人情懷。就政治家而言，陳獨秀失敗了，毛澤東成功了。就文論家而言，陳獨秀成功了，毛澤東失敗了。在評論他們的詩詞寫作時，不能因為他們的政治或文學主張給中國歷史造成不同影響，實行雙重標準——就詩詞寫作而言，他們都成功了。他們無意間進行的文學創作，都已成為真正的藝術精品。他們是二十世紀中國舊體詩詞寫作的傑出代表，堪稱大家。

　　遺憾的是，他們並未欣賞到對方的作品。陳獨秀逝世時，毛澤東已寫出能夠體現其風格的代表作，但沒有公開發表。陳獨秀即使聽說過，也可能因為系「無知妄人」之作不屑於讀。一九四九年後，毛澤東倒是有可能讀到陳獨秀的詩作。但他「日理萬機」，哪有閒功夫去讀一個在黨內犯過「嚴重錯誤」、政治和個人生活失敗得一塌糊塗的人的文字呢！況且他老人家不發話點頭，誰敢冒著巨大的政治風險，去整理、編輯、出版一個右傾機會主義頭子、托陳反黨分子的著作？

　　巧合的是，陳獨秀的舊詩寫作風格，與毛澤東有驚人的相似。毛澤東評論自己的詩詞「偏重豪放，不廢婉約」。用在陳獨秀的詩作上，也是非常恰當的。

　　可能是不願受過多的約束，陳獨秀沒有填過詞。抒情詩以七言為主，敘事詩以五言為主，現存一百四十多首，主要集中在兩個時期：早年一九〇三年至一九一五年有六十五首，晚年一九三二年至一九四二年有七十二首。也就是說，在他從事新文化運動和領導中共革命活動時，基本不寫詩。

　　早在二十世紀三〇年代中葉，著名學者王森然就在《近代二十家評傳》一書中盛讚陳詩：「雅潔豪放，均正宗也……二十年前，亦中國最有名之詩人也。」他讚揚的，是陳獨秀一九一五年前的詩。

　　陳氏現在最早的詩是一九〇三年的〈哭汪希顏〉，內有：「英雄第一傷心事，不赴沙場為國亡。」同年所作〈題西鄉南洲遊獵圖〉，內有：「男子立身唯一劍，不知事敗與功成。」一九一四年發表了〈靈隱寺前〉：

　　　垂柳飛花村路香，酒旗風暖少年狂。
　　　橋頭日繫青驄馬，惆悵當年蕭九娘。

　　不久他又有〈夜雨狂歌答沈二〉一詩，表達了「筆底寒潮撼星

斗，感君意氣進君酒」的豪邁志向。兩個月後，他順大江東下，到上海創辦了《青年雜誌》。他以那支千鈞之筆，喚醒了一個沉睡的民族。

他的這些詩作，狂妄與豪放融為一體，健康向上，瀟灑自如，拒絕平庸，充滿一往無前的英雄氣慨和無所畏懼的犧牲精神。這種風格，貫穿陳獨秀一生。即使在獄中，他仍以「行無愧怍心常坦，身處艱難氣若虹」自勉。晚年的〈與孝遠兄同寓江津出紙索書輒賦一絕〉，仍是老當益壯：

> 何處鄉關感亂離，蜀江如幾好棲遲。
> 相逢鬚髮垂垂老，且喜疏狂性未移。

二十世紀初，陳獨秀與蘇曼殊交往深厚，友情非同尋常，彼此唱和，留下佳話。比如：

> 雙舒玉笋輕挑撥，鳥啄風鈴珠碎鳴。
> 一柱一弦親手撫，化身願作樂中箏。

又如：

> 湘娥鼓瑟靈均泫，才子佳人共一魂。
> 誓忍悲酸爭萬劫，青衫不見有啼痕。

他與這位著名情僧惺惺相惜，感人至深。與髮妻高曉嵐之妹高君曼相戀後，陳獨秀隱居杭州西湖，抒寫了著名的〈感懷二十首〉。其二云：

> 春日二三月，百草恣妍美。瘦馬仰天鳴，壯心殊未已。
> 日望蒼梧雲，夜夢湘江水。曉鏡覽朱顏，憂傷自此始。

　　以婉約為主，不失豪氣。值得注意的是，陳獨秀有兩首悼亡的五言長詩，一唱三歎，文字樸實，感情真摯，催人淚下。一是一九〇九年他大哥去世，他寫了長達六百八十字的〈述哀〉。二是晚年寓居江津時寫的〈挽大姊〉，這個時候陳獨秀貧病交加，加之親友相繼離世，文章仍然的激情四射，婉約詩風中已略顯淒涼和孤獨，有一點英雄遲暮的無可奈何，但絕不頹廢消極。比如：

> 除卻文章無嗜好，世無朋友更淒涼。
> 詩人枉向汨羅去，不及劉伶老醉鄉。

　　通覽陳獨秀舊體詩，將唐詩與宋詩結合，以文為詩的特點很明顯。其政治傾向強烈的〈金粉淚〉五十六首和晚年的〈告少年〉，敘事生硬，多說理議論。以史料論，尚有價值。以藝術論，不算好詩。

　　毛澤東的詩詞只有五十多首，數量不及陳獨秀一半，但品質高於陳獨秀。柳亞子評說，毛澤東詩詞水準在蘇軾、辛棄疾之上，絕非完全沒有道理。

　　與陳獨秀舊體詩比較，毛澤東詩詞更具獨創性。一、善於在廣闊的時間和空間裡縱橫馳騁，大氣磅礴，雄奇瑰麗，奪人心魄。這一點以〈沁園春・雪〉最為典型，先是描繪遼闊的北國風光，隨即由空間轉向時間，引出歷代英雄豪傑，落腳點為「俱往矣，數風流人物，還看今朝」。其傲視群雄的氣魄，前無古人，後無來者。毛澤東絕大多數詩詞，如〈沁園春・長沙〉、〈西江月・井岡山〉、〈減字木蘭花・廣昌路上〉等，都有特定的地域，特定的時間和事件，使讀者感到親切、自然，同時增加了對祖國山河的熱愛。二、意象生動鮮明，富於動感，讀之如身臨其境，神為之牽，心隨之跳。如〈憶秦娥・婁山關〉：

西風烈，長空雁叫霜晨月。霜晨月，馬蹄聲碎，喇叭聲咽。雄關漫道真如鐵，而今邁步從頭越。從頭越，蒼山如海，殘陽如血。

其他如〈十六字令三首〉、〈清平樂・六盤山〉等很多首詩詞，都具有這一特點。三、文字樸實，少有典故，通俗易懂。基本不用注釋，就可明白詩詞要表達的意思。

毛澤東的詩詞成就，集中在一九四九年前，幾乎篇篇可圈可點。新中國成立後他好像在踐行自己宣導的革命文學，品質下降。僅有〈浪淘沙・北戴河〉、〈卜算子・詠梅〉兩詞可與前期相提並論，其餘篇什政治色彩太濃，多粉飾現實、顛倒是非之作，藝術也嫌粗糙。陳獨秀最差的詩作，也不至於如此——但這並不影響毛澤東詩詞在中國文學史上獨有的地位。

毛澤東詩詞的魅力，贏得了廣泛的好評和尊重，樹立了他的個人形象，增強了他對文學藝術問題的話語權。新中國成立後的政治運動多與文學藝術問題有關，他都以文學權威的內行口氣，斬釘截鐵，說一不二。很多知識份子，尤其是文學藝術家，對老人家的詩詞頂禮膜拜。毛澤東一發話，他們慌忙檢討自己，然後迅速組織或投入對被批判者的圍攻，只有極個別有見識的智者能夠例外。眾人的應聲而起，不完全是政治壓力或政治投機，很多是出於對毛澤東的迷信和盲從——當然這並非毛澤東詩詞本身的過錯。

有人以毛澤東晚年的錯誤而否定其詩詞的價值，因人廢詩，態度不可取。

文章學識，毛澤東遠遜風騷

　　舊體詩詞寫作，陳獨秀輸給了毛澤東，但他在文章學識方面贏了回來。陳獨秀在文章中體現出來的水準，無論是雄偉氣勢、反思精神、獨到見解、理論深度、知識功底、學術水準，還是文體創新、行文藝術、文字精準，毛澤東都望塵莫及，遠遜風騷。

　　客觀而言，毛澤東文章不差，這一點就連胡適也不否認。但與陳獨秀的文章一比，差距就出來了，這一點也不容置疑。

　　比較兩人文章的前提，必須是本人親筆撰寫的作品。陳獨秀終其一生，從來沒有讓人代筆。毛澤東長征之前的文章，基本可以確認是他親自捉筆。到延安後，毛澤東逐漸建立了自己的秘書班子，有的文章如〈中國革命戰爭的戰略問題〉、〈矛盾論〉、〈實踐論〉、〈新民主主義論〉、〈論聯合政府〉、〈論十大關係〉等，毛澤東部分執筆，其餘小部分或大部分，由秘書根據其意圖和思想執筆而成，因為以毛澤東名義發表，均算毛的作品。新中國成立後，以社論、消息等形式發表的新聞稿，經考證出於毛澤東手筆的文章，如〈這是為什麼？〉、〈與蘇共九論〉、〈炮打司令部〉等文章，均算毛的作品。

　　四〇年代毛澤東在公開場合還算是一個謙遜之人，自稱是陳獨秀的「學生」。此言屬實，指思想啟蒙和文章寫作兩方面。陳獨秀一九一五年創辦《新青年》後，經楊昌濟推薦，正在湖南第一師範學校讀書的毛澤東成了忠實讀者。一九一七年四月，毛澤東署名「二十八畫生」，在《新青年》發表了他的第一篇文章〈體育之研究〉。能在全國最有名望的刊物上看到自己的文字，可以推想毛的興奮之情，和他受到的極大的鼓舞。文章的發表，說明陳對毛文是欣賞的。陳、毛第一次間接交往，是相互認同，對此毛也記得清清楚楚。一九一八年八月，毛澤東為留法勤工儉學之事第一次到北京，在北京大學任職時，

見到了一些「很忙的大人物」，其中包括陳獨秀。毛澤東試圖與這些「大人物」攀談，但很多時候受到冷遇，這讓毛澤東一生都不愉快，間接影響了新中國成立後黨對知識份子的政策。只要不威脅到他的權力，毛澤東一生恩怨分明，其後對陳的態度，似乎證明當時陳對毛是以禮相待的。陳不在毛澤東反感之列。

毛澤東第一次在京期間，陳獨秀創辦了《每週評論》。半年後，回到湖南的毛澤東創辦了《湘江評論》，他熱情洋溢，總共寫了四十一篇各類文章。後來毛澤東的秘書李銳談到這些文章時說：「有如《每週評論》上陳獨秀等所寫『隨感錄』、『雜評』與『放言』，則針對社會上種種守舊現象、奇談怪論，予以揭發諷刺，文筆辛辣……」這裡透露出一個重要資訊：《湘江評論》的醞釀、創辦、取名，文章的內容、體裁和風格，毛澤東都在學習和借鑒陳獨秀的《每週評論》。陳獨秀與早年的毛澤東，沒有師生之名，但有師生之實。

陳獨秀之文，其來源先是《文選》，後是康梁，吸取章太炎所長，形成自己的風格，自始至終無太大變化。毛澤東之文，來源要複雜些，先是桐城散文，後是康梁，再是陳獨秀、胡適，延安時期受王明文風影響——前後變化很大。

總的來說，毛文在五四期間受陳獨秀影響較重，行文乾淨俐落，直奔主題，富於激情，充滿反專制、反暴政的愛國情懷和民主精神。後來接受胡適影響，勤於研究問題，行文從容雅潔，注重說理，白話文水準頗見功力。〈中國社會各階級的分析〉、〈湖南農民運動考察報告〉、〈井岡山的鬥爭〉等文章，雖然缺乏資料支撐顯得不夠嚴謹，結論是否正確也還需要研究，但語言生動，可讀性很強，有利於實際鬥爭。〈星星之火，可以燎原〉、〈中國的紅色政權為什麼能夠存在〉等文章，緊扣一個主題，說理充分，方向明確，鼓舞鬥志。延安時期的一系列文章，拋開理論水準不談，政治韜略很高，現實意義

重大，絕非平庸之作。關於新民主主義革命和聯合政府的論述，至今仍然備受關注。

在中共黨內，王明是毛澤東的政敵，是「正宗馬列主義」的代表，也是當時黨內最著名的「理論家」。王明文章優點在於朝氣蓬勃、鏗鏘有力、戰鬥性強、殺傷力大，缺點在於行文拖遝、內斂不足、說理不夠、以勢壓人、強詞奪理。新中國成立後，毛澤東的私人信件仍保持桐城文風，簡潔有禮，溫文爾雅。但公開發表的文章，逐漸將王明文風推向極端，捕風捉影、誇大其辭、無限上綱、危言聳聽、顛倒是非、肆意挑撥的現象日益嚴重。直至無理取鬧，有如潑婦罵街。中國之所謂「文革遺風」，毛澤東實為始作俑者。毛澤東晚年文章，真如陳獨秀指斥的，成為「無知妄人」之作。

陳獨秀之政論文章，始終洋溢著生命不息、戰鬥不止的陽剛之氣。他看重友情，精誠愛國，最可貴的是探索、反思精神。他對現實政治鬥爭的方式和策略有一些錯誤論斷，有一些書生氣，但他心胸坦蕩，知錯就改。他肯定無產階級革命，珍惜社會主義名譽，至死是一個堅定的社會主義者。晚年他對於民主與專制的論述振聾發聵，對史達林體制的深刻分析和尖銳批判，體現出超越時代的理論功底和全球眼光，是國際共產主義運動中不可多得的智者。其淵博的知識和深邃的思想，毛澤東不及。

陳獨秀之敘事文章，一部兩萬言的《實庵自傳》，乃敘事文學之瑰寶。語言自然流暢，人物形象生動鮮明，世態人情細緻入微。既是風俗畫，又是好故事。如果專心致志，他肯定可以成為一個傑出的小說家。其敘事的功力和濃郁的感情，毛澤東遠不及。

陳獨秀之學術文章，有《連語類編》和《小學識字教本》兩部語言學專著，填補中國這方面的學術空白。在他死後幾十年，獲得海內外學術界一致的高度評價。還有〈老子考略〉、〈孔子與中國〉等一

些學術論文，見解獨特。其考據的精細和治學的嚴謹，毛澤東遠遠不及。

　　至於作為文論家的水準和影響，已如前言，不再復述。最後還有一個與本文無關的話題：陳獨秀和毛澤東都是書法大家。前者更有學究氣，後者更有江湖氣。

二〇一二年九月五日於成都

主要參考文獻

公　木　《毛澤東詩詞鑒賞》　長春市　長春出版社　1994年版

李　銳　《早年毛澤東》　瀋陽市　遼寧人民出版社　1993年版

毛澤東　《毛澤東選集》（一卷本）　北京市　人民出版社　1964年
　　　　版

石鍾揚　《文人陳獨秀》　西安市　陝西人民出版社　2005年版

任建樹主編　《陳獨秀著作選編》（6卷本）　上海市　上海人民出
　　　　版社　2009年版

任建樹　《陳獨秀大傳》　上海市　上海人民出版社　2012年版

宋貴侖　《毛澤東與中國文藝》　北京市　人民文學出版社　1993年
　　　　版

周國全、郭德宏、李明三　《王明評傳》　合肥市　安徽人民出版社
　　　　1989年版

程中原　《張聞天傳》　北京市　當代中國出版社　1993年版

陳　晉　《毛澤東與文藝傳統》　北京市　中央文獻出版社　1992年
　　　　版

陳獨秀　《陳獨秀詩存》　合肥市　安徽教育出版社　2006年版

唐純民　《李立三全傳》　合肥市　安徽人民出版社　2003年版

瞿秋白　《瞿秋白遊記——餓鄉紀程・赤都心史》　北京市　東方出
　　　　版社　2007年版

龔育之主編　《毛澤東論文藝》（增訂本）　北京市　人民文學出版
　　　　社　1992年版

樅陽篇五

從章伯鈞的「政治設計院」說起

「政治設計院」的提出及後果

　　一九五六年，即將迎來七十大壽的蔣介石突發奇想，要過一個別具一格的生日。臺灣《中央日報》秉承其意，發了一則消息：婉謝祝壽，希望海內外同胞就政事直抒所見，以備政府分緩急採擇實施。《自由中國》雜誌社社長雷震經過精心策劃，推出「祝壽專號」，邀請各界人士，撰寫了十六篇稿件，就言論自由、司法獨立、政黨監督、總統任期、軍隊國家化等尖銳問題暢所欲言，在臺灣社會引起巨大反響，前後再版十三次，各界民眾爭相傳閱。「祝壽專號」令蔣介石頭痛不已，但又不好公開發作。

　　這種依照一代明君唐太宗求諫納言而引起的政治風波，臺灣尚未完全平息，大陸又拉開帷幕。一九五七年四月，毛澤東決定開展黨內整風，集中檢查各級幹部是否將人民內部矛盾當成敵我矛盾。他要求民主黨派和無黨派人士「知無不言，言無不盡」，給中共提意見，並承諾「言者無罪，聞者足戒」。為此中共中央統戰部召開了十三次座談會，鼓勵大家暢所欲言。在一片「真誠」的氛圍下，一些民主人士感到難以繼續保持沉默，於是提出中肯的意見，陳銘樞批評共產黨「好大喜功」，張奚若批評驕傲自滿，劉斐提出「黨政分開」，陳叔通質疑毛澤東「矯枉必須過正」的說法，章伯鈞提出「政治設計院」，羅隆基重提保障人權……在大鳴、大放、大字報的浪潮中，全

國各地以民主黨派為主體，包括部分中共黨員在內的知識份子，提出一些在中共最高領導人看來是「猖狂進攻」的尖銳意見。毛澤東經過精心策劃，然後一聲令下，五十五萬右派分子應聲落網。全國政協副主席、農工民主黨主席、交通部部長章伯鈞不幸成為名列第一的大右派。

章伯鈞，一八九五年出生於安徽桐城縣後方鄉育才村（今屬於樅陽縣）一個書香門第家庭。一九二二年九月去德國留學。同船結識朱德、孫炳文，後來在他們的影響下加入中國共產黨。一九二五年，鄧演達到柏林，認識章伯鈞，兩人一起探討如何改造中國社會，從此結下深厚友情。一九二六年回國後，在鄧演達屬下任職。參加南昌起義後，因其任總政治部副主任而受到處分。章伯鈞決定退出共產黨，追隨鄧演達、譚平山，創建中華革命黨和中國國民黨臨時行動委員會（第三黨），負責宣傳事務。鄧演達的反蔣軍事行動因其被捕犧牲而失敗後，章伯鈞奔走於各種政治力量之間，但始終持親共反蔣的政治態度。抗戰時作為第三黨唯一的國民參政員，呼籲結束黨治，建立聯合政府，促進民主憲政運動，事實上與中共保持政治互動。

一九四四年民主同盟成立時，章伯鈞任中央常委。一九四五年毛澤東重慶談判期間，民盟召開「一大」，其政治報告介紹和比較了世界各國的民主制度，主張在吸取英美政治民主和蘇聯經濟民主成功經驗的基礎上，結合中國的歷史經驗和實際情況，建立適合中國國情的民主制度。總的來看，作為民盟重要領導人和中國農工民主黨創始人，章伯鈞始終對共產黨友好，反對一黨獨裁、要求民主憲政的政治態度非常鮮明。新中國成立後，章伯鈞成為首任交通部長。一九五四年，當選第二屆全國政協副主席。

雖然這期間章伯鈞對中共若干重大決策如抗美援朝、「三反」「五反」、工商業社會主義改造予以「熱烈擁護」，但內心的困惑還

是有的。建國開始，所有民主黨派的組織都被壓縮，黨員發展受到嚴格控制，一些中共黨員也以「摻沙子」方式進入民主黨派，甚至還經歷了「放馬南山」、「光榮結束」的危險。他所領導的農工民主黨人數從一九四九年十月的兩萬多人下降到一九五二年十一月的一千六百八十五人，而且只能在醫藥衛生界的狹小空間進行活動⋯⋯這一切，無疑與他當初追求民主憲政的理想相去甚遠。「長期共存」實現了，但「互相監督」談不上。

章伯鈞是在五月十五日毛澤東寫下〈事情正在起變化〉一文、採取「引蛇出洞」策略之後出事的，顯然他對毛澤東決心反擊右派進攻的最新態度一無所知。五月二十一日下午，他在中共中央統戰部座談會發言說：

> 現在工業方面有許多設計院，可是政治上的許多實施就沒有一個設計院，我看政協、人大、民主黨派、人民團體，應該是政治上的四個設計院。應該多發揮這些設計院的作用。一些政治上的基本建設，要事先交他們討論，三個臭皮匠，合成一個諸葛亮。制度是可以補充的，因為大家都是走社會主義的路，這樣搞，民主生活的內容就會豐富起來。政協、人大不要等到期滿，就可以進行明年所要做的大事的討論。不能全靠視察制度，對國家準備做的事情要有經常的討論。

或許受到章伯鈞發言的激勵，第二天，羅隆基也在統戰部座談會上發言。他從維護人權的角度，認為新中國成立後多次政治運動打擊面過大，造成一些偏差，主張成立「平反委員會」予以甄別，對確實搞錯了的，應該平反。

章伯鈞所言，即使用當時的觀點來看，也是充滿善意的，幾十年後再看，只能算不痛不癢的蜻蜓點水，而毛澤東卻認為是惡意的。他

親自撰寫〈文匯報的資產階級方向應當批判〉為章伯鈞定性：「整個春季，中國天空上突然黑雲亂翻，其源蓋出於章羅同盟。」「這種人不但有言論，而且有行動，他們是有罪的，『言者無罪』對他們不適用。」

毛澤東的定性文字，不顧情理、事實和法律，頗多漏洞：一、先於章伯鈞，已經有不少尖銳言論，「其源蓋出於⋯⋯」不符事實；二、章羅同盟完全不存在；三、他們均是有言論，無行動；四、毛澤東雖是中共領袖，但無權定其「有罪」；五、以言定罪，於法無據。

毛澤東之所以大光其火，在於自己壟斷的權力，不容許他人有絲毫染指；也在於自己創立的政治制度的完美，不容許他人有絲毫懷疑。他似乎忘記了幾十年前梁啟超、孫中山的政治設計，給自己年輕時帶來的激動，也忘記了延安時期他對未來中國的政治制度，曾經有過精心的設計。

康有為、梁啟超及張君勱、胡適為代表的漸進改良派的構想

自鴉片戰爭後的中國近代歷史，無不以西方社會的發展為參照系和推動力。先是睜眼看世界，後是引進、借鑒軍工技術，並延伸到整個科學技術領域，最後甲午戰爭打了敗仗，暴露了乾綱獨斷的封建專制政治體制的種種弊端，才想到應該模仿西方的政治制度。

踩在魏源、馮桂芬、王韜、郭松燾等早期維新派的肩膀上，加之又有了日本成功的範例，康有為、梁啟超逐漸將對西方民主政治一般的介紹、宣傳，推進到直接的政治實踐。康有為在〈請定立憲開國會折〉中說：「吾國行專制政體，一君與大臣共治其國，國安得不弱？蓋千百萬之人，勝於數人者，自然之數也。」然後他指出民主政治的

優點：

> 東西各國之強，皆以立憲法、開國會之故。國會者，君與國民
> 共議一國之政法也。蓋自三權鼎立之說出，以國會立法，以法
> 官司法，以政府行政，而人主總之，立定憲法，同受治焉。人
> 主尊為神聖，不受責任，而政府代之。東西各國皆行此政體，
> 故人君與千百萬之國民，合乎為一體，國家安得不強？

尤其值得注意的是，他在〈進呈法國革命記序〉中提出警告，如果不及時進行政治改革（變法），中國將步法國革命的後塵，可能血流遍地。如果路易十六知道局勢危險而決心立憲，重新確立統治者與被統治者的權利，他不但可免一死，還可保全王朝。

康、梁主導的戊戌變法，方向是正確的，但激情救亡多於理性思考，重點放在革除弊政，對於既得利益的保守政治力量，痛罵諷刺多於耐心說服，斷然懲治多於善意疏導，終因急於求成而使保守力量產生顧慮、惶恐、抵觸、反抗。他們與貪權的後黨形成合力，剿滅了改革運動。同時也應該看到，變法者於政治制度的構想，也顯得極為空泛。

戊戌政變後，康、梁逃往海外，繼續從事君主立憲的政治活動。梁啟超與孫中山先後到美國募捐，前者滿載而歸，後者幾乎顆粒無收。這說明立憲派雖然遭到清政府打擊，但與革命派相比，仍然獲得更多海外華人的支持。

在康有為日益保守之時，梁啟超的政治思想突飛猛進。此間他形成自己獨到的三個民主政治觀點：一是意識到建立公民社會的重要性，興民權，開民智，即他所說的具有健康體魄、平等意識、能夠獨立思考的「新國民」，他還特意將自己的輿論陣地取名為《新民叢報》。二是循序漸進、溫和善意的改革思路，即反對暴力革命，主張

在既定政權基礎上進行體制內的民主政治建設，這一點成為他後來與袁世凱、段祺瑞政府合作的理論基礎，也被後來的張君勱、胡適所繼承。三是接受美國政黨政治理念，先是在一九〇七年建立具有初步政黨性質的政聞社，後是在民國初年成立進步黨，以與國民黨進行公平競爭。但他仍然被清政府視為政治異己力量，不僅在一九〇五年實行預備立憲後不給予平反，反而遭到嚴厲打壓，政聞社不到一年就被清政府強行取締。

清政府的頑固拖延，虛偽搪塞，不識時務，使雙方力量此消彼長。孫中山的革命主張得到越來越多的同情和支持。辛亥革命爆發，大批立憲派人士臨陣倒戈，清政府自食其果。清朝皇帝雖然沒有被送上斷頭臺，但中國從此陷入連年戰爭。康有為預言過的血流遍地，不幸成為現實。

中華民國北京政府經歷了曇花一現的議會民主之後，重新走向專制。袁世凱死後，北洋系分裂，軍人依照實力操縱政治，徒有民主的外在形式，而無民主的精神實質。梁啟超失望之餘淡出政界，躲進書齋鑽研思想學術。孫中山失望之餘，採取更加激烈的政治手段，他強化黨治，接受俄國革命的方式，實行國共合作，「革命」的呼聲一浪高過一浪。「革命」成功以後，不見民主蹤影，只有日益嚴重的專制政治。盤點二十世紀的中國歷史，北洋軍閥統治，反倒成了最為民主、最為寬容的時期。「革命」的異化，是孫中山們絕對沒有想到的。

梁啟超關於在體制內進行循序漸進、善意溫和的政治改革主張，雖然在實際政治生活中遠離主流，甚至被認為是「幻想」、「幼稚」、「落後」，但並未斷絕。其主要思想在張君勱、胡適身上得到傳承。

張君勱、胡適是西方民主政治制度的堅決維護者，一貫反對具有專制政治特點的一黨政治，同時反對用革命的激烈方式解決中國政治

問題。他們先是批評國民黨，後來又批評共產黨。但在二十世紀三、四〇年代由國共兩黨主導的政治生活中，他們不免因「曲高和寡」而成為「另類」。他們與專制政權有過妥協、合作，但民主憲政理念從來未曾動搖過。

在二十一世紀的今天，這些孤獨的思想者已不再孤獨。穿越數十年時空，他們的政治理想得到越來越多的理解、同情和讚美。

國民黨政治制度的理論與實踐

同樣反對封建專制，要在中國建立民主政治制度，孫中山為代表的革命派，與梁啟超為代表的立憲派，其起因都在於救亡圖存，其根本的目標也並無多大差異，但手段大不一樣。與梁啟超自上而下實行體制內的漸進改良不同，孫中山熱衷於自下而上的武裝革命。

孫中山自小在檀香山、香港等地讀書，接觸西方政治制度比梁啟超要早得多，但民主憲政思想的產生比康、梁要晚一些。他曾經也希望在體制內尋求變革，一八九四年六月，他北上天津上書李鴻章，請求「人能盡其才」、「地能盡其利」、「物能盡其用」、「貨能暢其流」。這些主張略顯籠統、膚淺，也沒有涉及政治體制，還不如此前二、三十年間早期維新派的觀點來得鮮明、深刻、直接。李鴻章對一個無名之輩的老生常談未予重視，也在情理之中。應該說，此時的孫中山與康、梁相比，思想深度還有一定差距。

與康、梁出生書香門第不同，孫中山家境貧寒，更容易接受下層民眾反抗方式的影響。加之從小就被洪秀全的功業所激勵，很快就從「改良」轉向「革命」，從此成為一個堅定而真誠的革命者。他說幹就幹，當年建立興中會，第二年就在廣州發動反清武裝暴動。一八九六年倫敦蒙難，切身感受清政府司法的腐敗和黑暗，顛覆滿清的意志

更加強烈。之後他輾轉歐洲、美國、日本等地，廣泛接觸、考察各國民主制度，達到和超過了梁啟超的水準，逐漸形成包括民主憲政思想、同時又具有中國特色的三民主義。

一九〇五年同盟會建立後，孫中山公開闡述他的三民主義思想。在此基礎上，一九〇六年他又提出不同於歐美三權分立的「五權憲法」。在此前後，革命派以《民報》為陣地，與梁啟超的立憲派發生論戰。雙方你來我往，觀點雖然對立，客觀上對海內外中國人普及了現代西方政治思想。筆墨交戰中，立憲派漸漸處於下風。其中原因，李劍農在《中國近百年政治史》中的分析很到位：

> 就兩方所指陳的事象說：梁啟超所描寫革命共和的惡果，如內部必至自生分裂，彼此爭權，亂無已時，未嘗不與後來的事實有幾分相符，但這些事實在當時是未表現出來的事實，一般人看不見的；而《民報》所描寫滿清政府的壞象、改革的敷衍、立憲的虛偽、排漢的險惡，都是當時確鑿的事實，人人看見的；不惟革命黨人以此向政府進攻，就是梁自己也常持此以攻擊政府。青年的恒性大抵是只看現在的不好，對於將來的不好，一則未必看得定，二則相信將來的不好自有將來的救濟的方法，斷不肯因為將來的不好，就把現在的不好容忍過去了。

這段社會心理分析的高論，不但適用於當時，也適用於後來孫中山對於北洋政府的攻擊，或許也適用於後來共產黨對於國民黨政府的攻擊，對理解二十世紀中國革命史之所以前赴後繼、激動人心、波瀾壯闊，很有一點找到鑰匙的意義。

辛亥革命以推翻滿清政府而告終，暴力革命的正當性、合理性至此完全確認。孫中山、黃興、宋教仁等革命黨人，在《中華民國臨時約法》的制定和南北政權移交過程中，體現了對民主憲政的真誠追

求，也體現了高貴正直的人格力量。

《臨時約法》具有憲法性質，基本構建了中華民國的政治體制。在民國初年的政治生活中，北有梁啟超，南有宋教仁，他們從屬不同的政治陣營，但追求民主憲政的願望都非常真誠，也有君子風範。以進步黨和國民黨為主體，雖然存在民意基礎薄弱、組織不夠規範等這樣那樣的問題，但政黨競爭的政治格局基本形成了。國民黨在國會選舉大獲全勝之後，組閣在即，不幸宋教仁遇刺身亡，徹底改變了中國的政治走向，其影響力有如後來的西安事變。儘管此案與袁世凱有無牽連，至今仍有爭議，但當時以孫中山為首的一些國民黨人，卻認定袁世凱是主謀，匆忙舉兵反袁，此所謂「二次革命」。袁世凱在梁啟超進步黨的輿論支持下，揮師相向，迅速撲滅國民黨的反抗。待大局已定，又將梁啟超拋棄，未幾竟悍然稱帝。各地趁機起兵，擁兵自重，彼此攻伐，從此國無寧日。

孫中山受盡了軍閥、政客們的冷遇和欺騙，但他意志堅強，屢敗屢戰。十月革命一聲炮響，不僅給中國送來了馬列主義，而且改變了孫中山的政治觀念。蘇俄的成功使他相信，在通往民主政治的路途中，必須有一個暫時的專制或人治階段，統一思想，統一行動，以掃除軍閥，達到國家完全的獨立和自由，在此基礎上才有實現民主政治的條件。「以黨治國」成為孫中山晚年的核心思想，而這個黨，只能是他領導的國民黨。

為了表明對民主這個終極目的的追求，也為了說服黨內同志，孫中山還畫出了實現民主政治的路線圖和時間表，即軍政、訓政、憲政三個階段——這表明他在實行聯俄聯共政策時，對共產主義仍然持保留和防範的態度。

北伐戰爭勢如破竹，北洋軍閥摧枯拉朽。一九二七年四月，南京政府建立；一九二八年六月，國民黨宣佈結束「軍政」，開始「訓

政」。孫中山「以黨治國」理論的形成和「三段論」的提出，為後來蔣介石大權獨攬、長期實行專制打開方便之門，同時也為八〇年代蔣經國取消黨禁、允許反對黨建立提供了理論依據。

共產黨政治制度理念的發展和倒退

國民黨能夠一舉奪得政權，並實現形式上的全國統一，多少還是有共產黨人的一些功勞。但在北伐戰爭大局將定的時候，為了確保國民黨對政權的壟斷，制止共產主義在中國的蔓延，也出於對蘇聯在中國四處點火的憎惡，蔣介石對共產黨揮刀相向。國共合作時期的戰友，現在反目成仇。

中國早期共產主義者受益於新文化運動，最初都是封建專制的批判者，民主與科學的宣導者，西方民主政治的敬仰者。陳獨秀極力推崇法國革命；李大釗說：「沒有全民的選舉，還配叫共和國麼？」毛澤東在聯省自治運動中，設計過「湖南共和國」的方案。

後來在俄國革命勝利的鼓舞下，他們的思想日益激進，決心進行一場社會革命，以實現共產主義。中共成立時，在黨綱中對黨員提出一個苛刻的要求：「入黨前必須與企圖反對本綱領的黨派和集團斷絕一切聯繫」，由於將自己置於絕對先進和正確的位置，加之理想過於宏偉，自然不願與其他政治力量包括國民黨為伍。同時對於共產主義的政治制度，也無任何細節設計和說明，政治目標過於空洞，對民眾缺乏吸引力，組織發展緩慢。迫於生存需要和蘇俄的壓力，在中共「二大」決議中，提出了消除內亂、打倒軍閥、建立中華聯邦共和國的政治綱領，才有了現實政治生活中的操作空間。這個「最低綱領」，與孫中山三民主義基本相同，從而奠定了國共合作的基礎。

國共合作的大革命期間，中共在蘇聯人的指導下，主要從事組織

宣傳工作，增長了見識，鍛煉了隊伍，也積累了反抗國民黨壓制和「清黨」的本錢。一九二七年以後，在中共各個根據地，雖然建立了大大小小的蘇維埃政權，但從名稱到組織機構，完全照搬蘇聯模式，且強烈依附於作戰部隊，制度建設乏善可陳。張國燾曾經因為一般群眾對於「蘇維埃」一詞過於生疏、冷漠、費解，提出建立「人民政府」的主張，遭到博古中央的反對。

抗戰中隨著八路軍、新四軍力量的增長，毛澤東開始進行政治制度的設計，並逐漸完善、成熟，在全國範圍內得到越來越多的理解、同情和支持，一度還得到美國人的青睞。一九四〇年一月，毛澤東發表〈新民主主義論〉，雖然對國際形勢有重大誤判，對「民主」和「新民主」這兩個概念的解釋過於牽強，認為民主集中制是民主共和國的政權形式，但強烈抨擊了國民黨的一黨政治，確實是中共獨立進行政治制度設計的開端之作。二月，毛澤東在延安憲政促進會發表演講時指出：「憲政是什麼呢？就是民主的政治。」三月，中共提出在其領導的抗日根據地政權實行「三三制」原則，其中共產黨員占三分之一，進步人士占三分之一，包括不反共的國民黨員在內的中間力量占三分之一。這個在三民主義基礎上有所創新、實際具有聯合政府性質的地方政權，先在延安試點，後在各地普遍推廣。這種政權建設的實踐，使人們看到共產黨主張民主政治的誠意。

從一九四一年到一九四六年，中共在重慶的《新華日報》和延安的《解放日報》，刊登了大量關於民主政治的言論。毛澤東於一九四二年發表〈向國民黨的十點要求〉，呼籲「開放黨禁，扶持輿論」；一九四三年要求「誠意實行真正民主憲政，廢除『一個黨，一個主義，一個領袖』的法西斯獨裁政治」。同年在與謝偉思談話時說：「每一個在中國的士兵，都應該成為民主的廣告，他們應該對他們遇到的每一個中國人談論民主。美國官員應當對中國官員談論民主。總

之，中國人尊重你們美國人民主的思想。」接著他還說：「我們不怕美國民主的影響，我們歡迎它。」一九四四年在接受美國著名記者福爾曼採訪時說：「中國共產黨不是蘇聯那樣的共產黨，不會模仿蘇聯的社會和政治制度。」劉少奇也發表文章，宣稱「一黨專政反民主，共產黨絕不搞一黨專政」。此間毛澤東還提出到美國訪問，對英美支持中國實行民主政治寄予厚望。

一九四五年中共「七大」召開，毛澤東作題為〈論聯合政府〉的政治報告，儘管混用「新民主主義」和「民主主義」這兩個概念，但意思完全一樣。毛澤東指出：

> 只有經過民主主義，才能達到社會主義，這是馬克思主義的天經地義……沒有幾萬萬人民的個性解放與個性發展，一句話，沒有一個新式資產階級性質的徹底的民主革命，要想在殖民地半殖民地的廢墟上建起社會主義來，那只是完全的空想。

接下來的重慶談判，毛澤東一再強調他在〈論聯合政府〉中關於民主憲政的觀點，得到社會各界的熱情回應。一九四六年一月十六日，中共向政協提交了〈和平建國綱領（草案）〉，同日《新華日報》發表社論〈論共同綱領〉，再次搶佔民主憲政的制高點，掌握了政治主動權。經過各個黨派的討論，一月三十一日，政協通過並簽署了〈和平建國綱領〉。

客觀來看，這一時期中共對民主政治體現出的主動、熱情和真誠，比國民黨要多一些，贏得了國內民主人士的普遍信任。眾多證據顯示，毛澤東和他的同事，也確實做好了在中國實行兩黨制或多黨制──即建立聯合政府──的心理準備。

蔣介石本來就對中共缺乏信任，在同年三月舉行的國民黨六屆二中全會上，又受到右派和軍人主戰意見的左右，加之國共兩黨在軍隊

國家化和政治民主化的先後問題上難以調和，於是頻頻向中共軍隊發動進攻。十一月，國民黨單方面召開沒有中共和民盟參加的國大，通過《中華民國憲法》，顯然，這部憲法不具有充分的合法性。

遺憾的是，隨著中共軍隊的節節勝利，對「民主」的解釋不斷含糊、倒退。雖然一九四九年通過了具有一些民主政治因素、自由經濟性質的《共同綱領》，但完全壟斷了解釋權。一九五四年通過《中華人民共和國憲法》的同時，將擔任國家副主席和政府副總理的民主人士，全部「請到」人大和政協任職，名義上的聯合政府成為歷史，從此完全放棄了延安許下的諾言，實現了對大陸政權的高度壟斷。仍在政府任職的民主人士，普遍感到「有職無權」。

章伯鈞們正是在這樣的情況下，小心翼翼提出一些不乏真知灼見的意見，卻遭到迎頭痛擊，其內心的悲愴和不服，當可想像。都是一黨政治，但比較蔣介石和毛澤東對待持不同政見者的做法，其心胸、氣度和政治性格，確有很大的差異。從後果來看，臺灣不了了之，而大陸五十五萬右派──他們中的絕大多數是勤於獨立思考、勇於直言的知識份子──在二十多年時間裡，家破人亡者不計其數。更嚴重的是，中共因此而堵塞言路，之後的大躍進、反右傾、文化大革命，不僅人民饑寒交迫，中共也差點丟掉政權。

為美好的未來設計政治制度

一九八〇年前後，在鄧小平、胡耀邦、葉劍英等中共開明領導的主持下，中國大陸開始撥亂反正。他們停止了無休止的政治運動，將全黨工作重心轉到經濟建設上來。檢討歷史，這些為爭取民族獨立自由和共產主義理想而奮鬥的老一輩革命者，心情是沉痛的。在經濟改革的同時，他們提出了「政治體制改革」，這等於宣佈長期以來不容

質疑的政治制度出了問題，比起當年章伯鈞委婉含蓄的「政治設計院」，實際上還要直接和尖銳。

可是在右派的甄別和改正時，章伯鈞等五十多位右派分子未能平反。中共文獻宣稱，反右是必要的，只是「嚴重擴大化」──二〇一一年官方出版的《中國共產黨歷史》，仍然堅持這麼說。一場聲勢浩大的反右運動，百分之九九點九九的人都平反了，百分之零點零一的人維持原判，在經歷了真理標準討論和思想啟蒙的大背景下，怎麼能夠說明它的必要性和合理性呢？荒唐邏輯的背後，卻是不得已的權宜之計。

抗美援朝戰爭後，毛澤東將眼光和精力放在國內，開始實際執政。到一九七六年九月去世為止，他在政治、經濟、文化、學術領域，親自指揮了無數的運動和鬥爭，打出了無數的反黨集團。在鄧小平時代，只有高饒反黨集團和林彪反黨集團未能平反，反右留了一條尾巴。其實這兩個反黨集團是否存在，保留尾巴是否合理，都值得懷疑。如果全部平反，豈不表明毛澤東執政後，共產黨幾乎沒有幹過一件好事！這無疑會削弱老一輩革命家自身奮鬥的價值，這是他們無法接受的。而且經過幾十年的「黨化教育」，社會極左意識仍有相當力量，如果否定過多，也可能出現政治風波，甚至引起人們對共產黨繼續執政的合理性的懷疑。

況且高饒事件對全國政局影響不大，林彪在「文化大革命」中名聲太差、且傷人過多，在他們的問題上維持毛澤東的正確性人們不會太在意。為反右留下一條尾巴，也因為在一九八〇年前後受啟蒙思想影響，社會上興起一股否定黨的領導的傾向，如以西單民主牆為代表的自由化思潮。全盤否定反右的正確性，必然為這種思潮推波助瀾。所以於私於公，於黨於國，給毛澤東留一些面子，以局部的不合理，維護黨的整體形象和利益，這種政治策略不失為一個明智的選擇。何

況當時最為迫切的是進行經濟建設，改善和提高人民生活，過多陷於歷史的糾纏也弊多利少。在當時經歷了三十年黨國體制的歷史條件下，維護黨的利益，確實也能夠從根本上維護國家和人民的利益。鄧小平等人當然知道高饒和章伯鈞們是冤枉的，於是採取名義上維持原判，在事實上予以平反的做法。高、饒的夫人都享受黨和國家領導人家屬的待遇，當年受到牽連的老部下，全部官復原職給予重用。一九八五年章伯鈞誕生九十周年時，北京舉行了隆重的紀念活動，中共統戰部官員代表中央，稱其為「著名的愛國民主戰士和政治活動家」。對其夫人李健生，生活上和精神上都有細心的安撫。李健生也將章伯鈞生前收藏的一些名貴字畫，無償捐獻給國家。

實踐證明，鄧小平這種先經濟後政治的發展道路，很有戰略眼光。如果一九八〇年前後否定黨的領導、像蘇聯那樣先實行民主政治改革，很可能引起全國性的思想混亂和社會動盪。這一點，是中、蘇兩國改革呈現不同結果的根本原因。有時一味追求真相和公平，未必完全是好事。

此後三十多年，中國大陸經濟發展突飛猛進，而政治制度建設乏善可陳，且有日益僵化的趨勢。所謂中國特色的社會主義發展之路，很容易讓人產生「經濟上搞活，政治上搞死」的感覺，進而懷疑這種發展模式的可持續性。這不完全屬於杞人憂天──高度集權的政治體制，在其初期，即經濟發展低水準時期，確有其優點，可以極大地推動經濟發展，如蘇聯、韓國、臺灣。但其依靠高度壟斷權力對社會進行嚴密控制的特點，必然扼殺人的個性和創造力，制度性地產生腐敗，出現司法不公，導致人才枯竭，出現嚴重的經濟危機和政權危機，最終危害國家和社會。蘇聯不思進取，沉迷於自己製造的假像，終至亡黨亡國。而韓國、臺灣順應民意和潮流，推行政治改革，成功轉危為安。以美國為首的陣營贏得冷戰的勝利，實則證明民主制度確

實比集權制度有更多的優越性。這一點，從理論到實踐，已經為二十世紀的歷史所證明。

在二十一世紀的今天，絕大多數實行民主政治的國家，都能保持長期的經濟繁榮和社會穩定，公民素質普遍較高。反觀中國，儘管目前已經成為世界第二大經濟體，有值得稱讚的地方，但平均水準仍然非常落後，客觀來看，與上世紀六〇、七〇年代蘇聯在世界上的綜合實力、地位和影響力相比，還有較大差距，絕不可盲目樂觀。何況三十多年來，中國已將集權政治的優點基本用盡，而政治體制的弊端已淋漓盡致地顯現出來，積累的大量社會矛盾，讓人怵目驚心。而所有問題的癥結，幾乎都與政治體制有關。唯一的辦法，只有堅定不移實行民主制。不是「人民民主」，也不是「社會主義民主」，而是具有普世價值的民主。像孫中山那樣勇於探索，參照西方和臺灣的成功做法，設計一條既結合中國實際、又不失去「民主」真實內涵的政治制度。像梁啟超、胡適主張的那樣，依靠現行政權，推行體制內的漸進改革，上下齊心，相互理解、配合，兼顧各方利益，走出一條確保國家長治久安的民主道路。

只有這樣，中國共產黨才能如同中國國民黨那樣獲得新生。只有這樣，中國才能建設起最大、最重要的「軟實力」，避免蘇聯發生的悲劇。只有這樣，目前仍然戴著右派帽子、躺在墳墓裡的章伯鈞們，才能含笑於九泉之下。

為了中華民族美好的未來，設計政治制度刻不容緩！

二〇一三年六月十八日於成都

主要參考文獻

〔英〕大衛・赫爾德　《民主的模式》　北京市　中央編譯出版社
　　　2008年第三版

〔美〕埃爾金、索烏坦編　周葉謙譯　《憲政與民主》　北京市　生
　　　活・讀書・新知三聯書店　1997年版

王先俊、章征科　《近代中國政治思想史》　合肥市　中國科學技術
　　　大學出版社　2006年版

王紹光　《民主四講》　北京市　生活・讀書・新知三聯書店　2008
　　　年版

王德昭　《孫中山政治思想研究》　北京市　中華書局　2011年版

王健撰　〈我所知道的“章羅同盟”〉　載《炎黃春秋》　2012年第
　　　8期

中共遼寧省委整風辦公室編　《章伯鈞張百生等人言論集》（內部發
　　　行）　1957年6月

吳相湘　《宋教仁傳》　北京市　中國大百科全書出版社　2010年版

李劍農　《中國近百年政治史》　北京市　商務印書館　2011年版

李默海　《探尋憲政之路——孫中山的憲政思想及實踐問題研究》
　　　北京市　中央編譯出版社　2011年版

姜　平　《章伯鈞與中國農工民主黨》　廣州市　廣東人民出版社
　　　2004年版

章詒和　《往事並不如煙》　北京市　人民文學出版社　2004年版

張　永　《民國初年的進步黨與議會政黨政治》　北京市　北京大學
　　　出版社　2008年版

鄭志廷、張秋山　《中國憲政百年史綱》　北京市　人民出版社
　　　2011年版

寶愛芝　《中國民主黨派史》　天津市　南開大學出版社　1992年版

桐城篇六

我看桐城文章

一

　　上世紀八〇年代中期，大學畢業前夕。四年同窗同學，即將各奔東西。有的繼續讀研究生，有的分配到中央或地方的文化單位工作。最後那些捨不得離去的日子裡，大家也不看書了，忙於吃喝聚會，相互題辭留念。關係更好的，還相邀著出去照相，贈送一些紀念品。

　　一個中文系的同學趕到我宿舍，送給我一本新出版的《桐城派文選》，由漆緒邦、王凱符選注。我既很感動，也很吃驚：「為何偏偏送給我這麼一本書呢？」他好像看出了我對桐城派似乎有點不屑的意思，便問：「桐城派文章你讀過多少？」我如實回答：「基本沒有讀過。」他笑著批評我說：「那麼你就不應該抱有偏見。桐城文章行文規範，用辭簡潔準確，你到新聞單位當編輯記者，可以作一些參考。」臨走時，他還特意告訴我，這本書的兩位選注者，都是北京師範學院的教授，「漆緒邦還是你們四川老鄉呢！」送到樓下，我也不無真誠地表示：「感謝老同學的好意，我一定要仔細閱讀。」

　　在此之前，我對於桐城派只是略知一二。知道康熙年間有一個著名的《南山集》案，作者戴名世被殺，為之作序的方苞受牽連入獄，寫了一篇〈獄中雜記〉，後來開創了桐城文派。知道曾國藩與桐城派的關係。當然更熟悉的是五四新文化運動時期，陳獨秀、胡適等宣導文學革命，對桐城派激烈批判，稱之為「桐城謬種」。但老實說，我

對桐城派的文章讀得很少很少，除〈獄中雜記〉外，僅對梅曾亮那篇〈小盤穀記〉別具一格的寫法和意境有印象，如此而已。

當時在我看來，這本書更多承載的是同學情誼，而不是文章的內容。我那位同學也許只是隨便從自己的書中拿出一本，作個紀念而已。更進一步說，我讀中學是在二十世紀七〇年代末，讀大學是在八〇年代初。那時翻開所有公開出版的歷史書和文學史，無論是桐城文章還是這些文章的作者，幾乎都被一一定性，評價大多是負面的。作為五四新文化運動對立面的一個存在，桐城派屬於封建糟粕，與「反動」、「落後」、「愚昧」、「幫閒」等詞語聯在一起，已被搞得很臭。此書的出版，可能也是「供批判用」。回到成都後，我便將這本《桐城派文選》插入竹製的簡易書架，沒有翻閱，也未特別在意。

我在一家報社任職，先從事文字編輯和組版，後外出採訪。時隔不久，問題就出來了。編輯還好辦，在別人的文章上大筆一揮，二千字的文稿，頃刻之間只剩下一千字，甚至八百字、五百字，還有一種酣暢淋漓的痛快感覺。臨到自己動筆，情況大不一樣。如果是報社指定必須見報的稿件，常常有字數的限制，三百字、五百字、八百字不等，一千字以上算是大文章。只留那麼大的版面，任你有多少話說，也只能在這個框框內做文章。辦法是，擠乾一切水分，削砍一切枝蔓，力求文字簡潔。

如果是自己找米下鍋寫的文章，常常覺得有很多話說，篇幅控制不住。記得有一次寫了一篇五千多字的通訊，遲遲不見報，回成都後主動與編輯聯繫。那是一位臨近退休的老者，摘下眼鏡後，歉意地告訴我，他還沒有仔細看。聽了我翻山越嶺步行幾十里、深入農家吃霉稀飯的採訪過程，他好像有點感動，答應一定看看。過了十多天，稿子見報了，只有區區一千兩百字左右。後來又見到這位老者，他告訴我說：「你們年輕人不缺思想，不缺知識，也不缺激情和吃苦精神，

缺的是寫稿經驗。」他建議我有空讀一點古文。

按理說，我從小就讀過不少古文，大學讀的又是中國史專業，每天與繁體字、豎排本的古書打交道，一本一九七七年版的《古文觀止》幾乎翻脫頁了，難道現在還要補課？在書架上翻了一陣，終於將目光落在那本《桐城派文選》上。沒想到這些被批倒批臭的桐城派作家和他們的作品，還真的幫我渡過了難關。從戴名世、方苞、劉大櫆、姚鼐，到管同、劉開、姚瑩、梅曾亮、吳樹敏，再到後來的曾國藩、張裕釗、吳汝綸、馬其昶……一篇篇文章讀下去，既不反動，也不庸俗，風格樸實厚重，行文從容典雅，語言乾淨準確，沒有誇大其詞或故弄玄虛；結構緊湊，短小精悍。比如劉大櫆的〈騾說〉一文，短短的兩百字，以騾馬為喻，寫人世不平，言簡意賅，令人回味無窮。戴名世作〈張貢五文集序〉，強調作文要捨得「割愛」。桐城派文章的基本特點，與報紙對文章的要求，幾乎完全一致。

後來我又買了一部依據桐城派文論、由姚鼐主持編寫的《古文辭類纂》，對比《古文觀止》，對古文源流和演變進行了重新梳理，竟然使原來一些沒有搞清的問題豁然開朗。

就這樣，我對桐城派文章有了好感，有事沒事讀幾篇桐城派文章，居然對新聞寫作大有幫助。幾年下來，撰寫新聞稿已可以隨心所欲，無論消息、通訊、言論或是問題分析一類的文章，交上去基本上不會有大的改動。二十世紀九〇年代初，一次外出採訪時，我隨身帶了這本《桐城派文選》，沒想到丟失在旅途之中，心裡很是懊惱了一陣子。

我是搞新聞的，之所以在一定程度上認同桐城派文章，主要是從編採角度出發考慮問題，對形式的借鑒大於內容的吸收。我認為與先秦散文、《史》、《漢》、唐宋八大家相比，桐城派文章仍有相當大的差距。但其寫法上的長處，與現代新聞寫作和編採工作，確實最為

接近。

　　二〇一一年四月，我縱遊皖省，經樅陽浮山，繞過孔城鎮，來到
嚮往已久的桐城，現在已改縣成市了。桐城文廟又稱桐城市博物館，
實則是桐城散文陳列館，看完後對當地文風之盛能有清楚的瞭解。文
廟外有一廣場，廣場周圍有好幾家舊書店。沒想到在一家書店的書架
上，我發現了一本八成新的《桐城派文選》，便毫不猶豫買了下來。
時隔二十年，同樣的封面，同樣的內容，同樣由安徽人民出版社於一
九八四年出版的書籍，就像多年不見的東西失而復得，喜悅之餘倍感
親切。重新翻看書中的文章，卻有不同的感受。二十年前，我對書中
所寫的人事變遷和世事不平的感歎，還大大的不以為然，現在已然是
感同身受，甚至是切膚之痛。

二

　　桐城派文章有各種可取之處，但翻開其綿延二百餘年的歷史，我
們不得不承認一個基本的事實：桐城無大家。如果硬要推舉出一個，
只有在鼻祖戴名世和姚鼐弟子姚瑩中選擇。就文學的審美而言，戴名
世強於姚瑩；就文章的社會意義而言，整個桐城派無人出姚瑩之右。

　　從文學史上來看，桐城派在時間和地域兩方面的影響都是史無前
例的，但是其能夠流傳於世的創作實績，與這種轟轟烈烈的影響相
比，實在很不相稱。在清朝結束一百年後的今天，假如要給清朝二六
八年間的文學大家排座次，桐城派進入前二十名沒有問題，但很可能
沒有一個人進入前十名。

　　要分析桐城派為何沒有出現大家，有必要選出至今影響最大的二
十個清代文學名人：一、曹雪芹和他的《紅樓夢》，二、吳敬梓和他
的《儒林外史》，三、孔尚任和他的《桃花扇》，四、納蘭性德的

詞，五、袁枚的詩，六、蒲松齡的《聊齋志異》，七、黃遵憲的《人境廬詩草》，八、沈復的《浮生六記》，九、姚瑩的紀行散文，十、王國維的《人間詞話》，十一、龔自珍的詩，十二、戴名世的散文，十三、劉鶚的《老殘遊記》，十四、紀昀《閱微草堂筆記》，十五、吳偉業的詩，十六、金聖歎的文論，十七、洪升的《長生殿》，十八、梁啟超的政論散文，十九、陳端生的彈詞《再生緣》，二十、韓邦慶的《海上花列傳》。如果放寬到三十名，桐城派的劉大櫆和馬其昶可能入圍。再放寬到四十名，桐城派的創始人方苞、姚鼐，中堅梅曾亮才可能榜上有名。

之所以出現這種聲勢與實績的巨大反差，政治權力的隱性介入是主要因素，文學視野的狹窄也是一個致命傷。

中國文學與中國歷史一樣具有悠久傳統，三千多年來綿延不絕。總的來看，歷代政權對文學均持比較寬鬆的政策。但有三個比較嚴酷的時期：一是秦始皇時代，二是清朝康熙到乾隆初年，三是毛澤東時代。其共同特點是思想控制嚴密，文人因文獲罪者層出不窮。清朝的文字獄雖然時間最長，也殺了一些人，但在三個時期中還算是最寬鬆的。

作為桐城派的鼻祖，戴名世是一個充滿矛盾的文人。政治上，他推崇那些反清志士，鄙視變節求榮者，自己卻孜孜不倦參加清政府主持的科舉考試，實則承認清朝的正統地位，也算「變節」；他清醒認識到清政府文化鉗制的嚴厲，在〈與劉大山書〉中表示「僕古文多憤世嫉俗之作，不敢示人，恐以言語獲罪」，但他自己的很多文章，都在喋喋不休抒發對新朝的憤懣之情，他的作品編纂成冊，雖是他人所為，但沒有他的首肯默許是不可能的。他的被殺，一定程度上也是咎由自取。何況他的反清，並非反對封建專制主義，與黃宗羲、顧炎武有本質的區別，思想深度要差得多。在清朝大局已定，政治相對清

明，正致力於社會穩定和經濟發展的情況下，很難說還有多少進步意義。在文章寫作方面，他強調「精、氣、神」，寫過一些充滿感情、色彩濃烈的好文章，在整個清代也算佳作，但由於對社會歷史和世態人情缺乏獨特思考，寫出的東西並不深刻。在這一點上，他不僅遠不及他尊崇的司馬遷、韓愈，也輸給同時代的蒲松齡。

方苞吸取了戴名世的教訓，出獄後改變了與清政府不一致的思想立場，實現了漢族知識份子與清朝統治者政治思想上的合流。

在考察桐城派發展過程時，必須注意到清政府權力的隱性作用。桐城人張英、張廷玉父子，歷仕康雍乾三朝六十多年，權勢顯赫，但並不張揚。他們是道地的政治家，以桐城人強烈的地域和宗族觀念，他們與戴名世和方苞不能沒有密切的關係。戴名世被殺，康熙在處理善後事宜時，很可能聽取了張廷玉的意見，放出方苞等人加以重用，以示寬大，並力圖將壞事變成好事。方苞致力於古文理論建設的志向，與清政府文化籠絡政策相結合，加之都以程朱理學為思想基礎，終於走到了一起。方苞後來官至禮部侍郎，他不負皇恩，親自編纂了一部《古文約選》，以果親王名義頒行於世，成為官方規定的必讀範文。大學士、吏部尚書張廷玉也善文章，為朝廷，為自己，他甘居幕後，任方苞在前臺表演，以單純的文學主張吸引讀書人，以不引起反感。自姚鼐出，桐城派由不自覺到自覺，與清政府形成默契，遂成燎原之勢。

政治權力的隱性介入，成全了桐城派的蓬勃興旺、長盛不衰，也決定了桐城派很難產生文學大家。在中國文學史上，政治權力與文學的關係大致可以分為三種：一是權力直接介入，如北宋初年的西崑體、明朝初年的台閣體、毛澤東時代從蘇聯引進的社會主義現實主義；二是權力不介入，只要文人學士沒有推翻現政權的主張，統治者對文學紛爭和文學創作不予限制；三是權力的隱性介入，如桐城派

文學。

　　權力直接介入文學，創作者為求俸祿或自保而寫作，只顧取悅上面，沒有個性，只有共性，必然產生阿諛奉承、粉飾太平、歌功頌德的偽劣之作。如果走向極端，還可能與政治形成惡性互動，最終對政治穩定產生負面影響。權力直接介入文學，都不能長久，最多幾十年就得放棄。聰明的統治者會意識到，權力下的文學，不可能有好作品，也不利於政權穩定。

　　權力不介入文學，遠離文學，給文學家更多的自由發揮空間，文學家沒有動輒得咎的顧慮，拿出「語不驚人死不休」的幹勁，將創作潛能挖掘到極致，最後寫出千年之後仍能讓人怦然心動、浮想連翩，甚至淚流滿面的文學作品──這是中國古代文學具有永恆魅力的關鍵。而在這種自由的氛圍中，絕大多數的文學家，包括廣義的文人，都對統治者形成一種強烈的向心力。和平時期，他們「先天下之憂而憂，後天下之樂而樂」的憂患意識，讓人肅然起敬；戰爭年代，他們鐵血丹心精忠報國，慷慨赴死在所不辭，只為「留取丹心照汗青」。他們筆寫的文字和血寫的歷史，同樣讓人感動不已。

　　權力的隱性介入產生了桐城派文學，這是文學史上的一個特殊現象。明白這一點，是理解桐城派長期在文壇上居於主導地位，受統治者承認，被讀書人尊崇，擁有眾多追隨者，甚至民國初期還死而不僵，卻又始終拿不出像樣作品的關鍵點。桐城派文人不必公開為統治者歌功頌德，也有相對自由的創作環境，但共同的思想基礎和緊密的師承關係，像兩根結實的繩索，把他們牢固地束縛在一起。

　　桐城派文人始終在忠於朝廷和堅守純文學創作的矛盾中掙扎，怨而不怒，不觸根本。太平天國起事，曾國藩重振桐城派，實際上是淡化純文學色彩，突出文章的「經濟」事功性能，出現以氣勢雄渾為特點的所謂「湘鄉派」，但桐城派的弊端依然全面繼承。政治上的從一

而終，做人做事的厚道本分，與其文風上的「敦厚樸實」，都是一脈相承的。

三

桐城派的絕大多數文人，視野比較狹窄。政治上如此，思想上如此，文學觀念上也如此。

自古以來，中國文學以詩文為主流，既是文學發展規律使然，更與科舉制度有很大關係。這就是說，詩文得到官方認可，也得到大量通過科舉入仕的知識份子的認同。這種導向性和榜樣性，促使讀書人形成以詩文為正宗的觀念。有理想者，要上進者，必須善詩文，這是得到社會承認的敲門磚。如果一個讀書人沉迷於小說、詞曲、戲劇，那是不務正業，會遭到家庭、社會的不解和指責。即使有科舉入仕者喜歡小說、詞曲、戲劇之類，也是屬於業餘愛好。

人們對精神生活的需求是永恆的，也是不斷變化的。在詩文之外，從漢魏六朝的《西京雜記》、《搜神記》，尤其是《世說新語》，記載的古怪傳說和佚聞趣事，已有小說的萌芽；至唐代，文言小說已有相當的社會影響，〈柳毅傳〉、〈李娃傳〉、〈鶯鶯傳〉等文言小說寫普通人生活，具備了文人小說的基本特點。詞的興起，相當長時間轉移了文人的興趣，入仕者和不仕者均趨之若鶩。自唐末至宋，詩、詞、文並駕齊驅，小說創作中落。宋代商業發達，城市繁榮，適應市民文化生活的需要，說唱文學興起，並分化出戲劇和以講史為特點的話本小說。元朝，尤其是明、清兩朝，小說、戲劇創作蔚為壯觀，與詩、詞、文分庭抗禮，並呈壓倒之勢。必須注意到，隨著科舉制度的僵化和八股制藝的無趣，越來越多有才華、有見識的文人，不願因循守舊走科舉之路，將其畢生精力用於小說和戲劇的創

作,體現了非凡的眼光和勇氣。而熱衷科舉入仕者,仍然以詩文為正宗。所以小說、戲劇作者多是絕意仕途的平民布衣,詩文作者多是官員或官場失意者,或未能入仕的官場敬仰者。

桐城派活躍的十八世紀初到二十世紀初,中國社會急劇變化,文學也處於從傳統到現代的轉型時期。明末清初的金聖歎,視野開闊,知識廣博,能文能詩能學術,已具有現代文學理論的評論方法。他詳細研讀古今典籍後,融會貫通,創造性地將《西廂記》、《水滸傳》與《莊子》、《離騷》、《史記》、《杜詩》並稱為「六才子書」,是中國文論的重大突破。與金聖歎同時代的李漁,也寫出了他的戲劇理論名著《閒情偶記》。截至桐城派產生的十八世紀初,經過四百多年的發展,戲劇已有《竇娥冤》、《西廂記》、《牡丹亭》、《長生殿》、《桃花扇》等一批精品,小說已有《三國演義》、《水滸傳》、《西遊記》、《金瓶梅》、《聊齋志異》等一批巨著。這些作品文辭精美,形象生動,感情真摯,敘事宏大。不僅展現社會風俗,洞悉世態人情,也具有相當的現實批判力度。就其藝術感染力和廣泛的社會影響而言,實已超過同期的詩文。

在方苞、劉大櫆提出和補充桐城派文學理論之時,吳敬梓、曹雪芹已在醞釀、寫作《儒林外史》和《紅樓夢》。桐城派集大成者姚鼐一七三二年出生時,吳敬梓三十一歲,曹雪芹十七歲。一七五四年吳敬梓死時,姚鼐二十二歲。一七六四年曹雪芹死時,姚鼐三十二歲。乾隆中後期,《儒林外史》和《紅樓夢》流行於大江南北,姚鼐正當盛年。在這兩部清代文學巨著中,作者表現出的開闊胸襟和宏大氣魄,簡潔典雅的文字功力,文、詩、詞、戲曲的鑒賞修養,對社會現實的認識水準,超越時代的人生態度,都是姚鼐望塵莫及的。

方苞死於一七四九年,享年八十二歲。他可以看到《聊齋志異》、《長生殿》和《桃花扇》,但是看不到《儒林外史》和《紅樓

夢》。劉大櫆死於一七七九年，享年也是八十二歲，他是應該看到過
《儒林外史》和《紅樓夢》（當時是《石頭記》手抄本）的。一七九
一年姚鼐五十九歲時，已流行了三十年的《石頭記》手抄本，改名為
《紅樓夢》，以活字印刷公開出版。姚鼐一直活到一八一五年，時年
八十四歲。當時好文者流傳一種說法：「開談不說《紅樓夢》，縱讀
詩書也枉然！」，如果說姚鼐沒有看過《儒林外史》、《紅樓夢》，
令人難以置信。方苞、劉大櫆、姚鼐被尊稱為桐城派「三祖」，但翻
開他們的所有文章，對於戲劇、小說沒有留下任何評論文字。劉大櫆
和姚鼐對於《儒林外史》、《紅樓夢》也未置一辭，這是讓人難以理
解的。

他們的未置一辭，是態度問題，是觀念問題，更是胸懷、視野、
境界的水準問題。也許在他們看來，小說、戲劇之類不能入流。他們
嘲笑了小說、戲劇，但歷史嘲笑了他們。桐城無大家，已成文學史定
論。最近三十年，上述小說、戲劇發行量巨大，研究專著多如牛毛。
而《桐城派文選》印數只有區區六千冊，沒有再版。桐城派主要作家
也有專集出版，但發行量相當小，研究專著也屈指可數。

不僅如此，桐城派對於詩詞也頗為不精。劉大櫆、姚鼐、方東
樹、姚瑩對詩詞有所涉獵，也寫過一些不錯的詩。方東樹著有詩論
《昭昧詹言》，以古文文法論詩，實際是將嚴羽與桐城諸家詩論雜糅
在一起，頗多矛盾。比如論曹操詩「可稱千古詩人第一之祖」，這是
以文論人，充滿敬仰。接著他又說：「餘嘗論曹操……其惡心塞於天
地。」這是戲劇、小說對曹操臉譜化的結果，可見方東樹於史沒有自
己的見解。

絕大多數的桐城派文人對詩詞是外行。所謂桐城詩派，在事實上
不成立。錢鍾書在《談藝錄》中稱「桐城之詩勝於桐城之文」，著眼
點可能在於幾個桐城派文人的詩更表現了一種真情實感，但這不是桐

城派文人的普遍現象。在詩文居於主流的情況下，凡是讀書人，幾乎都要作詩，唐宋八大家，詩、詞、文俱佳。即使生活在農耕社會的文人學士中，即使在傳統文學的創作理念中，桐城派詩、詞、文的不互通，是比較明顯的。能寫詩，不見得就能稱為詩人，就像現在能寫文章的人，不見得就稱為文人一樣。大多數桐城文章嚴謹古樸有餘，淡而無味，詩意靈性不足，原因即在於此。

有論者認為，桐城派的獨特貢獻在於以小說描寫方法入文，理由是有的文章人物行動和對話生動，這種觀點也值得商榷。桐城派為文宗史漢和唐宋八大家，其實受史漢的影響多於八大家。八大家文章論說的雄辯和寫景的詩情畫意，在桐城派文章中少見。而史漢文筆後來就被稱為小說寫法的起點，情節起伏曲折，還有人物個性、外貌、對話的生動描寫。二十世紀初，姚永樸在北京大學期間著《文學研究法》，是為桐城派文章做法的總結，也沒有談到戲劇、小說、詩歌入文的問題。

司馬遷《史記》的思想魅力，桐城派文章是沒有的。馬其昶著《桐城耆舊傳》，形式、佈局和寫法均仿效《史記》，精神實質全無。一個敦厚有餘、天分不佳的人，即使拜司馬遷、韓愈這樣的頂尖高手為師，也難以成為好學生。

四

桐城無大家，但有高手。歷來評論桐城文派，多注意戴名世、方苞、劉大櫆、姚鼐、梅曾亮、曾國藩、張裕釗、吳汝綸、林紓、馬其昶等，或多或少忽略了姚瑩。

無論為官、為人、為文，姚瑩都有很多亮點，其上佳表現讓人精神振奮，這在桐城派中絕無僅有。曾國藩在姚鼐義理、考證、文章三

者不可偏廢的文論基礎上，增加「經濟」一項，旨在強調文章的社會實用性能。當時管同、梅曾亮、方東樹、劉開被譽為姚鼐的四大弟子，曾國藩在咸豐五年（1855）所作的〈歐陽生文集序〉一文中，對姚鼐四大弟子重新組合，棄劉開增姚瑩，原因在於姚瑩更能體現經世致用的「經濟」觀點，這是很有眼光的。

桐城派文人除劉開年輕時就宣稱不重科舉外，大多熱衷此道。他們在入仕後往往並不留戀權勢，在官場稍加周旋便投身講學，以授業解惑為樂，對社會經濟的具體事務沒有多大興趣。鴉片戰爭後，他們也表現出強烈的愛國熱情，但只是寫寫文章而已，並沒有任何行動。

姚瑩與梅曾亮同屬姚鼐弟子，先後在北京為官，但兩人的境界大不一樣。梅曾亮比姚瑩小一歲，晚十五年中進士。他是清初著名數學家梅文鼎的四世孫，人很聰明，文章雄渾挺拔有氣勢，文才勝於姚瑩，遂成姚鼐死後桐城派的一個中心人物。此人不願外調做官，自己花錢上下打點，得以留京擔任戶部郎中，晚年主講揚州書院。鴉片戰爭中，他給後任兩江總督的陸立夫寫信，建議使用康熙初年姚啟聖堅壁清野的辦法，退海岸線二十里挖溝固守，以己之長攻洋人之短，定能獲勝。文章有理有據，不失為一個好計策。梅曾亮之所以不願做地方官，在於他患得患失，不敢承擔為官的責任和風險。他曾寫過一篇〈臣事論〉，詳細分析了地方官在封建政體下的名利風險，說理透徹，切中時弊。他實際上是在保證個人絕對平安的前提下「愛國」，其為文的分量可想而知。梅曾亮的知行不一，在桐城派文人中很有代表性。

姚瑩勇於任事。他在四十多年的官宦生涯中，表現出罕見的吃苦精神，具有深入村舍田野的務實作風。他在炮火面前不怕犧牲，受排擠時忍辱負重，艱苦環境下精神樂觀。更加難能可貴的是，他任何時候筆耕不輟，開中國文人學者進行田野調查的先河，留下了鴉片戰爭

前後邊疆地區政治、經濟、軍事、文化、歷史、民俗、旅遊的文字資料。他能同時受到魏源、林則徐、鄧廷禎、曾國藩的高度讚賞，絕非偶然。

姚瑩，安徽桐城人，是姚鼐的姪孫。二十四歲中進士，旋即進入兩廣總督百齡幕府。在廣州期間作〈捕鼠說〉一文，以貓的慵懶比喻官場上的不作為，對無所事事、尸位素餐之徒表示憤慨。

在與友人黃香石論詩時，談到李白、杜甫、白居易、陸游，姚瑩說：

> 詩人震耀今古，稱名之偉，如日月江河者，何也？則不唯其詩，惟其人也……吾以為學其詩，不可不師其人，得其所以為詩者，然後詩工，而人以不廢。否則，詩雖工，猶糞壤也。

他三十一歲起先後任福建平和、尤溪知縣。克服言語不通的困難，處理當地民間械鬥成效顯著，受上司賞識，遭同僚忌恨。五年後調任臺灣葛瑪蘭廳（今宜蘭縣）通判，不久遭讒言被革職。兩年後重新赴臺，協理臺灣知府，一八二五年辭職。他根據自己在臺灣的經歷，撰寫了八萬字的《東槎紀略》。後任江蘇武進、元和知縣，淮南鹽掣同知，護理兩淮鹽運使。一八三七年五十三歲時第三次赴臺，署理臺灣道員加按察使銜。鴉片戰爭爆發，他與臺灣總兵達洪阿一起嚴加防範，多次擊退英船進攻，並俘獲英軍一百八十多人。受朝廷主和派誣陷入獄，後發配四川。在四川期間，他先後兩次赴藏處理呼圖克圖的糾紛。一八四六年回到成都時，根據十七個月的藏區見聞，完成了四十二萬字的《康輶紀行》。

咸豐繼位後給姚瑩平反。姚瑩在六十五歲時調任廣西、湖南按察使，一八五三年病逝。姚瑩四次平調擔任知縣，三次赴臺，兩次進藏，個人升遷之路曲折艱辛，頗不順利，受盡同僚的奚落、嘲弄，但

他堅強豁達，胸懷大志，與個人命運抗爭，與官場庸劣之輩抗爭，與強悍外敵抗爭。

梅曾亮〈臣事論〉寫於道光年間，很可能有感於姚瑩的經歷而作，並決心以姚瑩為鑒，面對官場的險惡知難而退。而姚瑩並不以為意，九死不悔，奮然前行，踐行年輕時立下的「學其詩，更要學其人」的誓言。

《東槎紀略》記錄了道光初年臺灣的政治、經濟、軍事、民生狀況，對葛瑪蘭的歷史與設官建制更為詳細，涉及交通、房舍、溪流、颱風、駐兵、族人性格、婚配、服飾、飲食等各方面情況。他根據當地實際問題，加強軍備，改善民生，為後來擊退英軍進攻作好了準備。

《康輶紀行》完成於鴉片戰爭後，比《東槎紀略》視野更為廣闊，行文中有更深的憂患意識。《東槎紀略》以事件展開敘述，而《康輶紀行》以日記為主、事件為輔，文學性更強。除《東槎紀略》涉及的內容外，《康輶紀行》對西藏的歷史、地理、宗教和社會風俗進行了全面考察，對英國、俄羅斯垂涎西藏、新疆提出警惕。但姚瑩絕非盲目排外，他對西方美、俄、英、法等國家的介紹，體現了時代精神。有論者認為：「姚瑩對西方的認識，已經超過了與他同時代的林則徐、魏源、夏燮等人，代表著當時的最高水準。」

姚瑩重視觀察，善於發現，《康輶紀行》寫景狀物，文字簡潔，可讀性強。如《康輶紀行》卷二「八角樓詩」一節，作者年已六旬，以流放待罪之身，在對高原美麗風光的描繪中，洋溢著感人的樂觀情緒：

> 二十二日卯刻，行不數里，雨至，冒雨行四十餘里，始霽，幸沿山坡，不甚險仄。已刻，至八角樓。蠻寨三五相望，雜漢人居，所雲八角樓者，聳入雲際，如塔而中實。其下青稞被野，

長松彌岡，流水小橋，山桃一株正放，出關以來所未見也。茶憩片刻，倚檻欣然為一絕云：「長松掩映水流灣，橋畔桃花孋笑顏。八角樓邊晴雨後，蠻中記取此青山。」

《康輶紀行》具有歷史、文學、民俗、旅遊多方面的研究價值。其宏大的敘事規模，說明桐城文人是可以寫大文章的。關鍵是作者的眼光和氣魄，是作者的胸懷和精神狀態。姚瑩與梅曾亮，為文成就的不同，實則是為人做事的不同！

五

姚瑩之人和姚瑩之文，在桐城派中純屬個別。

在汗牛充棟的古代文化典籍中，桐城文章不可多讀，不可不讀。目前學術界對桐城文派的研究在加強，但存在一些問題：週邊、橫向研究多，作家或文本研究少。桐城文章至今沒有一個很好的選本。漆緒邦、王凱符選注的《桐城派文選》，在上世紀八〇年代讀不到桐城文章時有特殊意義，但此書將文論與作為文學作品的古文混在一起，容易使人對桐城文章產生誤讀。每個作家文章選擇的分量也有欠公允，不少好的文章未能選入，可能是為了證明後期文章的日薄西山，偏偏選入一些差的文章。姚瑩的紀行散文，代表了桐城文章的最高水準，可惜一篇也未能入選。馬其昶的《桐城耆舊傳》，雖然有各種問題，但個別篇章很生動，仍然一篇未選。

戴名世、方苞、劉大櫆、姚鼐、梅曾亮等主要作家都有專集，但讀者範圍有限。姚瑩的《東槎紀略》和《康輶紀行》，在一九九〇年出過單行本，但一千冊的發行量實在太少，況且只有點校本，沒有注釋本，不利於普及。

　　我在桐城期間，深感當地文風昌盛，對於如何以歷史遺產做好現代文章，有著真摯而迫切的願望。在市場經濟條件下，要使桐城文章不再被誤讀，開幾次學術討論會固然是很好的，但要真正用好、用活「桐城文章」這個品牌，非有高人出奇招不可。

　　　　　　　　　　　二〇一二年五月十四日下午一時，成都

主要參考文獻

方　苞　《方苞集》　上海市　上海古籍出版社　1990年版

方東樹著　汪紹楹點校　《昭昧詹言》　北京市　人民文學出版社
　　　　1984年版

吳孟複　《桐城文派述論》　合肥市　安徽教育出版社　2001年版

孟醒仁　《桐城派三祖年譜》　合肥市　安徽大學出版社　2002年版

章培恒、駱玉明主編　《中國文學史》　上海市　復旦大學出版社
　　　　1996年版

姚　瑩　施培毅、徐壽凱點校　《康輶紀行‧東槎紀略》　合肥市
　　　　黃山書社　1990年版

姚　鼐　《姚鼐集》　上海市　上海古籍出版社　1990年版

姚永朴著　許結講評　《文學研究法》　南京市　鳳凰出版集團
　　　　2009年版

徐成志、江小角主編　《桐城派與明清學術文化》　合肥市　安徽大
　　　　學出版社　2008年版

馬其昶　《桐城耆舊傳》　合肥市　黃山書社　1990年版

游國恩、王起、季鎮淮、費振剛主編　《中國文學史》　北京市　人
　　　　民文學出版社　1982年版

劉大櫆　《劉大櫆集》　上海市　上海古籍出版社　1990年版

陳基余主編　《安徽文化史》　南京市　南京大學出版社　2000年版

漆緒邦、王凱符選注　《桐城派文選》　合肥市　安徽人民出版社
　　　　1984年版

戴名世　《戴名世集》　上海市　上海古籍出版社　1990年版

桐城篇七

尹寬墓前
——一個托洛茨基主義者的一生

　　樅陽縣的浮山風景區，山腰上有著名的摩崖石刻，山腳下有方以智墓。這座亂草叢中的古墓，墓碑上字跡已模糊不清。在浮山鎮吃完午飯，沿二二八省道一路向西北行駛，便進入桐城市的孔城鎮。

　　過孔城鎮往北有一條鄉間公路，可到達雙墩村。問了幾次，才找到尹寬的墓地。該墓地坐西朝東，墓塚長三米，寬二點八米，塚後壘環形土壤，中嵌墓碑，上有楷書「尹碩夫之墓」幾個字。時值四月，四周的油菜花分外刺眼，一些蜜蜂繞著墓碑飛來飛去。

　　墓地的主人尹寬，是中共早期著名領導人，前半生轟轟烈烈，後半生卻是一個堅定的托洛茨基主義者。他是陳獨秀、彭述之轉而信奉托洛茨基思想的中間人，卻長期在托派內部遭受排擠。他飽受國民黨和共產黨的牢獄之苦，走完孤獨寂寞的一生。一九八六年，全國黨史會議決定，將他的名字列入《中共黨史人物傳》條目，對他前半生給予了適當的肯定。

與趙世炎、周恩來一起創建旅歐少年共產黨

　　尹寬，字碩夫，一八九七年生於桐城縣興店鎮雪池村。父母都是農民，家裡很窮。尹寬少時勤儉，為補貼家用，一邊在私塾讀書，一邊下田幹活。私塾先生看他聰明，慫恿其父母送他到新式學堂培養，

這樣使他有機會進入蕪湖省立第二甲種農業學校。恰好五四運動爆發，他成為蕪湖學生運動領袖，與李慰農、何其鞏等人一起，被學校開除。

　　一九一九年底，他們一起乘法國「安德列朋號」輪船，赴法國勤工儉學。同船的還有向警予和蔡和森、蔡暢及他們的母親葛健豪，另有一個湖南人歐陽玉生。在船上，尹寬與歐陽玉生成為無話不談的好朋友。到法國後，經歐陽玉生介紹，尹寬參加了李維漢等部分新民學會會員組建的工學世界社，逐漸接受了馬克思主義思想，並向李慰農、鄭超麟等人推薦《共產黨宣言》、《空想社會主義和科學社會主義》和《群眾心理學》等書籍。他能辦事，會演講，善於隨機應變。當時生活困難，他就帶領安徽籍學生，要求安徽省政府撥款救濟學生，解決了本省學生的經濟來源問題。

　　在法國期間，蔡和森的勤奮學習、善於思考，給尹寬留下深刻印象。受蔡和森委派，歐陽玉生到尹寬住處待了五十三天，向尹寬宣傳蔡和森的革命思想。他對尹寬說：「未來中國革命的領袖不是陳獨秀，而是蔡和森。」後來尹寬回憶道：「在法國勤工儉學學生中，最初宣導共產主義的是蔡和森。他一到法國就不想進工廠，也不肯隨班學法文，囚首垢面高談馬克思主義，開口閉口是無產階級專政……當時擺在我面前的路很多，也曾有人引我走『正路』，唯獨歐陽玉生來一說，我就聽從了，歸根結蒂，還不是什麼人走什麼路麼？」

　　一九二一年春，趙世炎寫信給蔡和森，提議建立一個「共產主義同盟會」。蔡和森表示同意，但主張用「少年共產黨」的名稱，最初遭到部分人的反對，幾經協商，才同意使用這個名稱。正在這時，發生了著名的里昂事件，尹寬與李立三一起，代表被關押的學生，和吳稚暉進行面對面的說理辯論。後來因這一事件，蔡和森、歐陽玉生等被遣送回國。蔡和森走後，尹寬負責與趙世炎等人的通信聯絡。一九

二二年六月十七日，李維漢、尹寬、鄭超麟三人從蒙達爾到達巴黎。第二天，在巴黎西北郊的布洛宜森林，少年共產黨正式宣佈成立。周恩來曾對名稱提出異議，主張用「少年共產團」，被大家否定。接著周恩來又提出，黨章要規定凡入黨的人都須宣誓，又被大家否定。大會最後選出的中央執行委員會由七人組成，他們是趙世炎、張伯簡、陳延年、周恩來、李維漢、王若飛、尹寬，以趙世炎為總書記。少年共產黨成立後，新民學會、工學世界社、勞動學會等組織即停止活動。

有人提出，為了保密和方便聯絡，黨內每個人都採用一個化名，大家以化名相稱，大會立刻同意。李慰農分頭收集，內部刊物很快登出了真名和化名的對照表：周恩來－伍豪，李維漢－羅邁，尹寬－石人……其中周恩來使用了他在天津覺悟社時的化名。

少年共產黨服從中國共產黨的領導，按照中共規定所有共產黨員都要加入國民黨。鄭超麟是因為對孫中山思想失望才參加共產黨的，因此提出不同意見，遭到尹寬反對。尹寬說：「這是執委會的決定，我們不過利用國民黨已形成的力量來發展自己的力量，並不需要思想方面的讓步。」

一九二三年初，少年共產黨決定分兩批到蘇聯。鑒於趙世炎、陳延年、王若飛等將在第一批赴蘇，臨行前在巴黎開會，改選周恩來為書記，尹寬再次當選執行委員兼共產主義研究會主任。會議不顧周恩來的極力反對，決定開除張崧年（張申府）的黨籍。當年秋天，尹寬、李慰農、汪澤楷、劉伯堅等第二批赴蘇人員經比利時、德國，乘船到俄國的彼得格勒，然後轉乘火車到達莫斯科。

尹寬在莫斯科總共住了不到半年。他一到莫斯科，就以中共黨員的身份參加了旅莫黨支部會議。他沒有學習俄文，平時仍然看法文書籍，從哲學入手研究馬克思主義，還從法文翻譯了一篇論辯證法的文

章，寄回國內，在《新青年》一九二四年第三期發表。他在蘇聯沒有擔任任何職務，對於統一戰線，改變了在法國時支持中國共產黨加入國民黨的立場，反對加入國民黨，寫了文章申訴自己的意見。張太雷、彭述之等人對此不屑一顧，還組織黨員開會對他的思想進行批鬥。在莫斯科期間，尹寬一直住在東方勞動大學，中途只到遠離莫斯科的鄉間農莊休養了一個多月，恰好傳來列寧逝世的消息。

一九二四年臨近暑假時，由於國民黨「一大」召開和黃埔軍校的建立，國內急需幹部。受旅莫支部派遣，尹寬便與張伯簡、肖三、蔣光赤等人同行，沿西伯利亞鐵路回國。

在革命的洪流中

一九二四年的中國，革命中心在兩廣，當地中共組織直接聽命於蘇聯顧問鮑羅廷。中共中央很難插手兩廣事務，便將工作重點放在其他各省。尹寬回國不久，就被派往山東，協助王燼美做黨務工作，一九二五年初被任命為中共山東省委書記。

此前一年多時間，中央曾派北京大學學生吳容滄負責山東黨務。這個年輕人持手槍去某銀行找經理，要借款一千元做共產黨的活動經費，結果被捕，被判了幾年徒刑。此事影響極壞，污損了共產黨聲譽，在濟南的同志幾乎全部逃亡，黨的工作停頓了好幾個月。

尹寬在蕪湖和法國就有從事群眾運動的經驗，能寫會說，又很注意研究群眾心理。他對內加強紀律，進行思想教育訓練；對外廣泛爭取群眾支持，發動群眾進行合理鬥爭，很快就打開了局面。特別是青島日本紗廠的罷工，與上海日本紗廠的罷工，此起彼伏，遙相呼應。在五卅運動的罷工高潮中，中央派遣剛從蘇聯回國的李慰農去山東協助尹寬，尹寬派他這位在蕪湖學運時期的老搭檔坐鎮青島指揮。可惜

不久，李慰農就被軍閥張宗昌逮捕槍殺，尹寬心痛不已。青島紗廠的罷工在全國影響巨大，與上海紗廠一起，被當時報紙稱為「青滬工潮」。尹寬以突出的工運成績，引起陳獨秀的重視。一九二五年八月二十一日，尹寬調任上海區委書記。五卅運動後，中共組織在上海迅速發展，其地位僅次於廣東區委。

尹寬到上海不久，鄭超麟第一次到他住的地方，去看望這位過去的老朋友、現在的新上司。他的房間裡有個大姑娘，尹寬介紹說是：「王辯同志」。這姑娘不說話，只是低頭笑。可是不到一個月，尹寬就因「王辯同志」而下臺。

原來尹寬在山東工作時，每次在會議上講話，王辯都如醉如癡地聽著，眼裡充滿佩服的神氣。尹寬接到上海的調令，臨走時塞給王辯一張紙條，要王辯隨他到上海。姑娘就收拾了簡單的衣服，跟他來了──沒想到這下引起一場軒然大波。王辯的父親名叫王翔千，多年前與王燼美、鄧恩銘一起創建山東黨小組。尹寬悄悄「拐走」了他的愛女，這位老同志氣急敗壞，要帶利刀來上海同尹寬拼老命。山東的同志也鬧起來，要求中央開除尹寬的黨籍。陳獨秀沒有對這種落後的封建觀念讓步，也不能置之不理。恰巧此時尹寬患肺病吐血，陳獨秀決定尹寬離職休養，同時送王辯去莫斯科讀書。王翔千和山東的同志只好鳴金收兵。

王辯臨行前，盡力服侍患病的尹寬。尹寬想到自己可能一病不起，便問王辯：「我死了，你怎麼辦？某某兩同志還沒有愛人，你選擇一個好麼？」王辯搖搖頭，似乎在說：「你死了，我終身不再愛人。」王辯到莫斯科後，經常給尹寬通信。尹寬擔心王辯另有所愛，從蘇聯回國的人都說尹寬不對：「你擔心王辯愛了別人，可是王辯在莫斯科是愛情專一的，心心念念不忘尹寬，好多男同志追求她，她都不理會。」

尹寬本是上海區委書記，只因王鰭事件被人攻擊才下臺，直至羅亦農任上才恢復工作，當區委委員兼宣傳部長，地位低了很多。但尹寬對此並不在意，兢兢業業做好自己的本職工作。他先是辦了兩期黨校，然後作為上海區委特別委員會成員，參與上海第三次工人武裝起義的組織工作。他與陸定一、鄭超麟一起，負責宣傳，採訪新聞，起草傳單。

當年五月，尹寬參加了在武漢舉行的中共中共第五次全國代表大會。武漢政府後期日益右轉，中共疏散幹部時，尹寬被派往廣東省委擔任宣傳部長。他領了路費，途經安慶時回老家桐城住了一個多月。為此他到廣州時，受到省委書記張太雷的嚴厲批評，還說要調查他的行動。兩人無法合作，尹寬回到上海。

八七會議後的中央，旋即於一九二七年十月將尹寬作為中央特派員，安排到安徽做巡視工作。中央根據尹寬彙報的情況，解散了柯慶施組建的第一屆安徽臨委。一九二八年一月，從蘇聯回國的王鰭，在上海瞭解到尹寬已到安徽，毅然要求去安徽工作，到蕪湖任安徽臨委宣傳幹事，一對有情人終成眷屬。一九二八年三月，尹寬任第二屆臨委書記後，安徽工作轉入正軌，黨的各項工作都有了較快發展。尹寬和王鰭雖然同居一室，但沒有工夫回敘舊情。只有一次，尹寬利用閒暇，打了一點酒，備了一點菜，同王鰭享受一下生活。但是不久，王鰭被捕入獄，被判了兩年的短期徒刑。

尹寬與副手王步文（一九三一年任第一任安徽省委書記，不久被捕犧牲）的合作也並不愉快，雙方因工作認識產生的差異，很難妥協。一九二八年九月，中央派剛參加了中共六大的任弼時，來安徽傳達新精神，同時調查臨委存在的矛盾。尹寬回上海，與李立三大吵一場，導致沒有分配工作，實際賦閒。這時曾經擔任過第一屆臨委領導的柯慶施等人，趁機向中央上交書面報告，對尹寬和第二屆安徽臨委

工作進行攻擊。一九二九年三月，尹寬以安徽臨委書記的身份，最後一次在上海參加了周恩來、項英主持召開的安徽工作會議。尹寬的工作不僅沒有得到表揚，反而受到批評。五月二十四日，中央發出通知，決定暫時撤銷安徽省臨委，尹寬遂成無皮之毛。

成為托洛茨基主義的信徒

尹寬受到不公正的對待絕非偶然。

第一次國共合作失敗後，陳獨秀及其他在上海中共中央總部工作的同志，如彭述之、張國燾等人被新的中央冷落。對歷史問題，他們反對把一切過錯推到陳獨秀身上；對現實問題，他們認為中國革命處於低潮，反對盲動主義。尹寬回國後在黨內地位迅速上升，既有資歷、能力的因素，也離不開陳獨秀的提拔。他不受「六大」以後李立三把持的中央重視，或多或少與被視作陳獨秀派有關，也可能與法國時期形成的一些人事矛盾有關。況且他個性強硬，不喜歡承認錯誤，即使別人指出來，他也要為自己詭辯一番。

一九二九年初，尹寬正閒居上海時，他過去在山東認識的一個名叫王平一的青年從蘇聯回國，帶給他幾篇油印的文章，都是托洛茨基論述中國革命問題的。尹寬看後引起共鳴，被深深打動，很多模糊的問題，似乎一下子找到了答案。他興奮得很，立刻給彭述之、汪澤楷、鄭超麟等人傳閱，接著又送來第二批、第三批文章。陳獨秀與他們聯繫緊密，自然也看到了。後來由陳獨秀個人出錢，將托洛茨基文章整理出版，名為《中國革命問題》。

他們在一起相互討論，尹寬總是站在托洛茨基的立場給予解答。說服眾人後，尹寬重點猛攻繼續抵抗的陳獨秀。每次談話的最後，陳獨秀堅持他的不同意見；下一次見面，陳獨秀放棄了自己的意見，又

以尹寬的意見為基礎，提出新的問題。如此一層一層深入討論下去，到大家都接受了托洛茨基觀點時，他個人還有不同意見。最後，中共黨內的陳獨秀一派，經過自己思考和相互辯難，終於毫無保留地接受了托洛茨基的政治主張。五十年後，鄭超麟回憶說：「一九二一年尹寬帶我走向馬克思主義，一九二九年尹寬又帶我走向托洛茨基主義。」

緊接著，在應對中東路事件策略和分析大革命失敗原因等問題的認識上，陳獨秀派與中共中央產生嚴重分歧，更加堅定了陳獨秀派對托洛茨基觀點的認同，以致不可調和。一九二九年八月，陳獨秀要求加入中國最早的一個托派組織「我們的話派」，遭到拒絕，但絲毫沒有影響他的思想觀點。十一月，中共中央將陳獨秀、彭述之、尹寬、鄭超麟、汪澤楷等人開除出黨。陳獨秀針鋒相對，撰寫了《告全黨同志書》，隨後聯合彭述之、尹寬、鄭超麟等八十一人，寫了一篇《我們的政治意見書》，全面駁斥中央強加給他們的反革命罪名。

一九三〇年初，王辯出獄，來到上海。中央告訴她正在進行的與托派的鬥爭，勸她不要去找尹寬，但王辯堅持與尹寬見了一面。經過獄中生活的磨煉，王辯已經沒有了少女時代的羞澀，她與尹寬辯論，繼而發生激烈爭吵，要求他重新回到中共懷抱，擁護中央的領導。當時有人來通知，說情況危險。王辯說：「我當作托派被捕，太不值得。」於是走了。由於政見不合，他們心的再也碰不到一起，從此天各一方。倒是尹寬，對王辯一直深深懷念著。

王辯走後，尹寬拿出多年前投入中共時的熱情，在中國共產黨左派反對派的機關報《無產者》上面，發表了很多文章，系統闡述托派思想。

尹寬不僅是陳獨秀派接受托洛茨基思想的播火者，也是他們與從莫斯科回國的托派組織的連絡人。在幾個托派組織統一的過程中，尹

寬起了重要作用，而彭述之為了與其爭奪領導權，對他進行了攻擊。一九三一年五月，中國共產黨左派反對派（托派統一組織）中央成立，陳獨秀當選總書記。為了平衡各派關係，老資格的尹寬未能進入中央委員會，但大會通過了他起草的〈職工運動問題提綱〉。

托派中央建立後，立即遭到國共雙方的嚴厲打壓，在夾縫中艱難生存。僅僅二十多天後，就長期陷入告密、內鬥、分裂、重組，主要領導人輪番入獄。尹寬的地位始終不高，但他熱心此道，癡心不改。一九三一年八月，尹寬被捕，在獄中生了一場重病，幾乎死去，一九三四年八月保外就醫。病好以後，正值社會史論戰結束、中國農村經濟性質論戰開始，尹寬揮筆上陣，在《中國農村》雜誌發表多篇文章，與孫冶方進行辯論。一九三五年十二月，托派重建臨時中央委員會，王凡西當選主席，尹寬當選組織委員。但好景不長。他的活動引起國民黨關注，再次將其逮捕。他寫信向時任北平市長的何其鞏求援，得以從輕發落，移送南京反省院關押，直至南京快被日本人攻破時才放了出來。他走投無路，只好回桐城老家，以教書為生。以後他當了桐城簡易師範學校校長，還做了桐城縣參議員，為此遭到鄭超麟的諷刺和譏笑，說他做了國民黨的官。

一九四七年，尹寬從桐城來到上海。得知托派已分裂成彭述之、劉家良的多數派和鄭超麟、王凡西的少數派，他有點無所適從。第二年，在國共內戰的隆隆炮聲中，彭述之以多數派為基礎成立「中國革命共產黨」，尹寬當選中央委員兼宣傳部長。然而沒過多久，尹寬就與彭述之一干人鬧翻了。鄭超麟和王凡西也對他愛理不理，尹寬甚感無趣，只好再回老家。中國革命共產黨遷往香港時，劉家良曾寫信邀請他一起去，尹寬也置之不理。

漫長的獄中生活

尹寬回桐城後，生活成了問題，靠做一些小買賣度日。一九四九年初秋，尹寬運了一批土產到南京出售，得錢後去上海找到鄭超麟，想在上海待下去。但住房這個大問題無法解決，只好無可奈何地返回桐城。他沿途看見載歌載舞、紅旗招展、軍歌嘹亮的場面，想到自己是這個黨的元老，曾經當過山東、上海、安徽三個地方中共黨組織的一把手，現在落到這般境地，心中不免淒涼。回到家鄉，村裡的幹部跟他說話也很不客氣，使他不時要發脾氣。

一九五〇年，毛澤東路過安慶，地方領導向老人家彙報情況時說：「桐城縣有個老頭子，自稱是周恩來的老朋友，說了許多怪話，我們拿他沒有辦法。」在毛澤東身旁的羅瑞卿警惕性高，便問：「這人叫什麼名字？」回答道：「叫尹寬。」羅瑞卿說：「我們正要找他。」於是尹寬被捕了。

估計尹寬嘴硬，也要詭辯，在合肥關押時吃了不少苦頭，兩手反銬了很長時間，吃飯靠人餵，大便靠人擦屁股。後來被押到上海，關進提籃橋監獄，當晚正巧與鄭超麟囚在一個監室。這時尹寬才知道，一九五二年十二月毛澤東一聲令下，全國所有托派無一漏網，全部收監改造。兩位政治見解相同、有三十多年交往的老朋友，便天南海北閒聊起來。

他們回憶三十年前在法國組建少年共產黨的往事，談到當初在法國、蘇聯熟識的那些朋友。趙世炎、蔡和森、王若飛等人死了，周恩來、李維漢、李富春、蔡暢等人官居高位，而與當權者一樣具有堅定共產主義信仰的鄭超麟和尹寬，如今卻在共產黨的監獄裡艱難度日，終年與臭蟲、蒼蠅為伍，不知何時能夠重見天日。一樣的革命資歷，迥異的人生遭遇，是命運的捉弄？還是一念之差鑄就的錯誤？

　　說到蔡暢，尹寬告訴鄭超麟，蔡暢的第一個愛人名叫歐陽玉生，是說服自己信仰馬克思主義的一個重要人物。他們是自由戀愛，歐陽玉生當時生了肺結核，蔡暢還特意趕到他租住的地方服侍他，幫他燒飯洗衣服。但「蔡伯母」葛健豪不贊成，她看中了李富春。里昂事件中，歐陽玉生被遣送回國，不久就病死了。這個可憐的人，臨死前還將思念蔡暢的文字寄到蘇聯，希望這個女人能夠理解他對她的一片深情……

　　談到彼此的家庭，鄭超麟告訴尹寬，他感情深厚的夫人劉靜貞也被捕了。尹寬一直以來就很羨慕，托派分子有幾對模範夫妻：從莫斯科回國的寒君和黎彩蓮，因貧病交加先後去世，至死對政治選擇無怨無悔；風流幽默的彭述之，居然讓不苟言笑的向警予神魂顛倒，向警予被殺後，彭述之和陳碧蘭結婚，一同信仰托洛茨基思想，解放軍南下時，他們一起出國了；就連陳獨秀這個老頭子，最後也有一個忠誠的年輕女人陪護在身邊。他曾經擁有過的王辯呢？尹寬自言自語地說，她還活著，不知在哪。

　　鄭超麟委婉地勸告尹寬，他是周恩來的老朋友是事實，但在共產黨當政時，何必抬出這個關係來呢？尹寬低頭，默然不語。

　　第二天，他們看見了何資深、蔣振東等幾十個同案犯人。接下來的兩個月，他們參觀工廠、農村、體育場、展覽會，學習中共文件。尹寬認了罪，但很容易讓人看出認罪是假的，仍舊得不到信任。有一天，他和鄭超麟談到蘇共「二十大」赫魯雪夫的秘密報告，鄭超麟說：「將來總有一天，史達林的玻璃棺材要從列寧墳墓中抬走的。」尹寬說：「不要他們自己抬走，要別人去抬走。」這話讓鄭超麟很滿意，他們有了更多的共同語言。

　　轉眼到了一九五七年，獄外大張旗鼓進行反右派運動，獄內認認真真學習報紙、文件。尹寬放下報紙，悄悄對鄭超麟說：「所謂『右

派』，其實是擁護共產黨的，反對共產黨的人今天只會說恭維話，不會說批評話。」原來他的內心深處絕不會認罪，也絕不會認為自己有罪。

在揭發會上，尹寬只揭發那些逃到國外的托派是國民黨特務，始終不說在押的鄭超麟、蔣振東等人是特務。六〇年代，中蘇反目成仇，獄中的氣氛也比過去沉悶，犯人單獨關押，談話已不如五〇年代那麼隨便。他們學習反修文件，談體會，寫總結。鄭超麟很想把幾年來形成的系統思想說出來，也很希望能夠聽到尹寬多年的深思，但一直沒有機會。

一九六五年十月，秋風肅殺。突然有一天，監獄把所有的托派犯人集中起來，宣佈明天放尹寬回家，特別讓尹寬與大家見一面。一個犯人用輪椅把尹寬推過來。只見他全然沒有了往日的神氣，目光呆滯，話語緩慢。他說：「我們錯了。要好好改造，改造好，政府會釋放我們的，我就是現成的榜樣。」尹寬被推走後，管教人員立刻讓大家談感想。

有一個平時表現很好、最靠攏政府的犯人問：「尹寬是釋放的呢，還是保外就醫的呢？」管教人員一楞，反問他：「你說呢？」所有的犯人，發言都是政府所希望的，唯有最後一個發言的鄭超麟例外。他說：「幾年前我就對提審的人說過，尹寬一身是病，關下去是要死的。你們今天釋放尹寬回家了，這正是我一向所希望的，雖然不一定是我幾年前的要求今天發生效力。」管教人員沒有防備，也沒有發火，只是冷冷地說道：「哼！你幾年前的要求！哼！你要放尹寬回家！……」他說不連貫了。後來，所有表現好的、表現不好的，一起關押到七〇年代、八〇年代，才陸續放了出來。

尾聲：蓋棺而無論定

尹寬是被他的女兒尹龍珠接走的。臨行時，管教人員問她：「你父親回去生活有問題麼？」她不願靠政府出錢，回答說：「我們家裡養得起他的。」尹寬倒是想到了這個問題，悄悄問管教人員：「我回家後生活怎麼辦？」回答說：「已經跟你的女兒說好了。」尹寬後來才知道，政府已經撒手，把他的生活完全交給了他的女兒。雖然清貧，但回到老家和親人在一起，改變了生活環境，尹寬的病情慢慢有了一些起色，有時還能夠帶著孫子在屋外散步。

生活條件一天比一天惡劣，最後他感歎還不如監獄裡的生活，但已經無法可想了。一九六七年，尹寬死了。與其說死於老病，不如說死於營養不良，死於饑餓。關於他的死，還有一種說法，他在「文化大革命」初期政治形勢嚴酷的情況下，自知活罪難逃，死於自殺。

尹寬一生掛念著的王辯，與他分手後到遼寧、河北、山東等地從事黨的地下工作，歷盡滄桑，矢志不渝。抗戰爆發後，她與繼任丈夫趙志剛在她的老家諸城拉起一支遊擊隊，一九四〇年到山東《大眾日報》當編輯。全國解放後，她上調北京，任北京圖書館蘇聯部主任，一九七八年離休。八〇年代初，她抱病撰寫了二十多萬字的回憶錄，其中有《從五四到山東黨組織的成立》、《濟南八年》、《白山黑水》、《我在莫斯科中山大學的前前後後》、《王燼美同志建黨初期活動》等。一九八七年病逝後，她在莫斯科中山大學的同班同學鄧小平送了花圈。

遺憾的是，在王辯的所有文章中，沒有提到尹寬，仿佛世上根本就沒有存在過這麼一個人。是她忘記了自己刻骨銘心的初戀？還是她在有意識地迴避什麼？

中國的托派分子和他們的事業，隨著鄭超麟一九九八年以九十七

歲高齡去世、王凡西二〇〇二年以九十五歲高齡去世，早已靜悄悄地走進了歷史。然而重新評價托派思想，是有益的。

托洛茨基主義者對內主張實行黨內民主，對外主張國際主義。對中國革命的具體問題，有的明顯錯誤偏頗，有的不乏真知灼見。但有一點確鑿無疑：經過時間的過濾，他們是真正的共產主義者，具有一種局外人難以想像的殉道精神。在國民黨執政時期，他們因為是共產黨員而遭到逮捕、摧殘。在共產黨執政時期，他們因為是「反革命」而遭到逮捕、槍殺。相比之下，他們在國民黨時代的遭遇要稍好一點，經過審訊後，判處的徒刑都不長，沒有人被處死。而在共產黨時代，他們中的一些人被槍殺，其餘的被迫與真正的反革命罪犯，與搶劫、偷盜、強姦等普通刑事犯關在一起，過著與其一樣、多半還要不堪的生活，受著更加難以承受的精神虐待，大多數慘死獄中。

他們風華正茂入獄，白髮蒼蒼出獄。出獄時，有的堅持要黨和政府給一個說法，有的嚴肅告訴管教人員：「歷史將宣告我們無罪。」他們始終認為，尤其經過蘇聯、東歐事變的證明，托洛茨基的學說是最符合社會主義最高利益的。然而，在中共黨史中，他們長期被妖魔化，即使毛澤東時代結束後，也沒有得到公正客觀的評價，似乎有不了了之的可能。其實他們中的很多人，有理想、有氣節，有原則、有操守，有感情，是堅貞不屈的革命者。他們從來沒有得到過「高風亮節」之類的美譽，但隨著越來越多的歷史資料的公開，他們在越來越多有識之士的心中，已經獲得廣泛的敬仰和深切的同情：他們不應該受到這種待遇。

告別尹寬，告別尹寬墓，告別一段沉重的歷史。在尹寬墓前，我忽然想到一種假設，如果史達林的蘇聯能夠容忍反對派——包括托洛茨基主義者——的存在，允許他們自由闡述不同的政治見解，及時匡正那些並非不能認識和克服的弊政，社會主義政權的基礎，也許要牢

固得多。如果能這樣，整個世界歷史將重新改寫。

　　一九九〇年，八十多歲的王凡西說，是托派最早與最不妥協地起來反對官僚獨裁，要求工農大眾的民主，並要求在蘇維埃內部實行多黨制，要求共產黨內部准許派別存在——但他們遭到蓄意的謀殺。表面緊密團結的背後，必然孕育嚴重的官僚主義和腐化墮落，使整個社會缺乏活力，終於被人民拋棄。

　　在社會主義國家，尤其是蘇聯和中國，能夠克服一切來自外部的困難，打敗一切來自外部的敵人，卻容不下無產階級政黨內部的反對派，容不下那些能夠獨立思考、能夠為黨的事業貢獻不同意見的反對派。對待他們，比任何拿槍的敵人都要冷酷、無情、血腥，無所不用其極，這不能不說是社會主義事業的巨大損失。蘇聯之失敗，敗於政治，也敗於經濟，但歸根結蒂敗於政治。

　　　　　　　　　　二〇一三年二月二十二日於成都

主要參考文獻

〔美〕盛岳　《莫斯科中山大學和中國革命》　北京市　東方出版社　2004年版

〔蘇〕托洛茨基著　齊干譯　《史達林評傳》　上海市　生活・讀書・新知三聯書店　2011年版

中共安徽省委黨史研究室著　《中國共產黨安徽地方史》（第一卷）　合肥市　安徽人民出版社　2000年版

王凡西　《雙山回憶錄》　北京市　東方出版社　2004年版

任建樹主編　《陳獨秀著作選編》（6卷本）　上海市　上海人民出版社　2009年版

任建樹　《陳獨秀大傳》　上海市　上海人民出版社　2012年版

唐寶林　《中國托派史》　臺北市　東大圖書公司　1994年版

鄭異凡編　《托洛茨基讀本》　北京市　中央編譯出版社　2008年版

蔡慶新　《任弼時》　北京市　中央文獻出版社　2010年版

鄭超麟　《鄭超麟回憶錄》　北京市　東方出版社　2004年版

濮清泉撰　〈中國托派的產生和滅亡〉　載《文史資料選輯》第71輯　北京市　文史資料出版社　1980年版

岳西篇八

鷂落坪夜話

一

　　岳西是安徽省最年輕的一個縣。

　　一九三五年二月，高敬亭在太湖縣涼亭坳重建紅二十八軍。一九三六年一月，國民黨安徽省政府為對付活躍於潛山、太湖、霍山、舒城一帶的紅二十八軍，劃四縣之一部成立岳西縣。所以當地人說：「沒有紅二十八軍，就沒有岳西縣。」

　　中共第一任安徽省委書記王步文的故居，位於縣城以北五公里處，目前保存完好。從王步文故居出發，沿山區公路向西北行駛，過來榜鎮不遠，便是青天鄉。幾經周折和詢問，一條細長而曲折的鄉間公路，把我帶到一個名叫汪家壪的地方。

　　村裡有個汪氏宗祠，是汪氏族人幾百年來議事的場所，後來因高敬亭與衛立煌所部在這裡談判，從而實現鄂豫皖地區國共合作抗日，成為縣級文物保護單位。可能是來的人少，祠堂大門緊鎖。等了近一個小時，才見一位六十多歲的老者，拉著牛緩緩走來。他沒說話，從褲腰帶裡扯出鑰匙，開了門放我進去。祠堂原汁原味，略顯破舊。牆上貼有兩張白紙，白紙上鋪滿了灰塵，上面用墨筆書寫著一些文字。一張介紹高敬亭岳西談判經過，一張介紹從這祠堂裡走出去的名人。其中的汪小川，我早就知道，他一九三二年參加紅軍，隨紅四方面軍

長征；新中國成立後曾任北京大學副校長、國家文物局副局長。

　　我正要張口詢問，卻發現祠堂裡空無一人，那老者已不知去向。

二

　　從汪氏宗祠到鷁落坪，盤山而上，車程約一個小時。

　　如今的鷁落坪，已是國家級自然保護區，有「大別山物種基因庫」的美譽，滿山遍野，一片翠綠。快要到山頂時，有一岔口，向左便是我此行的目的地——鷁落坪，紅二十八軍軍部舊址。這時太陽已落坡，西邊一抹紅霞，群山靜謐，聽不到一點聲音。

　　從停車場到軍部舊址，要經過一座搖搖晃晃的鐵索小橋。又是一個六十多歲的老者，一身農民打扮，詫異地望著我。從舊址的木牌子上，我發現已過了參觀的時間。為了試試運氣，我極其禮貌地與老者攀談起來。老者知道我是專程從四川來的遊客，熱情地說：「難得你好遠趕來，沒關係。」他打開舊址大門，給我指看高敬亭當年的臥室、軍部會議室、醫務室、槍械修理所……隨後他從牆上取下鑰匙，又帶我走進舊址對面一所氣派堂皇的建築——紅二十八軍紀念館。怕我看不清楚，他把館內所有的燈都打開了。燈火輝煌中，我從頭到尾重溫了紅二十八軍的歷史。關於高敬亭之死，只說是錯殺，沒有多餘文字。不知過了多久，我才將紀念館全部走了一遍。出門時，我發現老者還在門口靜靜地等著我。我向他表示歉意，他說：「沒關係，你看得仔細我高興。」

　　紀念館的燈光全部熄滅後，我才知道天已大黑。我問老者：「大爺，有沒有吃的？」他說可以為我煮麵。老者和他的妻子住在軍部舊址的一間土屋裡，土屋的外端是灶房。

　　等麵時，老者告訴我，他叫聶聲華，軍部舊址是他的祖居地——

聶家老屋。他的曾祖名叫聶在中，當年高敬亭生病就住在這裡。聶在中生於光緒初年，二十世紀三〇年代中期與高相識時已六十多歲，是中共秘密黨員。高敬亭見這裡山高路險、易守難攻，流露出想在此建立根據地的意思。聶在中很高興，建議「鷂鷹不打巢下食」，高敬亭滿口贊同。從此紅二十八軍以此為中心，四處飄忽作戰。國共和議成功，高敬亭回到聶家老屋與聶在中告別時，還特意送給聶在中一顆珍貴的瑪瑙作紀念，同時留下一百五十塊大洋，委托聶在中轉送給曾經支持過紅軍的鄉親，然後帶著部隊遠赴湖北七里坪集中整訓。兩年後，聶在中病逝。

我問：「你見到過你曾祖嗎？」

他回答：「沒有。他死後好幾年我才出生。」

「高敬亭和這裡的老百姓關係怎樣？」

「我母親曾經在高司令部隊裡當過紅軍，因為當時正在生病，沒有跟部隊走，前幾年才去世。她生前經常說，高司令這人，對當地群眾和戰士都很好。所以紅軍打不散。當地群眾也樂意當紅軍。」

「你知道高司令是怎麼死的？」

「是戴季英害死的。是槍斃的。」

「戴季英後來怎麼樣？」

「這我就不知道了……聽說是被他的警衛員殺死的。」

聶聲華唯讀過小學，我估計他把項英和戴季英搞混了。說到下午去汪氏宗祠的情形，他說，岳西縣與紅二十八軍有關的歷史遺跡很多，縣裡都是請當地村民看護，每人每年給一筆錢。他和妻子每個月八百元。他們的兒女都在外地，這筆錢只夠他們的基本生活。他告訴我，參觀聶家老屋和紀念館是「紅色旅遊」，不收門票。他的另一部分收入是小賣部，向遊客賣一些零食、飲料和書籍之類的東西。說著，他進屋取出一本《紅二十八軍在岳西》，我立刻按定價三十八

元，向他買了一本。

吃過麵條，已是夜裡十點過。我不願開夜車，見高敬亭那間臥室裡有空床，便詢問老者，可否在老屋住一晚上，我自己有被子、枕頭。聶聲華爽快地答應了，等我從車裡抱來被子和枕頭，他已為我準備好開水。他關好窗戶，又帶我去看了廁所，才離去休息。

在高敬亭七十多年前住過的老屋，我環顧四周。看見牆上高敬亭的黑白照片，感慨萬千。我知道，屋裡的木桌，木桌上的油燈，可能都是後來照原樣擺放的複製品，但我仍然感到非常親切，非常激動。這是一次多有意義的旅行啊！

鷂落坪位於大別山核心區域，山高風大，山風吹得窗戶呼呼的響。夜，深沉的夜，寂靜的夜。我翻開剛買的《紅二十八軍在岳西》，對照隨身攜帶的幾本相關書籍，去尋找高敬亭走過的歷史，去尋找他短短三十二年生命悲劇的根源。

三

高敬亭，一九〇七年生於河南省光山縣董店鄉（現屬河南新縣）。靠父兄節衣縮食讀了六年私塾，輟學後務農，有時幫父親殺豬。一九二七年五月參加當地革命活動，一九二九年三月加入中國共產黨，任董店鄉蘇維埃主席。他組織能力強、作戰勇敢，因此遭到當地民團報復，父親、妻子和三個哥哥先後被殺死，兒子下落不明。他義無反顧，將全部精力投入武裝鬥爭。

一九三一年一月，王明取得中共最高領導權，四月派遣張國燾到達鄂豫皖蘇區，成立中央分局，高敬亭事實上受益。但他在政治上迅速崛起時，也埋下了日後的禍根。同年五月十二日，擔任光山縣委書記僅有兩個月的高敬亭，成為分局書記張國燾之下的中央分局委員之

一，這一年他年僅二十四歲，是九名委員中最年輕的，名字與沈澤民、曾中生、陳昌浩、曠繼勳等人並列在一起。七月一日，他當選鄂豫皖省蘇維埃政府主席。第二年一月，他又當選鄂豫皖省委常委兼組織部長。

沒有張國燾的到來，高敬亭政治地位的上升不會這麼快。張國燾在《我的回憶》中，有四處提到高敬亭，一筆帶過，著墨甚少，且兩處都強調其農民身份。張國燾剛來不久，對高也談不上多少瞭解。當時受共產國際指導思想影響，張國燾重視從基層選拔苦大仇深的工農幹部。因此他對高敬亭的破格任用，並非賞識高的才能，也談不上多少信任，而是建立工農政權的政治需要，與後來在川陝根據地對熊國炳的任用是一樣的標準。張國燾在鄂豫皖蘇區時期，高敬亭沒有擔任軍職，當然也不可能有多少實權。但對高敬亭來說，情況就大不一樣了。沒有文字資料表明他對張國燾的態度，完全可以推測，高對張是很有好感的。

紅四方面軍主力西征後，情況發生了很大變化。高敬亭以鄂豫皖省委常委身份，兼任重建的紅二十五軍七十五師政委，這是他第一次在紅軍正規部隊擔任職務。一九三四年十一月紅二十五軍長征後，他奉命第三次建立紅二十八軍，開始艱苦卓絕的三年遊擊戰爭。在這期間，他對革命事業的忠誠，對敵鬥爭的勇敢，危急時刻的果斷，對當地百姓的親善⋯⋯都得以淋漓盡致的展現。更重要的是，他在政治、軍事兩方面顯示了突出的才華。政治上，他團結開明地主，建立基層兩面政權；軍事上，將正規部隊與便衣隊相結合、正規戰與遊擊戰相結合，形成靈活多變的風格，飄忽作戰，神出鬼沒，其部隊的機動範圍、作戰規模和殲敵數量，為南方八省其他地區的紅軍遊擊隊所不及。

與此同時，他也養成了霸道、狹隘、多疑的作風。鄂豫皖省委隨

紅二十五軍長征時，留下口信令高敬亭組建紅二十八軍。高敬亭利用口信不甚明確的特點，建軍時大權獨攬，其編制設置有點不倫不類、名不副實。他自任軍政委，不設軍長，也沒有軍部機關。紅二十八軍一千一百多人，下轄八二師和手槍團。在與黨組織長期無法聯繫、生存環境又非常複雜的特殊時期，這樣做當然也可以理解。但其直接後果，形成了他我行我素、唯我獨尊的不良習慣。

對於高敬亭功過的評價，對於他被冤殺的認定，中共黨組織和黨史學者並無多大分歧。爭論在於，他被殺的真正原因是什麼？這個問題長期以來眾說紛紜，莫衷一是。在所有論文中，以上海學者童志強的研究最有價值，他掌握的資料翔實，說理充分，觀點鮮明。他在一篇文章中說，高敬亭一九三九年六月四日被扣、六月二十四日被殺期間，中央下達過撤銷高敬亭職務、開除高敬亭黨籍的指示，並作出另派徐海東擔任新四軍江北指揮部副指揮兼四支隊司令員的決定。接著又說，當時的新四軍軍部、江北指揮所和各支隊都有電臺，電訊聯絡通暢，如果中央不同意殺高，很難想像能夠容忍擅自處死這樣一名高官，而且還是以蔣介石的名義。如果當時中央不同意殺高，在皖南事變後批判項英時，這豈不是一發現成的重磅炮彈？！

童志強的推論新穎而大膽，很有說服力。但他強調，他的推論沒有解密檔案的支撐。為此他呼籲，為還原歷史真相，應當儘快解密相關檔，尤其是來往電文。

四

沒有相關電文的解密，我們只有通過黨內鬥爭歷史，結合高敬亭被殺事件當事人片言隻語的回憶文字，隱約窺視冰山一角。

一九二七年武漢分共之後，中共確立了武裝反抗國民黨統治的方

針，開始踏上獨立領導中國革命的艱難征程。毛澤東有名的三灣改編，確立了黨對軍隊的絕對領導。這一原則為瞿秋白、李立三、王明等歷屆中共領袖所遵循，即使毛澤東在江西失勢期間也如此。「一切行動聽指揮」，「步調一致才能得勝利」——列為「三大紀律，八項注意」的第一條。中共這一建軍思想，即黨指揮槍的原則，對提高軍隊戰鬥力作用巨大。在各個革命時期，中共軍隊始終沒有出現成建制叛逃的現象。抗戰初期無論是張國燾、周昆兩位高級將領出逃，還是八路軍張紹東，新四軍楊克志、曹玉福幾位團職幹部的叛逃，幾乎都只是個人行為。而國民黨軍隊整營、整團，後來甚至整師、整軍幾萬人倒戈的事情很常見。

毫無疑問，共產黨對軍隊的控制，比國民黨要嚴格得多，也成功得多。當然，為保證黨對軍隊的絕對控制，有時需要防患於未然。實行「黨內削藩」，有時不免要造成一些冤案。一些對革命作出重要貢獻的人，以自己的生命為代價，成全了軍隊的統一和革命的成功。

三灣改編後，毛澤東率領秋收起義部隊向井岡山進發。此時王佐、袁文才正在井岡山割據，對毛澤東部隊的到來表示了謹慎的接納。兩支信仰和作風完全不一樣的部隊，難免產生矛盾，但毛澤東致力於改造王佐、袁文才。半年後，兩人加入中共，王佐、袁文才的「土匪」成為紅軍。後來朱德、陳毅、彭德懷先後上山，井岡山革命根據地一時紅紅火火。但在一些革命者眼裡，王佐、袁文才的存在，始終是對革命的威脅，主張削掉這個「山頭」。一九三〇年初，兩人同時死於中共地方武裝的突然襲擊。一九五〇年，中央為兩人平反。在中共早期武裝力量薄弱之時，王佐、袁文才貢獻巨大卻死於非命。時過境遷，毛澤東、朱德、彭德懷、陳毅等當時主要領導在這一事件中的態度和作用已撲朔迷離，不可考證，成為歷史之謎。

一九三一年十二月，國民黨二十六路軍在寧都起義，一點七萬人

參加紅軍，改編成中國工農紅軍第五軍團，季振同任總指揮，肖勁光任政委。中央紅軍向這支部隊派遣了大批政工人員，紅五軍團也打了幾場硬仗作見面禮。但當時很多人還是不放心，愁眉不展：這個「外來戶」武器好，戰鬥力強，在中央根據地形成一個「山頭」，萬一哪天心懷不軌怎麼辦！不到一年，保衛部門以季振同與西北軍舊部仍有來往為由，逮捕了季振同等八人，審理後判處死刑。由於毛澤東、項英反對，才沒有立刻執行。紅一方面軍長征前，中央政治保衛局為除隱患，將其全部槍殺。趙博生、董振堂等寧都起義的主要領導先後在戰鬥中犧牲，他們以死證明了對革命事業的忠誠。一九三七年初，紅軍西路軍失敗，紅五軍團走進歷史。

即使是純正革命隊伍內部，由於歷史淵源不同，領導者個人觀念和風格不同，再夾雜一些地方意識，在一起也可能矛盾重重。西北紅軍有謝子長、劉志丹兩支部隊，但他們長期不和。謝子長去世後，劉志丹成為主角。徐海東率紅二十五軍到陝北後，戴季英以肅反為名將劉志丹抓了起來。毛澤東領導中共中央機關到陝北，解救了劉志丹。徐海東和劉志丹均表示，堅決服從中央領導。毛澤東對他們的態度很滿意，毫不客氣地以加強領導為名，派人控制了這兩支部隊。

毛澤東痛感革命要成功，必須全黨服從中央，上下紐成一股繩，形成合力，向著一個目標奮鬥。尤其是經過與張國燾的分裂後，這種意識更加強烈。

紅一方面軍和紅四方面軍在阿壩會師後，短暫的喜悅迅速被尖銳的矛盾代替。一方是疲憊不堪、力量弱小的中共中央總部和紅一方面軍，一方是兵強馬壯的紅四方面軍。這是一個「巨大的山頭」，當時紅四方面軍八萬將士對張國燾——「張主席」的崇敬和迷信，超過紅一方面軍對遵義會議剛剛上臺的毛澤東的崇敬和迷信。中央不能向張國燾部隊派人「摻沙子」，只好在權力上作出重大讓步。張國燾仍不

買帳，執意率軍南下。毛澤東在感到威脅時，帶領區區數千人先到陝北。徐海東、劉志丹對中央的效忠，使中央直接控制的兵力達到一點五萬人，剛經歷了草原驚魂的毛澤東，對此倍感欣慰。劉志丹戰死後，毛澤東給予了極高的禮遇，同時他也稱讚徐海東是一位為中國革命立了大功的人，一九五五年授軍銜，經毛澤東提議，徐海東在大將中的地位僅次於粟裕。

張國燾南下受挫，被迫西入甘孜，與賀龍的紅二方面軍匯合，第三次過草地北上。又一個尖銳的問題出現了：此時紅四方面軍仍有四萬人，力量仍大於紅一、紅二方面軍和陝北紅軍的總和。如果六萬紅軍集中在貧困的陝北，不僅經濟難以承受，而且重新形成對中央的威脅。一九三六年十月二十日，也就是三個方面軍會師的第二天，中革軍委下達寧夏作戰計畫，紅四方面軍主力和紅一方面軍的紅五軍團，組成西路軍。他們的目標是進軍新疆，打通聯繫蘇聯的國際通道。三萬紅軍將士，長征後沒有休整一天，就此踏上一條死亡之路。西路軍失敗與張國燾關係不大，長期以來反倒認為是張國燾錯誤路線的結果。張國燾從此沒有了與中央對抗的本錢，對中央的軍事威脅，客觀上消失了。

近年來越來越多的學者注意到，電報往來在中共軍史上的作用很重要，甚至在一定程度上左右了歷史的走向，左右了很多人的生死，其神秘和費解有時讓人非常困惑。這種現象發生在中央與紅四方面軍之間，發生在中央與紅二方面軍之間，在中央與西路軍之間最為明顯。上世紀末，中央含糊其辭地作出結論，西路軍失敗的主要原因，在於「服從全局的戰略要求」。

西路軍失敗後，張國燾受到批判。紅四方面軍幹部在學習、檢討和提高認識中艱難過關，與紅一、紅二方面軍相比，他們在重新分配工作時，安排的職務明顯偏低。抗戰爆發後，原紅四方面軍頭面人物

張國燾、陳昌浩、張琴秋倍受冷落，總指揮徐向前只能出任一二九師副師長，其餘軍、師級幹部統統降為旅、團、營職。當過軍政委的李先念，九死一生從新疆回到延安，最初安排到一二九師當營長，李滿口答應。毛澤東知道後，認為太委屈了。最後給了他一個番號，帶著六十多人到河南、湖北一帶組織地方武裝打遊擊。李先念任勞任怨，硬是從一百多人的散兵游勇，發展到九千人的正規軍，這便是後來的新四軍第五師。李先念不計較個人得失、在實際工作中踏實勤奮的表現，給毛澤東留下好感，獲得了中央信任。新中國成立後，年僅四十歲的李先念出任湖北省最高領導，一九五四年，調京擔任國務院副總理兼財政部長。同樣出身於張國燾部隊，後來得到重用的還有許世友、謝富治、洪學智等人。他們經過時間和戰火的考驗，逐漸成為毛澤東制衡以彭德懷、林彪為代表的原紅一方面軍的重要力量。但在五、六〇年代，政治上、軍事上還是原紅一方面軍出身的幹部佔據主導地位。林彪事件後的七、八〇年代，原紅四方面軍的幹部受到普遍重用，八大軍區中的絕大多數為他們掌握，如許世友、皮定鈞、陳錫聯、李德生、聶鳳智、秦基偉、尤太忠、萬海峰、鄭維山、徐立清、向守志等，當然這也與鄧小平多年擔任一二九師政委有關。最後在九〇年代，劉華清以擔任中共中央政治局常委、中央軍委副主席的結局，寫完了原紅四方面軍走過的歷史。

總的來說，打掉張國燾這個「山頭」後，毛澤東還是比較注意團結和任用紅四方面軍的幹部，沒有一棍子打死。鑒於紅二十八軍與紅四方面軍直接的血緣關係，以及高敬亭受張國燾提拔而走紅的個人歷史，毛澤東對高敬亭既看重又很不放心。

早在一九三七年七月二日，中央派遣鄭位三、肖望東、張體學和程啟文赴大別山尋找高敬亭時，毛澤東就在談話中特別指出：「高敬亭在大別山，以那樣少的部隊，吸引國民黨的十七萬正規部隊，支援

了主力部隊長征，是作出重大貢獻的。」最後強調：「找到高敬亭同志以後，不要一切都拿延安的樣式去套他們。」這段文字充分說明，在毛澤東看來，高敬亭一有貢獻，二有問題。什麼問題，已如上述。第一批四人都是高的老相識，其中張體學和程啟文還是高的老部下。從人員選擇和談話內容來看，都體現了毛澤東對此行的重視和細心。如果高敬亭能夠像李先念那樣勤奮和謹慎，定將獲得中共中央和毛澤東的極大好感，等待他的是一條鋪滿陽光的道路。

五

事實證明，毛澤東的擔心很有道理。

九月下旬，鄭位三等人輾轉到達紅二十八軍駐地七里坪，向高敬亭傳達了過去根據地肅反錯誤的中央指示精神。這本來是非常正常的，也是非常必要的，但引起高敬亭不滿，懷疑他們是來奪權的。他不同意任命鄭位三擔任四支隊政委，也不同意肖望東擔任政治部主任。他點名要求中央把戴季英調來，並向葉劍英保證，他一定能與戴季英搞好關係。中央答應了高敬亭的要求，將鄭位三、肖望東派往其他地方，並迅速將戴季英從延安調到四支隊。第一個回合，以中央和新四軍軍部的妥協告終。

一九三八年二月，高敬亭回到七里坪，正式宣佈建立新四軍第四支隊。此前國共兩黨商定，新四軍共編四個支隊，每個支隊兩個團。四支隊的第七團由紅二十八軍組成，第八團由桐柏山游擊隊組成。高敬亭認為自己人多槍多，執意將二十八軍編成三個團，增加了第九團和手槍團。戴季英來了，言語中頗多中央大員的教導口氣，又引起高的反感，於是他拒不宣佈戴季英的職務，只任命其為政治部主任。第二個回合，以中央和新四軍軍部的默認告終。但上下左右對他的負面

看法基本形成：四支隊沒有政委，也沒有副司令員，他想在四支隊建立紅二十八軍那樣絕對權威的企圖初步顯現。支隊擴編，無形中降低了第八團的地位，又沒有在職務上相應照顧桐柏山遊擊隊的情緒，引起第八團團長周駿鳴的極大不滿。戴季英，一九二七年參與領導黃麻起義，資格很老，曾經還是高敬亭的上級。戴的作派不好，但高不明確其職務，將其置於自己下級的做法，違背了組織原則和上級意圖，也引起戴的不滿。戴、周攜手，與中央、長江局和軍部派遣人員一起，在四支隊內部初步建立起反高統一戰線。

更嚴重的，中央東進敵後的指示，沒能得到高敬亭重視。高對大別山有感情可以理解，以大別山為根據地的戰略構想也有道理。但新四軍的作戰定位是開展敵後遊擊戰，在抗戰初期國共兩黨都比較注意維護統一戰線的大背景下，高的行動遲緩就顯得很不合適了，必然引起國民黨中央、第五戰區和中共中央的不滿。這也是最初高敬亭與戴季英產生矛盾的地方。

一九三八年四月，張國燾脫離中共到武漢。五月，董必武親自趕到四支隊駐地安徽舒城，介紹張國燾叛黨過程，並對張國燾的功過給予恰當評價，傳達了中央關於開除張國燾黨籍的決定。董老專程的說明和解釋，意思不言而喻。值得注意的是，董老還專門到手槍團作報告，將上述內容重複了一遍，這說明此時中央認可了高敬亭的擅自擴編。當時的手槍團政委汪少川四十多年後回憶說：「最後高司令表示了態度，會議結束。」高司令究竟是什麼態度，沒有寫清楚。如果高是堅決擁護中央決定，汪少川為何寫得如此含糊呢？董老單獨與高的談話內容，人們不得而知。

僅隔一個多月後的新開嶺事件，高敬亭認定有人告他的黑狀，怒鞭與戴季英來往密切的電報員、年僅十九歲的江騰蛟，將下山後的牢騷全部發洩出來，致使四支隊包括戴季英在內的所有中央和長江局派

來的幹部，連夜逃到周駿鳴的第八團避難，潛在矛盾演變成公開對立。後來新四軍參謀長張雲逸親自趕到江北調解，矛盾稍有緩和，但問題並未解決。這樣形成了一個怪現象：對中央而言，新四軍是一個「山頭」；對新四軍而言，高敬亭是一個「山頭」；對高敬亭而言，周駿鳴是一個「山頭」。

一九三九年春，周恩來親自到涇縣雲嶺調解項英與葉挺的矛盾，使雙方達成諒解。葉挺下決心過問拖延了很久的高敬亭問題，五月十日來到江北高敬亭駐地，強調執行中央和軍部東進指示的重要性，高對此也舉手同意。但是會後不久，高敬亭卻命令第七、第九團停止東進。高敬亭這種做法，直接構成對葉挺權威的挑戰。葉挺是北伐名將，他在大革命時的國民黨同僚，抗戰時有的已是集團軍司令，甚至軍功極差的平庸之輩，也變成了他的上級，所屬部隊裝備精良。他們對葉挺收編叫化子一樣的共產黨遊擊隊，有意無意間進行嘲笑、諷刺。他在南昌起義的同事賀龍、劉伯承現在也獨當一面，在華北幹得有聲有色。偏偏葉挺自尊心極強，他知難而上，要把新四軍建成一支名副其實的「鐵軍」。偏偏他又遇到諸多不順心的事，才能無法施展。高敬亭的四支隊出師後戰績不錯，隊伍也發展到上萬人槍，便宣稱：「新四軍靠四支隊吃飯。」似乎連葉挺也不放在眼裡。但在葉挺看來，高部大大小小幾十次作戰，也只能算是雞毛蒜皮的小打小鬧。葉挺是標準的軍人，平常強調軍容軍紀，此時高的抗命不遵，實已超越了葉挺能夠容忍的底線。同時高的出爾反爾和陽奉陰違，在高的直屬部隊也引起了不同反應。九團團長詹化雨、政委胡繼亭當天就向江北指揮部報告。第七團團長楊克志、政委曹玉福看到高一意孤行的嚴重後果，攜款潛逃，其行為實則是避禍。所有演員都已上場，悲劇拉開大幕。在第三個回合，即東進這個問題上產生的不同看法，使他徹底孤立。

　　高敬亭的桀驁不馴和率性而為，現在變得不可理喻。他在三年遊擊戰爭和岳西談判時體現出的大膽、心細、靈活、週到的政治智慧，似乎已經完全喪失。直至死期將至，他才恢復了一定的理性和從容，但已無濟於事。他太年輕，為自己的任性付出了生命的代價，並給他的妻女帶來終身的傷痛。從自身的角度說，高敬亭一手為自己挖好了墳墓。

　　他為什麼總是一錯再錯，以致不可收拾？學者童志強認為，他對自己的安排不滿意，他覺得四支隊司令員這個職務低了──這是很有道理的。其言論和行動說明了這一點。一九三七年十二月十四日，中共中央政治局決定，成立中革軍委新四軍分會，以項英為書記，陳毅為副書記，張鼎丞等為委員，張雲逸任新四軍參謀長。後來組建支隊，上述三人分別兼任一、二、三支隊司令員。也就是說，在四個支隊的司令員中，除高敬亭外，全部進入軍部決策層。這些任命是毛澤東親自過問，由張聞天宣佈的。

　　新四軍建立之初高未能成為軍部領導成員，確實有點不公平。但恰到好處的絕對公平和不偏不倚的絕對公正，世間本來就少。與其他紅四方面軍幹部的遭遇相比，高敬亭是非常幸運的。他年僅三十歲，就成功建制並掌握了一支遠離軍部的強大武裝。在新四軍內部，高敬亭人多槍多，沒有把其他幾個支隊當回事，這也完全錯誤。一、二、三支隊的司令員分別是陳毅、張鼎丞、張雲逸，年紀要比高大得多。單論打仗，高在大別山確實積累了不少經驗，但其他幾位決非外行，也有不俗戰績。若論革命資歷、文化水準和曾經擔任過的職務，高則遠遠不如。再論與毛澤東的關係，高敬亭與毛從未謀面，而另外幾位已與毛共事多年，相知甚深，有的還與毛在政治上共進退。高敬亭只是將自己的長處與別人的短處相比，而沒有考慮其他諸多因素。高敬亭對軍部（實際不怪軍部，是延安的意思）不滿，與周駿鳴對高敬亭

的不滿如出一轍；高敬亭在擴編時為何不考慮一下周駿鳴的感受呢？周駿鳴畢竟年長高五歲，一九三一年十二月寧都起義時就是紅軍團長了。高寧願將四支隊政委和副司令員的職位長期空缺，都不任用周駿鳴，多少顯得不厚道，不大度。周駿鳴在言行上對高敬亭的不買帳，與高敬亭對軍部的不買帳，也如出一轍。相對而言，周駿鳴內部鐵板一塊，外面還有戴季英和軍部的支持，而高敬亭則顯得內憂外患。

一九三七年十二月，新四軍在武漢召開成立大會，高敬亭就因對人事安排和編制問題不滿，在長江局駐地發了一頓脾氣。以後要求太多，不斷生事。一九三九年四月，中共中原局已考慮送高敬亭去延安學習或任江北指揮部副總指揮的問題。四月下旬，張雲逸未能說服高敬亭東進，便率領周駿鳴第八團先行。一九三九年五月十日晚，高敬亭當面向葉挺表示同意東進。過了幾天，新四軍江北指揮部在廬江縣東湯池成立，張雲逸任總指揮，鄧子恢任政治部主任，賴傳珠任參謀長，領導人員名單中竟然沒有高敬亭。接著就發生了高敬亭命令第七、第九團停止前進的事件。江北指揮部系新四軍統一指揮江北部隊的領導機關，高敬亭作為四支隊司令員，按理說進入決策層是順理成章的事。這絕不是上面的疏忽，而是新四軍成立以來高敬亭特立獨行、樹敵太多、內外交困，且遲遲沒有東進的必然結果。對高敬亭個人而言，這確實太不公平。

江北指揮部領導人員名單公佈後，高敬亭的惱怒可想而知。但他沒有冷靜下來從自己身上總結教訓，也沒有與軍部領導溝通，而是採取了抗命不遵的極端措施，把自己推向毀滅。

新四軍軍部由三方面人員構成：一是延安來的長征幹部，二是南方八省的遊擊幹部，三是葉挺帶來的幹部，看來高敬亭全都得罪了，他們無人阻止葉挺向延安和重慶發出對高敬亭處以極刑的電報。國民黨安徽省政府、第五戰區、新四軍軍部、四支隊內部，各種對高敬亭

的不滿，此時終於形成合力。戴季英和周駿鳴在高敬亭是否該死這個問題上沒有發言權，但隨葉挺到江北直接負責處理高敬亭事宜的張雲逸、鄧子恢、羅炳輝三人，他們是中共黨內公認的有主見而不失厚道的人，這時對高敬亭沒有任何同情的表示。項英與葉挺雖然矛盾很深，但對付高敬亭的態度，卻形成難得的共識。只要有人提出慎重，高敬亭必定可救。

六

接到請求處死高敬亭的電報，毛澤東如何應對？

這裡必須補充一個細節：一九三七年十二月中央在醞釀中革軍委新四軍分會委員時，項英提出的一個九人名單中包括高敬亭，但未被採納。毛澤東當時是怎麼想的，沒有文字記載。可以推測，他是想看一看，對高再觀察一下。

對高敬亭寄予厚望的毛澤東，一直通過各種管道，密切關注著新四軍和高敬亭的動態。葉挺扣留高敬亭時，張鼎丞正在延安，毛澤東還與張談過話。但事態發展的嚴重性和矛盾的尖銳性，還是出乎毛澤東預料。毛澤東陷入了巨大的困惑，難以決策。事件前後種種跡象表明，儘管聽到很多不利於高的說法，直至接到請求殺高的電報之後，毛澤東對高敬亭還是欣賞多於不滿：一、高敬亭在大別山頑強堅持三年紅旗不倒，毛澤東對其政治、軍事意義看得清楚，給予充分肯定。二、抗戰初期四支隊的大小數十次戰鬥，深得毛澤東遊擊戰思想精髓，毛澤東是讚賞的。三、敢於公開頂撞王明，在新四軍的部隊裡最先公開設立政委，堅持抗戰中獨立自主原則，毛澤東是知道的。四、高敬亭對張國燾有感情，但並無組織上的聯繫，毛澤東是理解和體諒的。那時的毛澤東大度，他相信人是可以轉變的。至於收編土匪、擴

充軍隊，完全是優點。即使東進遲緩，也屬於認識問題。況且武漢失陷、日軍打通平漢線後，大別山事實上已成為敵後。後來劉少奇曾指出大別山戰略地位的重要性，很可能是對高敬亭觀點的反思，也可能代表了毛澤東的意思（一九四○年十一月，毛澤東曾計畫派遣兩萬人組成挺進軍，西入大別山）。如果八路軍能提前一年南下，高敬亭部堅守大別山，則可形成犄角之勢。解放戰爭中，劉鄧大軍千里挺進大別山，又從另一角度說明，高敬亭對大別山的看重具有相當的戰略前瞻性。

葉挺決心處死高敬亭以整飭軍紀，向國共雙方同時發出請示電報。從時間上分析，毛澤東應該先讀到電報，而國民黨方面要經過第五戰區乃至軍政部，再轉呈蔣介石，故蔣應晚收到電報。如果毛澤東要阻止殺高，完全來得及，結果蔣同意處死高的電報六月二十三日先到達。第二天早晨八點處死高，兩小時後才收到毛澤東將高送往延安學習的電報。是什麼原因使毛澤東沒有及時發出這封能救人一命的電報呢？

毛澤東當然認為高敬亭罪不當死，他一定在權衡利弊。他必須在維護葉挺權威和處死高敬亭之間作出艱難選擇。幾個月前，周恩來的皖南之行，代表中央確立了葉挺在軍事指揮方面的權力，如果立即回電不同意處死高，豈不自食其言、置葉挺的權威和面子於不顧？

更重要的一點，毛澤東是否知道新四軍軍部同時還發了處死高的電報給蔣介石？如果知道，他將更加為難。毛澤東清楚：他不處死高的電報若先到，而蔣同意處死高的電報後到，葉挺執行誰的命令都犯難。所以毛澤東的電報必須後到，才能解決各方面的困難，也為各方面都能接受。當然這涉及一個敏感的問題，毛澤東是否故意拖延了回報時間。倘若如此，我們也只能佩服毛澤東權謀的爐火純青。維護大局而犧牲局部，這是任何政治家都有可能遇到的問題。對高敬亭之

死，毛澤東沒有責任。

但毛澤東對這事還是一直放不下。一九四三年，他問正在延安學習的周駿鳴：「高敬亭可不可以不殺？」一九五三年，他說：「這事都是戴季英搞的鬼。」一九七五年，他接到高敬亭的女兒高鳳英要求為父親平反的信後，立刻指示總政給予查覈平反。

高敬亭死後，新四軍四支隊一分為二。戴季英擔任了四支隊政委，周駿鳴擔任了五支隊的副司令員。但耐人尋味的是，毛澤東似乎對他們都沒有好印象。新中國成立後不久，戴季英重犯高敬亭不滿人事安排而大發牢騷的錯誤，毛澤東親自指示將其開除黨籍，長期關押。周駿鳴因歷史問題和反對大躍進而一貶再貶，長期遭受冷落。毛澤東逝世後，他們重見天日，得以安度晚年。他們中年失意，不管與高敬亭之死有無關係，卻形成了遇事看得開、想得通的優點，雙雙高壽。戴季英死於九十二歲，周駿鳴死於一百零二歲。

七

高敬亭被錯殺後，其妻史玉清遭到關押，後被開除黨籍。可她硬是不離開部隊，忍辱負重，和普通戰士一樣轉戰各地，幾年後重新入黨，解放後一直在合肥衛生部門任職。一九七七年高敬亭平反時，這位當年漂亮的紅軍女戰士，已在幾十年的不公正待遇中流乾了眼淚，白髮蒼蒼，老眼昏花。她等到了高敬亭平反，於一九八六年去世。高敬亭唯一的女兒高鳳英，在父親生前戰友關照下成長，讀完大學後參軍，現居合肥。

高敬亭不知道的是，與他同等資歷的新四軍同事，新中國成立後均是副總理級別的高官。他更不知道的還有，當年他手下三個默默無聞的小兵，日後大名鼎鼎：

　　江騰蛟，因新開嶺事件被高敬亭好一頓鞭打，後來出人意料地官運亨通。一九四五年隨新四軍部隊調入東北，與林彪結識。新中國成立後任南京軍區空軍政委，後成為林彪集團骨幹，被判刑。二〇〇八年汶川地震後還為災區捐款，第二年去世。

　　萬海峰，高敬亭出事時他是高的警衛班長。因指揮部隊參加一九七六年唐山地震救災而出名，八〇年代出任成都軍區政委，一九八八年被授予上將軍銜。

　　汪道涵，最初在四支隊戰地服務團當演員，八〇年代任上海市市長，為江澤民敬重。九〇年代初主持了著名的「汪辜會談」，所達成的「九二共識」，至今仍是兩岸關係發展的基石。

八

　　寂靜的群山催人早醒。窗戶發白的時候，我便披衣出門。鷂落坪的黎明，涼風習習。漫步在鋪滿雜草的山道上，遙想往事，感慨萬千。日出東方，放眼望去，群山巍峨。深淺不一的綠色森林中，幾枝火紅的杜鵑花，在微風中搖曳，顯得格外鮮豔。

　　在彎曲的山路上行不多時，涼意刺骨，只好回到住處。整理好行裝，出門時我回頭望望，竟有不捨之情。聶聲華老人已為我準備好了早餐，令我感動，連連致謝。臨行前，老者將高敬亭女兒高鳳英在合肥的電話號碼留給我。

　　他說：「聽說你要去合肥。我看你是個有心人，你可以與她聯繫，但能不能見面就難說了。」十多天後我到了合肥，可惜沒能見到高鳳英。她在電話裡禮貌地向我表示感謝，客氣地說她最近身體不太好。我知道，她需要安靜。

　　離開鷂落坪已經很久了，但那一晚的場景深深留存我的記憶中，

每一個細節都清清楚楚，尤其是高敬亭那張發黃的舊照片……

二〇一二年十月五日

主要參考文獻

王輔一　《近看項英》　北京市　中共黨史出版社　2009年版

中共岳西縣委黨史研究室著　《紅二十八軍在岳西》　北京市　中央
　　　　文獻出版社　2008年版

河南、安徽省委黨史研究室編　《鄂豫皖革命根據地史》　合肥市
　　　　安徽人民出版社　1998年版

河南新縣檔案局編　《鄂豫皖蘇區首府機構設置》內部刊印

河南新縣縣委編　《鄂豫皖蘇區首府革命博物館解說詞》內部刊印

紅軍第四方面軍戰史編委會編　《第四方面軍戰史》　北京市　解放
　　　　軍出版社　1989年版

紅軍第四方面軍戰史編委會編　《第四方面軍人物志》　北京市　解
　　　　放軍出版社　1998年版

張國燾　《我的回憶》（第三冊）　北京市　東方出版社　1998年版

許道化、吳克文　《被錯殺的將軍》　成都市　四川人民出版社
　　　　1989年版

童志強　《關於新四軍》　上海市　上海科學技術文獻出版社　2005
　　　　年版

新四軍戰史編委會編　《新四軍戰史》　北京市　解放軍出版社
　　　　2000年版

陳加勝　《我所知道的新四軍》　合肥市　安徽電子出版社　2007年版

陳信瓊主編　《中國共產黨安徽地方史》（第一卷）　合肥市　安徽
　　　　人民出版社　2000年版

《鄧子恢傳》編輯委員會著　《鄧子恢傳》　北京市　人民出版社
　　　　1996年版

湖北新四軍研究會編　《鄭位三百年紀念文集》　武漢市　湖北人民

出版社　2001年版

《大別山開國將帥》　香港　天馬出版發行公司　2007年版

霍山篇九

大別山記

　　春到皖西，漫山遍野，蒼翠欲滴。

　　四月中旬的一個清晨，我從山間留宿的農家小院出發，迎著初升的太陽，一路氣喘吁吁，向大別山主峰白馬尖寂寞上行。

　　穿過一片竹林，蜿蜒向上的山間小道坷坎崎嶇，兩旁長滿了車前草、紫萁、薔薇、菊花、多枝杜鵑……五顏六色的各類花草，在略有寒意的春風裡爭奇鬥豔。行路之中，但見山勢險峻，清溪在亂石中飛濺。時而群山空絕，時而鳥啼清脆。忽然，一座殘缺的古堡橫在眼前──古堡全用石塊堆砌而成。古堡牆外，山壁陡直，不可攀援，而牆內的房屋，多已損毀，城牆順山勢而砌，每隔約五十米，築有一石屋以作碉堡。從山牆上殘存的兩篇碑文得知，此處名叫「四望堡」，為清咸豐十一年當地民眾集資修建，以抵抗太平軍和撚軍的進攻。蘇維埃時代，這裡經常是紅軍往來的留宿之地。

　　繼續上行，隱約聽見轟鳴，響聲越來越大。拐過山角，只見一瀑布從兩峰之間奪路而出，飛流直下，水霧彌漫。頃刻之間，風吹霧散。隔水相望，這才看清對面的崖壁石縫裡，倒長著一些白蠟花。崖壁靠近水流的地方，鋪著一層厚厚的綠色苔蘚。

　　經過一片茂密的闊葉箬竹，終於到了白馬尖。這時太陽高懸頭頂，靜靜照耀著春日裡的群山，溫馨而和諧。山頂用石塊壘成「1777」的字樣，我知道，這是大別山主峰的海拔高度。山上怪石林立，松柏挺拔，竟無一處平地。席地而坐，喘息已定，凝神遠眺，但

見白雲悠悠，或如絲如縷，或成團如棉，在碧藍的天空中縹緲緩行，變幻組合，波瀾起伏，浩瀚似海。極目四望，金剛台、天堂寨、鶴落坪、妙道山、白崖寨、天柱山或遠或近，若隱若現，群山巍峨，莽莽蒼蒼。

大別山在中國的版圖上由西北向東南，橫跨鄂、豫、皖三省，綿延八百里。她西靠武漢，東瞰南京，東南與黃山隔江聳立，雄據華東。山之北，屬淮河水系；山之南，屬長江流域。鄂東北的大悟、紅安、麻城、羅田、英山、浠水、蘄春、黃梅，豫東南的商城、光山、固始、羅山、新縣、潢川，皖西的金寨、岳西、霍山、桐城、潛山、太湖、宿松等二十多個縣，或以河流相連，或以山道相通，星羅棋佈地散落在大別山中。從古至今，人們一代又一代，在這片祥和而寧靜的群山裡生息繁衍。

然而在中國近代史上，大別山的祥和、寧靜，總是被激烈的槍炮聲和喊殺聲撕破。有土匪的打劫，有太平軍的進攻，有撚軍的騷擾，有當地民眾的自衛，有軍閥的征戰……其中廝殺規模最為龐大、最為慘烈、最為持久的，莫過於國民黨和共產黨之間的生死較量。雙方在這裡你來我往，拉鋸作戰，迴圈報復，以致屍陳遍野，血流成河。據岳西縣大別山烈士陵園的碑文記載，在大別山蘇維埃紅色武裝割據時期，就有一百萬人犧牲，還不包括「敵人」的死亡數字。其中的死難者，只有少數死於戰場，而多數死於戰爭間歇期間的報復，以及相關的貧困、饑餓、逃難、疾病。相對來說，整個抗日戰爭期間，大別山基本風平浪靜。

一九二七年四月，蔣介石為獨吞北伐勝利果實，對共產黨人實施突然襲擊。當年中共在各地領導了並不成功但意義重大的反抗，其中就有十一月的黃麻起義，「打土豪，分田地」的口號此起彼伏，響徹大別山區。一九二九年，國民黨「三大」通過陳德徵關於嚴厲處置反

革命分子的提案，對於中共領導的土地革命的參與者，統統以「反革命」論處，實行殘酷鎮壓。雙方互不妥協、以暴治暴，武裝鬥爭愈演愈烈。

紅軍打光了蘇區的土豪、地主，為解決戰爭所需經費，只好到白區去打，有時不分土豪還是農民，見糧就打，見東西就搶，甚至熱衷於綁票以索取贖金。這些並非革命者的行為，嚴重損害了包括普通農民在內的各階層的利益，引起白區人民反感，紛紛參加民團以抵抗紅軍。這種流寇現象，直至張國燾、沈澤民的到來，才得到堅決制止。一些土豪以「保境安民」為號召，趁機擴大勢力。商城豪紳顧敬之在轄區內減租減息，禁賭禁煙，興辦教育，維護一方社會穩定，創造了道不拾遺、夜不閉戶的良好環境。其所建民團，採用紅軍的遊擊戰術，時聚時散，以對付紅軍。紅軍幾次準備拔掉這顆「釘子」，由於當地百姓立刻向顧敬之通風報信，致使紅軍無功而返。而國民黨正規軍和地方政府則實行連坐法，一家通共，數家遭殃，國軍所到之處幾乎成了廢墟。後來國軍採取顧敬之的辦法對付紅軍，實行「七分政治，三分軍事」的策略，才給紅軍造成重大困難。但國民黨在取得軍事勝利後，並未兌現諾言，反而肆意屠殺根據地普通民眾。

國軍和民團對大別山的血腥報復有三次。一九三二年十月紅四方面軍主力西征後，國軍二十萬人駐地清剿。光山縣以活埋、槍殺等方式殺害「附匪」群眾一萬二千人，其中殺絕二百零八戶；國軍在黃麻起義的策源地更為殘忍，黃安被殺者多達十萬人，麻城近三萬人。此時鄂豫皖省委、紅二十五軍及地方部隊仍有兩萬多人，他們分散各地，千方百計尋找機會以牙還牙，對那些特別兇殘之輩，以同樣方式予以殺戮。一九三四年十月，鄂豫皖省委和紅二十五軍長征後，大別山第二次遭到血洗。升任縣長的顧敬之再次回到商城，在湯家匯周圍百里內，殺害紅軍傷患和家屬一萬多人；劉鎮華所部六十四師進剿皖

西，為了向上級報功請賞，割下死者的耳朵達七籮筐之多；金寨縣柳樹莊，一夜活埋當地幹部群眾三千五百人。當時留下的紅軍不足兩千人，聽到這些消息無不哭泣痛罵，卻又無法解救。高敬亭重建紅二十八軍後，改變策略，禁止濫殺豪紳，對國民黨地方政權也主動示好，得以堅持到抗戰爆發，所部改編為新四軍第四支隊。一九四七年，解放軍實施戰略反攻，劉鄧大軍千里躍進大別山，橫掃國民黨地方政權。可是在第二年引兵東進參加淮海戰役時，國民黨勢力又趁機反撲，第三次血洗大別山，凡是與解放軍有來往的人，都遭到鎮壓、迫害。

革命年代，在軍事力量處於絕對劣勢的情況下，即使陳獨秀、毛澤東、王明等中共領袖的親屬，也未能倖免於難。中共創始人陳獨秀的兩個兒子陳延年、陳喬年，先後被蔣介石殘殺，暴屍街頭；他的一個女兒到上海收屍，目睹兄長慘狀，氣絕身亡；髮妻高曉嵐聞訊後，悲痛過度，一九三〇年撒手人世。毛澤東的妻子楊開慧，本來只是一個賢妻良母，國共分裂後並沒有從事具體的反政府活動，卻被無辜捕殺；隨後毛澤東的兩個弟弟也先後遇難；據統計，毛澤東共有十二個親人死於國共鬥爭之中。王明是大別山腹地金寨縣的人，他的母親是一個很有見識的農村婦女，因積極參加農會被殺；王明的父親陳聘之和大妹陳覺民一家，在國民黨時代屢遭迫害，還在監牢裡受過重刑折磨；二妹陳映民經歷長征，途中她的丈夫呂紹文三兄弟全部戰死。西路軍失敗，她不幸被俘，受盡屈辱和磨難。九死一生回到延安後改名「王營」，與一位名叫謝扶今的老紅軍結婚。不料因為被俘事件，加之受張國燾和王明問題雙重連累，一生不得安寧。「文化大革命」中，她多次被抄家批鬥，丈夫也被迫自殺。

淮海戰役勝利後，解放軍重回大別山，再次進行反報復。大別山剿匪，將國民黨軍人與土匪視為一體進行打擊。在對抗新政權的大大

小小的土匪隊伍中，發現三個當年的老紅軍：魯教瑞，紅軍時期當過縣委書記；張天和，當過主力紅軍的班長；漆先志，參加過紅軍長征，後離開華北八路軍，回到家鄉。在國共對壘中，儘管陣營分明，但大時代中小人物的命運，往往隨波逐流，不能完全把握。革命與反革命的角色，一念之差就可相互轉換。

新中國成立後，長期的階級鬥爭，使與國民黨、土匪和地富分子有任何牽連的人，都因歷史問題而劃入另冊，輕者倍受歧視，重者判刑勞改，乃至隨意槍殺。安徽省公安廳的一組數字顯示，從一九四九年到一九五七年反右前的八年間，全省開展三次鎮反，共有五萬多人被處以極刑，幾十年後才證實，他們中的大多數是無辜者，有的對新政權說了幾句牢騷話，有的不滿意合作化或工商業改造，有的純屬他人陷害栽贓。其中發生在大別山區的兩起案件最為荒唐：霍山縣不經上級批准，擅自槍殺九名沒有犯罪行為的「反革命」；桐城縣公安局上報，擬將十六人處決，接到上級要求補充材料的批復後，並不拆信看內容，以為上級同意，就匆忙將這些人全部槍決。最後覆核檢查，這十六人中有十二人連逮捕的條件都不夠。安徽省委副書記李世農和幾個政法部門的領導，認為歷次政治運動打擊面太寬，請求完善審批手續，一九五七年被打成「右派反黨集團」，弄得家破人亡。

大躍進帶來大饑荒。一九六〇年前後，安徽全省餓死大約五百萬人，大別山的野菜、草根、竹筍被吃光。河南全省餓死兩百萬人，其中百分之五十以上死於大別山所在的信陽地區。在這場全國無一地倖免的史無前例的饑荒中，中國至少有三千萬人死亡。據一些學者統計，在整個毛澤東時代，總共有五千萬人非正常死亡。由此可以得出結論，苛政猛於兵匪。

一九七七年秋天，時任安徽省委書記的萬里，來到金寨縣遠近聞名的紅軍村訪貧問苦。一名原三十二師的老紅軍，穿著全家四口人輪

流使用的唯一的一條褲子，出面在院子裡回答萬里問話。這位曾經的革命者告訴萬里：「民國時期很苦，也沒有現在苦，真是生不如死！」萬里非要到家裡去看，才發現其餘三人沒穿褲子。另外七戶與紅軍有關的家庭，也同樣家徒四壁、一貧如洗。萬里心情格外沉痛，宣佈三年在全省範圍內禁講「鶯歌燕舞」。有資料表明：這一年，安徽全省百分之九十的人沒有解決溫飽問題。又有資料表明，也在這一年，中國大陸的GDP總量是日本的百分之十，而在一九四九年，中國是日本的兩倍。

於是自然出現一個問題：在中國近代史上，包括孫中山、蔣介石、毛澤東在內的一批又一批真誠的愛國者、革命者，本來是要建立一個更加公平、民主、繁榮、富強的國家，但結果恰恰相反。從一九一一年起，到一九七六年止，中國人民歷經辛亥革命、國民革命、共產主義革命，戰爭規模一次比一次大，流血一次比一次多，社會轉型成本一次比一次大。清政府敷衍拖延改革，催生辛亥革命；北洋政府拒絕國民黨參與政權，促成國民革命；而蔣介石的屠殺和獨裁，導致共產主義革命。每一次「革命」，都可以說是上一任執政者逼迫出來的，屬於不得已的最後的選擇，具有相當程度的正當性和合理性，獲得了一次比一次更為廣泛的民意支持。每一次革命成功後，上一任統治者退出歷史舞臺，很多還能安度晚年。但那些革命的熱心支持者，尤其是普通的農民、工人，卻留下來承受更深重、更持久的痛苦，甚至還要付出幾百萬、幾千萬生命的代價。

檢閱歷史，我們不能不承認一個基本的事實：從袁世凱到蔣介石，到毛澤東，依靠武力統一政權的執政者，都相信自己掌握了救國的「鑰匙」。軍事勝利越徹底，執政者越自信，民主、包容的氣度遞減，對持不同政見者的打擊力度遞增，給國家和人民造成損失的危險性就越大。更嚴重的是，在追求美好未來的過程中，在一次比一次更

徹底的「革命」中，不僅嚴重破壞社會經濟的正常發展，而且導致整個社會出現信任危機，乃至於沒有道德底線——這顯然不是革命者當年鼓動革命的初衷！

「革命」為何出現令人痛心的異化？社會轉型成本為何如此巨大？關鍵在於晚清以降，執政者拒絕接受先進的政治理念。他們對於西方先進科技這樣的「硬實力」，趨之若鶩，大力提倡；而對於政治制度這樣的「軟實力」，識若無睹，不認為這是人類文明的成果。無數愛國愛民的仁人志士，見體制內的改革道路無法通行，只好依靠武力尋求社會變革，以救中國於水深火熱之中。理性的改革者歎息著淡出政治，激情的革命者吶喊著湧向前臺，「槍桿子裡面出政權」主導了中國的發展方向。只要革命能夠成功，可以不擇手段，暴力革命成為達到光輝彼岸的不二選擇。

徹底的軍事勝利，使新的執政者極度自信，奉行一個領袖、一個政黨、一個主義，自以為絕對的偉大、光榮、正確，實則帶有偏激、封閉、愚昧、落後，喜歡自我吹噓、美化等缺點。這些嚴重的後遺症，與建設一個現代化的公民國家，產生尖銳矛盾。

在國民黨和共產黨的對立中，各自吸引、凝聚了一批憂國憂民的熱血青年，其士兵也多是鄉間純樸的農民。但兩黨無法溝通，互不妥協，大打出手，上演了世界歷史上空前規模的內戰。中共旋風般獲得勝利後，賦予紅色暴力更多神聖的光環。流血的暴力革命，被解釋為奪取政權、實現社會轉型、建立理想國度的唯一正確的途徑。

這個結論顯然過於武斷，不符合二十世紀的歷史事實。

比孫中山小三歲的聖雄甘地，在國情比中國更為複雜的印度，創造了「非暴力不合作運動」的鬥爭方式，從一九二〇年國大黨成立，整個國家沒有經歷殘酷的戰爭，到一九四七年就獲得民族獨立運動的勝利。其間他多次被捕入獄，每次都贏得更多的支持者。這種方式令

英國殖民當局頭痛，也得到了這些殖民者的尊重，稱他為「印度自由的建築師」。美國黑人運動領袖馬丁‧路德‧金，採取和平方式表達政治訴求，不屈不撓，終於在一九六八年為美國黑人爭得選舉權。南非的曼德拉，為推翻白人種族主義統治，進行了四十年非暴力鬥爭，其中經歷了二十七年鐵窗生涯，最終奪得政權，成為南非首任黑人總統。韓國民主鬥士金大中，從二十世紀五〇年代到八〇年代，對獨裁政府進行尖銳批評，加速了國家的民主化進程。當選總統後，他推行寬鬆的政治和解政策，赦免過去曾經置他於死地的政敵全斗煥、盧泰愚，還主動請他們到總統府做客。其開闊的胸懷，非常人所能做到。緬甸的昂山素季，也以同樣的民主程序和方式，進行合法鬥爭，從而贏得全世界的尊敬。

上述政治家通過和平方式，表達和實現了自己的政治理想。期間需要的智慧、毅力、勇氣和犧牲精神，絲毫不比暴力革命者遜色，而得到的尊重和愛戴，總的來看更加廣泛、持久，經得起歷史檢驗。其間體現出來的人格魅力和崇高精神，於無聲處仍然具有壓倒一切、令人震撼的英雄氣慨。特別是，他們在各自的國家，以一個人或極少數人的受難為代價，喚醒了全國民眾，避免了激烈戰爭和社會動盪，完成了建立自由獨立的民主社會的低成本轉型。

中國也有兩次成功的社會轉型：一是鄧小平的經濟改革，二是臺灣蔣經國的政治改革。在毛澤東時代，大陸的經濟問題本質上都是政治問題。一九八〇年前後，突破極左思想的束縛，首先著眼於經濟體制改革，其正確性經受了時間的檢驗。大陸經過三十多年的高速發展，取得的成就舉世矚目，而存在的問題，也威脅到中共的「生死存亡」。可喜的是，經濟發展的可持續性，儘管受到越來越多的懷疑，但到目前為止，確實為政治改革積累了廣泛的民意基礎和雄厚的物質基礎。國民黨能夠做到的，中國共產黨理應能夠做到。

　　二十一世紀的今天，中國又一次走到了社會轉型的十字路口。何去何從，四顧茫然，有識之士無不憂心忡忡。但有一點可以肯定，中國需要在共產黨主持下，進行體制內理性的改革，而非一場激情的革命。大別山的歷史告訴我們，革命代價太大，成本太高，後遺症太多，得不償失，中國人民不堪重負。但如果體制內的改革之路走不通，像滿清、蘇聯那樣一再喪失改革時機而引發意外，當屬中共的不幸。而中共的不幸，必然帶來中國的不幸。

　　大別山峰迴路轉，山重水複，沒有像樣的十字路口。她好似一個歷經滄桑而心中有數的老人，屹立在長江北岸，看花開花謝，看日出日落，看大江東去，默默地關注著整個中國的變化。她默默地關注著，中國往何處去！

二〇一三年六月二十五日於成都

主要參考文獻

台益燕主編　《鄂豫皖邊大剿匪》　北京市　國防大學出版社　1999
　　　　年版

河南、安徽省委黨史研究室編　《鄂豫皖革命根據地史》　合肥市
　　　　安徽人民出版社　1998年版

陳廷一　《天地良心──萬里在安徽》　北京市　人民出版社　2010
　　　　年版

六安篇一〇

張國燾在鄂豫皖

一

　　一九三一年四月八日清晨，張國燾、陳昌浩各自提著包袱、雨傘之類，跟著一位身材矮小的交通員，離開漢口日租界。他們穿過小街小巷，前前後後各自行進，似乎互不相識，在車站分別買票，順利搭上了經黃陂到麻城李家集的公共汽車。

　　經過兩次檢查，車內的旅客開始有說有笑。他們說，如今李家集的買賣不好做了，「共匪」常在附近騷擾，被綁架去的人不少，某商店的某某就是前幾天被綁去的。張國燾聽了既興奮又不安，他知道自己即將去領導的這些紅軍游擊隊，確實很活躍，但綁票的行為，不但會失去人心，而且是土匪的作風。

　　半下午時，他們在離李家集還有幾里路的一個小站下了車，循小路翻過幾道山坡，消失在綿延起伏的山巒之中。經過一個又一個村莊，他們終於在暮色茫茫時，從後門進入一戶農家，看見了幾個雄赳赳的年輕人。小交通員將張國燾、陳昌浩的身份告訴大家之後，其中領頭的特務隊長立刻命令全體武裝起來。頃刻之間，這些人由普通農民變成了佩帶短槍的紅軍。特務隊長神情嚴肅地宣佈：要嚴防民團來巡邏和敵人的任何襲擊，誓死保衛這三位新來的人。

　　三十多年後，早已脫離中共的張國燾寓居香港，回憶起自己初入鄂豫皖根據地那天晚上的情景時，仍然很激動地寫道：「我面前這十

個敏捷矯健的遊擊武士的英姿，使我想起明早將要會見上萬個同樣的人物，我將和他們一起奮鬥，我為此感到驕傲。」

二

進入鄂豫皖蘇區，小孩站崗放哨查路條，婦女趕做鞋襪供應紅軍，一些紅軍傷兵在春日陽光裡脫衣捕捉蝨子……一切都令張國燾、陳昌浩感到新鮮。他們一路走，一路瞭解各方面情況。在七里坪，張國燾問當前最困難的問題是什麼。大家七嘴八舌，一致說糧食問題是最困難的，看來今年要發生嚴重的饑荒。蘇區內地主、富農的浮財早已分光，很多壯勞力當了紅軍，剩下的農民由於害怕糧食多了可能被當做富農打擊，種地積極性也不高，加上戰事頻繁，造成一些田地荒蕪。

蘇區普遍缺糧，不能相互調劑，紅軍、遊擊隊只好到白區打土豪以獲取糧食，抓綁票以索取贖金。附近的土豪打光了，就到更遠的地方。有時不分土豪不土豪，見糧就打，引起白區人民反感，白區農民往往站在民團方面來對付紅軍遊擊隊。蘇區周圍民團勢力日漸強大，可以說主要是因為打土豪引起的。

張國燾問，這裡有什麼早熟的作物，可在一兩個月收成。在座者大感興趣，說山芋、黍豆、南瓜之類都早熟，種籽也是現成的。張國燾立刻要求每個人至少種植五棵南瓜，每戶增種一些蔬菜、雜糧。小孩站崗放哨或在家休息時，都要盡力做好這些事。張國燾告訴大家，到白區打土豪的辦法原則上不對，必須停止，要把精力放在發展農業生產上。他下令釋放被關押的一千多個「土豪」，既節約糧食，又緩和社會矛盾。同時他要求提高糧食收購價格，獎勵經商以搞活市場，建立稅收制度以保證蘇區財政收入，從根本上解決經濟困難的問題。

　　當時的鄂豫皖特委書記曾中生，重軍事而輕民政，在他遺留下來的文稿中，多論軍事問題，沒有一篇談及經濟和民生問題。他當時懷疑張國燾的做法過右，認為既然要打土豪，產生偏差是難免的，張國燾的辦法緩不濟事。張國燾毫不妥協，認為只有政策正確，才能確保軍事勝利，決不能本末倒置。張國燾強調，只有經濟上不亂來，才能使鄂豫皖蘇區成為模範政治區；只有政治清明，才能區別於國民黨政府那種魚肉人民的做法。張國燾的主張，獲得鄂豫皖特委大多數同志的贊同，曾中生最終也轉而表示支持。

　　四月底，紅三十團團長王樹聲率領全團官兵，護衛張國燾到皖西金家寨視察，與先期到達十多天的沈澤民、張琴秋見面。這裡是紅四軍十二師師長許繼慎的駐地，糧食不是大問題，亂打土豪的現象也較少，但紅軍將領飛揚跋扈，部隊的軍閥土匪習氣相當嚴重，視中共地方黨委和蘇維埃政府為其附庸。特別令人不能容忍的是，許繼慎部隊軍紀很差，高級將領亂搞女人現象非常嚴重，紅軍中調戲、強姦婦女的事時有發生。一些本來為追求進步而到蘇區的婦女，逐漸成為高級將領的玩物，以致視墮落為浪漫，誤以為性混亂是革命生活的一部分。有時紅軍到達某地，即有人積極物色、分配女子與軍、師、團級的軍官同宿。這種風氣在鄂豫皖蘇區由來已久，即使曾中生、曠繼勳、許繼慎等著名的紅軍領導人，在兩性問題上也不嚴肅。這種「浪漫」現象，敗壞了共產黨和紅軍的聲譽，當地群眾敢怒不敢言。

　　作為一個真誠的革命者，沈澤民對皖西黨的工作不滿意。他認為這裡的中共組織簡直不像共產黨，一般同志不知馬列主義為何物，也未能嚴格執行中共中央的指示。沈澤民主張立即展開黨內鬥爭，改組領導機構，一切要從根本做起。張國燾老練得多，他表示同意沈澤民的看法，但不贊同他激烈的改革措施，主張慢慢來。他委婉地告訴沈澤民，不要抹殺同志們在艱苦環境下取得的成就，不要過分地批評他

們。如果一到根據地就採取激烈手段，反易與當地幹部形成對立，一切將難於下手。

事實上，沈澤民剛到這裡，就批評當地幹部這也不對，那也不對，又沒有提出具體的糾正辦法，已經使他們深感不安。他們在與張國燾座談前，就提出不願意讓沈澤民參加。張國燾從當時迫切的經濟問題入手，找到了與紅軍和地方黨委的共同點，從而獲得了廣泛的認同和支持，推動了全域的工作。

一九三一年五月十二日，張國燾在新集召開會議，宣佈中共中央決定，成立中共鄂豫皖中央分局、鄂豫皖革命軍事委員會，掌握了鄂豫皖根據地和紅軍的主要領導權。中央分局成立後的頭兩個文件，都是與糧食問題有關的。隨後第二次蘇維埃代表大會通過的〈糧食問題決議案〉，徹底否定了實行了多年的「左傾」糧食政策和經濟政策，受到鄂豫皖蘇區農民的熱烈歡迎，農民的積極性空前高漲，使得中央分局和張國燾的威信陡然上升。歌曲〈八月桂花遍地開〉，在鄂豫皖蘇區廣泛傳唱，表達了根據地人民群眾對中央分局和張國燾的衷心支持。

當年長江流域遭受中國歷史上最嚴重的水災，鄂豫皖根據地的很多地方也被淹沒，但整個蘇區通過糧食生產，度過了春夏之交的極度糧荒，全年糧食生產獲得大豐收。在此基礎上，蘇維埃政府通過建立銀行，發行紙幣，搞活流通，開展稅收，促進了財政收入以靠打土豪籌款為主，到以收取農業、商業累進稅為主的歷史性轉變。根據地在張國燾和沈澤民、陳昌浩、張琴秋等一批留蘇學生的領導下，各項工作有序展開，正規化建設卓有成效。

根據地經濟問題，尤其是糧食問題的有效解決，為戰勝國民黨軍隊的「圍剿」奠定了物質基礎，也為後來整頓軍隊和肅反奠定了一定的民意基礎。

三

要全面、準確理解張國燾在鄂豫皖推行的政策，必須說清楚鄂豫皖紅軍的來歷、特點。

與毛澤東領導的中央紅軍不同，鄂豫皖紅軍帶有傳統農民起義軍的缺點，野蠻落後的色彩更加濃厚。中央紅軍在上井岡山前後，有很多正規軍人的加入，較早確立了黨對軍隊的絕對領導。毛澤東先後兩次失去軍隊領導權，自覺遵守了「黨指揮槍」這一最高原則。中共黨組織對各支部隊的整頓、混編，也進行得比較順利。

鄂豫皖紅軍大不一樣，雖然也來源於共產黨領導的武裝暴動，但領導者水準較低，最初一段時間幾乎沒有正規軍人參加。黃麻起義的領導人是幾個資歷膚淺、名望不足的青年學生，參與者多是當地一哄而起的農民，遭到打擊也容易一哄而散，後來組成紅三十一師；商南起義部隊脫胎於地主掌握的民團，夾雜了一些名義上號稱農民自衛軍，實則是土匪的人，江湖氣、流氓氣多，地方、家族觀念特別重，後來組成紅三十二師；皖西六霍暴動的主力過去大多是幫會成員，最初靠勇敢的中共黨員打入「大刀會」，利用「設香堂」、「拜把子」等封建傳統方式，從大刀會中拉出一部分會眾，暴動後組成紅三十三師。

三支部隊時而相互支援，時而相互提防，具有較大的獨立性，宗派主義思想嚴重，黨的領導形同虛設，難以形成統一的軍事力量。

一九二九年六月，黨組織派遣徐向前主持紅三十一師工作時，該師只有三百多人。很多幹部戰士原來是純樸的農民，受大革命時期農民運動的影響很深，人數雖少，但政治素質較高，容易接納黨的領導。加之徐向前待人寬厚，善於打仗，很快就與部隊融為一體，從而站穩了腳跟。在徐向前的精心打理下，該部隊信仰堅定、戰鬥力強、

軍紀也最好——這是張國燾主持鄂豫皖和紅四方面軍時，對這支部隊偏愛有加的關鍵。這支部隊的師、團、營、連各級幹部，很少在後來的肅反中被殺，反而得到迅速提拔，徐向前、王樹聲、李先念、徐海東、餘天雲、孫玉清等，成為紅四方面軍的主要幹部。同時還要看到，這支部隊的一些幹部，瞧不起以民團、土匪、幫會起家的紅三十二、紅三十三師，因而成為肅反的依靠對象和積極參加者，如周純全、戴季英、謝富治等。新中國成立後，出自這支部隊的幹部，人數眾多，位高權重。

同時被黨組織派到紅三十二師工作的徐子清、徐其虛和戴克傑，就沒有徐向前這麼好的運氣，他們只到一個月就先後被槍殺了。後來黨組織又派遣郭述申等八人到紅三十二師擔任各級黨代表，該師部分人又動了殺機，迫使這些人連夜出逃。紅三十二師的幹部宗族觀念重，有的甚至視部隊為私產。周維炯是紅三十二師師長，其表哥即漆德偉為副師長，他們對此負有不可推卸的責任，也埋下了自己日後被清洗的隱患。徐向前回憶說，紅三十一師與紅三十二師第一次配合作戰時，取得了勝利，但是相互猜忌。「晚上睡覺枕著槍，以防意外……可是第二天早晨起床後，發現紅三十二師的同志不辭而別了。他們有戒心，也不奇怪。」

六霍暴動後，黨組織派許繼慎到紅三十三師當師長。許繼慎雖然與徐向前一樣，畢業於黃埔軍校第一期，打仗也很有一套，但他手下的那些團長、營長，大多是民團、土匪或幫會出身，行軍打仗兇猛異常，閒時搞女人、抽大煙也不甘落後，個個都不好對付。許繼慎面臨兩難選擇，要麼與這些刁蠻的軍官同流合污以迎眾歡，要麼整飭軍紀以犯眾怒。許繼慎之所以選擇前者，有迫於壓力、無可奈何的因素，更有其自述「愛好醇酒美人，乃是英雄本色」的因素。紅三十三師師長以下的軍官，以個人生活腐化而聞名，這一點連許繼慎本人也不否認。

　　由此可見，紅三十二師、紅三十三師的各級幹部，後來成為肅反的主要對象，絕非偶然。

　　為了將三支部隊捏在一起，加強對敵作戰，必須統一軍事指揮。於是中共中央先後三次派人整編部隊，但是不僅沒有使舊的問題得到根本解決，反而每一次人事調整，使上一批領導在黨內和軍內的地位下降，不免又增加了新的矛盾。

　　第一次整編是一九三〇年初成立紅一軍，全軍二千一百多人。軍長許繼慎，政委曹大駿，副軍長徐向前（兼一師師長），政治部主任熊受暄，軍部領導層中沒有一個原紅三十二師的。紅一軍下轄的一師、二師、三師，分別由過去的紅三十一師、紅三十二師、紅三十三師組成。為了平息原紅三十二師的不滿，任命原紅三十二師的漆德偉、周維炯兩兄弟分別擔任二、三師的師長。在後來的實戰中，一般情況下許繼慎帶領二、三師聯合行動，徐向前帶領一師單獨行動，實際上三支部隊各自為戰，很難協調、配合。當年八月打廣水，徐向前率一師從北強攻，二師在南按兵不動，致使一師傷亡慘重。徐向前回憶說：「我很痛心，氣得和許繼慎大吵一頓。」其實徐向前應該清楚，這事不能完全怪許繼慎。二師的人一直對紅一軍有意見，關鍵時刻不願出力，許繼慎、徐向前都沒有辦法。

　　此一事件，充分暴露了山頭主義的危害。許繼慎主持對部隊實行混編，槍斃了二師參謀長漆海峰，拿掉了漆德偉二師師長的職務，通過中央將其調入江西蘇區；對二師一些反對槍斃漆海峰的人，也扣上「有反黨企圖」的帽子，開除了黨籍、軍籍。很顯然，在鄂豫皖紅軍第一次混編過程中，以「山頭主義」的指導思想反對「山頭主義」，並不能使大家心悅誠服，連徐向前也很不滿意。

　　第二次整編是六屆三中全會後，瞿秋白、周恩來派曾中生、曠繼勳、余篤三到鄂豫皖改正立三路線，以曾中生擔任鄂豫皖特委書記和

軍委主席。他將原紅一軍和來自蘄、黃、廣的紅十五軍合編為紅四軍，以曠繼勳為軍長、余篤三為政委、徐向前為參謀長。下轄十、十一兩個師，分別由蔡申熙、許繼慎擔任師長。曾中生等人的到來，使許繼慎從過去鄂豫皖的最高軍事領導人，被貶為一個師長，周維炯也被貶為十一師副師長。他們的地位降低，權力削弱，自然意見很大。許繼慎對後來居上的曠繼勳、余篤三更是牢騷滿腹，認為中央派曠繼勳任軍長是個錯誤的決定。而余篤三能力薄弱，不堪重任，其他各級政工人員又多為後進，不願與之共伍。許繼慎每每談及此事，言語頗為不屑。

曾中生平易近人，團結同志，勤於思考，軍事素養高，上任不久就指揮紅軍取得雙橋大捷，活捉國軍師長岳維峻。但由於曾中生個人生活作風不夠嚴謹，在經濟建設方面也沒有太多辦法，加上過多強調團結的一面，忽略了鬥爭的一面，不能認真糾正許繼慎的錯誤。鄂豫皖根據地的情況雖有改觀，但存在的問題仍然非常多。

正在這時，六屆四中全會產生的王明新中央，決定成立鄂豫皖中央分局以加強對這塊根據地的領導。張國燾、沈澤民、陳昌浩的來到，又使上任只有幾個月的曾中生、曠繼勳、余篤三等人地位下降，他們的抵觸情緒溢於言表。許繼慎、周維炯的地位再一次降級，怨氣更大。以李立三、瞿秋白、王明為首的三屆中央，在短短一年時間，三次改組鄂豫皖最高領導，使各種矛盾錯綜複雜地糾纏在一起──這就是張國燾當時面臨的巨大挑戰。

四

張國燾是中央政治局常委，擔任鄂豫皖中央分局書記後，主導了一九三一年五月鄂豫皖紅軍的第三次整編。曾中生、曠繼勳以鄂豫皖

軍委副主席身份，分別兼任紅四軍的政委和軍長，劉英、周維炯、許繼慎、徐向前分別擔任第十、十一、十二、十三師的師長。

曠繼勳給中央寫信，不承認前段時間的工作是立三路線的延續，其軍長職務被免去。徐向前升任紅四軍軍長——他在紅四方面軍成立後又擔任總指揮，從此成為紅四方面軍最重要的軍事首長——張國燾是賞識徐向前才幹的最重要的一個伯樂。後來重新組建紅十五軍，曠繼勳又被啟用，擔任軍長。只有能力本來就受到普遍質疑的余篤三，此時經王明「特別關照」，被降級使用，給周維炯當了幾個月政委後，長期從事後勤工作。

張國燾到鄂豫皖後，儘管已經發現了很多嚴重問題，掌握了一些紅軍將領的種種劣跡，但從第一次人事安排來看，基本上還是做到了與人為善和量才錄用。與沈澤民、陳昌浩的嫉惡如仇、要立即進行純潔紅軍隊伍的政治鬥爭不同，他對犯有錯誤的同志給予了一定程度的包容。這也許是一種韜略，也許是希望這些同志在實踐中改正錯誤。

張國燾的「包容」顯然被曾中生等人誤讀。先前在打土豪的問題上，曾中生就公開說：「我素來認為國燾同志雄才大略，一定有辦法取得軍事上的驚人勝利，不料他現在竟注意一些不易解決的次要問題。」此話透露出諸多資訊，有對張國燾鞏固和發展蘇區基本方略的不解，有對張國燾軍事才能的否定，還有一點最主要，就是對張國燾的敵意和輕視。張國燾沒有直接反駁，但成竹在胸，他堅持反對亂打土豪，力主發展蘇區經濟，依靠稅收解決部隊給養。值得注意的是，張國燾特別解釋紅軍與軍閥土匪的區別，強調人民軍隊的紀律。他提議在軍分會下建立了軍事法庭，除明確作戰紀律外，其中有針對性地規定，犯有強姦婦女罪行和與婦女亂來者，應當受到法律制裁，嚴重的要處以極刑。

為了敲山震虎以嚴肅軍紀，蘇維埃政府的革命法庭還處決了一個

經常為紅軍將領「拉皮條」的商人。事情至此表明，張國燾的「包容」，已經轉向「隱忍」。

可是曾中生等人對張國燾的隱忍再次誤讀。張國燾、沈澤民、陳昌浩等人旨在實行根據地正規化建設的新政，無疑使一些喜好劫掠、自由散漫、軍紀鬆弛、亂搞女人的軍官感到不適。他們本來屬於各個山頭，原來矛盾很深，這時因為「大敵當前」，迅速走到一起，形成了以曾中生為中心的派別，矛頭直接對準中央分局的「反對派」。一九三一年七月一日，原皖西黨的領導人方英在給中央的一份報告中，提到了紅四軍領導對新成立的中央分局的態度：

> 四軍在國際路線領導之下，在會議上不得不承認其錯，而在實際上用種種辦法破壞中央分局之威信，如說國燾同志不懂軍事，澤民同志太書生不能領導等等，弄成軍委在四軍中沒有什麼威信。

雙方的矛盾難以調和，終於在紅四軍違反軍令擅自南下蘄、黃、廣後，集中爆發出來了。

一九三一年六、七月間，鄂豫皖中央分局就紅四軍發展方向，即東進還是南下，進行了激烈爭論。紅四軍主要領導提議紅軍主力南下，攻佔英山後出擊蘄、黃、廣，使之與鄂豫皖連成一片。中央分局接到配合中央蘇區反「圍剿」的電令，同時又獲悉敵人蠢蠢欲動要到蘇區來搶收糧食的情報，張國燾、沈澤民、陳昌浩等人主張攻下英山後東進潛、太，進逼安慶，威脅南京。張國燾反復權衡利弊，最後作出決斷：執行「進逼安慶，威脅南京」的計畫，並限期一個月，完成任務後部隊迅速返回根據地，幫助農民搶收糧食。

這裡必須提到張國燾不便明說的一個苦衷。即使沒有任何軍事常識的人也能看出，東進路途遙遠，所到之處都是白區，作戰艱難。他

偏要規定以一個月為限，實則希望紅軍主力只作戰略佯攻，達到調動敵軍的目的即返回。換句話說，東進只是應付中央要求配合江西反「圍剿」的命令。這種判斷有三個理由：一、張國燾原來反對紅軍遠離鄂豫皖蘇區，接到中央電令後才轉而支持部隊行動；二、對兵力分配和作戰目的沒有具體規定；三、以一個月為限，提高大規模軍事作戰的門檻。只有這樣判斷，才能理解張國燾東進計畫的各種不合情理之處。

當然還有一種可能。也許張國燾想以此為試金石，檢查紅四軍諸位領導對自己的態度，看看他這位新任鄂豫皖最高領導人的命令，是否能夠得到不折不扣的執行。如果是肯定的，皆大歡喜；如果是否定的，以違反「黨指揮槍」的原則，對「反對派」予以打擊。不管怎樣，曾中生和他的支持者們，或者沒有領會張的「苦衷」，或者全部落入張的「妙計」。

紅四軍南下部隊八月一日順利攻下英山，殲敵一千八百人，繳獲大批彈藥和軍用物資。按原計劃，部隊應該出潛、太，進逼安慶。這時曾中生重提南下蘄、黃、廣的主張，在取得徐向前支持後，決定留下許繼慎部守衛英山，其餘各部趁勢進據蘄、黃、廣。他們一面行動，一面將情況報告中央分局。這次作戰僅僅從收穫來看還是不錯的，殲敵五千人，得到二十斤金子、一千八百斤銀子、五萬塊大洋，部分解決了紅軍急需的給養問題。

就曾中生而言，率軍南下有一定理由。他擅自改變作戰計畫，從軍事上來講，有「將在外君命有所不受」的意思；從經濟上來講，有打土豪以增加收入的傳統習慣。但張國燾著眼於政治，維護中央分局的權威和信譽，此前反復告誡要依靠發展經濟而不是靠打土豪來解決收入問題，強調軍隊紀律。無論從哪方面來看，曾中生的行為都是張國燾不能容忍的，為此張國燾在病中連續寫了三封信給予嚴厲批評，

要求部隊立即北返，不能有絲毫的停留。

接下來的事情更為嚴重。九月四日，曾中生召開「雞鳴河會議」，向紅四軍連以上幹部公佈中央分局和軍委會來信（即張國燾來信），要求大家討論。曾中生此舉，本身就是一種態度，結果可想而知，絕大多數人認為，紅四軍應該留下恢復蘄、黃、廣根據地。在情緒的支配下，紅四軍給中央分局寫了一份〈申明書〉，系統闡述南下理由，並對中央分局的批評提出反批評，言語尖銳激烈，還有諷刺中央分局東進主張沒有軍事常識、過於空想和狂妄的意思。非理性的情緒宣洩雖然痛快淋漓，但給紅四軍幹部帶來滅頂之災。

張國燾反擊之果斷、堅決，沈澤民配合之及時、巧妙，陳昌浩執行之機智、勇敢，完全顛覆了先前他們留給曾中生等人的印象，以致使曾中生等人來不及作出任何反應便束手就擒。這幾位在曾中生眼裡不懂軍事的書生，迅速控制了局勢，並得到中共中央的認可。

或許出於此前的良好印象，或許出於縮小打擊面，在紅四軍師以上幹部幾乎全部被清洗的情況下，徐向前沒有受到任何影響，仍然擔任軍長。對黃麻幹部的重用，與對商南、皖西幹部的打擊幾乎同時進行。張國燾對王樹聲、李先念、許世友、孫玉清等一批從黃麻起義中成長起來的幹部，給予倚重和破格提拔，是很有眼光和魄力的。但他也沒有忘記，對商南、皖西的中上層幹部無情清洗時，從這兩個地區的下級幹部和普通士兵中大力提拔新人，使洪學智、李德生、尤太忠、皮定鈞等一批更為年輕的軍隊幹部脫穎而出。

五

如前所述，張國燾、沈澤民、陳昌浩從進入鄂豫皖時起，就發現蘇區和紅四軍存在著種種問題。現在紅四軍公然違抗軍令，違反「黨

指揮槍」原則，公開對抗上級黨組織，而且還私下給中央寫告狀信，事後也不作任何解釋或說明。他們怒不可遏，決定以此為突破口，進行總的清算、整肅，即把所有問題一攬子解決。以前的歷史證明，和風細雨的批評教育沒有能夠取得預期的效果，因此他們確信，只有通過嚴厲而無情的肅反，才能在短期內徹底改變部隊的組織結構和精神風貌，杜絕長期存在的軍閥、土匪作風，建立一支人民群眾滿意的合格的紅軍隊伍。這既是按照蘇聯軍隊標準進行正規化建設的需要，也是蘇區要戰勝日益強大的國民黨軍隊進攻的先決條件。

恰好此間，鄧演達領導的第三黨異常活躍，他在國共兩黨中有很多朋友，中共中央為防止意外，多次發出文件要求提高警惕。於是與第三黨骨幹成員關係密切的許繼慎、周維炯，就成為中央分局關注的重點人物，何況他們本身確有一些劣跡、錯誤或嫌疑。整肅有了充分理由，悲劇終於拉開帷幕。

沈澤民在向中共中央送交的一份題為〈肅反工作與兩條戰績〉的報告中指出：「反對那種只知道從反動分子口中查問口供的簡單的肅反方法」，「紅四軍中肅反的經驗告訴我們，那些改組派、AB團、第三黨等等反動分子，平素引進富農，打擊工人、貧農的積極幹部，經濟上浮支濫費，侮辱婦女，劫奪貧苦農民的糧食肥豬，在軍事上故意違反命令」。從中可以看出，在鄂豫皖黨組織眼中，肅反的物件不僅僅包括改組派、AB團、第三黨，還包括拉幫結派、不聽指揮、貪污肥私、亂搞女人等一切違反紀律的人。也可以進一步理解為，肅反物件還包括對蘇區和紅軍發展理念持不同看法的人，比如熱衷於「打土豪」、忽略或不願進行經濟建設的人。

這種「一鍋煮」進行肅反的方法，有點類似於新中國成立後實行過的「嚴打」，用現代民主與法制的標準來衡量，顯然有一些嚴重的欠缺和漏洞。當時肅反的物件和方式秘而不宣，依靠上級領導的指示

作出最終裁決，也容易使有些素質不高的領導者或執行者，在理解上產生偏差，在認定上出現失誤，同時也為個別居心不良者的公報私仇，打開了方便之門——凡此種種，都使肅反的擴大化難以避免。

關於鄂豫皖肅反的歷史評價，各種著述歸結為張國燾的個人野心，而對沈澤民和陳昌浩的錯誤，則歸結為「左傾」教條。對性質同樣嚴重，甚至更加嚴重的「富田事變」，則較多地歸結為外部的客觀因素。

就張國燾而言，確實很難完全排除其中包含一些個人的私心乃至野心。我們在評價一個歷史人物時，不能因為他後來犯有脫黨、反黨的錯誤，就肯定其當初的行為是主觀的故意，歸結為個人的不良品質，而必須全面考查導致這一事件的綜合的、複雜的原因。同時還應該考慮到，在殘酷的戰爭年代，在自身力量相對弱小的情況下，對那些嚴重違紀兼有生活劣跡而事實上並無反黨行為的人，對那些有重大政治嫌疑而沒有確鑿證據的人，如果繼續留在部隊，或予以釋放，或予以驅逐，都有可能造成嚴重的後果，甚至只會有益於自己的敵人。在很多忠誠的革命者看來，對這些不能繼續給予信任的人進行肉體清除，就成為一種不留後患的「穩妥」選擇。其實不僅僅是鄂豫皖蘇區，在整個中共領導的蘇區和紅軍隊伍中，當時都理所當然採取了這種簡單、粗暴的處理方式。評價同類事件中的不同人物，應該避免使用雙重標準，只有這樣，才能盡可能準確地還原歷史真相。

鄂豫皖蘇區肅反先後進行了好幾次，張國燾時期的肅反只是其中影響最大的一次。按照徐向前的說法，「白雀園『大肅反』，是鄂豫皖根據地歷史上最令人痛心的一頁。將近三個月的『肅反』，肅掉了兩千五百名以上的紅軍指戰員。」越來越多的學者認為，「肅掉」並非「殺掉」，張國燾在鄂豫皖的肅反，共計八百人被捕，其中的一小部分，約有幾十人，被處以極刑，另有一千多名下級軍官和士兵因為

出身富農而被開除軍籍。被殺者主要是來自商南、皖西的原紅三十二師、紅三十三師的師、團、營、連這幾個級別的幹部，也有個別黃麻籍的文職幹部。他們當中的絕大多數並不反黨，但反對鄂豫皖中央分局，被認為是推行新政的阻力。

如果不抱任何偏見，張國燾在政治、經濟、軍事、生活作風等方面推行的「新政」，是蘇區和紅軍正規化建設的可貴探索，是將傳統農民起義軍轉變為現代軍隊的必經之路。

肅反進行當中，紅軍不斷擴大。為了保證士兵素質，中央分局嚴禁一切強拉和欺騙方式（這說明以前存在強拉和欺騙的現象）。到當年十一月紅四方面軍成立時，鄂豫皖紅軍總兵力達到三萬人。在接下來的幾個月裡，紅軍官兵以高昂的士氣，創造了鄂豫皖根據地歷史上的空前戰績，使鄂豫皖紅軍從此成為中共軍隊的一支勁旅。群眾踴躍參軍和紅軍英勇作戰，也從某方面證明，肅反不僅沒有影響，反而增強了紅軍的戰鬥力，普通士兵因為那些有嚴重問題的軍官被清洗，從而看到了革命隊伍的新氣象。徐向前在回憶錄中所說「十之六七的團以上幹部被逮捕、殺害，極大削弱了紅軍的戰鬥力」，這與歷史事實不符。他是張國燾來鄂豫皖後最大的受益者，對張的評價沒有完全做到實事求是。

著名的受害者許繼慎、周維炯、余篤三，以及後來被殺的曾中生、曠繼勳等人，對紅四方面軍的發展和中國革命的成功，都有各自的重要貢獻。他們在張國燾成為「叛徒」之後，先後獲得了平反，這無疑是應該的。但是必須指出，平反只是肯定其大節，而不能將他們身上的缺點、錯誤，以及對革命曾經有過的危害，都理解為正確，或者視而不見，或者刻意迴避，否則我們就不能正確理解幾十年後中央對項英、高敬亭、戴季英、李特、黃超甚至李韶九等人的平反。

六

從一九三一年四月八日晚與鄂東紅軍遊擊隊會面，到一九三二年十月十二日率紅四方面軍主力被迫越過平漢線西征，張國燾在鄂豫皖根據地的時間剛好十八個月。

作為中共元老級的人物，從一九二一年建黨到一九二七年大革命失敗，他主要從事黨的組織工作和工人運動。他是陳獨秀的學生和助手，此間的政治觀點也深受陳獨秀影響，因此在國共分裂後，長期被黨內同志視作右傾機會主義的代表。大革命失敗後，他對是否繼續留在黨內，曾經有過短暫的猶豫。有一次，他感慨地對彭述之說：「你還能翻譯，如果我出來，靠什麼生活好？」黨的「六大」後，他是中共駐共產國際代表之一。在莫斯科將近三年時間，他對共產主義體制的優缺點有一些認識，在經歷了蘇共和中共殘酷的黨內鬥爭之後，自感身心疲憊。他深知，要在黨內生存和發展，就得遵守黨內生存法則。為此他狠批立三路線，表態支持王明中央，最後主動要求到鄂豫皖根據地做實際工作。

這是他一生最重要的選擇之一。他成功轉型，在鄂豫皖獨掌黨、政、軍大權，並按自己的理想推出了一系列新政，將鄂豫皖紅軍發展成一支強大的武裝。總的來看，他比較務實，為政強於軍事，在經濟建設方面有一套。他行事果斷，作風強硬，疑人不用，用人不疑，再加之個人生活嚴謹，故而很快贏得了軍心、民心。

紅四方面軍成立後僅僅兩天，他就領導紅軍投入反對國民黨軍事圍剿的鬥爭。連續七個月征戰，取得了黃安、商潢、蘇家埠、潢光四大戰役的輝煌勝利，殲敵六萬多人，紅軍自身也發展到五萬人。在一片喝彩聲中，他開始輕敵了，在接下來的第四次反「圍剿」中，紅軍陷入被動。好在關鍵時刻他非常果斷，作出到外線作戰的正確決策。

　　一九三二年十月十二日晚，當他率軍越過平漢鐵路跳出包圍圈，即將進入大洪山時，他還想過一定要重新打回鄂豫皖，可惜歷史再也沒有給他這樣的機會。

　　　　　　　　　　　　　　二〇一三年四月十九日於成都

主要參考文獻

于吉楠　《張國燾和〈我的回憶〉》　成都市　四川人民出版社
　　　1982年版

中共安徽省委黨史研究室著　《中國共產黨安徽地方史》　合肥市
　　　安徽人民出版社　2000年版

李蕾、楊雪燕　《張琴秋傳》　北京市　長征出版社　2012年版

周質澄、吳少海　《鄂豫皖革命根據地財政志》　武漢市　湖北人民
　　　出版社　1987年版

姚金果、蘇杭　《張國燾傳》　西安市　陝西人民出版社　2007年版

紅四方面軍戰史編委會編　《中國工農紅軍第四方面軍戰史》　北京
　　　市　解放軍出版社　2007年版

紅四方面軍戰史編委會編　《中國工農紅軍第四方面軍人物志》　北
　　　京市　解放軍出版社　1998年版

徐向前　《徐向前元帥回憶錄》　北京市　解放軍出版社　2009年版

張永撰　〈鄂豫皖蘇區肅反問題新探〉　載《近代史研究》　2012年
　　　第4期

張國燾　《我的回憶》　北京市　東方出版社　1998年版

盛仁學　《曾中生和他的軍事文稿》　重慶市　重慶出版社　1984年版

謝　燕　《張琴秋的一生》　北京市　中國紡織出版社　1995年版

鐘桂松　《沈澤民傳》　北京市　中央文獻出版社　2003年版

金寨篇——

最後的立場
——王明與毛澤東的恩怨是非

　　王明，原名陳紹禹，一九〇四年五月出生於豫皖交界的金家寨。一九二五年夏天，他最後一次離開家鄉時，金家寨還是安徽省六安縣西鄉的一個集鎮。隨後十多年，這裡成為鄂豫皖根據地核心區域。一九三二年，蔣介石調集重兵對紅四方面軍進行第四次圍剿，為了鼓舞士氣，他許下諾言：「誰先攻下金家寨，就以誰的名字建立一個新縣。」結果最先攻下金家寨的是衛立煌部，於是蔣介石親自下令，劃安徽六安、霍山、霍邱，河南固始、商城和湖北麻城幾個縣的一部分，設置了「立煌縣」。國共兩黨軍隊在這裡反復拉鋸，立煌縣名也幾度更替，抗戰時期一度還成為安徽的臨時省會。

　　一九四七年九月，劉鄧大軍挺進大別山，當年的紅四方面軍將士重新打回金家寨，遂改立煌縣為金寨縣。金寨是全國聞名的將軍縣，有五十九人成為新中國的開國將軍，其中最有名的是洪學智、皮定鈞、李耀、陳先瑞、張賢約、林維先、徐立清、曾紹山、滕海清等。

　　但金寨縣最大的名人還是非王明莫屬。當這些開國將軍們還是十歲出頭的孩子時，王明已遠赴莫斯科，入讀中山大學；當他們當中的絕大多數人還沒有或剛參加紅軍時，王明已經成為中共的最高領導人；當他們在戰場上艱難衝殺以求生存時，王明正在莫斯科從容不迫地喝著牛奶、吃著俄式大餐。

　　他們跟王明沒有任何組織上的聯繫，彼此甚至沒有見過面，但為

了一個共同的目標而奮鬥。在延安整風中，他們已經是部隊中的旅、團職幹部，至少也是營、連職幹部，必須學習黨中央規定的文件，憤怒聲討「王明路線」，儘管他們並不完全知道「王明路線」是怎麼回事，為什麼要批判「王明路線」。當然他們更無法預測，當時發動批判「王明路線」的人，後來全面繼承了「王明路線」中一切壞的東西，造成比「王明路線」還要大千百倍的惡果。

中共黨內第一個欣賞和保護毛澤東的最高領導人

一九三〇年九月中共召開的六屆三中全會，基本糾正了左傾盲動的立三路線，毛澤東繼八七會議後第二次當選政治局候補委員。隨著共產國際對情況的進一步瞭解，感到李立三問題非常嚴重。為了避免與帝國主義產生激烈衝突而引發戰爭，也為了維護共產國際的絕對權威，有必要對立三路線進行堅決鬥爭，而不能持調和主義的態度。共產國際認為，依靠瞿秋白是不行的，必須從根本上調整中共最高領導人，於是派遣共產國際代表米夫，到中國執行這一計畫。王明以各種因緣際會，在短短幾個月內，從普通一兵，成為中共最高領導人。

王明的勝出，偶然中有些必然。他是米夫在擔任中山大學校長時最得意的學生，在學校內外進行的政治鬥爭中毫不猶豫地站在史達林一邊，回國後撰寫的一系列理論文章體現了莫斯科意志，因堅定而執著地反對立三路線而受過處分。六屆三中全會後，受莫斯科信任的中國留蘇學生雲集上海。更重要的是，在一九三一年一月的六屆四中全會上，米夫採取非常手段將王明拉進政治局後，瞿秋白、李立三等人離開中央，何孟雄、李求實等二十六人被國民黨當局逮捕槍殺，羅章龍、王克全等數十人因犯「分裂主義」錯誤而被開除黨籍──這三種力量的消失，為王明執掌中央大權創造了條件。關鍵時刻，周恩來、

張國燾等老資格領導人相忍為黨，出面以各種方式支援中央決議，使王明站穩了腳跟。沒過多久，王明榮升政治局常委，在顧順章、向忠發相繼叛變之後，成為事實上的中共最高領導人。

在後來被認為是「王明路線」起點的六屆四中全會上，王明、沈澤民、夏曦、張聞天、博古、王稼祥、陳昌浩等留蘇學生是最大的受益者，周恩來、張國燾、任弼時仍然擔任政治局委員，毛澤東繼六屆三中全會後還是擔任政治局候補委員。但值得注意的是，後來在延安整風中批判「王明路線」最為積極的劉少奇，升任政治局候補委員，他也是受益者。六屆四中全會的人事安排，表面上由米夫代表共產國際一手操縱，但沒有史達林的授意或點頭，是無法想像的。米夫沒有擅自做主的膽量，後來共產國際迅速認可會議結果，也是有力的證明。這種安排，不僅所有的中共高級領導難以想像，連王明自己也感到意外。因為在米夫來華之前，王明已按瞿秋白、周恩來的要求，正在做去江西蘇區的準備工作。

在蘇聯留學時期和六屆四中全會前後，王明淋漓盡致地展現了喜歡拉幫結派、無情打擊和上綱上線的個人作風。但也必須看到，在他自認為地位穩固後，上述不良現象有所減少。在實際工作中，他開始注意團結同志，調動各方積極性加強對敵鬥爭。

與瞿秋白、李立三隻重視城市暴動不同，王明上任後的一個重大決策，便是精簡中央機關，加強各根據地力量。他將周恩來、張國燾、任弼時、夏曦、沈澤民、陳昌浩等一批中央要員，以及在上海的百分之六十以上黨員派往各地，以具體指導根據地建設和發展。當然在延安整風時，此舉遭到嚴厲指責：「欽差大臣滿天飛」，主要是為了加強對地方的控制，為了推行極左路線的貫徹。事實上，無論是中央蘇區還是鄂豫皖蘇區（包括後來的川陝蘇區），從一九二七年底到一九三一年春，在蔣介石政權立足未穩、新軍閥混戰頻繁的有利條件

下，紅軍有發展但比較緩慢，各地紅軍總數不到八萬人，部隊游擊氣息相當嚴重。而在一九三一年春中央幹部大批到來後到一九三四年初六屆五中全會召開，在蔣介石政權基本穩定、武器裝備全面更新的不利條件下，根據地面積擴大，政權建設正規化，全國紅軍數量最多時接近三十萬人。

王明也是中共黨內第一個欣賞和保護毛澤東的最高領導人。儘管此前的陳獨秀、瞿秋白、李立三等最高領導人，包括蔡和森、周恩來、張國燾等核心領導成員，與毛澤東認識很早，交往也多，但他們都沒有發現毛澤東的能力，以及他對建立農村根據地的獨特貢獻和價值。在「王明路線」盛行的時期，王明不僅高度重視農村根據地建設，肯定其在中國革命中的地位和意義，同時還在組織上大力提高毛澤東的政治地位。毛澤東擔任中華蘇維埃共和國主席和中央政治局委員，王明起到了至關重要的作用。

在醞釀中華蘇維埃共和國主席一職時，王明提出兩個標準：一是具有全國威望，二是在蘇區有較長工作經歷。有人提出毛澤東，王明欣然同意。一九三二年的寧都會議解除了毛澤東的兵權，王明聞訊後立刻表示不妥。博古率臨時中央到江西蘇區後，與毛澤東等本土幹部矛盾尖銳，王明毫無例外地站在毛澤東一邊。一九三三年，王明致電中共中央，特別提醒在對待毛澤東的態度上不要走得太遠。同年年底，臨時中央將六屆五中全會中央領導成員名單提交莫斯科，擬取消毛澤東的政治局候補委員職務。但共產國際最後確定的人選，特意將毛澤東提升為政治局委員，使毛澤東獲得了參加中共後最高的政治地位，為遵義會議的崛起埋下伏筆。博古等人拒不通知毛澤東參加會議，卻不得不執行共產國際的決定。但僅過幾天，博古等人撤銷了毛澤東蘇維埃政府主席的職務。幾乎與此同時，王明在莫斯科宣佈：

在毛澤東同志任主席的蘇維埃政府的統一領導下，我們現在已
經在幾百個縣建立了鞏固的蘇維埃政權。

後來王明得知毛澤東受排擠的真實情況，明確地講：莫斯科「很
不滿意」。

毛澤東職務上升，實權喪盡，遠在莫斯科的王明無法幫忙。毛澤
東賦閒時深入農村調查，寫成幾篇分析農村問題的文章。王明在莫斯
科看到後大加讚賞，寫信給中共中央說：「毛澤東同志的報告和結
論，除了個別地方有和五中全會同樣的措辭的缺點外，是一個很有意
義的歷史文獻！我們與共產國際的同志都一致認為，這個報告明顯地
反映出中國蘇維埃的成績和中國共產黨的進步。」一個月後，毛澤東
這幾篇文章在莫斯科結集出版時，王明又寫信給中共中央，說：「毛
澤東同志的報告，中文已經出版，綢製封面，金字標題，道林紙，非
常美觀，任何中國的書局，沒有這樣美觀的書。」

無法確認在共產國際的指示中，哪些是史達林的意思，哪些是王
明的意思。但王明當時是共產國際書記處書記，對共產國際和史達林
的決策有重要影響。從他在電報和信件中的語氣來看，他對毛澤東的
欣賞溢於言表。可以說，沒有王明的極力支持和保護，毛澤東將很難
成為中共最高領袖，中國歷史將重新改寫。

毛澤東異軍突起，王明做兩手準備

歷史惠顧了王明，使他在二十七歲就成了中共事實上的最高領導
人。但他過於迷信莫斯科權力的威信和權力的永恆，加之不願從事具
體工作，後來主動要求去莫斯科擔任中共駐共產國際代表，從而遠離
了中國革命的現實。一九三二年九月，王明當選共產國際政治書記處

書記。他對中國革命實行遙控指揮，不能及時發現和調整複雜的黨內人事關係，也不能對多變的國內政治、軍事形勢進行有效處置。

在王明自認為能夠有效控制中共中央實權的時候，他欣賞和支持毛澤東，甚至大力宣傳毛澤東。長征開始不久，中共中央與莫斯科失去電訊聯繫。中國革命形勢的急劇變化，尤其是遵義會議毛澤東進入核心決策層以後，使他逐漸感到局勢有點失控。

一九三五年七月，共產國際第七次代表大會召開時，走了半截長征路、負責向共產國際彙報遵義會議中共高層人事變動的陳雲，還沒有到達莫斯科。然而毛澤東的名字，破天荒地排在了季米特洛夫和台爾曼的後面，接受各國共產黨代表的歡呼。中國蘇區代表滕代遠手持共產國際批准的發言稿，第一個上臺致賀詞，他宣稱「我們對共產國際中有像季米特洛夫、台爾曼、毛澤東……這樣的英勇旗手而感到驕傲。」隨後中共代表團團長王明在發言中也讚揚「毛澤東、項英、周恩來、張國燾、張聞天、博古等同志」是「出色的黨內領袖和國家人才」。把毛澤東排在中共領導人的第一位，這是黨史上的第一次。共產國際「七大」後，共產國際機關刊物和蘇共中央機關報《真理報》，都開始發表文章介紹毛澤東，稱讚他是「中國人民傳奇式的領袖」。後來成為蘇共中央總書記的赫魯雪夫也親自撰文，讚揚毛澤東是「勤勞的中國人的領袖」。

至今沒有證據顯示，共產國際是否通過其他管道獲得了遵義會議的內容，從而給予承認。王明有著強烈的領袖欲望，同時也具有唯莫斯科意志是從的特點。面對史達林和共產國際態度的變化，他只能接受。但有一點值得注意，大會之前，他撰寫〈為抗日救國告全體同胞書〉，即著名的〈八一宣言〉，神采飛揚，感情真摯，讀後令人熱血沸騰。這篇政治文稿以中共中央名義發佈後，在全國引起巨大轟動，激發了全國民眾抗日圖存的愛國熱情，對「一二・九運動」的爆發也

有積極的推動作用。

共產國際「七大」後，陳雲到達莫斯科，彙報了中共的最新情況。接下來的事實表明，毛澤東地位的迅速上升，並未影響王明的情緒。會後他一面派遣林育英回國向中央傳達莫斯科的最新精神，一面和潘漢年一起，與國民黨代表鄧文儀就停止內戰、共同抗日進行接觸。同時，他還過問蔣經國從蘇聯回國的若干具體細節，希望通過小蔣向老蔣轉達中共的誠意。

種種跡象表明，王明在一九三七年回國前後，已對自己的政治前途進行了重新設計：能夠成為總書記更好，退而求其次，確保黨內二把手。一九三七年十一月二十九日，王明途經新疆，到達延安。中共高級官員傾巢出動，歡迎這位來自共產國際的「神仙」。

王明與毛澤東的第一次見面可能是在武昌。一九二七年春，王明作為米夫的隨身翻譯首次回國，參加了四月二十七日至五月九日舉行的中共「五大」。會上毛澤東提出了一個農民運動決議案，要求重新分配農村土地。大會沒有採納，甚至也沒有討論。會議期間他們彼此打過照面是可能的，但未能留下交往或交談的任何記錄，肯定印象都不太深。相隔十年後，毛澤東與王明在機場相互擁抱時，眾人歡呼，場面感人。當天晚上，毛澤東讚揚王明起草的〈八一宣言〉，王明讚揚毛澤東把中國共產黨帶入了一個新境界。夜深散去，當他們在窯洞裡躺下時，一定各有心思。

十天後的十二月會議，毛澤東與王明產生分歧。王明委婉批評了洛川會議上形成的要求黨在統一戰線中的領導權問題，認為沒有力量，空喊是不行的。對毛澤東非常看重的山地游擊戰和持久戰的觀點，王明並無反對意見，只是強調紅軍應成為打勝仗的模範。

張聞天提出自己不再擔任總書記一職，有向王明交權的意思。但王明轉達了季米特洛夫的意見，中共暫行集體領導。新成立的「七

大」準備委員會，按季米特洛夫提議，一致推舉毛澤東為主席。但不知何故，與會者又推舉王明擔任「七大」準備委員會書記，而且全體人員還被要求依次簽名表示贊成。這一黨內從來沒有過的做法，不免引起毛澤東等一些人的詫異和警惕。

其實不難理解。善於揣摩上面意思的王明，此時發現史達林和季米特洛夫儘管看重毛澤東，也有比較明顯的傾向性，但並未最後下決心，由誰來當中共一把手更符合蘇聯和國際共產主義運動的利益。他們還在猶豫，對毛澤東還需要做進一步觀察。也就是說，王明仍然存在一線希望。王明按照先前的兩手準備，希望通過文書的形式加以確定。這一略顯生硬、滑稽的事件表明，王明多少有點書生氣和小聰明。後來的事實證明，一張紙的約束力，沒有他估計的那麼大。

會議結束時，大家相約照相留念。王明意氣風發，端坐第一排中央，毛澤東則謙遜地站立在後排最靠邊的位置。當這些精明的領導人拿到相片時，各自會有怎樣的感想，自然不難推測。

延安整風的一號目標

十二月會議後，王明以中共長江局書記的身份，率領中共代表團到達武漢。他極力向各界宣傳中共的抗日主張，向蔣介石表達合作誠意，同時號召保衛大武漢，甚至發表文章要將武漢變成東方的「馬德里」。但他遭到了蔣介石的冷遇，正如毛澤東後來所說，王明這是梳妝打扮，送上門去，被蔣介石一個耳光，趕出大門。

中共十二月會議和三月會議上，王明的意見和主張得到包括張國燾在內的黨內大多數人的贊同，著實讓毛澤東感到不安。此時的王明過於自信，他在與張國燾的談話中，聲稱張受托派利用，犯了嚴重錯誤——這在當時是一個比分裂主義更可怕的罪名——逼走了這個可靠

的同盟軍。此一事件客觀上只能再次證明，在王明回國之前，毛澤東對張國燾的清算無比正確，同時也使原紅四方面軍將士紛紛表態，更堅定地站在黨中央一邊。張國燾的出走，王明沒有得到任何好處，反而在後來的政治局會議上少了一票。

身為中共長江局副書記的周恩來，很快被任命為國民政府軍事委員會政治部副部長，而在中共內部地位更高的王明沒有得到任何實職，只被給予一個無足輕重的國民參政員的虛銜。蔣介石對王明之所以如此，可能有三個原因：一是共產黨力量暫時還太弱，蔣沒有放在眼裡；二是蔣自從一九二三年去過蘇聯以後，就一直對蘇式政工幹部反感；三是王明在莫斯科中山大學積怨太多，而一些當年王明打擊過的學生如任卓宣、賀衷寒，尤其是蔣經國，此時已經對蔣氏有著重要影響。他們有機會向蔣氏詳細介紹王明的為人和風格，從而使蔣對王產生反感和不屑。史達林和共產國際本來希望通過王明融洽與國民政府的關係，但遠未達到預期目的，逐漸降低了對王明的信任，是完全可能的。

與此同時，毛澤東指揮華北的八路軍，在平型關、陽明堡等幾個戰役中積累一定的抗日名聲，迅速改變戰術，將部隊分散到敵後鄉村。既佔領了地盤，擴大了軍隊，也鼓舞了敵後的老百姓，使他們感到共產黨抗日的真誠。由於是在敵佔區發展力量，國民黨也無可指責。毛澤東山地遊擊戰和持久戰的軍事思想，實則也是高明的政治思想。

當時王明統管長江流域和華南黨務，新四軍受其節制。如果此時他能夠仔細考慮毛澤東軍事上的戰略戰術，與項英、葉挺密切合作，將工作重點放在新四軍的發展上，那麼他在黨內第二的地位，將是十分穩固的。即使再次問鼎黨魁，也非天方夜譚。

也許毛澤東正是為了預防這一點，在一九三八年的三月會議上，就提出王明應當留在延安。而王明執意要回武漢，最後通過表決才得

以成行。王明再次回到武漢，仍然熱衷上層交往，幾乎將全部精力用於組織宣傳保衛武漢，很少過問新四軍的具體事務。通觀此間中共在武漢地區的活動，最多只能是跑龍套的配角。武漢形勢吃緊，王稼祥從莫斯科帶回最新指示，毛澤東召開六屆六中全會，地位基本穩固。武漢陷落，王明領導長江局工作的價值和意義，受到了普遍的懷疑。

就蔣介石而言，他對王明的冷落多少有點意氣用事。如果他能夠洞悉和利用中共內部矛盾，給王明以適當的實職，增強王明在共產國際和中共黨內的分量，那麼共產國際在考慮中共最高領導人選時，將更加難以下決心。依王明的風格、能力和當時在中共黨內的巨大影響，將對共產黨的良性發展造成極大困難。毛澤東能夠順利成為中共最高領袖，首先是中共在華北勢力迅速擴張的實績和黨內同事的極力擁戴。不可否認，蔣介石間接也幫了大忙。

王明在武漢期間，經常不經過延安方面同意，就以中共中央和毛澤東的名義發表各種主張、宣言、聲明和談話。在當時交通、通信暢通的情況下，這種做法確實有目無中央、強加於人之嫌。拒絕刊登〈論持久戰〉，純屬認識水準問題。特別讓毛澤東無法容忍的是，在張國燾脫黨，王稼祥、任弼時遠在莫斯科，朱德、周恩來、彭德懷、項英、博古、凱豐等人經常在武漢，延安只剩下毛澤東和張聞天的情況下，王明居然懷疑延安書記處的合法性，要求延安不能以書記處名義發佈指示。

應該說，按當時集體領導少數服從多數的原則，王明的指責有一定的依據和道理。但延安是中共中央總部所在地，長江局只是中央派出的下屬機構，無權就此表示異議。何況王明在莫斯科和武漢時，也經常以中共中央名義發佈文稿。凡此種種，使毛澤東等人有理由懷疑王明居心叵測。但上升到另立「第二中央」的高度，還是有點牽強。正如後來王明自我辯解，一是在莫斯科形成的習慣，二是為了使毛澤

東的威信更大。王明的做法儘管不妥，但他仍然把毛澤東放在第一位
置，當屬事實。

王明回到延安，仍然不知收斂。他以理論權威面貌出現，頻頻演
講，異常活躍，征服了一些初到延安而涉世未深的青年，致使毛澤東
不敢前去講課，這讓毛澤東再次深受刺激。他決心接受王明的「挑
戰」，夜以繼日刻苦學習，發動整風運動以統一全黨思想。王明成為
整風的一號目標。

延安整風的思想武器和理論依據，既讓王明無話可說，也使莫斯
科感到放心。毛澤東除了自己親自撰寫文章外，特別指示領導幹部，
要重點學習《聯共（布）黨史簡明教程》、《季米特洛夫文選》和列
寧的《論共產主義運動中的左派幼稚病》。

一九四三年，由於共產國際的解散，病中的王明感到大勢已去，
決定全面放棄抗戰以來與毛澤東相左的意見。他說：

> 我願意盡我力之所能，對自己過去的思想言行加以深刻的檢
> 討，在毛主席和中央各位同志的領導與教育之下，我願意做一
> 個毛主席的小學生，重新學起，改造自己的思想意識，糾正自
> 己的教條宗派主義錯誤，克服自己的弱點。

此時他終於明白，自己的命運，已經全部在毛澤東的掌控之中。

整風的局限和毛澤東對王明風格的繼承

對王明路線的定性，一是被中共稱為「土地革命時期」的左傾路
線，二是抗戰初期的右傾路線。劉少奇是整風中除毛澤東外唯一沒有
受到衝擊的領導人，其餘都進行了觸及靈魂的深刻檢討。在黨內鬥爭
中，王明的失敗與後來劉少奇被打倒的相同點是，毛澤東採取「農村

包圍城市」的方式，先去四肢，然後直插心臟，令對手毫無防範。不同點是，王明問題嚴重，仍屬黨內矛盾；而延安整風中表現非常積極的劉少奇，「文化大革命」中被定性為叛徒、內奸、工賊，屬於敵我矛盾。

通過延安整風，毛澤東感到自己地位更加牢固，這才下達指示，拖了七八年的中共「七大」可以開了。結果毛澤東不但全票當選主席，而且「毛澤東思想」寫進黨章，成了全黨全軍的行動指南，所有人事安排都體現了毛澤東的意志。王明、博古、張聞天沾了莫斯科的光，勉強當選中央委員。與陳獨秀、瞿秋白、李立三等人相比，王明的待遇也算不錯，全黨無不頌揚毛澤東的容人之度。

在中共官方修訂的黨史上，對延安整風至今評價很高，六屆七中全會最後一天通過的〈關於若干歷史問題的決議〉奠定了基調。二○一一年新出版的《中國共產黨歷史》仍然認為：

> 整風運動的結果，實現了在以毛澤東為核心的中共中央領導下全黨的新的團結和統一，為抗日戰爭的勝利和新民主主義革命在全國的勝利，奠定了重要的思想政治基礎。整風運動對於加強無產階級政黨的建設，增強黨的戰鬥力，是一次成功的實踐，是一個偉大的創舉。

從毛澤東投身中國革命，到一九三五年遵義會議，再到一九四五年中共「七大」，他在複雜的鬥爭中施展的政治韜略、軍事指揮等方面，有很多正確的東西。他從實際出發，敢於懷疑莫斯科決策的正確性，體現出獨立思考的創新能力和不迷信權威的膽量，並善於將原則性和靈活性相結合。所以不可否認，將全黨思想統一在毛澤東思想的旗幟下，對一定歷史時期增強黨的戰鬥力有積極作用。

但也必須看到，「思想統一」本身不可能完全做到，而且也是暫

時的，「思想不統一」才是長期的、經常的，毛澤東本人也在《矛盾論》中也論述過這個問題。因此從意識形態領域來看，要求「思想統一」，違背了馬克思主義的基本觀點。將抗日戰爭的勝利歸功於此，也不符合基本的歷史事實。「整風」這種方式，當時就出現一些問題，由於及時發現和糾正，未造成大的災難。但隨著時間的推移，「整風」的弊端越來越多，由此引發的負面作用越來越大。以至於後來形成一種惡劣的風氣，將「毛澤東思想」絕對化、神聖化，成了一個「筐」，只裝一切正確的東西。甚至將毛澤東思想與毛澤東本人的意見和決定，緊緊地絞合在一起，實際工作中逐漸形成了一個思維定式，將黨內不同意見上升為反黨、反社會主義、反毛澤東思想。

由此可以看出，延安整風具有兩個重大局限：一是沒有形成黨內鬥爭的正確機制，難以保證少數持不同政見者在一定歷史時期內，能夠體面地發表和保留不同意見，即從制度上確保黨內反對派權利的問題。如果此時能夠對這個問題產生一個成文的決議，將在一定程度上避免新中國成立後所犯的重大錯誤。二是對基本歷史事實誤判，對於歷史問題採用功利主義的態度，沒有全部體現實事求是原則。毛澤東將六屆四中全會以後的一切錯誤歸結於所謂的「王明路線」，並且上綱上線，而對自己的錯誤絲毫不提。中央蘇區博古等人確有宗派主義的傾向，但毛澤東的受排擠與王明無關，相反由於王明的欣賞和保護，其政治地位反而上升；第五次反圍剿的失敗和中央蘇區的喪失，主要是軍事指揮失誤，也與王明無關——因此，「王明路線」是否存在，是一個值得重新研究的問題。

其實整個中央蘇區最左的事件，都與毛澤東有關：紅軍在井岡山根據地無法立足，在於錯殺王佐、袁文才，失去當地人民的支持，毛澤東對此至少應負領導責任；一九三〇年，毛澤東重用酷吏李韶九，大抓AB團，導致「富田事變」的發生，四千紅軍慘遭槍殺……〈關

於若干歷史問題的決議〉對此隻字不提。毛澤東這種諉過於人、攬功於己的做法，在延安整風中已經初露端倪。新中國成立後，他的這個毛病表現得更加突出。同時還應當看到，王明在抗戰初期的一些錯誤，有的是認識水準和經驗不足的問題，有的是執行共產國際指示。

大革命失敗，陳獨秀當了替罪羊。蘇維埃運動失敗，王明當了替罪羊。不同的地方在於，前者的裁判者是共產國際，後者是毛澤東。王明對毛澤東有恩，而毛澤東報之以怨，出於資訊掌握不全，也出於政治鬥爭的需要，更出於建立毛澤東思想的需要。不把王明搞臭，無以證明毛澤東的絕對正確。

在眾口一詞的情況下，病中的王明只得認輸。他同意了〈關於若干歷史問題的決議〉所作的結論，並檢討了自己的錯誤。他在給中央的信中表示，願意在黨安排的任何下層崗位上，從頭學起，重新做起，以補償自己的錯誤給黨和人民造成的損失。

在延安整風中對立的毛澤東和王明，其實有許多的共同點。但在戰爭年代，毛澤東更顯平易近人、謙遜樸實，也能夠傾聽不同的意見，吸納眾人的智慧，能夠融會貫通而自成一家。其政治、軍事方面的戰略眼光，更是王明所望塵莫及。

毛澤東在政治上戰勝了王明，卻在諸多方面繼承了王明的風格，尤其是新中國成立後非常明顯。他們都是堅定的史達林主義者，有強烈的領袖欲望，熱衷於權力鬥爭和無情打擊；對反對者喜歡扣大帽子，無限上綱；性格上得理不饒人，要求對方進行無休止的檢討；目的性強，為了達到目的而不擇手段；缺乏自我反省能力，不肯輕易認錯。兩人的文章風格也很相近，為文時咄咄逼人，情緒容易失控，憤激之下往往以偏概全，似有以勢壓人、不講道理之嫌。但歷史的戲劇性變化常常出人意料。王明及其他被劃為「王明路線」上的張聞天、博古、王稼祥等人，經過整風後逐漸克服了教條主義的毛病，變得謹

慎務實。而毛澤東在奪取全國政權後，漸漸墜入教條主義泥坑而不能自拔，凡事喜歡引經據典而振振有詞，他人稍有異議，一觸即跳。晚年更是變得敏感多疑，睚眥必報，將個人的面子和進退得失，看得比黨、國家和人民的利益還重，在全國範圍內造成一個比一個大的災難。

《中共五十年》與晚年思想

中共「七大」，王明進入中央委員會，在經歷了牆倒眾人推的強烈失落之後，此時也感到一絲欣慰。病情稍有好轉，他擔任了中共中央法制顧問研究委員會主任，逐漸適應了自己的現實處境，心情也有所好轉。一九四八年春節期間，他寓居山西臨縣時，有感於當地土地改革和農村變化，寫下一首〈土改新歌〉，雖然詩味不足，但洋溢著輕鬆、樂觀的情緒。

隨著解放軍在內戰中的節節勝利，中共中央於一九四九年三月在西柏坡召開了七屆二中全會。王明在發言中說：「毛的學說，不僅是政治的，軍事的，而且是經濟學說的科學，現在不僅一般的人說願跟毛走，連國民黨的人，來進行談判的人也表示願跟毛走，因毛領導的正確。」他還說，毛澤東「有豐富的歷史知識、科學知識，並且與群眾有密切的聯繫，所以他才成為中國的真正的布爾什維克，我們應當向他學習」。但劉少奇插話說：「『在毛澤東旗幟下』是有兩種意義的，你提出毛主席的旗幟是掩護。」會議結束時還作出了一個決定，王明應對自己所犯的錯誤寫一個聲明，提交政治局審閱。毛澤東還把張聞天等人的認識材料提供給他作為參考。

王明當時口頭答應，過後一直未寫。後來中央又是找他談話，又是作決議，發通知，要他再次檢討。王明迫不得已，於一九四九年十一月六日給毛澤東寫了一封信，表明態度：

1. 關於內戰時期錯誤問題⋯⋯現在我再次向中央正式聲明一次：我完全接受六屆七中全會通過的〈關於若干歷史問題的決議〉，對於決議中提到的一些歷史問題，再不向任何人發表任何問題的不同意見。

2. 關於抗戰初期錯誤問題，中央作出結論，我是一個黨員，一定接受和服從。

王明信中言辭委婉客氣，態度不亢不卑，實際拒絕再寫聲明。

新中國成立後，王明被任命為中央人民政府法制委員會主任，他以極大熱情投入了中國第一部婚姻法的制訂。雖是半路出家，但他刻苦鑽研，不僅參閱中國歷代有關法律和蘇區相關資料，還翻譯了蘇聯和東歐多個國家的法律文件，經過四十一次修改才最後定稿。一九五〇年四月三十日，中央人民政府通過了王明主持制定的〈中華人民共和國婚姻法草案〉，並由毛澤東發佈命令，於五月一日實施。該法獲得國內外的廣泛好評，而第一主持人王明卻謙虛地說，這是「群策群力的結果」。

〈婚姻法草案〉得到的讚譽，使王明感到自己的辛苦勞動沒有白費。然而他還來不及喘一口氣，一瓢冷水當頭潑來。一個月後的七屆三中全會，中央作出〈關於王明同志的決定〉，指責他態度不誠懇，「不遵守二中全會決定向政治局寫聲明的行為，是無紀律的行為」。要求他執行七屆二中全會的決定，深刻檢討他在內戰和抗戰時期的原則錯誤。

應該注意到，這裡的中央決定，實則主要體現了毛澤東個人的意思。這種得理不饒人，沒完沒了、反復糾纏歷史舊賬的做法，儘管王明以前得勢時經常施加於他人，但此時也一定引起了王明的惱怒和反感。他於八月十七日再次寫信給毛澤東，沒有明確拒絕「檢討」，但

表示「需要相當久的時間」。毛澤東在第二天就批示：「王明的聲明書應在十一月上旬七屆四中全會開會以前寫好，並交送政治局。」雙方的意氣之爭，使矛盾迅速尖銳而難以調和。王明九月上旬請求到蘇聯治病，十月二十五日離開中國。一直到死，他也沒有寫出這份檢討錯誤的聲明書。王明的倔強行為，與「文化大革命」中劉少奇、林彪拒絕按毛澤東要求寫檢討，本質上如出一轍，主要是不滿毛澤東的無理取鬧，維護自己的人格尊嚴。

兩年後的一九五三年十二月，王明夫婦再次回到北京，與父母和岳父母住在一起。不久，法制委員會被撤銷，王明也就成了無皮之毛，從此再也沒有在政府中擔任過職務，中央的一些會議，他都請病假沒有參加。一九五五年十月，黨的七屆六中全會舉行，他也未出席，寫信給中央請求「解除我的中央委員的職務」。一九五六年一月三十日，他永遠離開了北京，直至一九七四年客死莫斯科。王明是一個非常看重家庭，對長輩異常孝順的人，在國內政治空氣日益惡化的情況下，作出這種選擇是明智的，雖然與長輩骨肉分離，但躲過了可能發生的滅頂之災。

晚年的王明疾病纏身，但他勤於筆耕。閒暇之餘和妻子孟慶樹彼此唱和，藉以打發寂寞的時光。他的詩，死後經孟慶樹結集為《王明詩歌選集》出版。他的回憶文字更為有名，以《中共五十年》名義出版後，引起廣泛的爭議。

一部《中共五十年》，寫成了王明與毛澤東的鬥爭史。此書缺乏理論支撐和邏輯力量，怨恨的情緒宣洩代替了嚴謹的理性分析，作為史料和政論均無太多可取之處。書中揭示的毛澤東與其他中共高層領導的一些內幕，因難以證實而不被史家看重。他對毛澤東的激烈攻擊，也容易讓人得出囿於個人恩怨、未能秉持「公心」的結論。在經歷了史達林、赫魯雪夫、勃列日涅夫三個時代的變化之後，在看到中

國反右派運動、「大躍進」、反右傾機會主義和「文化大革命」帶來的巨大災難後，他關於社會主義、資本主義和帝國主義的論述，表明他的反思能力相當有限，連赫魯雪夫的水準都沒有達到。全書文字粗糙，心氣浮燥，與他曾經擁有過的中共最高領導人和共產國際書記處書記的身份，與他曾經得到過的「黨內馬克思主義理論家」的身份，都極不相稱。此書的寫作和出版，給他的聲譽帶來無法挽回的負面影響，同時表明他至死是一個堅定的史達林主義者。

《中共五十年》寫完幾天後，王明帶著對毛澤東的無限憎恨，心有不甘地離開了人世。作為中共高級領導人的絕筆，王明這些文字的實際價值，與方志敏《可愛的中國》、瞿秋白《多餘的話》、張國燾《我的回憶》等著作相比，有較大的差距；與陳獨秀的晚年文稿相比，視野的廣度、境界的高度和思想的深度，完全不在一個水平線上。

值得注意的是，王明很多時候從毛澤東個性方面來探討問題，分析毛澤東個性給中國帶來悲劇的原因，並將「文化大革命」的根源追溯到延安整風——這是他的獨特視角，也許是這本書最有價值的地方。

王明酷愛寫詩。在他的詩作中，時常流露出對祖國和故鄉的熾熱情感。但他自從一九二五年後，再也沒有見到過他夢中的山山水水。在他死後的三十年，即二〇〇四年，他的小兒子王丹金回到金寨縣尋根，受到了父老鄉親的熱烈歡迎。王明當年生活過的金家寨下碼頭，已在一九五四年建起了梅山水庫，從此淹沒在一片汪洋之中，不見了蹤跡。王丹金徘徊湖邊，遙望平靜如鏡的湖面，感慨萬端。他說，他的最大願望是，將父母在俄羅斯居住的別墅，建成王明博物館。

他的願望能夠實現嗎？

二〇一三年三月十三日於成都寓所

主要參考文獻

〔美〕江南　《蔣經國傳》　北京市　中國友誼出版公司　1984年版

王　明　《中共50年》　北京市　東方出版社　2004年版

王凡西　《雙山回憶錄》　北京市　東方出版社　2004年版

中共中央文獻研究室編　《毛澤東年譜》　北京市　中央文獻出版社　1993年版

中共中央文獻研究室編　《劉少奇年譜》　北京市　中央文獻出版社　1996年版

周國全、郭德宏、李明三　《王明評傳》　合肥市　安徽人民出版社　1989年版

張國燾　《我的回憶》　北京市　東方出版社　1998年版

楊奎松　《毛澤東與莫斯科的恩恩怨怨》　南昌市　江西人民出版社　1999年版

楊奎松　《中間地帶的革命》　太原市　山西人民出版社　2010年版

熊廷華　《王明的這一生》　武漢市　湖北人民出版社　2009年版

黎辛、朱鴻召主編　《博古，39歲的輝煌與悲壯》　北京市　學林出版社　2005年版

戴茂林、曹仲彬　《王明傳》　北京市　中共黨史出版社　2008年版

鐘君、龍夫編著　《紅色帷幕下的較量》　貴陽市　貴州民族出版社　1993年版

霍邱篇一二

臺靜農傳

一

　　一九四六年八月的一天，臺靜農拖家帶口登上一艘名叫「海宇」號的貨輪，準備從上海出發到臺灣。從一九一八年離開故鄉安徽省霍邱縣葉家集鎮開始，他輾轉漂泊於武漢、北京、上海、南京、青島、廈門、重慶、江津等地，一直居無定所。

　　「海宇」號由破舊的軍艦改裝而成，以裝貨為主，乘客無需買票，只要有臺灣方面軍公教部門的邀請函和本人證件即可上船。臺靜農一家上船後，還要等待三天時間裝貨，苦力搬運貨物時發出的「杭育」、「杭育」的聲音不斷傳來，讓人寢食難安。沒有錢，他也不敢下船去住旅館，只好在船上苦撐。

　　方師鐸一半是他的學生，一半是他的同事，此時與他同行。閒聊時臺靜農問他：「身上還有多少錢？」

　　方師鐸把所有錢掏出來一數：「只有幾百塊了。」

　　臺靜農說：「你還不錯，我已經一文不名了。」

　　方師鐸說：「我們兩家人在船上也沒有什麼開銷，這筆錢我們一人一半好了。」

　　臺靜農毫不客氣收了錢，沒有說一個謝字。

　　到臺灣後，臺靜農沒錢的時候，就跟附近的老闆賒煙抽，賒報看。後來老闆拒絕賒帳，臺靜農一位過去北京大學的老同學、如今臺

灣大學的新同事知道後，悄悄替他把賬還了，他也不說一個謝字。

臺靜農是經魏建功推薦，應臺灣大學校長羅宗洛之邀，到該校擔任中文系教授的。抗戰勝利後，有識之士向國民政府進言，臺灣經過日本半個世紀的殖民統治，不僅在政治上，也需要在語言文化上「回歸」，於是大批知識精英赴臺。此時國內局勢日益緊張，國共內戰一觸即發。在先期赴臺人員中，有許壽裳、魏建功、何子祥、莊慕陵、李霽野、李何林等老朋友，不是安徽老鄉，就是北大同學。因參加國立女子師範學院請願而失去飯碗的臺靜農，接到邀請後幾乎沒有猶豫，就到了臺灣。在他看來，遠離大陸的臺灣，或許是一個世外桃源。他沒有想到，以一九四六年為界，他在大陸度過了生命中的前四十四年，今後還將在臺灣這個小島上紮下根來，度過自己生命中的後四十四年。他也沒有想到，他的後半身過得是如此平穩。

臺灣並不是世外桃源。幾個月後的「二二八」事件，血雨腥風彌漫全島。臺靜農的親密朋友、臺灣大學文學院院長林茂生慘遭槍殺。過了一年，與臺靜農相知二十多年的中文系主任許壽裳被一歹徒神秘砍死。再過一年，繼任的中文系主任喬大壯對現實極度失望，憤而自殺。臺靜農隨即擔任中文系主任時，國共內戰已見分曉。他的朋友魏建功、李霽野、李何林先後回到大陸。

可以想像，臺靜農又面臨著一次人生的重大選擇。也許是隨遇而安，也許是聽天由命，也許是我們永遠不知道的原因，他最終留在了臺灣。他沒有林茂生的政治訴求，沒有許壽裳魯迅精神的直接外露，也沒有喬大壯的憤世嫉俗。他平平淡淡，謙遜樸實，不談政治，在臺灣大學中文系主任的位置上做了二十多年。退下來時乾乾脆脆，絕不拖泥帶水。

他住在臺北溫州街的臺灣大學宿舍，一處自名為「歇腳庵」、後經張大千題名「龍坡丈室」的小院落。院子裡養些小雞小鴨，牆角還

栽有蔥蔥蒜苗之類的蔬菜。母親、妻子和四個兒女與他住在一起，鄉音不改，其樂融融。國民黨敗退臺灣後，胡適、傅斯年、英千里、董作賓等一批北大和輔仁校友，張大千、溥心畬等一批畫友，張目寒等一批鄉親，紛紛來到臺灣，他在做學問之餘切磋書畫，也還充實。過了許多年，他的學生越來越多，散居全島，有的還走向世界，不時到他家裡探望，也不孤獨。

一九六〇年，臺灣《自由中國》因言獲罪，雷震先生被捕，作家聶華苓受牽連困居家中，生活無著。臺靜農上門造訪，他要在臺大開一門現代文學的創作課，必須找一位作家去教，問她是否願意去。臺靜農的熱情、真誠和無畏，臺大教室裡年輕而充滿朝氣的臉，將她帶進一個廣闊明朗的世界，讓這位女作家終生難忘。

現代文學不免要涉及現代政治，臺靜農不講現代文學。即使在劉心皇與蘇雪林那一場關於魯迅的激烈論戰中，他也不置一辭。在臺灣學界，他一直講授中國文學史，也講《楚辭》，深受師生喜愛。他手裡有一部自撰的文學史講稿，卻遲遲不願整理出版。他說觀點還不成熟，達不到出版水準，不能誤人子弟。年輕詩人、後來成為柏楊夫人的張香華在採訪他時，問他是否也嘗試過寫作。他說：「年輕時寫過幾篇小說。」女詩人追問：「為何不繼續寫下去？」他說：「因為發現自己不是寫作的人嘛！所以就不寫了。」張香華理所當然地認為，臺靜農是寫不好小說才改行潛心從事傳道授業的工作。

學校郊遊，他與學生同行，幽默風趣，談笑自如。他使中文系裡的每一個人，都感到他不是一個官，而是系裡的一個人，一個普通的人。他主持的中文系，是一個大平等，是一個大莊嚴。

在臺灣島內，臺靜農以書畫聞名。他遠學倪元璐、黃道周，近師沈尹默、胡小石，在點橫豎捺中，寄託自己的全部感情。閒暇之餘，他陪年邁的母親聊天，和妻子談家務，和兒女談學習。他在踏踏實實

盡一個兒子的孝道、丈夫的義務、父親的責任。

　　時間一點一滴流逝，大陸來臺的朋友故舊一個個離去，海峽兩岸的對壘依然一如既往。母親也終於老去，帶著無盡的鄉愁，於一九七五年走了。安葬了母親，臺靜農坐在「龍坡丈室」的舊籐椅裡，輕輕吟誦出一首七絕詩〈老去〉：

　　　老去空餘渡海心，蹉跎一世更何雲；
　　　無窮天地無窮感，坐對斜陽看浮雲。

　　他想念故鄉霍邱葉家集，還有那條蜿蜒向北流去的史河，不知父親還在不在人世，殘疾的四妹生活怎樣，老舍、李霽野、魏建功、舒蕪他們還好嗎……

　　二十世紀六、七〇年代，臺灣白先勇、王文興、蔣勳等一批年輕作家異軍突起。他們大學畢業後走出小島，在美國、英國、法國的圖書館裡，翻閱臺灣列為禁書的中國新文學作品。他們在感歎魯迅偉大深刻的同時，驚喜地發現，在臺灣還有一位深藏不露、在二、三〇年代非常著名的作家——臺靜農——臺灣大學中文系的臺老師。

　　白先勇在讀了臺靜農小說後激動地說：「我非常敬佩！」與此同時，香港作家劉以鬯撰寫了一篇介紹臺靜農小說創作的論文，他在評價臺靜農小說集《地之子》時說：「二十年代，中國小說家能夠將舊社會的病態這樣深刻地描繪出來，魯迅之外，臺靜農是最成功的一位。」而蔣勳閱讀《魯迅全集》時，在魯迅的雜文、箚記、書信中陸續讀到「臺靜農」三個字，便想方設法找來臺靜農的小說。

　　有了幾位年輕作家的極力推薦和收集，沒過多久，《現代文學》雜誌刊出了臺靜農早年的幾個短篇。一九八〇年五月，臺灣遠景出版公司出版《臺靜農短篇小說集》單行本。臺靜農沒有想到二十多歲時寫的短篇小說，居然又輯印出來。「五十年了，沒想到還找得到。」

他出奇地平靜，卻也有隔世之感。一種久遠的鄉土情分，又淒然地起伏在他的心中。那些幾十年前的人事，他為那些人事產生的激動，又清晰地浮現在眼前。

二

臺靜農，安徽霍邱葉家集（今葉集）人，初名傳嚴。一九〇二年生於一個書香之家，兄妹六人，他是老大。曾在私塾啟蒙，跟隨父親臺佛岑學顏真卿的楷書和鄧石如的隸書。十三歲時與本集童年時的玩伴張目寒、韋素園、韋叢蕪、李霽野同上家鄉的明強小學。

葉家集地處河南、安徽交界之處，屬於淮河流域，史河從集西往北，經河南固始又入安徽，在阜陽注入淮河。過去這裡是熱鬧繁華的商貿重鎮，清末民初已日益凋敝，民生艱辛。傳嚴與同伴嬉戲打鬧之際，自然耳聞目睹了小鎮上各色人物的生存狀態和鄰里之間發生的種種人事變故。

在漢口讀完中學，他離校赴京。一九二二年八月，他改名臺靜農，考取北京大學中文系的旁聽生資格，聽魯迅講授中國小說史，與董作賓、莊慕陵、常惠、魏建功成為好朋友。一九二四年，臺靜農正式考取北京大學研究所國學門研究生，成為胡適、陳垣、劉半農、沈兼士的學生。此時，父親為他指腹為婚的婚姻，雖然不願意，但已不能再拖，遂回鄉與於韻嫻成親。他童年時的小學同學張目寒、韋素園、韋叢蕪、李霽野也先後來到北京求學。經張目寒介紹，臺靜農後來結識了魯迅、許壽裳、張大千等人。臺靜農求學之路頗為順暢，進入中國最高文化圈時，不過二十三歲。很難得的是，在北京文化圈裡，在所謂新派、舊派、留日派、英美派的紛爭和矛盾中，他能獲得各方的好感，並將這種好感轉化為深厚的友情。依靠這種友情，他日

後得到很多具體的幫助。

當時他更認同魯迅的道路，這可能與魯迅描寫鄉村和小鎮生活容易引起他的共鳴有關。但在一九二五年由魯迅發起、主要由幾個葉集人參與成立的未名社中，魯迅最先看重的是韋素園，而不是臺靜農。一九二六年，臺靜農編輯出版了《關於魯迅及其著作》，在序言中他強調了魯迅小說戰鬥精神的積極性。他說：「這種精神是必須的，新的中國就要在這裡出現。」隨後開始以故鄉卑微生命為題材的短篇小說創作。一九二八年初，他將十四個短篇結集出版，魯迅審閱書稿，在回信中建議書名為《地之子》。這年四月，因受李霽野翻譯托洛茨基《文學與革命》的牽連，臺靜農被捕入獄，關了五十多天，經張目寒、葉恭綽等營救出獄。

第一次牢獄之災後，臺靜農的思想進一步向左轉。此後的小說創作中，他多次落筆於革命者的視死如歸，體現出更多的激進情緒，即使是敘述鄉間生死的篇章，也與《地之子》的旁觀、冷靜、沉重不同，多了一些反抗內容。一九三〇年，在輔仁大學擔任講師期間，他將這些小說輯成《建塔者》出版。他說：「我們的血凝結成的鮮紅的血塊，便是我們的塔的基礎。」在此前後，他與中共組織聯繫緊密。共產黨員李何林、王冶秋到北京後，他熱情隱藏安置。他根據王冶秋的經歷寫成小說《昨夜》，還介紹王冶秋與經常出入未名社的女學生高履芳相識相戀。大約在一九三〇年，臺靜農加入中共，成為中共黨組織與范文瀾等著名學者的聯絡人。同時與李霽野、曹靖華、白薇等人參與組建北方左聯，並擔任常委。

一九三二年九月，他受中共北方局指派，將剛出獄的陳原道、劉亞雄夫婦安排到范文瀾家休養。接著，魯迅先生回北京看望母親時，由臺靜農全程陪同，在一些高校舉行了內容激烈的演講和座談，引起國民政府的不滿。十二月二十二日，已是輔仁大學副教授兼校長陳垣

秘書的臺靜農，與許德珩、侯外廬等左翼教授同日被捕，表面是高履芳放在臺靜農住處的一部化學儀器，被警方誤認為是「新式武器」，實則與他長期從事左翼文化活動，並與魯迅關係過於密切有關。不久「新式武器」在警方的實驗中未被證實，他得以無罪釋放。當時中共北平地下黨組織遭到嚴重破壞，臺靜農被迫回故鄉葉集避風頭，直到一九三三年八月才返回北平。這期間，他在老家頗清閒，經常給殘疾的四妹講述外面的新鮮事。四妹腿腳不便，出嫁時，他親自將她背上花轎，送到夫家。大哥對她的細心和周到，她記了一輩子。

一九三四年八月，臺靜農與范文瀾一起，又因「涉共嫌疑」被國民黨憲兵逮捕，送往南京警備司令部囚禁，這是他的第三次入獄。這一次牢獄之災時間最長，動靜鬧得大，北京大學校長徐誦明說情也無濟於事。到半年後的一九三五年初，由於蔡元培、許壽裳、沈兼士等二十四名文化學術界名流的聯名具保，才重獲自由。也許臺靜農多少沾了范文瀾的光，當時范文瀾在學術界的地位，與蔡元培、胡適的私誼，遠非臺靜農能比。另一點也很重要，臺靜農的作品，包括有鮮明政治傾向的《建塔者》，都產生於一九二八年底以前。張學良東北易幟歸順南京國民政府，國民黨才逐漸控制了北京局勢。因此在臺靜農的作品中，找不到反對現政府的文字。反觀柔石左聯五烈士等人，就沒有這麼好的運氣了。

總而言之，這一次經歷對臺靜農今後的生活產生了重大影響，促使他審視先前走過的道路，對未來的人生重新定位。如果他繼續從事政治活動，不僅生命沒有保障，而且將使那些熱心救助他的保人，陷於非常尷尬的境地。這可能是他此次出獄後絕口不談政治，不從事政治活動，也不與反政府人士來往的根本原因。

在艱難的取捨中，他放棄了過去主張的「戰鬥精神」。他遠離了政治，埋頭於學術和書畫世界。

這一年，魯迅編輯《中國新文學大系》，臺靜農與魯迅一樣有四篇小說入選：〈天二哥〉、〈紅燈〉、〈新墳〉、〈蚯蚓們〉。在「小說二集」的序言中，魯迅對臺靜農的小說成就予以高度評價：

> 要在他的作品裡吸取「偉大的歡欣」，誠然是不容易的，但他卻貢獻了文藝；而且在爭寫著戀愛的悲歡，都會的明暗的時候，能將鄉間的生死，泥土的氣息，移在紙上的，也沒有更多，更勤於這作者的了。

魯迅的獎勵，沒有阻止、很可能還堅定了臺靜農人生態度的改變。臺靜農肯定會注意到，被魯迅選中的四篇小說，全部來自《地之子》，而不是他激情外露的《建塔者》，也就是說基本否定了《建塔者》的成就。魯迅的意見，會在臺靜農心裡產生怎樣的反映呢！

此時臺靜農在北京生活無著已有好幾個月。以他十四年形成的廣泛的人脈關係，竟找不到一個合適的飯碗，其內心的悲憤不難想像。最後由胡適推薦，他決定前往廈門大學。一九三五年八月，臨行前朋友為他餞行時，已沒有左翼人士，而是沈尹默、啟功等無黨無派的書畫界朋友。那天他們從中午喝到太陽偏西，朋友看出他在麻醉自己。

在人生地不熟的廈門大學待了不久，他又北上青島，受聘於山東大學教授中文，與老舍、鄧仲純結識，經常在一起喝酒論藝，成為摯友。值得注意的是，他沒有到上海，只是與魯迅在通信中保持非常親密的特殊關係，直到魯迅逝世的前幾天。魯迅去世後，他也沒有趕回上海弔唁，而是在山東大學舉行的紀念會上，以魯迅學生的身份，介紹了魯迅的生平事蹟。

三

　　七七事變發生時，臺靜農正巧從山東趕到北平，參加李霽野的婚禮，隨後又到張大千寓所敘舊。日軍進城那天，他在魏建功家喝酒。山河破碎，國將不國，文人學士自然哀慟不已。告別北平，他再也沒有回到這個自己為之拋灑了無數青春熱情的故都。對故都殘存的回憶，時間愈久，愈是一種折磨人的體驗。

　　抗戰期間，臺靜農一家隱居於四川江津，先供職於編譯館，後任教於國立女子師範學院。此時的江津，是安徽流亡人士在大後方的一個集聚地。柏文蔚、陳獨秀、方孝遠，鄧以蟄、鄧仲純兄弟，以及後來在新中國大名鼎鼎的「兩彈元勳」鄧稼先，都先後客居於此。

　　臺靜農全家老少，僅靠他一人收入勉強維持，生活清苦。兒子經常上山尋野菜、下田捉黃鱔、田螺改善伙食。北京時期臺靜農曾將練書畫視為「玩物喪志」，現在他樂此不疲。

　　通過鄧仲純，臺靜農與陳獨秀相識。他們年齡相距二十三歲，但早知對方大名，共同的北大背景和中共經歷，使他們結下深厚友情，成為莫逆之交。但他們在一起，不談政治，只交流學術思想和書法藝術。陳獨秀善書法，理論功底厚，鑒賞水準高。那時臺靜農經常去重慶向沈尹默請教書法。一次，臺靜農請陳獨秀對當時書法界很有名氣的沈尹默先生談點看法，陳獨秀很坦誠地說：「尹默字本來根底很深，非眼面朋友可及，然其字外無字，視三十年前無大異也，字品終在唐賢以下也，兄以為如何？」

　　陳獨秀孤處江津，很想念故交。有一次，臺靜農和老舍去看陳獨秀，陳極為高興，相互傾談徹夜。後陳獨秀致臺靜農信中尚懷念此次聚會：「兄與老舍來此小聚即別，雖久談，尚未盡興……為悵……」並將其贈江津某友人的詩作寄臺靜農：

> 竟夜驚秋雨，山居憶故人。干戈今滿地，何處著孤身？
> 久病心初靜，論交老更肫。與君共日月，起坐待朝暾。

詩中飽含對時勢的無限憂怨和對友人的深切懷念。

陳獨秀著述十分勤奮，曾著有一部《小學識字教本》，委托在編譯館兼職的臺靜農幫助出版。但由於當時的教育部長陳立夫要他改書名，而陳獨秀又堅持「一個字也不能改」，故未能出版。後臺靜農通過編譯館油印了五十冊，酬薪甚微。

一九四二年春，陳獨秀病重，去世前將其自傳手稿交給臺靜農保存。影印手稿尾部有「此稿寫於一九三七年七月十六日至二十五日中。時居南京老虎橋監獄，敵機日夜轟炸，寫此遣悶，茲贈靜農兄以為紀念。陳獨秀於江津。」陳獨秀對臺靜農的影響，在於「字外有字」的書法理論，更在於歷經滄桑後的人生態度。張大千知道臺靜農潛心研究書法，托人將自己珍藏的五幅倪元璐真跡送給他。

同年，國立女子師範學院在江津建校，學院位於白沙鎮外五六里的白蒼山。應國文系主任胡小石聘請，臺靜農任國文系教授。女子師範學院的一些老師，有的是臺靜農的北大同學如魏建功，有的是輔仁同事如柴德賡。過了不久，李霽野和舒蕪兩位安徽老鄉先後到女師任教，與他毗鄰而居。

在二十二歲的舒蕪眼裡，中年臺靜農身著深灰色的布長衫，方形黑寬邊眼鏡，宏亮的皖北口音，沒有文學家的新氣、學者的神氣和革命者的英氣，質樸，平易，溫和。地處偏僻的鄉村，他們經常在一起吟詩作畫，彼此唱和，借此排遣寂寞。

臺靜農把他到白沙後作的幾首絕句給舒蕪看，其中一首〈夜起〉著實讓人吃驚：

> 大圜如夢自沉沉，冥漠難摧夜起心。

起向荒原唱山鬼，驟驚一鳥出寒林。

還有一首〈移家黑石山山上梅花方盛〉：

問天不語騷難賦，對酒空憐鬢有絲。
一片寒山成獨往，堂堂歌哭寄南枝。

舒蕪發現，詩中體現出的鬱怒深沉和冷寂孤寒，大有魯迅舊體詩遺風，與作者平易寬厚的風貌不一樣。作者在平淡表面的掩蓋下，燃燒著一股被壓抑的強烈的激情。後來臺靜農向舒蕪推薦卓爾堪選編的《明四百家遺民詩》，舒蕪才知道臺靜農藝術風格的淵源。詩如此，小說如此，書法也如此，三者均有相通之處。

有一次閒聊，舒蕪告訴臺靜農，國民政府要給抗戰期間有教學成就的教授頒獎，可能有臺靜農。沒想到臺靜農聽後歎息著說：「這如何是好！一輩子教書，到了得他這個獎，叫我如何見人！」

李霽野和舒蕪都是單身，常到臺靜農家吃飯。臺靜農親自上街買菜，燒火劈柴。每餐總是喝點白酒，飯後吸一支土產雪茄煙。夫人于韻嫻上奉老人，下撫兒女，忙於雜亂的家務。指腹為婚成就的一椿好姻緣，也讓女子師院的師生開拓了眼界。

臺靜農家的土牆上，懸掛著他自己手書的魯迅舊體詩。談到魯迅，臺靜農特別動感情。他詳細告訴舒蕪魯迅與周作人兄弟失和決裂的來龍去脈。他說，周作人在北京西山養病時，魯迅忙於籌集醫藥費。有一次正是急需用錢的時候，魯迅替周作人賣了一部書稿，收到錢後很高興，連夜到後院去通知羽太信子。不料後來羽太信子對周作人說，魯迅連夜進來，意圖非禮，周作人居然信了。臺靜農與魯迅正式見面是在一九二五年，周氏兄弟失和在一九二三年，此事很可能是魯迅親自告訴臺靜農的。

抗戰結束，國立女子師範學院解散重組，搬往重慶九龍坡。臺靜農因參加學潮被解聘，加上家人太多，買不到船票，困居江津白蒼山，以變賣衣物為生。學院人去樓空，異常冷清，只有舒蕪一人相伴。晚間散步，偶然到了圖書館，過去一個非常整潔的地方，現在因無人收拾，已是雜草叢生，樹枝伸進空屋的窗內，蔭影搖晃，肅殺恐怖。兩人相視無語，趕緊離開。

兩個多月後，臺靜農接到臺灣大學聘書，要到臺北去，舒蕪應聘到徐州的江蘇學院去。臨別之際，臺靜農揀出自己手書的魯迅舊體詩長卷送給舒蕪，並在上面加題一個長跋：「……禹兄與余同辭國立女師學院講席，後復同寓舊院兩月有餘，後日東歸，此別不知何年再得詩酒之樂，得不同此憫憫耶！」

一九四六年八月四日，臺靜農離開生活了八年的江津。在重慶換船時，只住了短短三天，又順水而東，經武漢、上海，直達臺灣。

四

同年八月底，臺靜農一家到達臺北，入住臺灣大學宿舍。「歇腳庵」雖不寬敞氣派，但一家人總算安穩下來了。從此，他母親、妻子在這裡死去，兒女在這裡長大，孫兒孫女在這裡出生，自己也在這裡「憂樂歌哭於斯者四十餘年」。

所謂「憂樂歌哭」，不是他表露在外的言行，而是他內心世界興起的感情波瀾。

在中國數千年歷史上，曾經有過多次因戰亂而形成的政治隔絕。秦末、三國、南北朝、五胡十六國、遼宋夏金、宋蒙、明清……總的來看，每一次政治隔絕前後的人口大遷移，在造成骨肉分離、親情割裂的同時，又促進了社會的大融合和地緣經濟的大發展。一九四九年

國共內戰造成的分裂和隔絕也是如此，以無數個人感情的犧牲，換來客觀上的社會進步。秦始皇五十萬大軍遠征嶺南，一去不歸形成割據，使嶺南地區得到開發，並躲過了秦末暴政的傷害，避免了後來社會激烈動盪可能產生的侵襲。

因國共內戰滯留在臺灣，或者說敗退到臺灣，或者說選擇到臺灣的大陸人，一共有二百萬。臺靜農與其中絕大多數相比，算是幸運的。儘管與老父和五個弟妹分離，但與老母和妻子兒女在一起。有一個比較完整的家，一個體面的職業，一份穩定的收入，一處相對舒適的居所。還有一點很重要，他有一個高層次的文化圈子。

臺靜農是有「前科」的人，按當時大陸的思維方式和劃分方法，對於國民黨政權來說，他屬於「歷史反革命」。這個「圈子」的存在，很可能是確保他在臺灣平安無事的關鍵。他有一個好老師胡適，品德高尚，樂於助人；他有一個好鄉親張目寒，官高位顯，神通廣大；他有一個好朋友張大千，是寶島具有國際影響的文化名人。何況他自身表現也很好，行事低調，言語謹慎。他將自己的過去封得很死，絕口不提新文學的各種是非，自己的中共經歷更是諱莫如深。在如何保護自己這個問題上，他做得沒有一點破綻。

他的「憂樂歌哭」，主要不在政治方面，也不在經濟方面，而在情感方面。在臺灣的所有「外省人」，可以說都有山河隔絕、骨肉離散的切膚之痛。以文字記錄這種情感，幾乎成為每一個文化人的必然，只是形式和風格的不同。直露濃烈的有于右任，清新樸實的有余光中，含蓄委婉的有白先勇。臺靜農鑒於自己的實際情況，很少通過文字來表達這種情感。也許他知道，他與別人不一樣，任何文字的東西都可能給他帶來負面影響，他要對自己，對家人，也要對朋友負責——思念故土和親人是一種痛苦，這種痛苦的情感不能像別人一樣真實地抒發，更是痛苦。這是痛苦中之最痛苦者，也是悲憤中之最悲

憤者。

書法是他最後的武器，他別無選擇！後來的事實證明，他的這個選擇非常明智。陳獨秀關於書法的見解，此時對臺靜農產生的影響更加明顯，臺靜農放棄了沈尹默推崇的帖學，在碑學上以漢隸、魏碑入手，融合倪元璐、鄧石如、胡小石的筆法，內容則多寫王粲的〈登樓賦〉、向秀的〈思舊賦〉和庾信的〈哀江南賦〉，以及晚明感時傷逝的詩詞，最終形成老樹盤根、磅礡大氣、雄渾挺拔的風格。臺靜農書法不出售，大多送給心路相近或輾轉索字的朋友。朋友間相互轉贈，逐漸流入市場。

蔣勳有一天偶然經過一家裱框店，看到櫥窗中懸掛著一幅對聯：

燕子來時，更能消幾番風雨；
夕陽無語，最可惜一片江山。

字體盤曲扭結，仿佛受到極大阻力的線條，努力反抗這阻壓而向四邊反彈出一種驚人的張力。筆劃如刀，銳利地切割過茫然虛無的一片空白。蔣勳一下子想到李白〈行路難〉中的一個句子：「拔劍四顧心茫然」。

蔣勳從這幅對聯中看到了生命的困頓、沮鬱、挫折，理想破滅後的自苦，像虛空曠野中狼的嗥叫，淒厲尖銳，卻又連回音也沒有。多年後，他在回憶中承認：「我第一次被靜農先生的書法震動了。也是第一次如此清楚地感覺到中國書法成為一種美學的理由。」

聯想到先前在國外看過的臺靜農小說，蔣勳判定，那麼銳利的文學創作在盛年突然中斷、戛然而止的背後，一定隱藏著沉痛的資訊。

過了不久，蔣勳又讀到臺靜農的一篇論文〈由唐入宋的關鍵人物——楊凝式〉。蔣勳發現，楊凝式在五代亂世中艱難生存，個人的生命藉由書法完成，臺先生感同身受，在行文中有一種痛入骨髓的體

會。在社會動亂或政治禁錮的年代，解脫了一切形似的書法，在點橫撇捺中，能夠全部展露中國士人的憤怒、不屑、悲哀和傷痛。蔣勳決定登門造訪，遂成摯友。

當時蔣勳並不知道陳獨秀的書法見解，相隔幾十年時空，他與這位五四時時期的老先生不謀而合。臺靜農達到了「字外有字」的理想境界。如果說劉以鬯、白先勇對臺靜農小說有重新發掘之功，那麼蔣勳則對臺靜農在書法上的獨創有精准的分析認識，是他在島內書法界難得的知音。

《臺靜農短篇小說集》出版後的第二年，即一九八一年，臺靜農在臺北歷史博物館舉辦了個人書法展覽，島內轟動，受到極高讚揚。索字者絡繹不絕，在朋友和學生的一再要求下，他開始收取少量的費用。二十世紀八〇年代，在臺靜農極具個性的書法藝術為他贏得巨大聲譽時，《靜農書藝集》和《靜農論文集》相繼出版。

人到老年，過去的事情總是更加清晰浮地現在眼前。他陸續將那些遙遠的人事記錄下來，淡淡的敘述，溫馨中有一絲不易發現的憂傷，陳獨秀、胡適、傅斯年、陳垣、劉半農、沈尹默、沈兼士、許壽裳、英千里、余嘉錫、溥雪齋、溥心畬、張大千、常惠、莊慕陵、李玄伯、喬大壯、錢思亮、魏建功、楊亮功等學術界和書畫界的民國舊人，在他筆下從容不迫向我們走來。他不談個人的困頓挫折和心路歷程，也不談家庭的悲歡離合和故鄉的山水村落。年輕時的文學交往和政治活動，是看不到的。對他最尊敬的魯迅先生，也沒有留下片言隻語。這些文章，結集成《龍坡雜文》出版。他生命中的最後十年，在文學、學術、書畫的地位，得到廣泛認同。他於二十世紀二〇年代末突然中斷文學創作，三〇年代中期突然中斷政治活動，他的轉型痛苦、果斷，但很成功。政治家多如牛毛，臺靜農的藝術成就，幾乎是唯一的，不可複製。

　　一九八五年夫人于韻嫻去世，他平靜送別老妻，留下親友奠儀外函，現金全數奉還。雖然精神尚可，難免落寞孤獨。好在一九八八年臺灣解除戒嚴，有了大陸的消息，可惜親友零落，沒有死的，全都垂垂老矣。他與李霽野、舒蕪、啟功通信，也通電話。他得知殘疾的四妹還活著，經常通信聊家常。相見不能，也無可奈何，他在電話裡告訴他們：「我老了，已經走不動了。」

　　大陸學者陳漱渝一九八九年秋訪臺，先後五次面見臺靜農。在無旁人之際，他曾問臺靜農三〇年代是否參加過共產黨，並談到劉亞雄的回憶文章。老人不置可否，淡然回答：「這都是半個多世紀以前的事了。」老人念舊情，他用自己的書法換取胡適的手稿，然後捐給胡適故居博物館。他將蔡元培手跡送給其孫子蔡朝暉。他自知來日不多，將張大千四〇年代送給他的五幅倪元璐真跡，捐獻給臺北故宮博物院。

　　那天，老人從斷續的昏迷中醒來，認出蔣勳在病床前，忽然握住蔣勳的手，感慨地說：「以前有四句詩，現在終於懂了。」接著咿咿哦哦念了起來。他患食道癌，說不清楚，蔣勳也沒聽明白。

　　老人在臺灣的故居「龍坡丈室」，已夷為平地，拔地而起的是平庸的高樓。臺靜農死後，很多人才歎息：這個地方要是保留下來多好啊！

　　　　　　　　　　　　二〇一二年四月十八日，星期四，成都

主要參考文獻

任建樹主編　《陳獨秀著作選編》　上海市　上海人民出版社　2009
　　　　年版

陳子善編　《臺靜農散文選》　北京市　人民日報出版社　1990年版

陳子善編　《回憶臺靜農》　上海市　上海教育出版社　1995年版

楊　義　《中國現代小說史》第一卷　北京市　人民文學出版社
　　　　1993年版

臺靜農　《地之子‧建塔者》　北京市　人民文學出版社　1984年版

臺靜農　《龍坡雜文》　北京市　生活‧讀書‧新知三聯書店　2002
　　　　年版

魯　迅　《魯迅全集》　北京市　人民文學出版社　1982年版

盧廷清　《臺靜農》　長沙市　湖南美術出版社　2009年版

蔣　勳　《孤獨六講》　桂林市　廣西師範大學出版社　2009年版

合肥篇一三

評梁啓超著《李鴻章傳》

　　安徽合肥地處江淮分水嶺，秦漢時期正式設置合肥縣，明清時期屬於盧州府，咸豐時為安徽省府。一八五三年，太平軍入皖，合肥人李鴻章奉命隨呂賢基回安徽幫辦團練，征戰之間互有勝負，成效不大。多次倖免於難後，李鴻章以屢敗屢戰體現出的忠勇，受到清政府嘉獎，由知縣升任按察使。一八五八年七月，太平軍再次攻入盧州，焚毀李鴻章祖宅。兵敗之後的李鴻章只得赴江西建昌，入曾國藩幕府，掌管文案。

　　李鴻章隨湘軍數年，耳濡目染，細心領會，深得曾國藩治軍精髓。一八六二年初曾國藩任兩江總督時，太平軍李秀成部進擊上海。為解上海之危，曾國藩迫不得已分湘軍所屬的郭松林、程學啟部給李鴻章。李鴻章隨即收編與父親李文安生前有關聯的安徽團練潘鼎新、張樹聲、劉銘傳等部，組成淮軍，由安慶出發，分三批遠征上海。從此李鴻章自立門戶，與湘軍遙相呼應，漸成犄角之勢。他協助曾國藩平內亂、辦洋務、興外交，活躍於晚清四十年，以「李合肥」名滿中外，直至一九〇一年十一月病逝於北京。

　　僅僅一個多月後，遠在日本流亡的維新派首領梁啟超，編著完成《李鴻章傳》，是為第一本研究李鴻章生平得失的學術專著。寫完此書，梁氏自信地說：

　　　　合肥之負謗於中國甚矣。著者與彼於政治上為公敵，其私交亦

> 泛泛不深，必非有心為之作冤詞也。顧事中多為解免之言，頗
> 有與俗論異同者，蓋作史者必當以公平之心行之，不然何取
> 乎？……合肥有知，必當含笑於地下曰：「孺子知我」。

九十多年後，在史學界重評李鴻章的浪潮中，美國學者劉廣京認為，梁啟超的《李鴻章傳》「定下了此後所有對李鴻章否定評價的調子」。

劉廣京此言前後，史學界重評梁啟超的浪潮方興未艾。進入二十一世紀，人們對梁啟超的興趣仍然有增無減，實已超過對李鴻章的興趣。梁啟超的民主憲政思想，成為當今中國學術界關注的熱點問題。

李鴻章和梁啟超均不容於後來長期執政的國共兩黨，然而他們所留下來的遺產，均可在梁啟超著《李鴻章傳》中看到一些。對歷史的感悟，對現實的啟示，我們在這裡能夠得到雙重的收穫。

梁啟超著《李鴻章傳》的思想基礎：自由與民主

鴉片戰爭前後，以林則徐為代表的開明官員提出了「師夷長技以制夷」。在此後半個世紀，以曾國藩、李鴻章、左宗棠為代表的洋務派，在平息太平天國內亂和後來的自強運動中，開始引進國外先進技術。在他們眼中，中國傳統的儒家政治已經非常理想和完善，洋人的「長技」僅船堅炮利而已，西方先進的政治制度和經濟制度不在學習之列。所以中國人在遊學歐洲時，只打聽哪家的船、炮更好，而日本人更熱衷於討論學術，對比官制的好壞。當時的德國首相俾斯麥曾經斷言，三十年後日本將興起，中國將衰弱。

一八八四年的中法戰爭，初步暴露了中國政治制度的缺點，有人開始注意到這個問題。中國在甲午戰爭中一敗塗地，催生了康有為托

古改制思想。他披著孔子的外衣，提出變法主張。這種方式的優點是有利於官僚士大夫階層接受，缺點是脫離普通群眾，難以達到思想啟蒙的效果。在一八九八年政變前，梁啟超的觀點與他的老師康有為並無不同，雖無獨立見解，但他不像康有為那樣說得繞來繞去，而更加直截了當。戊戌變法的本質，是要探索一條以民權代替君權、以民主憲政代替封建專制的改革道路，屬於體制內的革新。

梁啟超到日本後不久，蔡鍔、林圭等十一名當年在長沙時務學堂的學生也來到這裡。他們經常在一起研究時局，暢談理想，交流閱讀約翰・穆勒的《論自由》（當時嚴複譯為《群己權界論》）的心得，關注社會生活中個人的權力和自由。有一次，蔡鍔寫道：「孔子曰：匹夫不可奪志。志者何？自由之志也。」梁啟超立刻批道：「志之自由，則思想之自由也，為一切自由之起點。」從一八九九年七月開始，梁啟超在《清議報》上連載〈自由書〉七十多篇，大力呼籲思想、言論、出版三大自由。

日本是東西方文明的中繼站，當康有為的思想停止不前、日顯暮氣時，梁啟超在這裡，基本上完成了對西學的認識和瞭解，並結合自己的感悟，形成了比較徹底的社會政治改造思想。通過辦《清議報》，他在介紹西方新文化和宣傳自己的政治主張時，一種通俗易懂、朝氣蓬勃、激情澎湃、鏗鏘有力的「新文體」也日臻成熟。這種「新文體」，對中下層知識份子特別是青年學生，具有難以抗拒的吸引力。

嚮往民主自由，批判封建專制，成為這一時期梁啟超思想的主流。在〈擬討專制政體檄〉一文中，他寫道：

> 專制政體者，我輩之公敵也，大仇也，有專制則無我輩，有我輩則無專制。我不願與之共立，我寧願與之偕亡！使我數千年

> 歷史以膿血充塞者誰乎？專制政體也。使我數萬里土地為虎狼
> 窟穴者誰乎？專制政體也。使我數百兆人民向地獄過活者誰
> 乎？專制政體也。

一九○○年，當二十世紀的光芒照耀大地的時候，梁啟超在《清議報》上發表了著名的〈少年中國說〉：

> 制出將來之少年中國者，則中國之責任也。使舉國之少年而果
> 為少年也，則吾中國為未來之國，其進步未可量也。使舉國之
> 少年而亦為老大也，則吾中國為過去之國，其漸亡可翹足而待
> 也。故今日之責任，不在他人，而全在我少年。少年智則國
> 智，少年富則國富，少年強則國強，少年獨立則國獨立，少年
> 自由則國自由，少年進步則國進步，少年勝於歐洲，則國勝於
> 歐洲，少年雄於地球，則國雄於地球。紅日初升，其道大光；
> 河出伏流，一瀉汪洋；潛龍騰淵，鱗爪飛揚；乳虎嘯穀，百獸
> 震惶；鷹隼試翼，風塵翕張；奇花初胎，矞矞皇皇；幹將發
> 硎，有作其芒；天戴其蒼，地履其惶；縱有千古，橫有八荒；
> 前途似海，來日方長。美哉，我少年中國，與天不老！壯哉，
> 我中國少年，與國無疆！

字裡行間洋溢的樂觀自信，催人奮進。

到一九○一年，梁啟超已經遊歷了檀香山、新加坡和澳大利亞，眼界大開。與孫中山、章太炎等革命黨人的交往，也使他重新審視、調整自己的政治理想。他雖然主張君主立憲制度，但已沒有封建皇權意識，其之所以持「保皇」而不是「革命」的政治立場，主要是不願引起劇烈的社會動盪，使社會轉型的成本太大。在建立民主制度這個問題上，他與孫中山的革命派並無本質區別，不同點在於實現目的的

手段。一個人的民主思想是否徹底，主要取決於政體思想，而不在於國體。這個時候，他表面上與康有為保持一致，但實際上，他已經突破了康有為思想的束縛。

當年十一月李鴻章逝世時，日本報紙大量報導相關消息。此時梁啟超正準備撰寫《南海康先生傳》。他立刻意識到圍繞李鴻章可以做一篇大文章，通過李鴻章四十多年的官宦生涯，以總結洋務運動得失、闡明自己的政治主張。其時長子梁思成出生只有半年，他把大量家務推給夫人，埋頭於《李鴻章傳》的寫作。只用了四十多天，就寫成了這部十多萬字的人物傳記。由於《李鴻章傳》涉及中國近四十年的若干重大事件，書名又叫《中國四十年來大事記》。

他寫完此書，有感於李鴻章政治生涯的成敗，特撰一幅挽聯：「太息斯人去，蕭條徐泗空，莽莽長淮，起陸龍蛇安在也；回首山河非，只有夕陽好，哀哀浩劫，歸遼神鶴竟何之。」

沒有先進的政治制度不能建設一個強大的國家

梁啟超著《李鴻章》，表面上是以維新派評價洋務派，實質上是以現代西方民主制為標準，考察中國傳統政治的缺失。他指出沒有先進的政治制度為依託，單純引進西方科學技術，必然形成社會發展的「跛腳」現象。

他通過剖析李鴻章，使人們強烈地認識到，現代國家的競爭，終究是全體國民素質的競爭，其背後是經濟制度和政治制度的競爭。如果僅僅停留在科學技術這個層面是不行的，治標不治本的修修補補，雖能逞一時之強，最終只會遭到失敗。沒有一個先進的政治制度，不能建設一個強大的國家——這是梁啟超在《李鴻章傳》中，考察李鴻章一生後，得出的最重要的結論。

對於李鴻章的才幹、氣質和個人品質，梁啟超給予了積極的評價：「現今五十歲以上之人，三四品以上之官，無一可以望李之肩背者，則吾所能斷言也。」

李鴻章時代的中國，面臨「三千年來未有之大變局」。梁啟超分析考察李鴻章的一生，既將其放在中國數千年來政權變遷中進行歷史縱向比較，也將其放在十九世紀列強興起的世界格局中進行橫向比較，體現出高屋建瓴的世界眼光。

梁啟超認為：「中國數千年歷史，流血之歷史也，其人才，殺人之人才也。歷觀古今以往之跡，惟亂世乃有英雄，而平世則無英雄。事勢至道咸末葉，而所謂英雄，乃始磨刀霍霍，以待日月之至矣。蓋中國自開闢以來，無人民參與國政之例，民之為官吏所淩逼，憔悴虐政，無可告訴者，其所以抵抗之術，只有兩途，小則罷市，大則作亂。」於是產生了洪秀全的太平天國，於是產生了鎮壓洪秀全的曾國藩、左宗棠、李鴻章等人。而洪秀全的短視、無能和倒行逆施，最終成就了曾、左、李的功業。所以在梁啟超看來，李鴻章只能「是為時勢所造之英雄，非造時勢之英雄也。」這裡是說，李鴻章沒有獨樹一幟的政治眼光，缺乏創造力，只能是一般意義的英雄。梁啟超進而分析闡述：

> 李鴻章不識國民之原理，不通世界之大勢，不知政治之本原，當此十九世紀競爭進化之世，而彌縫補苴，偷一時之安，不務擴養國民實力，置其國於威德完盛之域，而僅拾泰西皮毛，汲流忘源，遂乃自足，更挾小智小術，欲與地球著名之大政治家相角……李鴻章晚年之著著失敗，皆由於是。

行文至此，不到三十歲的政論家梁啟超，指責年近八十歲的老政治家李鴻章「僅拾泰西皮毛」，體現出沒有迷信、沒有權威的超人膽識。

　　李鴻章一生主要辦了三件事：一是平定內亂，二是興辦洋務，三是經營外交。

　　對於李鴻章參與鎮壓太平軍和撚軍，梁啟超基本持肯定態度，但同時也指出：「夫平發平撚者，是兄與弟鬩牆」。他引用俾斯麥的話來加強自己的觀點：「我歐人以能敵異種者為功。自殘同種以保一姓，歐人所不貴也。」也基於這一點，梁啟超否定了有人稱李鴻章為「東方俾斯麥」的說法，認為李鴻章根本不能與俾斯麥相提並論。

　　對於洋務運動，梁啟超列表詳細展示李鴻章歷年所辦各事，集中在軍事與商務，不可謂沒有成效，然而仍慘敗於日本。他毫不客氣地指出：「李鴻章坐知有洋務，不知有國務……其於西國所以富強之原，茫乎未有聞焉，以為吾中國之政教文物風俗，無一不優於他國，所不及者惟槍耳、炮耳、船耳、鐵路耳、機器耳，吾但學此，而洋務之能事畢矣。」他根據歷史事實，對洋務運動最後的評論是「平內亂有餘，禦外侮不足」。

　　對於李鴻章所辦外交事務，梁啟超尤為痛心。他從朝鮮問題入手，層層解剖。一是懶於應付，推脫宗主國的責任；二是無視明治維新給日本帶來的變化，輕視對手，貿然與之簽定〈中日天津條約〉，留下隱患。日本處心積慮，而中國粗心大意。一旦事急，不積極備戰出擊，反求助俄英兩國調解，示弱於對手，以致後來環環相扣，局面無法收拾。他指出李鴻章在辦理外交時，喜歡耍小聰明：「李鴻章之手段，專以聯某國制某國為主，而所謂聯者，又非平時而結之，不過臨時而嗾之，蓋有一種戰國策之思想，橫於胸中焉……而往往因此之故，所失滋多。」儘管梁啟超體諒李鴻章各種不得已之處，但他對李鴻章之外交，基本全盤否定。

　　梁啟超對李鴻章是同情的。他說：「吾敬李鴻章之才，吾惜李鴻章之識，吾悲李鴻章之遇。」對李鴻章認識水準的局限可能給他死後

的中國帶來的嚴重後果，梁啟超深表擔心：「後此內憂外患之風潮，將有甚於李鴻章時代數倍者，乃今也欲求一如李鴻章其人者，亦渺不可復睹焉。念中國之前途，不禁毛髮栗起，而未知其所終極也。」

二十世紀初的中國歷史，不幸被梁啟超言中。沒有政治制度設計的「跛腳」發展，不足以自強，不僅使統治者失去政權，更讓中國人民飽受其害。

專制政體與清政府的人才枯竭

梁啟超青年時代就非常敬仰清代中期的龔自珍，對龔自珍關於重視和發現人才的呼籲感同身受。他認為，封建專制制度的一大弊端就是喜歡奴才而不喜歡人才──對人才的壓抑和人才的枯竭，是同治中興後國勢式微的重要原因。

在一八九六年發表的〈變法通議〉中，他對變法與人才的關係一語中的：「吾今為一言以蔽之曰，變法之本，在育人才，人才之興，在開學校，學校之立，在變科舉，而一切要其大成，在變官制。」

著《李鴻章傳》時，梁啟超列舉大量事實，痛心疾首地總結道：「今日世界之競爭，不在國家而在國民。」李鴻章死後對中國政局的影響，他寫道：

> 李之死，於中國全局有關係與否，吾不敢知，而要之現在政府失一李鴻章，如虎之喪其倀，瞽之失其相，前途岌岌，愈益多事，此又吾之所敢斷言也。抑吾冀夫外國人之所以論非其真也。使其真也，則以吾中國之大，而惟一李鴻章是賴，中國其沒有瘳耶？

在鎮壓太平天國和撚軍的過程中，曾國藩、胡林翼、左宗棠、李

鴻章、彭玉麟、劉長佑、曾國荃、曾紀澤等一大批人才脫穎而出。他們深受儒家政治理想的薰陶，知軍事，懂經濟，同時也有強烈的社會責任感和歷史使命感。他們統率的湘軍、淮軍具有很強的戰鬥力，南征北戰，造就了著名的同治中興，大清政局為之一振。在後來收復新疆和中法戰爭中，湘軍、淮軍也有不錯的表現。

然而他們和李鴻章一樣，才能是有相當局限的。即便如此，封建專制政體也無法確保這樣的人才源源不斷產生。到十九世紀九〇年代，促成同治中興的絕大多數得力幹將已經死去，只剩李鴻章一人苦撐危局。而李鴻章既受高層猜忌，也受庸人掣肘，諸事不如心願。專制政體，一方面制度性的枯竭人才，另一方面制度性地滋生腐敗。軍隊缺乏管理和訓練，戰鬥力下降，如梁啟超所說「克減口糧、盜掠民婦之事，時有所聞，乃並紀律而無之也」。中日事急，不能及時作出判斷，也沒有明確的作戰計畫。及至戰爭爆發，陸軍隨葉志超一潰千里；海軍將領「始終坐待敵攻，致於人而不能致人，畏敵如虎」，且「不知用快船快炮」；海軍士兵也面臨「槍或苦窳，彈或贋物，彈不對槍，藥不隨械」的困境。而日軍有備而來，英勇善戰，上下同心，孤注一擲。兩相比較，清軍怎能不敗？

有鑑於此，梁啟超專門將中國的李鴻章與日本的伊藤博文作了一番比較：

> 李鴻章與日相伊藤，中日戰役之兩雄也。以敗論，自當右伊而左李，雖然，伊非李之匹敵也。日人常評伊藤為際遇最好之人，其言蓋當。彼當日本維新之初，本未嘗有大功，其櫛風沐雨之閱歷，既輸一籌，故伊藤之輕重於日本，不如鴻章之輕重於中國，使易地以處，吾恐不相及也。雖然，伊有優於李者一事焉，則曾遊學於歐洲，知政治之本原是也。此伊所以能制定

　　憲法為日本長治久安之計。李鴻章則惟彌縫補苴，畫虎效顰，
而終無成就也。但日本之學如伊藤者，其同輩不下數百，中國
之才如鴻章者，其同輩不得一人。

　　也就是說，中日之戰的失敗，終究是人才的短缺。人才的短缺，
背後是政治制度的優劣。當時梁啟超已經在日本生活了三年，和日本
政治、經濟、文化各界有廣泛接觸，故此言不虛，應當是他經過深思
熟慮後有根有據的理性判斷。

　　在《李鴻章傳》全書結束的篇尾，梁啟超寓意深刻地引用了龔自
珍的〈己亥雜詩〉：「九洲生氣恃風雷，萬馬齊暗究可哀。我勸天公
重抖擻，不拘一格降人才。」

　　那麼，在梁啟超看來，什麼樣的人可以稱為「人才」呢？他的回
答是：「新民！」——即「新國民」。

　　什麼樣的人可以稱為「新民」？李鴻章固然可以稱為「英雄」和
「人才」，但還不是「新民」。梁啟超有十二條「新民」的標準：
一、講公德，「人人相善其群」；二、具有國家思想，不能「只知天
下而不知有國家」；三、具有冒險精神，這是社會發展的動力；四、
具有天賦人權思想，每個國民要敢於認識和爭取自己的權利；五、具
有自由思想，國家、民族和個人的自由同樣重要；六、自治思想，國
民必須知法、學法、守法；七、自尊，有了國民的自尊自愛，國家的
自尊才有基礎；八、合群，將來的新國民，以憲法、共和、民權為準
繩集合起來；九、毅力，「志不足恃，氣不足恃，才不足恃，惟毅力
者足恃」；十、義務思想，有權利就有義務，兩者對等；十一、尚武
精神；十二、自我修養。

　　概括起來一句話，在二十世紀初，梁啟超通過撰寫《李鴻章
傳》，提出了人的現代化問題。沒有人的現代化，不能稱為「人

才」，也不成為一個合格的「新國民」。

寫完《李鴻章傳》後，他停止了已辦三年的《清議報》，從一九○二年一月起，創辦了《新民叢報》，他要為提高全民的素質而搖旗吶喊，他要為喚起民眾的覺悟而奔走呼號。《新民叢報》成就了一個全新的梁啟超。由此，他成為中國思想啟蒙的先驅。

一百多年後，我們重讀梁啟超的這些文字，依然能夠感覺到他那顆熾熱的心臟在跳動。他的思想超越了時代，不僅與封建專制相去甚遠，而且與身後盛行的一黨政治和思想鉗制格格不入。他的思想至死沒有改變，但在二十世紀，他是孤獨的。

民主政治是人才輩出最有力的制度保證

梁啟超在《李鴻章傳》中，多次提到「國民之原理」和「政治之本原」。要準確理解這兩個概念，必需考察一九○一年前後梁啟超憲政思想的演變和他所宣導建立的政治制度，即民主政治的核心──保障民權，實行民主。

在他看來，只有實行民主政治，切實保障民權（人權），國家和民族才有活力，人才輩出才有可靠的制度保證。

早在戊戌年間，梁啟超就非常關心國家政治制度建設。到日本後，他刻苦鑽研並大力宣傳西方的政治學理論，逐漸形成了對國家制度的初步設計和構想。

一九○○年八月，梁啟超經印度中轉，到澳大利亞，在悉尼住了將近八個月，直到一九○一年四月才回到日本。這個立國只有一百多年的英聯邦國家，移植英國的民主制度，全國人口雖不多，但政治穩定，經濟繁榮，這對他政治觀念的形成影響很大。

六月七日，他在《清議報》上發表題為《立憲法議》的文章，第

一次提出了「預備立憲」的政治主張。他把世界上的政體分為三種：
君主專制政體、君主立憲政體和民主立憲政體。他比較後認為，根據
中國當時的條件，特別是中國人文化教育程度低的狀況，只有實行君
主立憲，而眼下只能從事預備立憲。他說：「立憲政體者，必民智稍
開而後能行之。日本維新在明治初元，而憲法實施在二十年後，此其
證也。中國最速亦須十年或十五年，始可語於此。」他還指出：「抑
今日之世界，實專制、立憲兩政體新陳嬗代之時也。按之公理，凡兩
種反比例之事物相嬗代必有爭，爭則舊必敗，而新者必勝。故地球各
國，必一切同歸於立憲而後已，此理勢所必至矣。」在這裡，他又將
政體減少到兩種：民主政體和專制政體──君主立憲制和民主立憲制
沒有本質區別──在他的心目中，中國實行君主立憲，只是保留君主
外殼，民主共和才是核心──在比較了主要西方大國的政治體制後，
他傾向於英國虛君的民主制。

　　但梁啟超絕對沒有君權思想。早在戊戌時期，他就激烈批判君權
神聖的觀點。他認為，所謂國君，就是人們辦事時推舉的一個小頭
目，如果不好，隨時可以換掉。就像一個飯鋪裡的總管，那些夥計猶
如侍奉皇帝的大臣。總管好，大家擁護，不好則棄之換新，絕對不存
在神聖不可侵犯或萬世長存的道理。他的這些看法，與譚嗣同、嚴復
一致，而與康有為有較大差距，最終成為兩人分手的重要因素。

　　梁啟超秉持進化論思想，十分重視國民整體素質的提高。要達到
這個目的，必需開民智，興民權，這是培養人才的關鍵。他認為中國
封建專制思想深厚，即使滿腹經綸者也經常成為君權的奴隸，因此不
僅要開民智，還要開紳智、官智和女智。

　　開民智是手段，而興民權則是根本，是通往民主政治的必由之
路，即民智→民權→民主。一九〇〇年，康有為責備梁啟超過於輕信
盧梭的民權學說，認為：「但當言開民智，不當言興民權」。但梁啟

超堅持自己的觀點，不僅拒絕老師的責備，反而認為老師說出了「張之洞之言」。他認為，興民權與開民智是相輔相成的，不興民權，無以開民智；不開民智，又很難興民權。尤其是當時的國民素質，不提倡自由，民智開不了，民權也興不了。他說：

> 故今日而知民智之為急，則舍自由無他道矣……必以萬鈞之力，激厲奮迅，決破羅網，熱其已涼之血管，而使增熱之沸度；攪其久伏之腦筋，而使大動發狂。經此沸度之狂，庶幾可以受新益而底中和矣。

如果說戊戌變法前後幾年梁啟超對這個問題有初步認識，那麼二十世紀初，他對民智與民權的認識與孫中山為代表的革命黨人並無顯著的區別。他們希望以此造就獨立自由之新國民，這是興民權的必要前提。一九○三年的美國之行，在實現民主的手段上與革命派的分歧增大，但民權、民主思想不減，反而愈加濃厚。

就梁啟超的政治主張而言，主要考慮的是避免大的社會動盪和國家的分裂，同時也兼顧到清政府的容易接受。但他的這個觀點，遭到以孫中山為首的革命派的激烈反對，雙方展開論戰。論戰初期，康梁的溫和變革主張在海內外受到更多擁護。大勢所趨之際，清政府宣佈接受「預備立憲」，並於日俄戰爭後的一九○五年宣佈實施。但清政府拒絕為康梁平反，康梁仍然屬於當政者眼中的叛逆。國內立憲派對民主的認識相當有限，也很不統一，使「預備立憲」的上層設計無法進行，長期沒有進展，實際操作層面也遇到很多困難。尤其是後來皇族內閣的建立，使各種政治力量大失所望。

正是由於清政府內部的頑固、拖延和虛偽，才使得越來越多的人轉而支持孫中山革命派的政治主張。一九一一年辛亥革命的成功，如沒有立憲派的臨陣倒弋，革命派的義舉要在短期內獲得十多個省的支

持，是不可能的。清政府敗在自身的不識時務，一拖再拖，喪失時機，使各種政治力量失去了耐心，形成合力。最終清政府黯然神傷，不得不告別歷史舞臺。此所謂「滅六國者，六國也」，「亡秦者，秦也」。

《李鴻章傳》的餘波

《李鴻章傳》發表後，在海外引起廣泛的關注。可惜梁啟超的苦口婆心和語重心長，並沒有引起清政府的些許重視。寫完此書後的十年間，梁啟超與孫中山和康有為先後分道揚鑣，但他堅持理想，不知疲倦地宣揚民主政治，為清末憲政運動的興起奠定了理論基礎。

非常可惜，儘管他為憲政運動推波助瀾，一定程度上也成為憲政運動的靈魂，但他的地位是尷尬的。革命派認為他是「保皇派」，清政府仍視其為「叛逆」，國內的立憲派也設法消滅他的作用。辛亥革命後，他受到南北兩大政治勢力的青睞。他沒有選擇孫中山而選擇了袁世凱，主要原因在於他反對孫中山「為目的而不擇手段」。後來事實證明，北京政府也並不認同他的政治理想，他只是一個政治裝飾品。在擔任了短暫的司法總長、財政總長之後，他結束了自己的政治生涯。他抱著巨大的熱情去奮鬥，迎來的卻是一次又一次的失望，始終無法實現自己的政治理想。

值得一提的是，他和他的弟子蔡鍔，成為反對袁世凱稱帝的急先鋒。此事與他過去主張的君主立憲並不矛盾，只是說明，他對國體看得輕，對政體看得重，他擁護的是民主共和的政體。在這個問題上，沒有絲毫妥協餘地。對宋教仁的死，他深感悲痛。對南方國民革命的興起，他無動於衷。他的立場，最終不容於國民黨政府。

在二十世紀大多數時間裡，「為目的而不擇手段」大行其道，梁

啟超和他的寄托了最初政治理想的《李鴻章傳》被長期冷落。他的孤獨，他的被人誤會，是他個人的悲哀，更是整個中華民族的悲哀！然而時間證明，他的思想能夠穿越時空，具有不朽的價值，至今沒有過時。

二十世紀九〇年代，美國以劉廣京為首的幾個歷史學家，連袂推出一部《李鴻章傳》。他們大力讚揚李鴻章對中國近代化的巨大貢獻，對梁啟超所著《李鴻章傳》頗有微詞。但他們恰恰忽略了「人的近代化」或「人的現代化」。其境界和價值的高下，不言而喻。

二〇一二年，在中華民國建立一百周年時，學者解璽璋推出一部嘔心瀝血之作《梁啟超傳》。這部書對梁啟超所著《李鴻章傳》的借鑒，是顯而易見的。他以梁啟超的生平交往為緯線，以民主、自由思想為經線，梳理了梁啟超憂國憂民的一生。作者寫完《梁啟超傳》，談到當下的政治形勢，無不憂心忡忡。他說：

> 現在常常聽到有人做這種假設，如果當時的當權者——無論是清政府，還是袁世凱或段祺瑞——聽了先生的意見，歷史一定如何如何。我倒覺得，與其做這種毫無意義的假設（歷史是不能假設的），還不如讓當下的當權者以及對現實不滿的各種勢力，都認真地聽一聽先生的意見，也許倒是有益的。此時此刻，難道還要懷疑先生的誠意與智慧嗎？不過，歷史有時就是一種宿命，是不以人的主觀意志為轉移的，如果中華民族仍有一劫，怕是先生也救不得。

二〇一三年一月三十日撰於成都

主要參考文獻

〔英〕約翰·濮蘭德　《李鴻章傳》　天津市　天津人民出版社　2008年版

〔美〕劉廣京、朱昌峻編　《李鴻章評傳》　上海市　上海古籍出版社　1995年版

〔美〕費正清編　《劍橋中國晚清史》　北京市　中國社會科學出版社　1985年版

丁文江、趙豐田編　《梁啟超年譜長編》　上海市　上海人民出版社　2009年版

丁偉志、陳崧　《中西體用之間》　北京市　社會科學文獻出版社　2011年版

王　栻　《維新運動》　上海市　上海人民出版社　1986年版

吳荔明　《梁啟超和他的兒女們》　北京市　北京大學出版社　2009年版

李喜所、元青　《梁啟超傳》　北京市　人民出版社　1993年版

李劍農　《中國近百年政治史》　臺北市　臺灣商務印書館　2011年版

桑　兵　《清末新知識界的社團與活動》　北京市　生活·讀書·新知三聯書店　1995年版

胡　繩　《從鴉片戰爭到五四運動》　北京市　人民出版社　1981年版

梁啟超　《李鴻章傳》　海口市　海南出版社　1993年版

梁啟超　《飲冰室合集》　北京市　中華書局　1989年版

郭廷以　《近代中國的變局》　北京市　九州出版社　2012年版

解璽璋　《梁啟超傳》　上海市　上海文化出版社　2012年版

合肥篇一四

段祺瑞的棋局

一

　　段祺瑞，一八六五年生於安徽六安。五歲時隨父母遷居合肥，七歲時被祖父段佩帶到江蘇宿遷淮軍軍營，逐漸喜歡上軍隊生活。段祺瑞十四歲時，段佩去世，他扶靈柩回鄉安葬。這時他的父母務農，下面還有三個弟妹，家裡生活過得窘迫，入私塾而經常拖欠學費。段祺瑞迫不得已，徒步跋涉二千多里，投奔遠在山東威海淮軍軍營裡的族叔。不久父母死於橫禍，他被迫擔當起養育弟妹的重任。一八八五年，段祺瑞考入新成立的天津武備學堂，學習炮兵，命運發生轉折──這是他在人生棋盤上落下的第一顆子。兩年後，他以「最優等」的成績畢業，被派往旅順口監修炮臺。

　　一八八八年冬天，經李鴻章推薦，段祺瑞以第一名成績，被清政府派到德國，留學柏林軍校。完成全部課程後，單獨留下，進入克虜伯炮廠實習半年。一八九〇年冬天回國，學無所用，閒居威海軍營五年。一八九五年中日戰爭失敗，清政府決定啟用袁世凱，在天津小站訓練新式陸軍，段祺瑞調任新建陸軍炮營管帶，主持中國第一支近代炮兵部隊。從此他追隨袁世凱，走向中國政治舞臺。民國初年，他縱橫捭闔、叱吒風雲，先後五次出任內閣總理（或代總理），一次擔任臨時執政。國民政府成立前，他在中國的政治影響，僅次於孫中山、袁世凱。

人稱段祺瑞為「段合肥」，原因在於他起於合肥，與淮軍有千絲萬縷的歷史淵源，也在於他與李鴻章──「李合肥」一樣，是晚清、民初安徽歷史上最著名的兩個人物。儘管段祺瑞的政治地位比李鴻章高，但他能夠對全國政局產生影響的時間相對較短，對歷史也沒有獨特的貢獻，加之見識、風度、氣質與李有較大差距，所以他的名氣還是沒有李鴻章大。

通觀「段合肥」能夠左右時局的政治生涯，有一顯著的特點：處於下屬或在野時，體現出來的智慧、韜略、膽識可圈可點；處於政府首腦掌握實權時，四面樹敵，昏招不斷，威信急劇下降。他不是一個領袖的材料，歷史機緣卻將他推上政治的風尖浪口。他是民國初年赫赫有名的重要人物，但在政治、經濟、軍事等方面少有建樹。他受人稱道的地方，一是生活儉樸、為政清廉；二是發現、培育了一批圍棋人才。

圍棋是他一生最大的愛好，為此留下不少佳話。北京執政時期，他每週一都要與圍棋高手過招，然後共進早餐。每位棋手每月發給數十元至一百元津貼不等，一時國內圍棋高手雲集北京，都由著名棋手顧水如組織、招集。

經顧水如提議，段祺瑞的北洋政府邀請日本圍棋代表團訪問中國，促進了中日棋藝交流。一九二五年，當時只有十一歲的幼童吳清源，被父親從福州帶到北京學藝。不巧父親病死，生活沒有著落。顧水如憐之，以「神童」介紹給段祺瑞。一日，段氏與吳清源過招，被殺得潰不成軍，拂袖而去。生完氣後，段氏不以為意，仍舊以吳清源為段府棋客，每月發給一百元，使吳清源一家生活自用綽綽有餘。幾年後，段氏又資助吳清源東渡日本，終成一代棋王。

段氏之下棋，喜贏不喜輸。他佈局時注意撈取實地，接近中盤相持階段，常常不講章法，猛然衝入對方陣營橫衝直撞，縱橫馳騁，雖

能經常走活一小塊棋，但大局難以挽回。幸好棋手們聰明，出於對段氏年齡的尊敬、地位的畏懼和現大洋的吸引，個別時候贏得驚心動魄，多數時候輸得恰到好處。

段氏之為政，風格極似下棋。但現實生活中的對手，無論是直系、奉系和國民軍，還是南方的國民黨和西南地方軍閥，不僅不給他留情面，反而千方百計算計他。經過你死我活的爭鬥，最後把他殺得一敗塗地。好在段氏晚年還算明智，最後得以善終。

二

從一八九六年起，段祺瑞跟隨袁世凱而天津，而濟南，而保定，步步高升。一九〇五年的河間秋操和一九〇六年的彰德秋操，是中國近代陸軍兩次大規模的軍事演習，段氏都充任北軍指揮官，進一步樹立了在軍隊中的威望，也引起了清政府若隱若現的猜忌。

一九一一年武昌起義爆發，黎元洪被推舉為湖北軍政府都督。袁世凱出任內閣總理大臣不久，段祺瑞也南下就任湖廣總督，兼領第一軍來到武昌城下。

袁世凱挾敵自重，段氏心領神會。他一到漢口，就改變先前馮國璋一味猛攻猛打的做法，下令停止炮擊。經靳雲鵬、徐樹錚等人的策劃、周旋和操持，段氏與黃興等革命黨人談判，密謀「共和」。一九一二年元旦，孫中山在南京就任中華民國臨時大總統，表示如果袁氏能傾覆清廷，仍願意讓位於袁。此時清政府內部關於共和的討論無疾而終，斷絕了自行共和的後路。一月二十五日，段祺瑞致電內閣：「邇來各將領不時來言，人民進步，非共和不可。」第二天，袁世凱、徐世昌、馮國璋、王士珍回電，要求段氏「切勿輕舉妄動」。段氏不予理睬，聯合四十六名北洋將領再次發出通電，要求「以現在內

閣及國務大臣等代表政府……再行召集國會，組織共和政府」。二月五日，段氏與第一軍八名協統以上將領聯名最後通電：「共和國體，原以致君於堯舜，拯民於水火。乃因二三王公迭次阻撓，以至恩旨不頒，萬民受困……瑞等不忍宇內有此敗類也，豈敢坐視乘輿之危而不救，謹率全軍將士入京，與王公陳述利害。」此電威力巨大，清室一片恐慌。二月十二日，清室頒佈退位詔書。

此間段氏所為，先是懇請清室自行共和，再由軍隊將領要求共和，然後用武力脅迫共和。既使袁氏如願以償，又不讓他的上司背負逼宮的惡名；既進一步贏得袁氏信任，又讓擁護清室的頑固分子無話可說；既實現了推翻帝制的目的，又沒有付出太大的戰爭代價。三策環環相扣，有理有節，極有智慧。其「一造共和」，各方解讀，均無懈可擊。

在全國各種政治力量和袁氏心目中，段氏的地位，已經明顯高於「北洋三傑」中在這個時期表現平庸的馮國璋、王士珍。袁氏當上臨時大總統之後投桃報李，立即提名段氏為唐紹儀內閣的陸軍總長。南方革命黨人本來打算推舉黃興擔任這一要職，後來之所以接受袁氏提名，實與段氏在「一造共和」中的特殊表現有關。

段氏擔任陸軍總長，盡顯軍人強硬作風。他與同情南方革命黨的唐紹儀處處作對，主張凡事應由大總統決定，逼迫唐紹儀只有三個月就宣佈辭職。國民黨在國會眾、參兩院選舉中獲勝，宋教仁遇刺身亡，他力主對南方用兵，撲滅了「二次革命」。他說：「至於學派競爭，不顧大局，非武力鎮儡不可……」國務院秘書長張國淦勸告：「專靠武力，總不能根本解決。」他立刻扳起面孔訓斥道：「軍事非你文人所知，不應干預。」在他的支持下，徐樹錚、靳雲鵬、吳光新、傅良佐等門生、舊部，迅速提拔到重要崗位。

更嚴重的是，他在袁世凱面前也不收斂。袁氏要建立模範團，他

堅決反對。袁氏不喜歡徐樹錚，想將其調出陸軍部，他大聲頂撞：「很好，請總統先免我的職，隨後要怎樣辦就怎樣辦吧！」一九一五年初，袁世凱和多數人準備接受日本提出的「二十一條」，唯有段氏力排眾議，對日持強硬態度。袁氏關心地說：「你氣色不好，想是有病，應當休息休息。」段氏遂於五月三十一日稱病辭職，在其政治生涯中第一次賦閒。

袁氏稱帝之心日益明顯，各色人等紛紛勸進。段氏憤然道：「項城帝制自為之跡，已漸顯露。我當年曾發採取共和之電，如今又擁項城登基，國人其謂我何？且恐二十四史中，亦再找不出此等人物！所以論公，我寧死亦不參與；論私，我從此只有退休，決不多發一言。」在徐樹錚等人的贊助和謀劃下，他消極抵抗，韜光養晦。袁氏稱帝，論功行賞時，惟獨不見段氏之名。段氏這裡體現出來的韜略和膽識，與幾年前如出一轍。

及至梁啟超、蔡鍔撐起反袁大旗，各省紛紛獨立，段祺瑞重新出山，替袁世凱收拾殘局。袁氏死後，段氏通令全國下半旗、停止娛樂活動，以示哀悼。他親自執紼送葬，將袁氏靈柩一直送到河南彰德。與此同時，他同意南方正式提出的三大要求：一、恢復舊約法；二、召集國會；三、懲治帝制禍首。對梁啟超進步黨和南方提出的依法應當由黎元洪出任大總統的主張，他也表示堅決支援，並向反對者做了不少說服工作。

段氏此間所為，一舉三得：既向南方釋放善意，表達了政治態度，消解了他在袁氏當國時鎮壓「二次革命」和貌視國會與南方產生的隔閡，又向整個北洋系統顯示了他濃厚的人情味，還贏得了黎元洪的好感。八月下旬，眾議院以四百零七票對七票、參議院以一百八十七票對六票的絕對優勢，通過了對段祺瑞國務總理的任命，可謂眾望所歸。其「二造共和」，差強人意。

棋局至此，段祺瑞形勢大好。然而到了中盤，他棋風中不講章法、橫衝直撞、縱橫馳騁的毛病顯露出來了，以至於反勝為敗，不可收拾。

三

本來段氏也有可能在袁氏死後執掌中國最高權力，但他權衡利弊，支持黎元洪繼任大總統，自己擔任國務總理。對此黎元洪是感激的。最初一段時間，兩人關係也算融洽。

段氏以自己的資歷和實力，在黎面前具有無法掩飾的心理優勢。尤其是段氏親信徐樹錚出任國務院秘書長後，屢屢以下欺上，終於使段、黎失和，釀成府院之爭，導致張勳復辟。

徐樹錚，一八八〇年生於江蘇蕭縣（中共執政後蕭縣改屬安徽），十二歲中秀才，氣宇軒昂，恃才傲物，一九〇二年與段氏偶然相識。當時徐樹錚衣衫襤褸，而無絲毫寒酸形象，所寫楹聯，蒼勁有力。段問：「願意出來幹事嗎？」徐回答：「如果值得就幹。」兩人相見恨晚，引為知己。徐樹錚遂隨段進入保定軍校，與普通士兵無異，朝夕操練而不疲，閒時讀書而不倦。一九〇五年，徐東渡扶桑，進入日本陸軍士官學校。五年後回國，正值武昌起義，徐以總參謀之職為段氏運籌帷幄。後來段氏失勢於袁，而徐不離不棄，與段同沉浮、共進退。徐樹錚的謀略和忠誠，使段祺瑞大為感歎，對其言聽計從。

段氏視黎元洪為蓋印機器，徐樹錚更甚。他經常出言不遜，至於輕薄。有一次，徐為福建三個廳長的任命找黎蓋印，黎欲問詳細，徐樹錚頗不耐煩：「總統不必多問，請快點蓋印，我的事很忙。」黎元洪非常生氣，對段氏訴說委屈。段說：「以後逐日文件，均由徐樹錚

躬遞。該員伉直自愛，不屑妄語。其與對面時，凡有聲明為祺瑞之言者，祺瑞概負全責。」

徐樹錚鋒芒畢露而不知節制，很快又與傾向國民黨的進步黨人、受到黎元洪支持的內務總長孫洪伊鬧翻，致使黎、段府院之爭更加激烈。最後由徐世昌出面調解，黎、段雙方同意，將徐樹錚和孫洪伊同時免職。單看結果，兩敗俱傷。若看實際，接替徐樹錚第二次擔任國務院秘書長的張國淦更傾向於黎元洪，因此段祺瑞陣營損失更大。

沒過多久，為中國是否對德宣戰問題，府院之爭再起波瀾。

一九一四年八月，第一次世界大戰爆發，英、法、俄和德、奧、意在歐洲大打出手。相比之下，英、法、俄組成的協約國在中國的利益要多一些，因此極力慫恿中國參加協約國。袁世凱政府因無法判斷雙方的勝負，也害怕打仗，加上財政緊張，所以在八月六日宣佈奉行中立政策——事實證明，這是一個重大失策。如果當時以參戰為條件，就可以與協約國商談減免或延期支付庚子賠款事宜，可以增加商品和勞務出口以刺激經濟，還可以趁機立即收回德、奧、意在華權益，包括德國在山東的膠州灣和膠濟鐵路。而日本人看到了這一點，一方面阻止中國參戰，另一方面取得協約國支持和諒解，以對德作戰為藉口，於八月二十三日迅速派兵，強佔了德國擁有的膠州灣和膠濟鐵路。日本的強盜行徑極為卑鄙、惡劣，但其有法可依，有理可據，中國無言以對。

袁世凱死後，第一次世界大戰最艱苦的索姆河段戰役也告結束，戰事雖然僵持，但德、奧已顯疲態。一九一七年二月，美國宣佈對德絕交，加入協約國行列，勝利的天秤進一步傾斜。段祺瑞內閣重新提出的參戰問題，本來黎元洪是支持的。由於日、美態度的反復，使親美的黎氏又猶豫起來。何況黎氏此時已看出段氏醉翁之意不在酒，想趁機擴大皖系勢力，阻止態度日益強硬。他堅持對德絕交和宣戰要經

過一定程序，要按憲法辦事，要服從國會的決定。他說：「倘代表民意之國會決定贊成加入聯盟，我個人決不反對。」而當時以孫中山為首的國民黨人是反對參戰的，國民黨議員在國會中占多數。

段氏主持國務會議，通過對德絕交的決定，但黎氏拒絕蓋印。段氏憤而辭職赴津，黎氏經馮國璋勸說，被迫妥協。三月十四日，黎元洪宣佈對德絕交。

接下來的對德宣戰問題，段氏使用下三爛的手法，通過督軍團和公民請願團大鬧國會，企圖以此迫使議員們舉手同意參戰。此舉開創兩個惡劣的先例：一是軍人干政，二是以金錢左右國會。五月二十一日，黎元洪下令免去段祺瑞國務總理和陸軍總長的職務。

張勳以調解府院之爭為名，率軍進京復辟。段氏採取徐樹錚等人的策略，先是姑息縱容，後是馬廠誓師，舉兵討伐。在各種政治力量支持下，重新奪回政權。段祺瑞對張勳復辟負有重大的間接責任，其「三造共和」，名不副實。在反對張勳復辟時，形成了馮國璋為代理總統、段祺瑞為總理的直皖同盟。回到北京，段氏並未總結教訓，檢討自己應該承擔的責任，反而越發囂張，肆意妄為。

八月十四日，馮國璋發佈〈大總統佈告〉，中國與德、奧宣戰：「以前我國與德奧兩國訂立之條約、合同、協約及其他國際條款國際協議屬於中德、中奧間之關係者，悉依據國際公法及慣例一律廢止。」但由於段氏不願恢復國會，無法提交國會討論通過。直至一年後大戰快要結束時，此一宣戰案才經安福國會通過生效。中國成為第一次世界大戰的戰勝國極為勉強，巴黎和會上中國未能享受戰勝國待遇以收回在山東的權益，原因即在於此。

四

　　段祺瑞以中國處於戰爭狀態為藉口，拒絕恢復民初《臨時約法》和被張勳強迫解散的國會，引起南方不滿，原北京政府的國會議員也紛紛南下廣州。

　　孫中山認為《臨時約法》確有不足之處，可以通過國會修改、完善。他說：「約法為民國命脈，國會為法律本原，國會存，則民國存，國會亡，則民國亡。」他聯合雲南唐繼堯、廣西陸榮廷等各種反對力量，開展護法運動。一九一七年八月二十五日，孫中山與南下國會議員和南方部分都督一起，召開國會非常會議，組成護法軍政府，推舉孫中山為海陸軍大元帥。從一九一二年以來，中國南方與北方再次出現兩個政府並立、對峙的局面。護法軍政府下令討伐北京政府，指責段氏：「雖陽托反對帝制，而陰行反對約法。」

　　南方政府把戰爭停留在口頭上，北方政府把戰爭落實到行動上。

　　段氏採取徐樹錚的意見，以強硬姿態針鋒相對，趁機實行「武力統一」。他兵分兩路向南方用兵：一路任命吳光新為長江上游總司令兼四川查辦使，由湖北入川以制滇黔；一路任命傅良佐為湖南督軍以制兩廣。在實施這個匆忙決策的過程中，皖系一家獨大以行專制的企圖日益明顯，各種矛盾迅速激化。

　　首先是湖南立刻陷入混亂。段氏以傅良佐為湖南督軍，而原督軍譚延闓改任省長，實際上變相奪了譚延闓的大權。譚延闓指使部下宣佈湖南自主，並與段政府脫離關係。他們倒向南方政府，要求恢復國會，尊重約法。部分隸屬直系的北洋軍也在馮國璋暗中支持下消極作戰，繼而發出和平通電，從前線撤兵。傅良佐無法控制局勢，倉皇逃離長沙。十一月二十二日，馮國璋以傅良佐軍事失敗為理由，宣佈免去段氏的總理職務。南方聯軍佔領長沙後，一時無力北進。南北戰線

出現不戰待和局面，第一次南北戰爭不到兩個月即告流產。

然而由於徐樹錚全力活動，督軍團再次干政，直系曹錕等將領也轉變態度，北方主戰派的呼聲又占了上風。一九一八年一月底，馮國璋被迫下達對西南的討伐令。第二次進攻湖南，以直系精銳吳佩孚為先鋒，很快下岳陽，入長沙，於四月下旬兵不血刃佔領衡陽。在此期間，徐樹錚引奉軍入關，威逼馮國璋，使段祺瑞重新上臺。段氏完全拋棄梁啟超的研究系，組成了清一色的皖系內閣。此次北洋軍南下，以曹錕、吳佩孚戰功最大，但段氏卻任命皖系幹將張敬堯為湖南督軍兼省長，使直系大為不滿，意識到皖系排斥異己的不良居心，於是按兵不動。直系代表與南方桂系代表秘密談判，達成息戰言和協定。直桂聯盟的形成，表明武力統一政策的徹底破產，使直皖矛盾日益突出。此間皖系徐樹錚以五百萬元鉅款，支持安福系大搞金錢選舉，控制了國會。接著他聯合奉系，劫奪了馮國璋從日本購買的一批槍械，裝備了皖系部隊四個混成旅。六月中旬，他又槍殺了反對「武力統一」的北洋元老陸建章，與直系馮玉祥部結怨。徐樹錚的咄咄逼人，不僅讓直系深感不安，也使奉系側目而視。

正當新的安福國會成立、總統選舉如火如荼進行之際，一九一八年八月七日，直系吳佩孚通電主和，強烈指責安福國會的金錢選舉，公開攻擊段氏的「武力統一」政策「實亡國之政策」。他說：「民國精神，全在法律，立法不善，必招大亂。國會者，立法之最高機關也。此次新國會選舉，政府以金錢大肆運動，排斥異己，援引同類，因之被選議員，半皆惡劣。此等國會，不但難望良好結果，且必以立法機關受行政之指揮等贅瘤。極其流弊，卒以政府不受法律約束，偽造民意，實行專制，釀成全國叛離。緣此推之，亡國之兆已萌，若再以武力平內亂，是惟恐亡之不速也。」

吳佩孚所言，一針見血，酣暢淋漓，將段氏政策的弊端和後果分

析得非常透徹。吳佩孚所為，以愛國、共和為標榜，贏得全國各界讚賞，不僅直系將領紛紛響應，南方護法軍政府也復電贊成。當時段氏正在得志，根本聽不進去。他率性而為，一意孤行，以自己和馮國璋同時下臺為代價，九月四日通過賄選的安福新國會，選舉徐世昌為總統。吳佩孚和西南各省，以安福國會非法為理由，立刻表示只承認馮國璋的代理大總統地位，不承認徐世昌的總統地位——南北分裂局面進一步形成，地方與中央離心傾向加劇。

馮國璋從此淡出政界，一九一九年抑鬱而死。段祺瑞不當總理，專任參戰督辦，通過參戰軍和安福國會，仍然掌握北京政府實權。但他面對的是一個更加強勁的對手——吳佩孚，一個熱心政治、富於韜略、練兵有方、勇敢善戰的亂世梟雄。從黎元洪，而馮國璋，而曹錕、吳佩孚，段氏機關算盡，對手一個比一個強大而不自知，從而埋下覆滅隱患。

一九一九年春，徐樹錚操縱安福國會通過〈西北籌邊使官制案〉，自己就任西北籌邊使兼西北邊防軍總司令。他帶著三萬皖系新兵到庫倫走馬上任，恩威並舉，迫使外蒙古於當年十月取消獨立，宣佈服從中央政府。全國各界對徐的蓋世之功頌揚備至，徐名利雙收，躊躇滿志，不可一世，盛氣凌人。更嚴重的是，段氏對其能力堅信不疑，貿然接受其「以戰止戰」的策略，導致直皖戰爭爆發。一九二〇年七月中旬，只四天時間，皖系徹底失敗。

五

直皖戰爭雙方兵力相當。皖系和直系在京畿附近各有五點七萬人，分散在外省的大致相等。皖系裝備精良，同時擁有政府層面的支持，但多年弊政積累的名聲不佳；直系訓練有素，號稱八省同盟，打

出了支持人民愛國運動的旗幟。戰爭最後出現戲劇性的一邊倒，還是大大出乎各方的意料。皖系緣何如此不堪一擊？

從政治層面來看，皖系歷年樹敵過多，處於孤立境地。袁世凱死後，段氏接受南方的三個政治條件，眾望所歸，成為國務總理。此時北洋系比較團結，中央政府的威信也比較高。黎元洪既有武昌起義的首功，又有《臨時約法》作上臺的依據，還有南方的廣泛支持，為人寬厚而絕非沒有主見和自尊。造成府院之爭的責任，在於段氏和徐樹錚目中無人，視其為傀儡。段氏希望中國儘快對德宣戰無疑正確，他對最初不理解參戰意義的各地督軍尚能耐心說服，偏偏對總統和國會採取蠻橫的高壓方式，引起對方強烈反彈，最終釀成張勳復辟。

及至張勳復辟失敗，段氏再起，卻拒絕恢復《臨時約法》和國會，這是他一生棋局中最大的失誤。段氏雖有「三造共和」之美譽，而無「共和」之思想。民國初年，南方以孫中山為首的國民黨和北方以梁啟超為首的進步黨，對中國實行民主憲政有非常細緻的制度設計，是當時中國實現民主政治的重要力量。段氏沒有看到，尊重《臨時約法》，實際已成為維護中央權威的手段，也是組合國內各種政治力量的紐帶。段氏聯合梁啟超反對國民黨，最後摒棄梁啟超的做法，剝去了段氏政權最後一點民主裝飾，也使中國錯失了建立民主政體的歷史機遇。通過賄選建立安福國會，更使皖系掌控的北京政府威信掃地，其合法性受到全國各界人士的普遍質疑。

隨後長期的南北政府對立、地方割據和軍閥混戰，皆因此而起。段氏沒有當年袁世凱的絕對威信，難以對軍隊的團結進行有效維繫，推行「武力統一」政策的條件並不成熟。勉為其難，實為錯上加錯。一系列連鎖反應，使南方和地方實力派為自保或為自重而擴軍備戰，同時激化了北洋系直、皖內部矛盾。皖系執政期間，第一次世界大戰結束，全國軍隊反而從四十多萬猛增到一百多萬，致使外重內輕的局

面更加嚴重。所需軍費急劇增長，加重了人民的負擔。從段祺瑞起，民國由治到亂，間接導致國民黨政策進一步激進。孫中山有鑑於此，調整建國方略，提出軍政、訓政、憲政三個階段建設新中國的政治主張，雖以實現民主憲政為終極目的，但卻為後來蔣介石建立獨裁統治提供了理論依據。

從軍事層面來看，皖系主力是邊防軍。該軍最初是準備投入第一次世界大戰的「參戰軍」，大戰結束後改稱「邊防軍」。建立的動機是防邊禦外，用於對內作戰，無法可依，出師無名。而且中下級軍官多是明白事理的學生，直系稍加說服，即不肯用命，乃至倒戈相向。皖系大多數士兵是入伍不久的新兵，沒有實戰經驗，與直系參加過「統一戰爭」的吳佩孚所部士兵相比，單兵素質不可同日而語。至於兩軍最高指揮官，段祺瑞雖然是軍人出身，卻沒有打過一場像樣的仗，將一切軍備托付給徐樹錚和段芝貴。此兩人進軍順利時忘乎所以，遇到困難就驚惶失措，缺乏起碼的將帥風度。上下如此，焉能不敗！

還有一點很重要，段祺瑞和徐樹錚，兩人性格接近，不能互補，反而相助其惡。無論政治還是軍事，一味猛攻猛打而不知迂迴委婉，強硬有餘而韜略不足，迷信武力而不善治軍。皖系本身親日，長期背著賣國賊的罵名。外蒙古取消獨立，一九二〇年元旦徐樹錚代表中央政府冊封蒙古王公活佛，換來「民族英雄」稱譽，使皖系賣國賊的名聲有所消減。如果這時皖系冷靜從事，積極化解因皖系勢力在西北異軍突起而與直、奉產生的尖銳矛盾，戰爭本可避免或推遲。在段祺瑞因戰爭準備不足而猶豫不決之時，徐樹錚不知進退，極力主戰。正因如此，直皖戰爭後，徐樹錚以首惡而不容於各方，在日本使館的幫助和保護下，才得以逃離北京，從此離開中國政治舞臺。

從此直系控制北京四年，將皖系曾經犯過的錯誤再犯一遍。一九

二四年十月,第二次直奉戰爭因馮玉祥倒戈,段祺瑞得以東山再起,出任集總統、總理於一身的中華民國臨時執政。此時的段氏無一兵一卒,只有看張作霖和馮玉祥的臉色行事,與當年黎元洪的尷尬地位,如出一轍。張作霖還打算派兵南下,而段氏早已對「武力統一」失去信心。段氏曾經說過:「曹(錕)張(作霖)吳(佩孚)皆我提拔出來,我扶植彼等長大,後均打起我來,我因感於武力政策,結果本來如此,我今覺悟。」他開的善後會議,受到各方抵制。他想起了國會,希望設立國憲起草委員會,想聘請梁啟超為委員長,梁啟超堅辭不就。他能做的,只是維持現狀,連偏安一隅的小朝廷都不如。而此刻在南方,國共合作轟轟烈烈,國民政府武力統一中國的政策已開始實施。

一九二五年十二月底,徐樹錚回北京述職,見到分別五年的段祺瑞,當下相對跪拜,抱頭痛哭多時。離京途中,徐樹錚被馮玉祥部逮捕槍殺。消息傳來,段氏幾乎昏倒。他不敢要求懲凶,也不敢要求撫恤,只能閉門親自撰寫〈神道碑〉,在文字中回顧兩人的交往和友情,聊以寄託哀思。幾個月後,段氏黯然下臺,寓居天津。

一九二八年,黎元洪在天津逝世,段氏掙扎著去看望這位曾經的同僚、他當年十分不屑的已故大總統。也許在這個時候,他對黎元洪能夠給予更多的體諒。畢竟,他已經當過有職無權的傀儡,嘗過傀儡的種種酸楚、無奈。

六

段祺瑞居住天津,每日必事佛。在一次講經會上談到時局,他氣憤地說:「這班軍閥,窮兵黷武,禍國殃民,都是阿修羅王轉世,來造大劫的。我雖菩薩後身,具有普度眾生的慈悲願力,但道高一尺,

魔高一丈，法力雖大，難勝群魔！」

　　他似乎忘記了自己曾經也是一個軍閥，一個將中國推向災難深淵的軍閥。

　　九一八事變後，閒居天津的段祺瑞再次受到日本人的關注。為防不測事件發生，蔣介石多次派人向段祺瑞表示，國民政府歡迎他到南方定居。幾經權衡，他於一九三三年一月到達南京。蔣介石執弟子禮，率南京軍政高官數百人，隆重迎接這位北洋元老。第二天，段祺瑞在蔣介石親自陪同下，拜謁了中山陵。段氏人生最後落下的棋子，算是比較完美的收官。

　　段祺瑞隨後以探視小女兒的名義來到上海，住進法租界霞飛路的陳調元公館。蔣介石每月贈送一萬元敬儀，供他生活之用。上海市要員經常過問安居，段祺瑞比較滿意。

　　一九三四年五月，已成日本棋界巨星的吳清源回國，特意到上海拜望恩公段祺瑞。兩人棋力差距很大，下了兩盤棋，一勝一負。段祺瑞心中有數，對這樣的結果非常滿意。弈後閒談，吳清源提及日本正千方百計勸他加入日本國籍。段祺瑞明白，一旦吳清源加入日本籍，將是中國棋界的巨大損失。隨後他在廬山向蔣介石建議：由國家出面，以優厚條件召吳清源回國。當時蔣介石正在加緊對紅軍的圍剿，哪有心思去管這椿「閒事」，口頭答應後並未認真辦理。蔣的敷衍，讓段祺瑞頗感不快。

　　雖然寄人籬下，段祺瑞仍不改軍人耿直性格。他說：「現在中國無一等人才，二等人才也很少，蔣先生是二等邊上的。」他還以棋喻政，深有寓意地對人說：「介石和我下棋贏了，贏得有風度。我希望他和日本人下，也要贏才好！」

　　兩年後，段祺瑞在廬山聽說吳清源已經加入日本國籍，極為遺憾。蔣介石要來探視，他竟然藉故不見。回到上海不久，便告別人

世。其子段宏業護送他的靈車回北京，吳佩孚也趕到車站迎接。時間，仿佛帶走了一切恩怨。

十多年後的一天，時任上海市長的陳毅，與遷居上海的顧水如下棋。談到棋界往事，陳毅說：「段祺瑞幹過壞事，但他對中國的圍棋事業做過好事。」

二〇一三年二月十一日於成都

主要參考文獻

李　潔　《文武北洋》　杭州市　浙江人民出版社　2012年版

李新、李宗一主編　《中華民國史》　北京市　中華書局　1987年版

李劍農　《中國近百年政治史》　臺北市　商務印書館　2011年版

李慶東　《段祺瑞幕府》　長沙市　岳麓書社　2001年版

周軍、周延柏主編　《皖系北洋人物》　合肥市　安徽人民出版社
　　　　1993年版

徐海主編　《段祺瑞傳》　長春市　吉林大學出版社　2010年版

程舒偉、侯建明　《段祺瑞全傳》　2003年版

黃征、陳長河、馬烈　《段祺瑞與皖系軍閥》　鄭州市　河南人民出
　　　　版社　1989年版

賀偉編　《歷史名人的廬山往事》　南昌市　江西美術出版社　2010
　　　　年版

合肥篇一五

迷信與覺醒
——曾希聖、陶鑄及新中國第一批地方官員的心路歷程

一

　　一九四九年初淮海戰役結束後，時任解放軍二野副參謀長的曾希聖，隨劉鄧大軍回到安徽。同年四月，中共中央決定成立皖北行政區，擬定彭濤任書記。彭濤說：「安徽情況我不熟。有多少山頭，我怎麼搞得了哇！還是曾希聖當合適，他情況熟，在皖中威望也高。」於是中央任命曾希聖為書記，黃岩、李世農為副書記。後來曾希聖發牢騷：「我連個區委書記也當不上，還是彭濤讓給我的。」一九五二年一月，皖北和皖南兩個行政區合併，恢復安徽省建制，曾希聖任省委第一書記和省政府主席。

　　新中國成立時曾希聖四十五歲，其任新中國首任安徽省黨政一把手，在於他對安徽情況的熟悉，也在於他的革命資歷和貢獻。

　　新中國成立前後，隨著國民黨軍的崩潰，解放軍戰線向南、向西迅速擴展，突如其來的勝利使建立地方政權迫在眉睫。行政管理不是行軍打仗，事關新生政權能否生存紮根、經濟建設能否順利開展。毛澤東親自主管各地封疆大臣的任命，他老人家既要照顧歷史上形成的各個山頭以論功行賞，又要考慮具有一定的文化水準以擔當重任，更要確保未來的地方大員對黨中央、特別是對自己能夠忠心耿耿，有的

地方還要評估與國民黨起義留用人員的配合能力，為此頗費了一番心思。

中共中央從來沒有制定過封疆大臣的任命標準。既然毛澤東重視這項工作，別人自然不能插手，頂多有一些個別的建議而已，最後的任命完全由他說了算。毛澤東雖然力求公平、公正，但最後結果或多或少仍然帶有個人的感情色彩。

新中國第一任地方大員（省、市委書記和來自中共的省主席、省長）具有三個顯著特點：一、從部隊淵源來看，紅一方面軍尤其是紅一軍團背景的人多，其他方面軍和西北紅軍等背景的人少；與此相關聯，八路軍背景的人多，新四軍背景的人少。二、從文化程度來看，讀過幾年私塾，或者小學、初中、中專的人多，接受過正規大學教育的人少；與此相關聯，從事白區黨的地下工作的人少。三、從地域分佈來看，湖南籍的人多，其他各地的人少。

曾希聖具備以上毛澤東欣賞的所有三個條件。他是湖南興寧縣（現資興市）人，其兄曾中生是紅四方面軍的主要領導人，也是張國燾的堅決反對者，後為張國燾所殺。曾希聖本人大革命失敗後入黨，長期擔任中央軍委二局局長，為紅一方面軍破譯了敵軍來往的大量電報。毛澤東曾經稱讚他說：「沒有二局，長征是很難想像的。有了二局，我們就像打著燈籠走夜路。」抗戰爆發後，他從延安到重慶，再到安徽，同時具有八路軍和新四軍雙重背景。年輕時就讀湖南第三師範學校，學生時代多次聽過毛澤東的演講。在大多數軍官缺少文化的中共軍隊，他的中專學歷，也稱得上是「高級知識份子」。他寫得一手漂亮的蠅頭小楷，雖然趕不上舒同，但在軍內外也是有口皆碑的。

還有兩點也很重要。周恩來與曾中生有深厚的個人友情，周恩來痛惜曾中生之死，對好友的弟弟曾希聖格外憐愛。一九四〇年，周恩來執手將曾希聖交待給葉挺，其情切切，其盼殷殷。曾希聖到新四軍

軍部後，項英沒有給這個外來人安排實職，他只好渡江北上。這時恰好發生皖南事變，曾希聖在江北無為縣負責接應軍部突圍部隊，臨危受命組建新四軍第七師。在隨後的五年時間裡，七師所在的皖江抗日根據地由不到二千人的零散武裝，發展成三萬人的正規部隊，曾希聖功不可沒。曾希聖的七師富甲全軍，自給有餘，還大量上繳，僅一九四二年就上交軍部七百四十九萬元。其創收有方和大公無私，備受新四軍政委劉少奇的稱讚。曾希聖以其突出的才能，先後獲得了當時中共三巨頭的好感，這種情況在全黨、全軍並不多見。

新中國成立之初，有跡象表明毛澤東對自己任命的封疆大臣很滿意，他不允許別人對此有任何質疑。第一任河南省委書記是年僅三十七歲的張璽，省主席是年僅四十三歲的吳芝圃。黃麻起義的領導人之一，一九三三年任紅軍軍政委，一九三九年任新四軍四支隊政委的戴季英，只擔任了河南省委常委、開封市委書記。就資歷而言，戴季英在張璽、吳芝圃之上。就能力而言，戴季英不在張璽、吳芝圃之下。為此戴季英不服，經常發牢騷，後來上書毛澤東，對河南省的人事安排提出異議。戴季英的行為，有點批評毛澤東不能「知人善任」的意思，使毛澤東異常震怒，斥責其犯有「嚴重的無組織無紀律行為和反黨的活動」、「思想意識上嚴重的自私自利的個人主義思想和唯我獨尊的權位思想」。一九五二年二月，中共河南省委按照毛澤東的指示，將戴季英開除出黨。當時的《人民日報》刊登了這一消息，以警示全黨高級幹部，不要在地位和職務上說三道四。直至一九八四年，中共中央才為戴季英平反，恢復其黨籍和省級幹部待遇。

毛澤東代表中央，不僅給了各位封疆大臣的官職，而且幫助他們說服反對者，翦除異己，樹立威信。現在輪到他們安排和任命下一級的官員了。

二

與中國封建社會皇帝和中央政府一竿子過問到底，直接任命府、縣官員有所不同，毛澤東和中共中央只任命省（市）一級的封疆大臣，對於地（市）、縣一級官員的任命一般不干預。這既與毛澤東等中央領導人時間、精力不夠有關，更與中國革命以信仰和思想為紐帶，遍地開花、由點到面星火燎原的特點有關。在信仰共產主義、高舉毛澤東思想旗幟的前提下，中央讓出了這部分權力，並將其賦予封疆大臣。畢竟在艱苦卓絕的革命過程中，流血犧牲的眾多，而直接、間接支持過革命的也多，有些情況中央未必完全掌握。充分考慮和照顧這些因素，也在情理之中。

各位封疆大臣對此是滿意的，甚至是感激的。他們積極搭建地（市）級領導班子，然後一級任命一級，建立起縣、鄉基層政權。在各地、各級政府中，有一些愛國民主人士、地方知名賢達和國民黨起義官員，但在更具實權的黨委系統，則是中共軍隊出身的幹部一統天下。各地中共幹部任命時，往往對跟隨自己出生入死多年的老部下給予特別的關照，將他們安排在要害崗位，並稱這些職務都是「人民給的」。由鮮血建立起來的袍澤之誼和人身依附關係，毛澤東和黨中央給予了相當程度的理解、體諒。

對權力的追求和分配，共產黨人與國民黨人一樣，更多接受了中國封建專制政治傳統的影響，沒有什麼特別的不同。從歷史角度來評價這種任命方式，有利有弊。在新中國成立初期政治生活比較正常、經濟政策基本正確時，可以做到一呼百應，眾志成城，更多表現出利大於弊，即所謂制度的優越性。後來出現偏差，就帶來全面性的災難，故從長期來看，實在是弊大於利。這種幹部任命的政治制度，還使得上級在下級面前，總是具有給予者的絕對權威。下級要尋求升

遷，又不能毛遂自薦，便有可能養成一味媚上、弄虛作假的惡俗風氣。長此以往，也給不良之徒打開了買官賣官的大門，所謂腐敗中之最腐敗者，容易在此找到生存空間。

不可否認，新中國成立之初的幹部隊伍是比較廉潔的。沒有兵匪侵襲，沒有戰亂傷害；軍人地位崇高，農民分得土地，工人收入有了保障，知識份子感到國家獨立帶來的自豪，長期游走於窮鄉僻壤、對革命做出貢獻的各級幹部有了權力……整個社會彌漫著朝氣蓬勃的樂觀氛圍。中國社會各階層，尤其是各級幹部，不管來自哪個山頭和派系，對毛澤東的尊敬發自內心。有一次，陶鑄說：「對主席就是要迷信。」柯慶施接著說：「我們相信主席要相信到迷信的程度，服從主席要服從到盲目的程度。」

對毛澤東的敬仰、崇拜、迷信和盲從，成為新中國成立初期中共官員的普遍心態和基本特點，就連絕大多數的中央領導、高級幹部也不例外。正是依靠這種對最高領袖和中央核心決策層的忠誠、信任，中共在贏得政權後推行一系列重大舉措時，都能夠做到政令暢通。從清匪反霸、抗美援朝、「三反」「五反」、三大改造、反右運動一路過來，乘風破浪，凱歌高奏，而由政經體制、發展方式和發展方向產生的問題，則被嚴重忽略，以致積重難返，終於釀成大禍。正是有了各位封疆大臣的極力擁戴，形成中國歷史上罕見的政令暢通，毛澤東才信心百倍提出「趕英超美」的目標，這便有了「大躍進」和由此帶來的大饑荒。

曾希聖和幾乎所有的高級幹部一樣，緊跟毛澤東，毫不猶豫地忠實執行毛澤東的若干重大決策。曾希聖兼具文人學士的浪漫誇張和情報人員的細緻嚴謹，主政安徽十三年，他體驗了從豪氣沖天到冷靜思考、從盲目崇拜到理性覺醒的心路歷程。

治皖之初，他說服中央，修建了佛子嶺、梅山、響洪甸等五座大

型水庫和淠史杭水利工程，極大緩解了淮河的水害。反右時，安徽劃為右派的高達三萬多人，還將不同意打擊面過寬的省委書記、副省長李世農等一批黨內高幹也打成右派，右派的比例和級別在全國名列前茅。一九五八年大躍進號角吹響後，他跟著頭腦發熱，以「端起巢湖當水瓢」的英雄氣慨，濫用民力，致使全省「五風」盛行。七月，全省辦起九萬多個公共食堂。八月，組織二百四十萬人大煉鋼鐵、十萬人進山砍伐森林，還提出了各項不切實際的躍進高指標。後來全省餓死五百萬人，占農村總人口的百分之十六。絕對數字不及餓死六百萬人的四川，但死人的比例超過四川，在全國名列第一。對此，曾希聖負有不可推卸的責任。

尤其受人指責的是，糧荒露出苗頭後，他批評如實彙報情況的省委書記、副省長張愷帆：「你不要彙報了。你為什麼總看陰暗面，不看好的呢？好的是主流，我看你有點右，要注意。」江西省委書記楊尚奎的夫人水靜是安徽無為人，將家鄉饑荒的情況反映給曾希聖，他也認為是一個指頭的問題，置之不理。廬山會議上，曾希聖積極參加對彭德懷的圍攻，派人將在實際工作中糾左的張愷帆的言行寫成材料，連夜交給毛澤東。毛澤東立刻在材料上批示：「我懷疑這些人是混入黨內的投機分子……」毛澤東要求對張愷帆等人「批判從嚴，處理從寬」，但會後曾希聖回到合肥，將張愷帆等人打成「反黨聯盟」。一批張愷帆的支持者，在「反右傾」鬥爭中紛紛落馬。他的這個行為，對全國各地大規模的「反右傾」，起了推波助瀾的作用。

三

曾希聖何以至此？除了對毛澤東的迷信，除了本人性格的因素，除了體制養成的一言堂作風，還有沒有現實的功利目的？這是一個值

得分析的問題。左派歷史學家范文瀾曾經說過，「大躍進」中跟風最緊的地方，餓死的人最多。那麼哪些地方跟得最緊？為什麼要跟這麼緊？這又必須談到官員的任命方式。

領導幹部自上而下逐級任命的制度，最容易形成上下級的人身依附關係。決定幹部好壞的標準由上面掌握，地方幹部只需要對上面負責，不需要對下面負責。下級官員只有與上級搞好關係，才能留下好印象，才能保住職位，進而得到升遷。由此派生出第二個問題，下級官員必須花費大力氣研究揣摩，以弄清把握自己命運的上級的真實意圖，然後評估利弊，確定自己的進退取捨。「上有所好，下必甚焉」，實際是這種政治制度的必然結果。黨性與人民性一致時好辦，一旦發生衝突，人民性基本沒有取勝的可能。

在「大躍進」中，這兩個問題得到充分體現。河南省委書記潘復生反對虛假浮誇，遭到緊跟毛澤東的省長吳芝圃攻擊。一九五八年春吳芝圃鬥垮潘復生，當上了省委第一書記。毛澤東大興人民公社，吳芝圃立刻寫作〈論人民公社〉，論證人民公社化運動是歷史發展的必然，是一次生產關係的偉大變革。隨後他又出版〈學習毛澤東同志的著作〉，同樣充滿阿諛奉承之詞。他直截了當地拍馬屁，沒有任何技巧，比柯慶施差多了。後來河南省餓死二百多萬人。

毛澤東時代，各地封疆大臣在自己管轄範圍內自然八面威風，但上調進京、入閣拜相，成為黨和國家領導人，仍是他們追求的終極目標。新中國成立前後，出於建立聯合政府的承諾和維護統一戰線的需要，中央人民政府和政務院，正職分別由毛澤東、周恩來擔任，對此黨內外均無異議，副主席和副總理，黨外人士占了一半。在絕大多數黨內高幹看來，打天下理應坐天下，大量高位給了「外人」，使他們只能繼續待在軍隊或留在地方，對此他們感情上難以接受。黨的領袖不能無視這種情緒。一九五二年，大區撤銷，各大區主要領導如高

崗、饒漱石、鄧小平、鄧子恢等進京任職。一九五四年，第一屆全國
人大召開，宋慶齡、張瀾、李濟深、黃炎培、郭沫若等黨外人士，全
部由副主席、副總理改任副委員長。國務院將副總理職數從四個增加
到十二個，全部由中共要員擔任，仍感僧多粥少。

　　迫不得已時，正好趕上軍隊正規化建設，於一九五五年實行軍銜
制，這才對出生入死的軍人進行大面積安撫。這次評銜，儘管中央非
常仔細慎重，仍不能做到完全滿意。姿態高的讓銜，想不開的哭銜，
毛澤東戲言：「男兒有淚不輕彈，只是未到授銜時」。畢竟元帥等於
政治局委員，大將等於副總理，上將等於中央秘書長……一一對應，
等級森嚴。不同級別，享受不同的政治、經濟待遇。名和利，任何時
代對任何人都有不可抗拒的吸引力。在戰爭年代，中共幹部不管是文
官還是武將，都穿過軍裝，在部隊裡擔任過職務。為了減少授銜範
圍，當時在中央和地方擔任黨、政實職的，過去在部隊裡多屬於政
委、參謀或後勤等文職人員的，一律不授銜。各地封疆大臣如陶鑄、
曾希聖、李井泉、林鐵、江渭清、舒同等，與軍銜無緣。

　　從一九五二年大區撤銷到一九五六年中共「八大」，新中國第一
批封疆大臣中，陸續有人調入北京，成為黨和國家領導人。其中新四
軍背景的有：湖南省委書記黃克誠，一九五二年入京，先後擔任解放
軍副總參謀長、總後勤部部長、軍委秘書長，授大將銜，並在「八
大」上當選中央書記處書記；湖北省委書記李先念，一九五四年九月
擔任國務院副總理兼財政部部長；福建省委書記張鼎丞，一九五四年
九月當選最高人民檢察院檢察長；浙江省委書記譚震林，一九五四年
十二月入京，先是中共中央副秘書長，「八大」上當選書記處書記，
接替鄧子恢分管農業……一九五八年五月，第一任四川省委書記李井
泉和第一任江蘇省委書記、當年的上海市委書記柯慶施，同時晉升為
中央政治局委員。也就是說，幾乎所有出自新四軍系統的第一任地方

大員，都提拔了。與他人相比，曾希聖原地踏步，仕途不暢。

此間也有一些封疆大臣平級調入北京擔任部長，如江西省委書記陳正人任建工部長，河南省委書記張璽任國家計委副主任……一九五八年前後，中央多數領導年齡在六十歲左右，地方官員的晉陞之路似乎越來越窄。後來的事實也證明，到「文化大革命」前夕，從地方晉陞入京者極少。二十世紀五〇年代擔任新華社廣東分社社長的杜導正，在分析陶鑄主政廣東期間緊跟毛澤東的心態時，沒有否認陶鑄有進一步升遷的想法。如果以此推測曾希聖，能否得出同樣的結論呢？柯慶施以善於奉承而定格，在新中國成立後的歷史上佔有重要地位，評價多為負面。同樣，李井泉、曾希聖、舒同、吳芝圃等人在「大躍進」期間的緊跟，也不排除他們渴望擁有更大的權力、更高的地位。

不想當元帥的士兵不是好士兵。像商人希望賺更多的錢、企業家希望辦更多的廠、學者希望多出幾部專著、運動員希望多拿幾塊金牌一樣，政治家想當更大的官，也無可厚非。鑒於當時中國的實際情況，我們在分析這些地方大員的緊跟行為時應該看到，有對領袖的迷信，也有對更大權力的渴望，兩者緊緊地糾纏在一起。

盧山會議後，安徽開展了聲勢浩大的「反右傾」運動。一九五九年十月底，曾希聖感到累了，腸胃也不舒服，便扔下全省人民在饑餓中繼續「躍進」，自己帶著妻子、兒女乘專機到廣州、海南等地療養。接連幾個月，他和家人盡情享受「人民」給他的待遇。一九六〇年三月底，他才回到合肥。

四

此間的一九六〇年春節，曾希聖回到闊別三十六年的故鄉，算是衣錦還鄉。迎接他的，不是鮮花和掌聲，而是過去郁郁蔥蔥、如今

一片荒蕪的田園，和鄉親們伸過來的一張張沒有血色、面黃肌瘦的苦臉。

叔父曾經俗告訴他：「人民公社後，社員白天幹活磨洋工、晚上打著燈籠開夜工，人累死了，還吃不飽飯。」村支書熊超芝歎息道：「現在說假話成風，這是潮流啊！」父老鄉親生活的困苦和精神的麻木，給曾希聖強烈的震動。曾希聖的回鄉，比劉少奇的回鄉早十五個月，這使他成為陶鑄之後覺醒較早的高級幹部。他被扭曲的「黨性」，終於讓位於人民性，其糾「左」的速度和深度大大超過陶鑄──正因如此，他也比陶鑄提早迎來了晚年悲劇。

回到合肥，全省饑荒蔓延、餓殍滿地、人口外流嚴重的消息不斷傳來，超過了他的預計。他奔波於各地緊急撲火，但火越燒越大。長期積累的問題，豈能一時解決？體制造成的問題，豈能擅自解決？一九六〇年九月，中央決定恢復大區分局，曾希聖被任命為華東局第二書記，同時接替舒同山東省委第一書記的職務。以大區第二書記，同時兼任兩個省的第一書記，這在新中國歷史上絕無僅有。但當時危機四伏，這種信任，更多地意味著責任和風險。

這一時期，曾希聖以軍人的雷厲風行、情報人員的務實精細，下令兩省基建工程下馬，做好退賠工作，解散公共食堂。他提出責任田的設想，要求安徽省長黃岩、副省長桂林棲在偏僻的山區搞試點。情況越來越嚴重，他感到力不從心，請求不再擔任山東的職務，回到安徽，與人民同甘共苦。

這一決定，是他覺醒後的第一次思想超越。山東的工作、生活條件以及政治地位，比安徽要好，他如果請求留山東也順理成章，同時還可以減少一些麻煩。他之要求回到安徽重新接過自己造成的「爛攤子」，說明他是一個有感情、有責任、勇於擔當的人。

一九六一年二月六日，曾希聖乘火車回安徽。望著窗外寒風中一

片荒蕪的原野，他幾小時不說一句話，獨自深思。第二天一早，車到蚌埠，他立刻主持地、市委書記會議，全力佈置調糧救災，不准再死人。會議上，得知宿縣一個名叫劉慶蘭的老人，一九五九年經公社同意上山開荒十六畝，第二年收穫三千三百斤糧食，除自用外，還上繳公社一千八百斤糧食和六十元現金，曾希聖很興奮，肯定老人是走社會主義道路的，是有共產主義覺悟的。他提出將工業上每人負責一台機床的責任制，移植到農業，每家負責一塊土地。他說：「工業上不是單幹，農業上這麼做，單幹、復辟、倒退的帽子也不能扣到我們的頭上。」回到合肥，他找來蘇聯集體農莊的材料和過去批判包產到戶的文章，又召集幾位農民勞動模範座談，一致認為這個辦法沒有改變所有制，也能增強社員的責任心，糧食肯定能夠增產。

三月十五日，中央在廣州開會，討論由陶鑄、趙紫陽主持設計，毛澤東修改的〈農村人民公社六十條〉。第一天，曾希聖就向毛澤東彙報了安徽準備推行「責任田」的想法，得到毛澤東的同意。曾希聖立刻電告省委：「現在已經通天了，可以搞。」當晚，省委將實行責任田的電報發給各地。過了幾天，毛澤東口氣略有變化，他通過柯慶施轉告曾希聖：「責任田可以在小範圍試驗。」但農民嘗到責任田的甜頭，根本無法阻止。陶鑄當時評價，曾希聖在冒險。到年底，安徽全省百分之九十以上的地方實行了責任田，糧食總產量比上年增長百分之四十，在全國較早渡過了「糧食關」。

以省委、省政府名義推行責任田，全國只有安徽。這是曾希聖覺醒後第二次思想超越，說明他是一個有創新意識、有超前眼光、有宏大氣魄的人。

一九六一年十二月十四日，毛澤東把曾希聖召到無錫。毛澤東告訴他：「生產恢復了，是否還要搞責任田？是否把這個辦法變回來？」曾希聖請求道：「群眾剛剛嘗到甜頭，是否讓群眾再搞一段時

間?」毛澤東沒有明確表態。曾希聖實在不甘心這項改革曇花一現，他回到合肥，仍以省委名義作出決定：一九六二年農村繼續實行「責任田」的辦法。在七千人大會期間，即劉少奇作口頭報告，指出三年困難是「三分天災，七分人禍」的一九六二年一月二十七日，曾希聖指示將省委文件下發各地。這個時間耐人尋味！可以理解為，劉少奇的講話，使曾希聖獲得了巨大的鼓舞。

三天後風雲突變，劉少奇親自到安徽組「揭蓋子」，曾希聖對餓死人承擔了責任，對推行「責任田」沒有認錯。二月八日晚，毛澤東帶著幾百部各類圖書，乘專列南下。第二天，劉少奇指責曾希聖「犯了方向性的錯誤」，同時宣佈中央決定，免去曾希聖的安徽省委第一書記職務。

繼任的李葆華主政安徽，黃岩立刻與曾希聖劃清界限，得以留任省長。桂林棲及一些七師的老部下拒絕揭批，遭到貶謫。閒居上海的曾希聖對此深感不安，但無可奈何。李葆華作風比較穩健，他對「責任田」沒有一刀切，主要採取說服方法改過來。與此同時，他積極為李世農和張愷帆等一批打成右派、右傾的同志平反，又獲得廣泛的支持。幾年後，安徽省委幾個負責人到北京拜見曾希聖，他熱情與張愷帆寒喧，但拒絕與李葆華握手。曾希聖的覺醒之有限，於此可見一斑。

曾希聖對改正「責任田」的抗旨不遵和拒不認錯，是他覺醒後的第三次思想超越。他肯定想繼續當官，但他敢於不當官。他肯定仍然尊敬毛澤東，但在思想上和行動上，已與毛澤東分道揚鑣了。他以抑鬱而死的沉重代價，彌補自己在反右派、「大躍進」和「反右傾」運動中的過失。他和他激烈批判過的彭德懷一樣，是一個「不成熟」的政治家。正因如此，才受到歷史學家的格外垂青。如果每個中共高幹都像柯慶施那樣「成熟」，黨史少了亮點，國家沒了希望。

五

　　事情還沒有完。曾希聖在安徽推行的責任田改革，受到農民歡迎，也引起黨內一些務實領導的重視。鄧子恢先後兩次派人到安徽調查，結論持肯定態度。劉少奇、周恩來、鄧小平、陳雲、李富春對此看法也基本一致，毛澤東的秘書田家英也向毛澤東表明支持包產到戶的做法。一九六二年七月的北戴河會議，鄧子恢再次面見毛澤東陳述自己的觀點，引起毛的憤怒。毛澤東指責劉少奇對鄧子恢的主張過於放任，劉少奇第一次正面表明他不同意毛澤東的指責，毛劉分歧繼七千人大會後進一步明顯。由此分析，將曾希聖免職，主要是毛的意思，而劉只不過忠實執行而已。劉少奇對包產到戶和責任田，內心是贊同的，但他很可能為一月二十七日口頭講話的過於激烈、尖銳而感到不安，希望通過犧牲曾希聖與毛保持政治上的一致，以此緩和與毛的關係。由此判斷，從一月二十七日講「三分天災，七分人禍」後，到三十日對曾希聖下手的這幾天，劉少奇一定有過激烈的思想鬥爭。後來的事實證明，毛並未因此而原諒劉少奇。

　　七千人大會上劉少奇的口頭報告，引起與會官員的強烈共鳴，說明劉少奇的觀點比毛澤東的觀點受到更多支持。彭真在會上關於「毛主席哪怕有千分之一、萬分之一的錯誤不檢討，都將給黨的事業帶來嚴重後果」的發言，也讓毛澤東大感意外。毛澤東第一次感到有失去權力的危險，他懷疑會上劉少奇、彭真等人給他設下了「陷阱」。聯想到曾希聖的「覺醒」和「不聽話」，他對親自任命的封疆大臣和地方官員也沒有了信任，懷疑他們都成了劉少奇的支持者。從此以後，毛澤東的一切心思，就是計算如何將劉少奇及其支持者搞下臺。毛澤東清楚，新中國成立初期省、地、縣各級領導對他都是迷信的，現在他發現，經歷「大躍進」後不再迷信了。於是他寄希望於「人民群

眾」，大搞個人崇拜和愚民政策，用「人民群眾」的力量來達到自己的政治目的。先處理曾希聖出一口小氣，再收拾劉及其支持者，才能出一口大氣。

二十世紀五〇年代緊跟領袖的封疆大臣，大多命運不佳。吳芝圃繼舒同之後被免職，他沉痛地說：「省委和我犯的錯誤嚴重得很，罪惡也大得很……組織上無論如何嚴肅處理，我都沒話講的。處以極刑，我也應引頸受戮。」他曾多次懺悔：「我欠河南五千萬人民的債一輩子也還不清。」「文化大革命」初期，他孤獨地死於廣州。過度外調糧食使四川死人最多，李井泉在七千人大會上痛哭流涕反復檢討，經多位重量級人物力保才艱難過關。「文化大革命」中，他遭遇也最為悲慘，弄得家破人亡。他對四川人民的傷害，超過曾希聖之於安徽、舒同之於山東、吳芝圃之於河南、陶鑄之於廣東……他應對糧食危機的一個創舉，便是宣佈四川糧票作廢，致使數百萬城鎮居民少了口糧，也不能支持遠在鄉下的親屬。他知道四川人恨他，仍然在「文化大革命」後三次返回四川，佝僂著身子，向見到的人表示歉意。這些曾經的地方大員都清楚，自己雖然有錯，但主要是代人受過，只是不說出來罷了。

另一位緊跟領袖的陶鑄，其迷信也深，覺悟也早。一九五九年五月，他就在汕頭開始制止「五風」，加之歷來親民，重視知識，在廣東頗有政聲。他小心翼翼在毛澤東允許的範圍內糾偏，他主持設計的〈人民公社六十條〉，深得毛澤東好評，並在全國範圍內貫徹實施。

全國上下、全黨上下都在反思「大躍進」，但深度大不一樣。

我們必須看到，陶鑄主持設計的「六十條」，雖然在當時具有一定積極意義，但它是在人民公社體制內的修修補補，治標不治本。曾希聖在一九六一年七月石關會議上針對「大躍進」宏觀失誤作出的十四條總結，無論是認識深度或理論高度，都超過「六十條」，但僅限

於農業生產，範圍較窄。同時期陝西農民思想家楊偉名的《一葉知秋》，對形勢的判斷更加符合實際，開出的「處方」也更具有操作性，同時將農業放在整個國民經濟中考察，涉及耕作制度，品種選擇，產品流通，農村消費市場、生產關係調整等各方面，思想深刻。從中央到省，到基層，對同一問題的認識分析，地位越低，水準越高，也更有膽量。一九六二年北戴河會議上毛澤東批判《一葉知秋》時，包括劉少奇、周恩來、鄧小平、陶鑄等在內的所有中共要員，都保持沉默。多年以後，人們才發現，鄧小平改革開放的理論、思路和政策，都可以從《一葉知秋》中找到出處。

但這並不影響陶鑄在「文化大革命」初被提拔為政治局常委、中宣部長兼國務院副總理。陶鑄的可貴之處在於，他最後堅守了政治和做人雙重的道德底線，從而觸怒毛澤東，被列為「中國最大的保皇派」，遭到比劉鄧更為猛烈的打擊。

一九六九年，陶鑄在身患絕症時被迫骨肉分離，被羈押於合肥一個偏僻的所在。四十三天後，他無限傷感地離開人世。臨死前，他對曾經的同僚曾希聖、對永遠忠誠的毛澤東，有過怎樣的重新認識，我們不得而知。但他剛正的品格和悲慘的命運，引人深思，催人淚下。他的獨生女兒陶斯亮在他死後九年，寫出〈一封終於發出的信〉，打動了全體國民的心。二〇一二年陶斯亮回憶，一九七六年周恩來去世，她的母親曾志——一個大革命時代加入中共、井岡山時代追隨毛澤東的堅強女性——淚如雨下。幾個月後毛澤東去世，她母親沒有一滴眼淚。這個革命的倖存者，似乎早已完成了對毛澤東的歷史定位。

其實，那些經歷了崇拜、迷信、懷疑、覺醒的共和國第一代封疆大臣和千千萬萬的共產黨人，又何嘗不是如此呢？

六

　　一九七八年七月，曾希聖去世整整十年後，他的追悼會在北京舉行，規格不低。李井泉主持追悼會，胡耀邦致悼詞，鄧小平、卓琳夫婦等參加。有資料顯示，鄧、卓的婚姻，是曾希聖一九三八年在延安促成的。當年年底，安徽鳳陽十八個農民按下手印，對土地實行分戶經營，新時期中國農村經濟體制改革拉開帷幕。從五○年代浙江永嘉的包產到戶，六○年代安徽的責任田，七○年代末八○年代初的家庭聯產承包責任制，圍繞這個簡單的常識性問題，全黨反復折騰，屍橫遍野，血沃中華。

　　七○年代末，鄧小平開始主持起草〈關於建國以來黨的若干歷史問題的決議〉。大大小小的討論會上，參與者經常為毛澤東的功過評價發生激烈爭執。一些革命年代九死一生、毛澤東時代家破人亡的老幹部，其中不乏當初的封疆大臣，發言之激烈，反思之深刻，提出的問題之一針見血，以至於無法形成共識。最後經中央做工作，由新中國成立後第一任湖南省委書記、因盧山會議支持彭德懷觀點而受到殘酷迫害的黃克誠出面發表講話。這位雙目失明的老者言辭懇切，希望人們超越個人得失，全面、客觀、公正評價毛澤東，最終才勉強統一了認識，形成〈決議〉。

　　〈決議〉是一個高明、智慧的政治文獻，雖然沒有完全反映當時的認識水準，卻非常適合特定歷史時期的政治需要，避免了可能出現的一些負面作用，有進步意義。

　　但隨著時間的推移，〈決議〉存在的缺點日益突顯，它不應該、也不可能成為歷史定論！它對歷史研究不具有約束力！

　　　　　　　　　　　　　二○一二年十二月十七日於成都

主要參考文獻

文輝抗、葉健君主編　《開國省委書記、省長》（上、下冊）　北京市　東方出版社　2009年版

丁偉志　《桑榆槐柳》　南寧市　廣西人民出版社　1999年版

中共廣東省委宣傳部、黨史研究室編　《陶鑄誕辰100周年紀念文集》　廣州市　廣東人民出版社　2008年版

中共江西省委黨史研究室編　《李井泉百年誕辰紀念文集》　北京市　中共黨史出版社　2009年版

中共中央文獻研究室編　《劉少奇年譜》　北京市　中央文獻出版社　1996年

吳芝圃　《論人民公社》　鄭州市　河南人民出版社　1958年版

吳芝圃　《學習毛澤東同志著作》　鄭州市　河南人民出版社　1960年版

徐子芳　《陶鑄生命的最後四十三天》　成都市　四川人民出版社　1981年版

張　軍　〈應客觀評價曾希聖〉　載《炎黃春秋》　2011年第10期

張文和責編　《吳芝圃誕辰百年紀念》　北京市　中央文獻出版社　2006年版

張愷帆口述　宋霖記錄整理　《張愷帆回憶錄》　合肥市　安徽人民出版社　2004年版

《曾希聖傳》編纂委員會著　《曾希聖傳》　北京市　中共黨史出版社　2004年版

曾　志　《一個革命的倖存者──曾志回憶實錄》　廣州市　廣東人民出版社　1999年版

楊偉名　《一葉知秋──楊偉名文存》　北京市　社會科學文獻出版

社　2004年版

葛正基、陸德生主編　《紀念曾希聖文集》　北京市　當代中國出版
　　　　社　2005年版

樓近明編著　《新中國第一任省委書記》　北京市　長征出版社
　　　　2004年版

鄭笑楓、舒玲　《陶鑄傳》　北京市　中國青年出版社　1992年版

績溪篇一六

曹誠英傳
——一個徽州女人的命運

　　曹誠英，字佩聲，乳名麗娟，一九〇二年三月五日出生於績溪旺川一個商賈大戶。因為是女孩，出生三天後寄養宅坦村奶娘家，終日在田間地頭玩耍，直如農家女兒。幼時回上莊讀書，與汪靜之同學，相知甚深。十六歲那年，由母親譚氏做主，嫁給宅坦村富家公子胡冠英為妻。學做家務之餘，酷愛讀書。

　　過不多久，表哥胡適回上莊結婚，她作江冬秀的伴娘。胡適的學識、談吐、風度，以及對婚禮的革新，讓她大開眼界。一九一八年初春，胡適剛回北京大學不久，就收到表妹寄來請求修改的詩，他立刻將詩改好寄回。三月二十五日，她給胡適寫了第二封信：「兄如不以妹為不可教，望凡關於文學上信中多談幾句，以增進妹之見識也。」從此通信不絕。

　　曹誠英既受感動，也受鼓勵，每天忙完烹調縫紉之事，讀書更為勤奮。煮飯時經常看書入神，致使米汁溢出鍋外，漫淌灶台。她不願像傳統的徽州女人那樣了此一生，多次向夫家、娘家要求外出求學，未果。終於有一天，她手拿一根繩子，跪在地上，懇求長輩讓她進城讀書，不然只有一死。

　　十八歲那年，曹誠英走出旺川，考取杭州女子師範學校。二十三歲考取南京東南大學（一九二八年改為中央大學）農學院，成為班上唯一的女生。插秧實習時，這位富家女毫不遲疑脫下絲襪、皮鞋，與

男同學一樣下水田，弄得四肢全是泥水，讓人刮目相看。三十二歲時，她考上美國康奈爾大學。獲得遺傳育種學碩士學位後，一九三七年回國，成為中國農學界第一位女教授，後來被譽為中國現代棉花研究的先驅、中國馬鈴薯之母。她經歷了常人難以承受的親人誤解、愛情創傷、病魔摧殘、政治歧視，無兒無女無家庭，一路孤身，走向生命的終點。

一九六二年，瀋陽：革命家庭樂不勝

初春的瀋陽，仍是天寒地凍。二月末，當瀋陽農學院正準備為曹誠英做六十歲生日時，《參考消息》登載了胡適在臺灣去世的消息。學校知道她與胡適的特殊關係，考慮再三，決定不對她隱瞞，讓她的鄰居、青年教師樊期曾，過完生日後找機會告訴她。

三月五日那天異常熱鬧，她的同事、學生來了很多，大家輪流下廚、入席。校長張克威親自趕來祝酒，還特意囑咐學校的照相師留影紀念。她聽了很多祝願的話，內心感動，認為這是她一生過得最快樂的生日。

新中國成立以來，曹誠英的心情是愉快的。一九四九年她曾經因為身體不好和政治學習太勤，產生過回鄉務農的想法，在復旦大學師生的挽留下，繼續留在農學院擔任教授。新中國朝氣蓬勃的社會氛圍，使她深受感染；穩定的職業和每月二百四十元的收入，使她沒有後顧之憂；學生對她的關愛，也使她有了家的感覺。哥哥曹誠克從武漢來信說：「在過去，對於一個沒有家的人來說是悲慘的，但現在不同了，祖國就是你的大家庭，科學事業就是你的愛人，許多同學就是你的子女。」對此她有同感。

精神好，疾病少。到一九五二年院系調整，復旦大學農學院要北

遷成立瀋陽農學院時，她已三年沒有進過醫院，多年的腹痛病也大大
減輕。負責籌備瀋陽農學院的張克威，來上海歡迎大家去東北，特意
到曹誠英家裡看望。他說東北土地肥沃，適宜種植馬鈴薯，還同意她
像以前一樣，可以在家裡上課。曹誠英從這位留美博士、一九三六年
入黨、當過八路軍一二九師民運部長的學院領導身上，看到了共產黨
人的真誠和信任，毅然決定北上瀋陽，成為建校之初僅有的十六名教
授之一。這一年國慶前夕，曹誠英在報上發表文章說：「我對共產
黨、毛主席的感激，真是言語難以形容。」應當是由衷之言。

　　到了瀋陽，曹誠英給學生講遺傳育種學，同時由張克威提議，擔
任了北方馬鈴薯品種選育及栽培技術研究推廣專案的主持人。經過她
和同事們的努力，馬鈴薯產量從先前的平均每畝六百公斤增加到二千
多公斤，在東北地區全面推廣。民主德國、羅馬尼亞、朝鮮等國的專
家也先後來校參觀。

　　學院宿舍樓修好後，曹誠英搬進了最好的住房。周邊是花園，門
前有一小塊地，她便種下一些花生、草莓，每到收穫時節，與師生一
起品嘗。張克威同情曹誠英的遭遇，歷次運動保護她安然無恙，即使
在一九五五年胡適大批判的浪潮中，也不允許揭開她心靈上的那塊
「傷疤」。同時他還要求青年教師從思想、生活各方面關懷這位經歷
曲折、命運坎坷的老人，在學校形成尊重愛護老知識份子的氛圍。有
一次，校黨委一位副書記來看望她，發現樓梯間沒有電燈，第二天就
派人安上，讓她感動不已。每到週末，曹誠英的家就成了教師們的
「俱樂部」，大家來這裡閒談、打牌，其樂融融，氣氛熱烈。一九五
六年秋天，青年教師陳其本坐月子，曹老師親自下廚，燉了一鍋豐盛
的安徽大鴨湯。一些單身教師過生日，她便讓保姆秀英送去一碗長壽
麵。

　　曹誠英的工作成績，也得到地方政府的肯定。一九五六年，她擔

任瀋陽市政協委員，經常參加一些社會活動。一九五九年國慶前，她填詞〈減字木蘭花〉，表達老有所養的欣慰之情：

> 老來可喜，往日窮愁入夢裡。歷盡淒涼，回首當年淚奪眶。
>
> 翻天覆地，黨愛人民無巨細。忘卻孤零，革命家庭樂不勝！

五〇年代中期與錢學森同船歸國的洪用林教授，從北京調到瀋陽農學院任教。他是康奈爾大學畢業的薯類專家，共同的求學背景，使他與曹誠英有很多共同語言。有一次，洪用林帶來一本康奈爾大學的精美畫冊，他們一起興奮地翻閱，指著這個館，點著那個樓，回憶康奈爾大學生活的點點滴滴，仿佛回到年輕的學生時代。

有一次，她的大學同學顧景宜專程從上海來看她，她讓樊期曾去火車站接人。半個月裡，她們有說不完的話。

閒暇之餘，她也和個別信任的教師談一些她過去熟識的老朋友，如胡適、吳健雄、汪靜之。她的書桌上放著一本《蕙的風》，她經常翻閱朗讀。但很少有人知道，那是她的同鄉、同學汪靜之寫的，二十世紀二〇年代曾經風靡全國。她清楚每一首詩是寫給誰的，裡面承載了太多她青春時代的美好記憶。

寬鬆的生活環境和友好的人脈關係，使曹誠英心情舒暢。她退休後，以校為「家」，留在學院裡養老，繼續當選政協委員。當她從樊期曾那時知道胡適去世的消息時，反應平靜，沒有很多傷感的樣子。也許在她的心中，和胡適的關係，已經是一個美好而遙遠的故事。也有人說，她儘量按捺自己的情感，不讓同事和學生看出來。接連幾天，她都是神色黯然。

一九六二年的曹誠英沒有想到，兩年後張克威被撤銷書記職務。新書記任光「階級鬥爭」觀念強，將曹誠英的「俱樂部」作為「資產階級大家庭」批判，「文化大革命」時又定性為「裴多菲俱樂部」，

為此她先後四次被抄家。然而當她看到任光、張克威雙雙被打倒，任光被迫服藥自殺的悲慘狀況後，又慶幸自己不曾遭受皮肉之苦。

一九六九年，杭州：夢裡西湖紙山看

這一年中蘇關係全面惡化，瀋陽農學院所有師生都要疏散到外地。曹誠英打算定居杭州，早在一九六八年她就回了一趟杭州，要汪靜之、符竹因夫婦代其尋找一片住所，以頤養天年。

戰事越來越緊，她的請求得到批准。當年夏天，她離開了生活過十七年的瀋陽農學院，乘車南下杭州——這個她終身難忘，不忍回憶，見證了她無數歡樂和痛苦的地方。

不論在抗戰寄居的四川，還是在北國平靜的瀋陽，杭州永遠牽掛著她的靈魂，撕扯著她的情感。她曾經在一首詩裡寫道：

　　夢裡西湖紙山看，一絲楊柳一魂還。

一九二〇年，曹誠英和丈夫胡冠英從家鄉來到杭州。她入讀杭州女子師範學校，和人見人愛的符竹因成為同班同學。那時汪靜之也在杭州求學，他們一起組織晨光詩社。她將符竹因介紹給汪靜之，促成了一個後人津津樂道的姻緣。一九二一年五月，曹誠英寫信給胡適，請求他為《安徽旅浙學會報》作序，胡適以「徽浙學術史甚可研究，故允之」。此後曹誠英的侄兒，即胡適三哥和曹誠英三姐的兒子胡思永，也來到杭州。不想他狂熱地愛上了符竹因，回到北京不久，於一九二三年四月十三日死於不治之症。不料三姐認為兒子的死，是由於妹妹曹誠英招惹他、引誘他的緣故。即使胡適和曹誠克出面解釋，三姐仍然深信思永是被曹誠英害死的，致使曹誠英百口難辯。

四月二十九日，胡適到杭州養病，見到了曹誠英、胡冠英和汪靜

之，同遊西湖。胡思永之死，當屬不可避免的一個話題。此間曹誠英給胡適留下的印象美好而深刻，兩人關係迅速升溫。五月三日，胡適返回上海，心卻留在了杭州。到五月二十日，他寫下著名的詩作〈西湖〉：「十七年夢想的西湖，不能醫我的病，反使我的病更加厲害了！……聽了許多誹謗伊的話而來，這一回，只覺得伊更可愛，因而捨不得匆匆就離別了。」五月二十五日，胡適給曹誠英寫了一封信，內容已不可考，但五月二十九日曹誠英給胡適的回信，語氣歡快、熱烈，而且第一次稱他「糜哥」。信中寫道：「糜哥，你待我太好了，教我不知要怎樣感激你才是！哦，我只要記得：世上除了母親哥哥之外，還有一個糜哥。」

六月八日，胡適從上海再次到杭州休養。有一天遊煙霞洞，發現這裡是個清幽、僻靜的所在，談好價錢，便於六月二十三日搬了進去。此時恰好胡冠英遠走北京，曹誠英所讀學校放暑假，便來同住，過起了形影不離、難捨難分的「神仙生活」，直到十月四日離開。他們一起下棋、看花、爬山、蕩船、散步、飲酒、賞月，有時胡適還給曹誠英講莫泊桑的小說故事。

到上海辦事後，胡適於十月十九日第三次來到杭州，又住了半個月。夜遊西湖時，曹誠英在月光下唱起婉曼的「秋香」歌。她還親自下廚，做了名叫「一品鍋」的徽州菜，有六層：菠菜、鴨子、豆腐包、豬肉、雞和蘿蔔……

這段時間，胡適與曹誠英猶如一對初戀情人，對徐志摩、朱經農、陶行知、汪精衛、汪靜之、馬君武、陳衡哲、任叔永、王雲五等朋友並不避諱。胡適還放下新文化運動領袖的身份，特意到曹誠英所在的杭州女子師範學校，拜訪了校長。所有人都看出他們在熱戀，但每個人都為胡適守口如瓶。

胡適回京，對曹誠英仍不忘情，在一首詩裡寫道：「山風吹亂了

窗紙上的松痕，吹不散我心頭的人影。」他向江冬秀提出過離婚，不料江冬秀以死相逼，而他又偏不是一個戀愛至上的人，只得妥協退讓。但他與曹誠英經常相會，杭州、上海、南京，都留下他們私會的身影。從胡適日記、曹誠英的詞和幾十年以後發現的文字來看，胡適很可能在煙霞洞給過曹誠英一些承諾，因未能兌現，造成曹誠英終身的感情創傷。一九二五年，她重遊煙霞洞後不能自已，在寫給胡適的信中說：「靡哥！在這裡讓我喊一聲親愛的，以後我將規矩的說話了。靡哥，我愛你，刻骨的愛你。我回家去之後，仍像現在一樣的愛你，請你放心。」

曹誠英知道他的靡哥愛惜名聲，還要做很多大事，於是將自己熾熱的愛情藏在內心深處。這一年夏天，她回到故鄉旺川。丈夫胡冠英已經納妾，他們的夫妻關係名存實亡。村裡投過來的各種眼神，讓她撕心裂肺。但奶娘的熱情使她倍感溫暖，奶娘十五歲的兒子胡品操，還教她學習裁縫。

也許曹誠英覺得，自己應做一個有資格愛胡適或當得起被胡適愛過的女人，於是她再次走出旺川，一路艱苦求學。在美國康奈爾大學，她遇到一個名叫曾景賢的中國留學生，愛她敬她，也願意娶她。這時她才痛苦地發現，自己心裡只有靡哥，已經裝不下另一個人。自己的後半生，只能活在對靡哥的一片癡情之中。

四十多年過去了，曹誠英子然一身回到杭州，見到汪靜之、符竹因夫婦——他們是當年她和胡適熱戀的目擊者，現在已經兒孫滿堂。也許要避免太多的觸景生情，也許要尋找一個遠離武鬥的安靜地方，僅僅三個月之後，她便謝絕汪靜之夫婦的一再挽留，與汪協如、黃韻香兩位績溪老姐妹相約而行，葉落歸根。

臨行前，曹誠英向汪靜之鄭重囑託：「我有一包材料，我不想將它帶回家鄉，轉交於你。我活著，你們保存，只准你和老伴看；我死

了，你一定要燒掉！」

一九七一年，績溪：老病孤身何所寄？

　　當年在上海復旦大學照顧過曹誠英的姑娘程彩芬，這時已四十多歲，是旌德縣一家國營工廠的職工，聽說曹誠英要回績溪，專程到杭州接她。

　　回到闊別多年的故鄉，居住在績溪縣城汪協如的祖宅，三個老姐妹很激動。她們都有一筆當時看來不低的退休金，又都是學農的，沒有家室之累，喜歡文學，汪協如年輕時還在堂哥汪原放的幫助下，標點過《官場現形記》。在這裡，她們談幾十年的人生經歷，談詩歌、小說，談農作物的種植、蠶桑的養殖，度過了一段愉快的時光。

　　夜深人靜，浮想聯翩。曹誠英感慨繫之，作詞一闋〈臨江仙〉：

> 老病孤身何所寄？南遷北駐遲疑。安排誰為解難題？哥哥長病廢，質仰死無知。徒誇平生多友好，算來終日癡迷。如今除卻黨支持，親朋休望靠，音信且疏稀。

想到哥哥曹誠克一生對自己的關懷，她總是感激萬分。哥哥在幾年前因病去世，一直讓她若有所失。但在計劃經濟供應短缺的時代，各人自顧不暇，如果沒有固定工資收入，境況可想而知。她對自己的現狀雖不完全滿意，但也有幾分慶幸。尤其在她回到老家旺川，目睹了農村的現狀之後，這種感覺更為強烈。

　　奶娘早已去世，奶娘的兒子胡品操也上了年紀，奶娘最小的孫女寶娟只有十多歲，沒有條件讀書，前來照顧曹誠英的日常起居。侄兒曹定國和侄媳程秋環將她接回旺川居住，並負責她的日常生活。他們是貧農成分，據說這一點讓曹誠英很滿意。經歷了二十年政治掛帥的

時代，她懂得如何保護自己。胡冠英在二十世紀五〇年代被作為壞分子關押，早已死在獄中。他的後代也趕來看望她，並表示願意照顧她，以盡晚輩的孝心，但她一口拒絕，之後也不來往，沒有任何商量的餘地。

回到旺川，昔日巍峨恢宏的祠堂、高聳林立的牌坊、鬱鬱蔥蔥的古木，已經面目全非，甚至蕩然無存。曹誠英家在旺川的祖屋，土改時已分給了當地的貧下中農，為此她特意托人在村裡蓋了一間房屋。天氣好的時候，她便由程秋環幾個婦女攙扶著，走在她熟識的小道、溪流邊，尋找陳舊的記憶，講一些遙遠的往事。沒有資料顯示，她是否去過上莊，去過她當伴娘時和糜哥初識的地方。

旺川交通條件的改善，讓曹誠英感到高興。但她驚訝的是，旺川一個全勞力整天的工分只有三角多，吃米吃麵很困難。想到自己退休後還有一百二十元的「高薪」，她覺得共產黨對她太好了，想方設法要為家鄉建設做些事情。早在杭州小住時，她得知家鄉遭了水災，馬上到郵局匯款一千八百元。現在她回到家鄉，便以各種名義慷慨解囊。千年石橋楊林橋的橋墩被毀，她捐款八百元。旺川鄉親碾米要跑到上莊，路遠往返很不便，她掏出一千元購買一台碾米機。聽說旺川大隊小學經費困難，她毫不猶豫從伙食費裡捐出二百元，作為補助民辦教師的津貼。她一次捐出三千八百元，為旺川大隊購買了一台拖拉機，還建起了拖拉機站。最後她執意要將五千五百元交給縣裡，直至收下，她心裡才舒了一口氣。她在旺川的住處異常簡陋，室內只有一張舊床、一個書架、兩把破椅子。她把自己的退休金分成三部分，一部分要給照顧她的人，一部分是自己的生活費，其餘的全部存起來，點點滴滴，幫助那些貧困、清寒或急需用錢的鄉親。她說：「這是共產黨給我的錢，用不完今後要歸還給黨組織的。」有人說，經過新中國歷年政治運動的「改造」，曹誠英覺悟不斷提高，在政治上已經

「脫胎換骨」。

在旺川小住一段時間，曹誠英又乘坐公共汽車回到績溪縣城，和汪協如、黃韻香兩個老姐妹相聚，訴說別後情形。來回縣城和旺川之間，每次都有親人接送。偶爾也有一些親朋故友或他們的後代來訪，她顯得特別高興，詳細詢問他們的生活狀況，留他們吃飯。

程彩芬也經常來到她的住處，幫助她洗衣、曬被，還給她洗澡擦身。在績溪的日子，無論鄉下還是城裡，曹誠英並不孤獨。

她也沒有忘記那些曾經幫助過她的人。瀋陽農學院院長張克威，「文化大革命」中被打倒後，境況非常不幸，她多次寫信詢問他的下落。她還寫信到瀋陽，問候康奈爾大學的後輩校友洪用林，給他寄去績溪特色的茶葉、筍乾。後來聽說洪用林教授病故，她悲痛不已。

曹誠英年輕時就被各種疾病困擾，回到家鄉儘管心情大好，但走路散步，必須依靠拐杖。一九七一年秋冬，她的病情加劇，身體更加虛弱，嚴重的腹部和腰背疼痛，使她經常臥床不起，還出現過多次險情。一九七二年三月二十一日，她由寶娟等三人陪護，離開績溪，到上海治病。

一九七二年，上海：當年春去無蹤跡

到了上海，曹誠英立刻把自己的地址告訴瀋陽農學院留守處──這是她早已養成的習慣，先要向組織報告，那是她的「家」。她最初住在一個幹親戚家，後來不堪吵鬧，搬到顧景宜狹小的陋室裡，和相交幾十年的老同學擠在一張床上。

一九二五年，曹誠英第二次離開故鄉時到過上海。她得知胡適在這裡養病，寄居汪協如叔父、亞東圖書館老闆汪孟鄒家裡，立即趕去探望並陪伴。此前不久，她已明白不可能與糜哥結合，曾經在信中明

確表示要「規矩地說話」。因此在上海的幾個月裡，她與胡適的愛，
與在杭州煙霞洞時相比，少了一些熱烈和歡快，沒有幻想；多了一些
深沉和理性，只有現實。正是在胡適的鼓勵下，她在第二年考上了南
京東南大學農學院，命運再一次出現轉機。

但對於糜哥的愛，是那樣刻骨銘心，她怎麼也忘不了。她還記
得，一九三〇年她曾經寫過一首〈少年遊〉，其情躍然紙上：

> 錢塘門外草離離，就走過湖堤。孤山頂上，初陽臺下，同坐聽
> 鶯啼。當年春去無蹤跡，空問取黃鸝。屈指同遊飄零星散，回
> 首不勝悲。

一九七二年的春天，上海和往年並無不同，然而曹誠英的心境，
一定和往年大不相同。她自知身體越來越差，誰知還能不能捱到明年
的春天？雖然她在政治上已經「脫胎換骨」，但感情上未必。她沒有
胡適政治上的定見，這就是他們最大的差異。

一九四九年春天，國共內戰已見分曉，解放軍陳兵百萬，隨時準
備渡過長江。作為北京大學校長的胡適，認為「共產黨執政斷無任何
自由」，謝絕共產黨通過各種管道釋放的善意，決心離開摯愛的故
土，並將妻子江冬秀先行送往臺灣。在上海期間，這對昔日的情侶見
過好幾面，但心靈難以溝通。曹誠英當時是九三學社成員，儘管現在
已無法考證她是否受人派遣或委託，但她確實對胡適進行了真誠的
挽留。她說：「糜哥，你不要再跟蔣介石走下去了，共產黨說話算
數。」胡適去意已定，於四月六日永遠告別大陸。

據說曹誠英回到復旦大學，第二天找到汪靜之，大放悲聲：「再
三勸他不要走，挽留不住。我哀哭流淚，勸不回頭。」她目睹解放軍
進入上海時露宿街頭，她感受到共產黨的朝氣蓬勃，她也得到學校領
導的尊敬和關愛，她堅信自己選擇的正確。

當年春去無蹤跡。從此曹誠英與胡適天各一方，感情貼得近，思想隔得遠。

他們在媒體上的表現截然不同，政治觀點完全相反。曹誠英通過報紙表達自己的心聲，要用畢生的愛「去愛共產黨、毛主席」。胡適在臺灣通過廣播對大陸喊話，強調終身致力於「堅決反對共產暴政」。不知他們是否瞭解對方在二十世紀五○年代曾經有過的政治言論，也很難判斷彼此可能產生的感想。依照胡適的善解人意，基本可以斷定，他是能夠理解曹誠英的，但完全可以肯定，他是絕不會贊同曹誠英的。也許在胡適看來，政治思想方面的隔膜，曹誠英與江冬秀沒有本質不同。

新中國，新氣象。雖然曹誠英珍藏並經常翻看胡適的照片，但她很快就適應了新的環境。她在上海唯一的親戚是外甥胡洪釗，小她四歲，也曾留學康奈爾，他在淮海路的那座三層小洋樓，是曹誠英節假日的感情驛站。她也與武漢的哥哥曹誠克，相互走動看望。從一九四六年開始就照顧她生活的姑娘程彩芬，一九五一年回鄉結婚生子時，曹誠英為她置辦了全套「窩裡」：棉被、夾襖、旗袍各兩件，毛衫四件，尿布五十六塊。

一九七二年春，曹誠英又到了淮海路，才發現外甥已經打成「現行反革命」，押往安徽勞改。那座她熟悉的小洋樓，早已成了大雜院。外甥媳婦一家祖孫三代擠在一個房間，連安裝電錶的錢都沒有。她趕緊掏出七十元，解了他們的燃眉之急。遭了大難的外甥一家，此後又多次得到曹誠英的接濟。

人在上海，心繫故鄉。曹誠英在上海短短的十個月裡，先後寫了七封信給侄兒曹定國，詢問早稻長勢如何，田裡可否缺水。她在一封信中說：「像我這樣一個病人，只有依靠組織呀！」她想再回績溪，身體已不允許。故鄉的親人經常寄來她愛吃的食物：奶娘的兒子胡品

操寄黃豆，曹定國寄面餜……但曹誠英的身體狀況還是每況愈下，到這一年秋天，每頓只能吃三湯匙飯。

寒風越來越緊，天氣越來越冷，陋室裡四面透風。曹誠英面容憔悴，病情越來越重。

一九七三年，旺川：夢魂無賴苦纏綿

一九七三年元旦剛過，顧景宜的陋室裡又響起了久違的笑聲。

曹誠英在瀋陽農學院的年輕同事、鄰居，樊期曾、楊造鳳夫妻，寒假回上海探親，受學校領導的委托，前來看望她。曹誠英見到他們後感到很突然，也很高興，精神為之一振。她詳細詢問了學校「文化大革命」這幾年的變遷，感歎不已。她告訴樊期曾說，她的好朋友吳健雄——已是世界著名的物理學家——近期可能要從美國回來。她們已經幾十年未見面，很希望能在上海見上一面。

幾天後，曹誠英病重入院。同室的病友瞧不起寶娟這個土裡土氣的鄉下小姑娘。寶娟年幼，受不得委屈，一氣之下回了績溪老家。一月十八日，曹誠英去世。她終年七十一歲，與胡適同壽。

曹誠英的親屬與樊期曾研究她的後事處理，向學校領導提出兩點要求：一是請求學校寫一份悼詞，對她的一生作出評價；二是希望學校派人參加追悼會。與此同時，績溪縣革委會也致函瀋陽農學院，說曹誠英退休回鄉後，為當地做了很多好事，現在病故，請求派人參加骨灰安葬儀式。

三月八日，專程趕到上海的瀋陽農學院黨委辦公室主任張惠臨、青年教師董鑽，與績溪縣革委會派來的人，一起將曹誠英的骨灰接回她的故鄉。她的骨灰裝在一個精緻的青花瓷器裡，在縣城放了兩天，然後送回旺川。

出殯那天，奶娘六十多歲的兒子胡品操扶著花圈，走在隊伍最前面。他身邊是嗚嗚抽泣、後悔自責、一直喊著「姑媽」的寶娟。還有一百多位旺川鄉親為曹誠英送行。哀樂聲中，曹誠英的骨灰盒和她生前最喜愛的一條紫紅色羊毛巾，緩緩放入墓穴。績溪縣革委會的負責人講了話；瀋陽農學院的張惠臨代表學校宣讀了悼詞，他說：曹誠英教授愛黨愛國，在中國農學教育上，尤其是馬鈴薯研究、種植方面，有獨特貢獻。在那個極左的動亂年代裡，曹誠英作為一個與胡適有千絲萬縷關係的人，作為一個地主家庭的後人，死後享受到的悼念規格實在不算低，充滿了濃濃的人情味。

曹誠英的墓地，是她生前親自選定的，位於旺川村頭，背靠青山，面向田野。一條公路從墓前通過，是縣城到上莊胡適故居的必經之地。有人推測說，如果胡適靈魂歸來，她能夠在這裡最先迎接。

曹誠英死時並不知道，在臺北的胡適紀念館內，在胡適典雅的書房裡，掛著他一九二五年從杭州煙霞洞回到北京後寫的那首〈秘摩崖月夜〉裡的詩句：「山風吹亂了窗紙上的松痕，吹不散我心頭的人影。」每天來自世界各地的人盤桓於此，絕大多數人不解其意。偶爾有明白人說：「這是胡博士寫給他初戀情人曹誠英的。」也有人說：「這個徽州女人為了胡適，一輩子不再結婚。」有人說：「曹誠英這麼做不值。」但立刻有人反駁：「不對，其實這樣的女人最幸福！」有一次，胡適的學生、曹誠英的摯友、也是他們感情見證人的吳健雄女士，在這裡久久不忍離開，淚水怎麼也止不住，擦了又流，流了又擦。

墓地裡的曹誠英也不知道：她死後能夠得到那麼多人的同情和尊敬。有專程來看望她的親人、學生、學者；也有素不相識的敬仰者；還有到上莊胡適故居的旅遊者。他們從四面八方來到這裡，相互述說著她並不轟轟烈烈、但是非常細膩感人的一生。很多人能夠說出她的

事蹟，偶爾有人還能背誦她對胡適傾訴相思的詩詞，尤其是一九四三年曹誠英在回味他們相愛二十周年時的那幾首詞。其中一首〈臨江仙〉特別感人：

> 闊別重洋天樣遠，音書斷絕三年。夢魂無賴苦纏綿。芳蹤何處是？羞探問人前。身體近來康健否？起居誰解相憐？歸期何事久遲延。也知人老去，無復昔娟娟。

有人說，此詞風格婉約、細膩傳神、真摯感人，讀來柔腸寸斷，是難得的好詞。即使和李清照最好的詞放在一起，也不見遜色。

曹誠英生前是一個農學教授，死後以詩人著名。她和胡適讓人唏噓傷感的故事，引起越來越多的關注。在她誕生一百一十周年時，她的學生、學生的學生和她故鄉的親人，編寫了一本書《曹誠英——中國農學界第一位女教授》，寄托對她的深切懷念，字裡行間，情深意長。這一年，她的墓碑前，鮮花幾乎沒有斷過。

她的幸，在於有愛；她的不幸，也在於有愛。幸與不幸，造就了一個完整的徽州女人的故事。這個故事，還在不斷地被發現和豐富。

有愛的人，生前不孤獨；被愛的人，死後不孤獨。從這一點來說，曹誠英確實是一個幸福的女人！

二〇一三年六月三日於成都

主要參考文獻

王琦、方靜編　《曹誠英——中國農學界第一位女教授》　瀋陽市
　　　瀋陽出版社　2012年版

江勇振　《星星‧月亮‧太陽——胡適的情感世界》　北京市　新星
　　　出版社　2006年版

李伶伶、王一心　《日記的胡適》　西安市　陝西人民出版社　2008
　　　年版

耿雲志　《胡適年譜》　福州市　福建教育出版社　2012年版

鞠恩功主編　《張克威傳》　瀋陽市　遼寧人民出版社　2002年版

瀋陽農業大學校史編委會編　《瀋陽農業大學校史》　瀋陽市　遼寧
　　　人民出版社　2002年版

績溪篇一七

胡適與中國民主政治

一

　　胡適，原名嗣穈，字適之，績溪上莊人。自一九一〇年起，先後留學美國康奈爾大學、哥倫比亞大學。一九一七年回國後任北京大學教授，與陳獨秀一起，發動和領導了新文化運動，對於文學、歷史、哲學等人文學科的研究方法，做了大量具有開創意義的工作。此後數十年，他以學術界領袖聞名中外。

　　他對現代中國的貢獻，絕不僅僅局限於文化、學術領域，在政治思想方面也有獨到的見解。作為中國轉型時期自由主義知識份子的代表人物，胡適一生堅守美國式的民主政治思想，但始終不容於北洋政府和國共兩黨。在各個不同的歷史時期，他都要不合時宜地提出自己的政治主張，屢屢因書生氣十足而遭到人們的譏笑、諷刺。

　　隨著時間的推移，尤其是東西方冷戰的結束，胡適的政治思想受到越來越多的關注。他沒有留下一本政治學方面的專著，也沒有系統闡述政治思想的文章，但他零散的文字源遠流長而且數量龐大。拂去歷史的塵埃，細讀這些平實的文字，我們深切感受到一顆憂國憂民的心在跳動，其信仰之堅定、思想之深刻、見解之超前、預言之準確，使人震驚。余英時說：「在二十世紀的中國，胡適是始終對民主不曾失去信心的人。」

　　此言固然不虛，但還不全面。需要補充的是，胡適開啟了臺灣民

主政治的大門。著名學者、馬英九政府的「行政院長」江宜樺，在談到臺灣民主政治的發展道路時認為：「戰後自由主義的信仰者以胡適為精神上的導師。」在二十一世紀的今天，海峽兩岸的很多學者相信，胡適的政治遺產還將對全中國未來的政治前途產生重要影響。

二

胡適的政治思想產生於美國，堅定於美國，豐富於美國。如果說他的學術思想中西合璧，那麼他的政治思想徹底奉行西方的自由主義，從而使自己成為中國封建專制政治的死敵。儘管出於各種原因，他與現實政治多有妥協，但他在思想上從來沒有同流合污。

在美國留學七年，胡適多方面瞭解美國的政治制度，不僅參加政治集會，而且旁聽綺色佳市議會的會議。美國政治的民主性和公民的參與性，給他留下深刻印象，他希望由此得到的教益，有一天能夠有利於自己的國家。

同時胡適密切關注著苦難祖國的動向，對國內政治事件發表廣泛的意見。一九一五年五月，他讀到梁啟超發表的文章〈政治之基礎與言論家之指針〉。梁啟超認為，只有具備明智高尚道德標準的人，才應從事政治活動，這樣政治才不至於成為為其他目的的一種手段。具體地說，最高領導應由知識淵博、極有聲譽且能容忍的人組成；中層官員應是具有一技之長的專家；而低層的大多數則應簡單服從領導並對國家事務真感興趣。梁啟超最後的結論是：「捨社會教育外，更有何途可致者？……」這些觀點引起胡適的共鳴，他馬上寫道：「其言與吾意相合。」胡適反對袁世凱復辟帝制，他責罵古德諾「幫助扼殺了中國的第一個共和憲法」。袁氏去世，他評論說：「吾對於袁氏一生，最痛仇者，唯其『坐失機會』一事。」

　　梁啟超為了降低社會轉型成本，贊同通過社會改良實現政治變革，而不主張武裝革命的思想，也對胡適產生重要影響。胡適寫道：「我並不譴責革命，因為我相信這是進化過程中的必然階段。但我不贊成不成熟的革命……我的個人態度是：無論怎樣，讓我們教育人民。讓我們為未來世世代代的建設打下基礎。」這表明胡適與梁啟超培養「新國民」的觀點，有著高度一致，即中國人素質太低，要建設民主政治，必須進行「公民教育」。他相信，教育將創造正直聰慧的公民，反過來便會逐漸產生一種適宜的政治氣候。

　　一九一七年胡適回國時，正巧趕上張勳復辟。現實政治的醜惡讓他倍感失望，他「打定二十年不談政治的決心」，「要在思想文藝上替中國政治建築一個革新的基礎」。

　　胡適打定主意不談實際的政治，但實際的政治卻沒有一時一刻不來妨礙他。當時各種「主義」盛行，就連與他非常親密的朋友也不例外。這使他感到憤怒，「於是發憤要想談政治」。他被迫拿起筆來，與北洋軍閥、國民黨人、共產黨人展開論戰。第一篇文章便是〈多研究些問題，少談些主義〉，矛頭直指先前新文化運動的戰友，如今熱心宣揚社會主義的陳獨秀、李大釗等人。此後，他參與創辦的《努力週報》、《獨立評論》、《新月》雜誌，都不可避免地成為政治性刊物。直至一九三七年出國，他幾乎沒有停過筆。

　　這期間，胡適的政治主張具有兩個鮮明的特點：其一、超然於黨派之外，以獨立政治評論員的身份，宣揚自由主義和民主憲政。在朋友的慫恿下，他曾經產生過組織政黨的想法，但最終決定，要凌駕於政治之上來影響政治，所以他將發表自己政治見解的刊物取名為《獨立評論》。儘管他態度溫和，但因政治理念的差異，一度與孫中山、蔣介石的關係搞得非常緊張，以至於一些國民黨人要求將其逮捕，並剝奪他的公民權。他堅持認為：「自由獨立的國家不是一群奴才建造

得起來的。」

　　其二、在具體政治態度上，主張在承認現實政治制度的基礎上進行改良。他不喜歡北洋政府，也不喜歡國民黨政府，但並不願意用暴力手段進行革命。他提出「好人政府」，贊成「聯省自治」，都是基於這一指導思想。國民黨政府「統一」全國後，他認為沒有更好的選擇，轉而有條件地支持國民黨。他從不認同國民黨的專制政體，即使他的朋友丁文江、蔣夢麟、蔣廷黻、傅斯年、錢端升、翁文灝等人主張以暫時的專制過渡到民主的觀點，他也不肯同意，始終堅持專制政治制度對中國不適用的看法。一九三五年十一月，他在致朋友的信中，強調獨立精神和責任倫理：「說逆耳之言，說群眾不愛聽的話，說負責任的話，那才需要道德上的勇氣。」一九三七年七月，他說：

　　　憲政可以隨時隨地開始，但必須從幼稚園開始下手，逐漸升學上去。憲政是一種生活習慣，唯一的學習方法就是實地參加這種生活。

三

　　一九三八年十月，在中國抗戰進行到最困難的時候，為了爭取美國的同情和援助，胡適被國民政府任命為駐美大使，這似乎違背了他不願從政的初衷。對此，美國學者周明之的解釋很有說服力：在胡適看來，在民族危亡之際，他決心為中國服務而不是為蔣介石政府服務，他在代表中國和代表中國政府之間作了明確區分。

　　胡適在美國巡迴演講時，國民政府給了他三萬美元的宣傳費用，他全部奉還並評論說：「我的演說就是足夠的宣傳，不需要你們的任何東西。」在他的大使任期內，絕大多數演講都是關於中國過去的理

想、今天的抱負和未來的潛力。周明之指出，一九四二年八月，蔣介石出人意料地召回胡適，主要是他認為胡適一直在盡力為美國對華政策辯護，而不是在美國為中國政府辯護。換句話說，蔣介石對於胡適任職的不滿意，在於這個絕對的自由主義者不願意為一個不可救藥、腐敗無能的政府說好話。

但此次任職，前後四年時間，深刻影響了胡適的政治思想和以後的政治選擇。

一九二六年，胡適曾經到過蘇聯。作為第一個社會主義國家，蘇聯宣稱自己建立了世界上最先進的政治制度。包括中國在內的一些國家的真誠革命者，正在為建立蘇聯式的無產階級政權而艱苦奮鬥。當時胡適說：「十九世紀中葉以後的新宗教信條是社會主義」，言辭中並無褒貶，也許他還需要時間觀察、思考。國民黨政府依靠來自人民的稅收，維持一支龐大的軍隊和官僚機構，反過來掠奪人民，使胡適痛苦地抱怨道：「在這種痛苦之下，人民不逃亡，不反抗……不做土匪，那才是該死的同種哩！」字裡行間好像有點同情共產黨革命的意思。

一九三七年胡適到美國時，蘇聯正在進行大清洗，隨後進行了著名的莫斯科大審判。余英時認為，胡適此間讀到不少西方關於蘇聯真實情況的新資料，因此在幾年之內，改變了對於社會主義的看法。一九四一年，他在密西根大學作〈意識形態的衝突〉的專題演講，認定極權與民主的衝突可以歸結為兩點：

（一）急進的革命與漸進的改革；（二）控制劃一的原則與個體發展的原則。暴力革命要推翻一切現存的社會制度，並阻止它恢復或再生，其結果必流於極權，控制劃一在經濟上必然走上全面計畫的道路，扼殺個人的自由發展。其結果是，阻礙價

格與創造力，使偏私、壓迫與奴役成為不可避免。

他的思想，與幾年後哈耶克的《通往奴役之路》和波普爾的《開放社會及其敵人》中宣揚的思想，幾乎如出一轍。

抗戰結束，胡適從美國回到中國，不反對國共和談建立聯合政府的政治主張。一九四七年七月，國共內戰爆發，他公開站在國民黨方面指責共產黨。他說：「政黨爭奪政治權力，應遵循獲得大多數人民支援的合法方式。用軍隊武力推翻政府，並不是一種法律方式，而是革命。為了自衛，政府有責任鎮壓共產主義……」從此他公開反共，支持蔣介石政府。

暴力反抗和暴力鎮壓，是胡適一直反對的政治鬥爭方式，他為何在這個時候，冒天下之大不韙，支持他並不喜歡的國民黨政府呢？關鍵在於他擔心共產黨的勝利，會在中國建立蘇聯式的社會主義極權制度。一九四七年八月一日，他在北平做了一次題為〈眼前世界文化的趨向〉的廣播演講，說明了這一點。他指出世界文化有三個共同的大趨向：第一是用科學的成績解除人類的痛苦，增加人生的幸福；第二是用社會化的經濟制度來提高人類的生活；第三是用民主的政治制度來解放人類的思想，發展人類的才能，造成自由獨立的人格。他特別強調說：

> 從歷史上來看世界文化的趨向，那民主自由的趨向，是三四百年來的一個最大目標，一個最明白的方向。最近三十年來的反自由、反民主的集團專制的潮流，在我個人看來，不過是一個小小的波折，一個小小的逆流。我們可以不必因為中間起了這一個三十年的逆流，就抹煞那三百年的民主大潮流、大方向。

由此可見，與柯林武德等西方著名學者對「民主」流露出的悲觀

情緒相比，胡適更多持樂觀而堅定的態度。在戰後國際冷戰格局基本形成，國民黨政府急劇腐敗、加速獨裁的政治環境下，胡適所言當然引人注目，也受到普遍的質疑。但胡適此時顯得格外固執。為了強調自己的觀點，同月他寫下了〈我們必須選擇我們的方向〉一文，申述了三個理由：

> 第一，我深信思想信仰的自由與言論出版的自由，是社會改革與文化進步的基本條件。第二，我深信這幾百年中逐漸發展的民主政治制度是最有包含性，可以推行到社會的一切階層，最可以代表全民利益的。民主政治的意義，千言萬語，只是政治統治須得人民的同意。第三，我深信這幾百年（特別是這一百年）演變出來的民主政治，雖然還不能說是完美無缺陷，確曾養成一種愛自由、容忍異己的文明社會。

如上所述，對於國民黨獨裁政權，胡適也沒有讚美之詞。對此美國學者周明之評價說：「在當時的種種選擇中，胡適認為國民黨明顯的是幾害相權取其輕的一個。」

一九四九年春天，國共內戰大局已定。蔣介石下野後，希望胡適出面組織一個在野黨，胡適以「個性不合適」婉拒。胡適、王世傑、雷震提出創辦《自由中國》雜誌，得到蔣介石的支持。四月六日，他告別雷震等人，永遠離開大陸。在駛往美國的輪船上，他細讀北大學生何之瑜收集整理的《陳獨秀最後論文和書信》，欣喜異常。相隔三十年時空，兩位新文化運動的老戰友，終於在「民主政治」的大旗下，思想重逢了。他在為此書作序時寫道：

> 獨秀的最大覺悟是他承認「民主政治的真實內容」有一套最基本的條款——一套最基本的自由權利——都是大眾所需要的，

並不是資產階級所獨霸而大眾所不需要的。

接著他在評價陳獨秀《我的根本意見》時，又說：

> 獨秀以為的民主政治的真實內容，是一切公民（有產的與無產
> 的，政府黨和反對黨），都有集會、結社、言論、出版、罷工
> 之自由。他更申說一句：特別重要的是反對黨派之自由。在這
> 十三字的短短一句話裡，獨秀抓住了近代民主政治的生死關
> 頭。近代民主政治與獨裁政制的基本區別就在這裡，承認反對
> 黨派之自由，才有近代民主政治，獨裁制度就是不容許反對黨
> 派之自由。

四

國民黨兵敗大陸，臺灣風雨飄搖。以胡適為發行人、雷震為社
長、毛子水為總編輯的《自由中國》雜誌，一九四九年十一月在臺北
應運而生。儘管遠在美國，胡適還是為這本雜誌撰寫了發刊詞，另外
發表了〈民主與極權的衝突〉一文。其中說：「第一，這是急進革命
的方法與漸進改善的方法之衝突；第二，這是企圖強迫劃一與重視自
由發展的衝突。」

即使後來胡適辭去了發行人一職，但他仍然擔任編委，一直是
《自由中國》最熱心的撰稿人之一。胡適所刊發的文章，不外兩個內
容：一是堅決反對中共的「鐵幕統治」；二是針砭時政，維護臺灣的
言論自由。對於前者，國民黨當局一致讚揚叫好，民間人士偶有微
詞；對於後者，國民黨當局盡力壓制，社會各界歡欣鼓舞。正因如
此，《自由中國》在臺灣頗為暢銷，在海外也有影響。

　　一九五〇年二月，胡適在《自由中國》上發表〈共產黨統治下決沒有自由——跋所謂〈陳垣給胡適的一封公開信〉〉，認為陳垣的公開信不是本人寫的，因此新中國「決沒有言論的自由，也沒有不說話的自由。」一九五三年吳稚暉病死，他高度讚揚其在反共問題上最有「遠見」。大陸批判梁漱溟，他稱梁是一個可敬的「殉道者」。

　　作為深受美國文化思想影響的自由主義者，胡適眼裡沒有權威，平視一切權貴、政要，對國民黨和蔣介石的批評也不留情面。雷震因《自由中國》言辭激烈，多次受到當局打壓，胡適卻在公開場合熱情洋溢地說，雷先生為民主自由而奮鬥，臺灣的人應該給他鑄個銅像。他給蔣介石寫長信，建議拋棄「黨內無派，黨外無黨」的心理，希望國民黨自由分化成幾個獨立的政黨，並誠心培植言論自由。胡適第一次回臺灣時，蔣介石邀其共進晚餐，他建言說：「臺灣今日實無言論自由。第一，無一人敢批評彭孟緝；第二，無一語批評蔣經國；第三，無一語批評蔣總統。」一九五四年他第二次回臺灣，又向蔣介石建議，將國民黨一分為二，奠定兩黨政治的基礎。只因蔣有顧慮，此議無疾而終。

　　一九五六年蔣介石七十歲生日之前，臺灣《中央日報》秉承蔣介石的意思，發了一則消息：婉謝祝壽，希望海內外同胞就政事直抒所見，以備政府分緩急採擇實施。雷震經過精心策劃，推出「祝壽專號」，邀請各界人士撰寫了十六篇稿件，就言論自由、司法獨立、政黨監督、總統任期、軍隊國家化等尖銳問題暢所欲言，在臺灣社會引起巨大反響，前後再版十三次，各界民眾爭相傳閱。其中胡適別出心裁，寫了〈述艾森豪總統的兩個故事給蔣總統祝壽〉一文，以艾氏比蔣公，以故事論時政。他希望蔣介石不可多管細事，不可事必躬親，做一個「無智而能御眾智」、「無能無為而御眾勢」的國家元首。

　　《自由中國》和胡適的文章大大出乎蔣介石的預料，不但未能引

起國民黨當局的重視，反而遭到忌恨和圍攻。全部事件由蔣介石模仿唐太宗「求諫」所致，他也只好自吞苦果，不好直接發作。蔣經國的情治部門則編寫了名為《向毒素思想總攻擊》的宣傳冊，猛烈指責胡適多年來的思想言論，說胡適「名為自由主義，實際卻是共匪的幫兇。」同時指出這些「毒素思想」造成的惡果，列舉了減低對領袖的信仰、損毀國民黨聲譽等八條罪狀。

儘管作家龍應台認為，「祝壽專號」是雷震牢獄之災的關鍵點，儘管《自由中國》的印製遭到一些麻煩，但必須承認，蔣介石本人當時還是比較寬容的。《自由中國》所有的編寫人員都沒有受到處分，雜誌繼續發表尖銳文章。不到一年，一九五七年十一月，蔣介石親自任命胡適為中央研究院院長。第二年四月，胡適回到臺灣，從此定居於此。四月十日，胡適出席中研院就職典禮，蔣介石親自出面捧場，他說，大陸批判胡適在於其道德。胡適當面糾正，說自己的被批判，不在於道德，而是因為提倡的思想。不久他又在《自由中國》發表〈從爭取言論自由談到反對黨〉，強調說：

> 言論自由不是天賦人權，言論自由須要我們去爭取來的，從前或現在，沒有哪一個國家的政府願意把言論自由給人民的，必須要經過多少人的努力爭取來的

「祝壽專號」事件發生後，雷震就一直在醞釀建立反對黨，《自由中國》也加緊鼓吹成立反對黨的政治主張。他們認為，臺灣社會如果要走上民主政治的道路，「必須有一個強有力的反對黨」。胡適對此大加讚賞，但表示自己不願意參與組織新黨或擔任新黨主席。胡適回到臺灣後，向雷震提出一個重要建議：新黨——中國民主黨——必須與臺灣本土政治精英結合。他說：「不和臺灣人在一起，新黨不會有力量。」胡適的建議使雷震等中國民主黨的籌備人員大受鼓舞。雷震勇

往直前，宣佈將於一九六〇年九、十月間組建新黨。國民黨政府以
「涉嫌叛亂」的罪名逮捕了雷震等四人，《自由中國》壽終正寢，中
國民主黨胎死腹中。

雷震被捕時，胡適正在美國。他聞訊後立刻致電「副總統」陳
誠：「批評政府與謀成立反對黨皆與叛亂罪無關，一旦加以叛亂罪
名，恐將騰笑世界。」返回臺灣後，他仍然公開支持建立反對黨，他
說：「十一年來，雷震辦《自由中國》已經成為自由中國言論自由的
象徵，現在不料換來的是十年牢……這是很不公平的。」

十一月十八日，胡適面見蔣介石。他說：「這是什麼審判？我在
國外，實在見不得人，實在抬不起頭來……總統和國民黨的其他領
袖能不能把十年前對我的雅量分一點來對待今日要組織一個新黨的
人？」一九六一年二月，包括胡適在內的四十六名社會名流上書蔣介
石，要求特赦雷震，蔣介石置之不理。

唐德剛說，雷震被捕判刑，胡適好像一下子老了二十歲。一九六
二年二月，胡適因心臟病突發去世。原《自由中國》編輯聶華苓說，
雷震始終認為，胡適的速死與自己有關。

五

一九七〇年雷震出獄後，每年在胡適的生日和忌日，他都要去胡
適墓地寄託自己的哀思。他的任何行動，都受到國民黨特務全天候的
密切監視。鑒於出獄時被迫簽定的〈誓書〉，他不願連累幾位政界的
「保人」，加之年邁多病，他已不能繼續從事政治活動。

對於不畏強權前來探訪的各界人士，雷震一如往昔侃侃而談。他
追求言論自由和民主政治的精神，他既可以坐而論道、又敢於奮起行
動的勇氣，獲得了年輕後輩的尊重、敬仰。在這些訪客中，就有後來

組建臺灣民進黨的骨幹許信良、陳菊等人。可以說，胡適、雷震的政治思想，尤其是立足臺灣本土以增強政治力量的建黨方向，直接啟發了民進黨的創始人。但是必須指出，臺灣民進黨的「臺獨」理念是新生的，與他們沒有任何歷史淵源。以胡適、雷震對祖國的忠誠，如果他們九泉之下有知，也絕不會認同民進黨的政治理念，遑論與其為伍。

雷震的理論源於胡適，但他的實踐超越了胡適，在臺灣民主政治發展史上具有里程碑的意義，起到了承前啟後的作用。國民黨的黨禁政策暫時阻止了政黨的出現，民主力量卻在「黨外」的名義下重新聚集，並呈現星火燎原之勢。一九七六年，雷震患上癌症，此後他絕少出門。在一九七七年十一月的地方選舉中，他在病入膏肓時欣喜地看到，「黨外勢力」獲得百分之三十以上選民的支持，還拿下了二十個縣市長中的四個。與雷震來往密切的許信良宣佈退出國民黨，獨立參選桃園縣長。因國民黨人舞弊而引發警民衝突的「中壢事件」，也以國民黨的妥協退讓而告終。此時的「黨外勢力」，儼然已經成為反對國民黨政治獨裁的統一戰線，他們經常集會，宣揚政見，抨擊時政，氣氛熱烈。

一九七九年三月雷震病逝，歸葬自由墓園，幾乎臺灣所有的民主人士向這位「鬥士」表示了敬意。受「中壢事件」的鼓舞，「黨外勢力」積極策劃，催生了著名的高雄「美麗島事件」。國民黨方面雖然鎮壓了這次民主運動，迅速控制了局勢，但自身信譽受到嚴重損傷。不僅與美國的關係進一步惡化，而且為反對者提供了一個宣講政治主張、獲取民心的重要平臺，還為一批政治人物的脫穎而出創造了條件。除許信良早已成名外，施明德、陳水扁、呂秀蓮、謝長廷、蘇貞昌、陳菊、馬英九、宋楚瑜等人，紛紛從不同管道登上政治舞臺。

如果說「美麗島事件」是臺灣政治力量組合的分水嶺，那麼一九

八四年十月的「江南命案」，直接威脅到蔣經國繼續執政的合法性。這一重大事件使蔣經國三十多年來在臺灣積累的名望——謙遜純樸的親民風格、求真務實的精神風貌、創造臺灣經濟奇跡的功勞——幾乎毀於一旦，同時個人品質也受到懷疑。一九八五年二月，「十信弊案」披露，受害者達十萬人以上，幾乎引起全島金融危機。國民黨政治形象雪上加霜，最善良的人也會產生這樣的疑問：臺灣的黑金政治到底有多黑？蔣經國終於走到了歷史的十字路口。

「江南命案」和「十信弊案」這兩起突發事件，充分暴露了一黨政治的弊端。正當「十信弊案」轟動全島之際，蔣經國順應歷史潮流，承諾「決心在今後一兩年實行全面民主改革」。當年五月和九月，他宣佈了當時臺灣民眾最為關注的兩個問題：一、蔣家人不接班；二、依法實行民主政治，杜絕軍政府的產生。一九八六年九月二十八日，民進黨在臺北圓山飯店倉促成立。國民黨內有人主張堅決鎮壓，蔣經國經反復權衡，決定採取「寬容政策」。十月十五日，他在國民黨中常委會上說：

> 朝代在變，環境在變，潮流也在變；因應這些變遷，本黨必須以新的觀念、新的做法，在民主憲政體制的基礎上，推動革新措施。唯有如此，才能與時代潮流相結合，才能與民眾永遠在一起。

蔣經國強調用「溝通」的方式化解不同政治意見，漸進的政治改革正式啟動。在他的督促下，政府派人去西方考察實施民主憲政的經驗，解除戒嚴，解除黨禁、報禁，開放民眾赴大陸探親。當他於一九八八年一月突然因病情惡化而去世時，政治改革的方向已經基本確定，社會轉型的基礎已經基本奠定。順應潮流，順應民心，以強權推進民主政治改革，歷史對蔣經國給予了高度評價。其晚年思想的開放

和昇華，重新贏得海峽兩岸各種政治力量的尊重。

　　遺憾的是，作為臺灣民主政治運動的先驅，雷震沒有能夠看到這一天。在蔣經國去世後三個月，要求給雷震平反的呼聲響起。他們認為，對「雷震案」的平反，不止是還雷震個人的清白，而且是給臺灣言論自由和民主憲政運動正名。但由於國民黨內保守勢力的阻礙，在整個李登輝執政時期，國民黨沒有勇氣公開承認自己的錯誤。二〇〇〇年民進黨執政後，主張「臺獨」的陳水扁政府於二〇〇二年九月四日，也就是雷震被捕四十二周年紀念日那天，宣佈為其徹底平反。

六

　　失去政權的國民黨在反思。經過幾次分裂、重組，國民黨痛定思痛，重振旗鼓，終於在二〇〇八年重新執政。一路艱辛走來，其間經歷了身份認同、族群對立、政黨惡鬥……中國國民黨，一個歷史悠久、封建色彩深厚的專制政黨，已經脫胎換骨，成為一個開放、包容的現代化新型政黨。可以說，國民黨在民主的旗幟下得到新生。

　　臺灣學者朱雲漢轉引臺灣民主基金會二〇一一年的調查資料顯示，這一年臺灣民眾認為民主政治比十年前進步和進步很多的占百分之五十三點四，認為退步和退步很多的占百分之四十點二；對臺灣民主政治未來發展持樂觀和非常樂觀的占百分之五十一，持悲觀和非常悲觀的占百分之四十二點六。

　　也就是說，臺灣的民主政治獲得多數民眾的認同。當然臺灣在社會轉型時期，在實施民主政治的過程中，還面臨很多問題和困難，但這並不是民主制度本身的問題。就像一個小孩學步時要摔倒幾次，就像一個初學游泳者要嗆幾口水，臺灣社會歷經種種陣痛，付出了一些

應當付出的代價，基本實現了低成本轉型，在民主政治的道路上穩步前行。

一九五六年四月一日，胡適在給雷震的一封信中指出：「民主只是一種生活方式。民主的生活方式就是承認人人各有所價值，人人都應該可以自由發展的生活方式。」

據臺灣「中央社」報導：二〇一二年元旦，在「中華民國」建立一百周年時，「總統」馬英九表示，「中華民國」民主成就吸引世界華人目光。臺灣已經證明，在中華文化的土壤上，實行民主、深化民主，完全可行。他也相信，臺灣與大陸的互動過程中，不僅經濟可以互補、文化可以交流，民主法治也可以對話。未來政府仍會繼續在「九二共識，一中各表」的基礎上，擴大兩岸交流。

胡適自謙不是一個政治家，但他的政治思想猶如一壇陳年老窖，時間越久，香味越濃。盤點、清理其民主政治的豐富遺產，有三個亮點，照耀著中國人前進的道路。

他始終堅信西方的民主政治體制適用於中國。在歷史的各個時期，這一觀點不曾有絲毫改變、動搖，並為此奔走呼號，不在意朋友、官僚、政敵對自己的諷刺、挖苦和冷遇，不在意背上「書生之見」、「洋奴才」、「美帝走狗」、「共匪的幫兇」等各種罵名。好在他的政治思想得到雷震、殷海光、傅正、李敖等人的傳承，並在二十世紀七〇年代末以後的時間裡，影響臺灣的實際政治生活。實踐證明，他配得上「思想先驅」和「預言家」的稱號。

他始終堅持在體制內進行漸進的民主改革，以降低社會轉型的成本。他認為政治就是妥協的藝術，晚年提出「容忍比自由還更重要」「沒有容忍就沒有自由」。正是秉持這種理念，上世紀八〇年代，在臺灣執政的國民黨與反對派在政治上尖銳對立時，都保持了相當的理性，使激情的反抗得到控制，理性的訴求得到支持。民主政治得以在

臺灣生根、開花、結果。

他始終堅持「民主統一中國」的政治立場。二十世紀三○年代，他就認為不能靠武力來實現國家統一。他說：「統一中國的唯一方法，簡單說來，只是用政治制度來逐漸養成全國的向心力，來逐漸造成一種對國家的『公忠』，去代替今日的『私忠』。」他的這種認識，與陳獨秀在抗戰初期的觀點不謀而合。穿過幾十年時空，這一思想在今天處理海峽兩岸的關係時，仍然具有重要意義。

國民黨和共產黨在中國歷史上都創造過輝煌，都經歷過失敗。對於國家，都作出過重要貢獻，也都造成過嚴重傷害。內戰後分治海峽兩岸，繼續相互為敵三十年。最近二三十年，兩岸和平共處，經濟、文化交流日益密切，但政治上始終沒有大的突破，「統一」更是遙遙無期。共產黨主張「一國兩制」，臺灣朝野均不認同。大陸認為「中華人民共和國」主權及於釣魚島、鵝鑾鼻，馬英九主張「兩岸治權互不否認，主權互不承認」，「中華民國」主權及於大陸的新疆、西藏。雙方都認為自己的經濟成就值得炫耀，自己的主義和制度優於對方。「一中各表」，各說各話，似乎永遠扯不清。在國際形勢複雜、「臺獨」勢力不減的情況下，時間拖得越久，變數越來越多，統一的困難越來越大。

兩岸統一，說複雜也複雜，說簡單也簡單。中共「十六大」提出：「在一個中國的前提下，什麼問題都可以談。」那麼可不可以談在中國實行國共合作的「兩黨制」或多黨制？可不可以談「民主統一中國」？其實越來越多的學者注意到，即使堅決主張中國統一的臺灣人，對於臺灣的政治制度持有較多的自信，而對大陸的政治制度有較多的擔心。人治和法治的不同，畢竟都給兩岸的中國人留下過太多慘痛的記錄。

國民黨當年能夠解除黨禁、報禁，實行民主憲政，指導思想是國

家的利益高於黨派的利益。如果中共能夠拿出足夠的誠意、膽識和勇氣，堅決而循序漸進地推行民主憲政，變「一國兩制」為「一國一制」——民主制，就能真正成為偉大、光榮、正確的黨，才會越來越強大，越來越清廉，越來越充滿活力，兩岸統一自然就有堅實的基礎。果真如此，共產黨才能真正體現出以國家、民族利益為重。果能如此，如胡適再世，他一定會放棄他的反共立場，向中共表示敬意。

反之，如果瞻前顧後，猶豫不決，或者固執地認為「唯我偉大」、「唯我愛國」、「唯我能救中國」，拒不進行政治改革，則兩岸統一無從談起，只能喪失機遇，於民、於黨、於國都不利。況且歷史不止在一個時間、一個地點告訴我們：有的機遇喪失後，永遠也找不回來。

二〇一三年五月二十四日於成都寓所

主要參考文獻

〔美〕周明之著　雷頤譯　《胡適與中國現代知識份子的選擇》　桂林市　廣西師範大學出版社　2005年版

朱　洪　《陳獨秀與胡適》　武漢市　湖北人民出版社　2006年版

余英時　《重尋胡適歷程》　上海市　生活‧讀書‧新知三聯書店　2012年版

江勇振　《舍我其誰：胡適——第一部“璞玉成璧”（1891-1917）》　北京市　新星出版社　2011年版

朱雲漢等著　《臺灣民主轉型的經驗與啟示》　北京市　中國社會科學出版社　2012年版

李伶伶、王一心　《日記的胡適》　西安市　陝西人民出版社　2008年版

耿雲志　《胡適年譜》　福州市　福建教育出版社　2012年版

茅家琦等著　《中國國民黨史》　廈門市　鷺江出版社　2009年版

胡頌平編　《胡適之先生晚年訪談錄》　北京市　中國友誼出版公司　1993年版

章　清　《胡適評傳》　南昌市　百花洲文藝出版社　2010年版

陳致訪談　《余英時訪談錄》　北京市　中華書局　2012年版

歐陽哲生編著　《胡適文集》　北京市　北京大學出版社　1998年版

歐陽哲生　《歐陽哲生講胡適》　北京市　北京大學出版社　2008年版

潘國華、李義虎、張植榮　《香港模式與臺灣前途》　北京市　世界知識出版社　2010年版

《風雨前行——雷震的一生》　桂林市　廣西師範大學出版社　2004年版

涇縣篇一八

吳組緗的突圍
——從作家到學者的中國鄉村問題

一

從旌德縣的江村到涇縣，若是要去茂林、桃花潭、查濟村、厚岸王稼祥故居和新四軍軍部舊址，不需要經過旌德縣城和涇縣縣城。最近的一條路，從南進入黃山區的譚家橋，沿三二二省道蜿蜒北上，車過麻嶺便已進入涇縣。在一片山岔中停下，我鑽出小車，抬眼一望，只見四周山勢陡峭，深溝縱橫，皖南山區成片的竹林，青翠欲滴，隨風搖曳——這便是當年皖南事變激戰的地方。

新四軍最後決定突圍的石井坑，也是作家吳組緗成名小說〈菉竹山房〉故事的發生地。小說中的二姑姑當然早已不在人世，但那淒涼的鄉間故事，如同讀者自己經歷過一般，長久地留存在心中，回味無窮，說不清是啥滋味。

二

和皖西的臺靜農一樣，吳組緗也是以鄉土味濃郁的短篇小說，很年輕的時候便確立了自己在中國新文學中的地位。

臺靜農和吳組緗，是民國時期兩位成就最大的安徽籍短篇小說家。臺靜農比吳組緗年長六歲，他們兩個人確實有很多的相似之處：

一個北大,一個清華,都有研究生的高學歷;以鄉村為題材的小說創作,時間不長,數量不多,但品質頗高;在三十多歲突然中斷文學創作進入大學教書,在校園內度過自己的後半生;寫小說成名後都有一段追求政治理想的激情歲月,回到書齋後體現出獨特的文人氣質;都娶一個家鄉女子為妻,終身相守,感情甚篤。不同的是,國共內戰後,一個客居臺灣,一個留在大陸。

一九三〇年臺靜農出版《建塔者》,功成名就停筆時,吳組緗還沒有寫出他的代表作。因為這個時間差,現代文學史的研究者把他們的創作劃為兩個不同的階段:臺靜農歸於中國新文學第一個十年,在魯迅影響下的作家;吳組緗歸於中國新文學第二個十年,在茅盾影響下的左翼作家。從作品實績來看,吳組緗更有深度,成就略高。夏志清在《中國現代小說史》中沒有提到臺靜農,是個忽略。他闢專章論述吳組緗,卻有一定道理。

三

吳組緗從小喜愛文學,十五歲就在上海《民國日報》副刊發表小說〈不幸的小草〉,但在考上清華大學以前,他的作品沒有受到重視。一九二九年是吳組緗文學道路的轉捩點,父親去世,他家經濟陷入困境,靠妻子沈菽園和親友的支持,他得以進入清華大學經濟系學習,並認識吳文藻、冰心夫婦。此時與吳文藻交往密切的大哥吳半農,也已從清華大學經濟系畢業,在北平社會調查所任職。儘管一年後吳組緗轉入中文系學習,但他耳濡目染,逐漸養成運用經濟理論分析社會現象的習慣。在一九三三年九月將妻女接到北平之前的每一年,他都要回涇縣茂林老家探親,街坊鄰居生意蕭條和附近農民破產的事,不絕於耳。

在清華大學的前兩年，他暫停寫作，潛心研究馬克思主義，閱讀了《資本論》和河上肇的《唯物史觀研究》，同時還參加了清華大學「反帝大同盟」和「社會生活研究會」兩個社團。一九三二年一月，大哥吳半農與幾個經濟學者創辦《中國社會》半月刊，吳組緗承擔部分編輯事務。吳半農發表的論文〈中國經濟蛻變中的絕大危機底到臨〉，給他很大的影響。從這一年四月開始，他的〈官官的補品〉、〈菉竹山房〉、〈黃昏〉、〈卍字金銀花〉、〈一千八百擔〉、〈天下太平〉、〈樊家鋪〉陸續問世，主要作品在兩年內全部完成。

等到一九三四年七月，他扔下研究生學業到南京給丁文江當秘書時，已是大名鼎鼎，犯不著再為掙錢的事操心了。他在文學中體現出的政治熱情，可能還想在實際政治中試驗一下。不到半年，他又北上山東，投奔馮玉祥，擔任其國文老師及秘書，斷斷續續長達十三年。

馮玉祥生性節儉，規定自己和家人每天生活費四角，請來的文人學士每天六角。他喜歡用大白話寫詩文，頗顯直白、生硬、散漫，吳組緗便替他作文學上的編輯加工，使之既規範，又能體現馮的風格。他對馮玉祥說：

> 文學加工好比理髮和刮臉，把多餘的毛髮去掉就行了。如果動作過大，傷了客人的皮肉，再弄出點血來，人家肯定發脾氣。我可能是您遇到的最好的理髮師。

他道出了編輯工作精髓，也表明了對自己文字水準的自信。馮玉祥的自傳《我的生活》經吳組緗編輯整理後出版，深得好評。吳組緗對馮尊敬，但不盲從。一次馮玉祥盛怒之下處罰一個軍官，吳組緗進言：「一個有權的人，發脾氣的時候不能做決定。您剛才發脾氣時做的決定不能算。」馮沉默片刻，收回成命。

四

以中國左翼作家聯盟成立為標誌，二十世紀二〇年代和三〇年代的鄉村小說敘事，有很大的不同。無論是由魯迅開創的，以魯彥、許欽文、許傑、蹇先艾、彭家煌、臺靜農為骨幹的鄉土小說作家，還是葉紹鈞、王統照、許地山等以文學研究會為紐帶的人生派作家，都更多從封建禮教、宗法家族、民智低下、兵匪猖獗等方面來揭示鄉村問題。

二十世紀三〇年代的鄉村文學主流，以茅盾、丁玲、吳組緗、葉紫、沙汀、艾蕪、蕭紅、蕭軍為主要代表的左翼作家幾乎一統天下。他們承認二〇年代那些作家看到的問題是真實的，但不是主要的，他們更多從土地佔有不均、租佃關係惡化、階級對立加劇、外國經濟侵略嚴重等方面來觀察和述說鄉村問題。

臺靜農《地之子》共收入十四個短篇，有十個鄉村悲劇故事，究其造成悲劇的原因，四個屬於愚昧（民智低下），二個兵匪，二個天災，一個賭博，一個仗勢欺人。《建塔者》反映了作家思想向左轉，收入小說十篇，在三個鄉村悲劇中，一個天災，二個租佃。

吳組緗的主要小說中，只有〈菉竹山房〉和〈卍字金銀花〉屬於封建禮教，其他農民破產的故事，都與階級對立加劇、租佃關係惡化和外國經濟侵略有關，也有兵匪之亂，但從來沒有出現過自然災害。作家創作前的理論認識是一回事，在創作中具體寫作又是一回事。秉持現實主義創作原則的吳組緗，在小說中交代農民破產的原因通常一筆帶過，大量筆墨用於細節描寫，確保了小說真實感人的力量。吳組緗曾對茅盾的小說〈子夜〉和〈春蠶〉等作品存在主題先行的客觀主義提出批評，自己一不小心也會犯同樣的錯誤。被譽為〈林家鋪子〉姊妹篇的小說〈天下太平〉，急於證明一個觀點而組織故事，將所有

的不幸同時堆砌在王小福一家，使其悲劇人為痕跡太重，缺乏說服力。這個問題，也發生在抗戰時期寫作的長篇小說〈山洪〉中。

雖然左翼文藝思潮主要體現了共產黨的意識形態，但組織上基本是一個自由作家的聯合體，對作家沒有行政權力的介入，也沒有政治和經濟方面的獎懲手段。作家的參與，靠的是相同或相近的思想基礎。加之有魯迅、茅盾等大家坐鎮指導藝術，確保了作家的創作潛能得到發揮，創作個性得到體現。左聯初期出現的理念大於形象的粗製濫造現象，很快受到批評和糾正，產生了一批思想、藝術俱佳的藝術精品。一旦權力介入，有了獎懲，作家產生政治、經濟方面的顧慮和畏懼，要麼寫出的東西千篇一律，要麼只能保持沉默。這也是所有在二十世紀三〇年代有成就的左翼作家，進入新中國後未能寫出一部像樣作品的根本原因。

五

中國自古以來就是農業大國，有「以民為本」思想，但這裡的「民」，泛指統治階級以外的一切人，當然也包括農民。歷來統治者和知識份子，都是從維護社會穩定和確保賦稅收入方面來考慮鄉村和農民問題，沒有從民生方面關心鄉村建設的傳統。太平天國運動是中國歷史上最大規模的農民起義，其政策偏偏破壞了農村經濟和農產品流通，最終敗亡。康梁改良派也忽略鄉村和農民的存在。孫中山雖然提出「平均地權」、「扶助農工」等口號，但沒有任何實際措施。中國共產黨早期領導人中，毛澤東、彭湃在湖南、廣東進行了一些農村調查，但未留下具體的資料，很難說上升到了學術研究層面。後來的事實證明，毛澤東對農民問題的興趣，主要是從政治上建立根據地，軍事上解決兵源的實際需要出發的。不從民生角度來解決農村問題，

只能治標不能治本。

讓中國人尷尬的是，外國人最早開始從學術層面研究中國鄉村問題。

一九一五年，美國農學家卜凱深入安徽宿州，進行四年的田野調查。隨後他和他的學生對七省十七處二千八百六十六個農家的經濟狀況進行了調查，於一九三〇年出版《中國農家經濟》。以後又對三萬多個農家進行大規模調查，寫出《中國土地利用》一書。他們經過歸納總結，認為中國佃農只占農民總數的百分之二十三，遠低於美國的百分之三十八和英國的百分之八十九；地主、富農與佃農關係調節能力強，因此租佃矛盾基本不存在。中國鄉村主要是人多地少和耕作技術落後的問題。他提出控制人口增長，擴大農田經營規模，加強農技職業教育。卜凱和他的團隊，成為中國農業經濟的「技術學派」。南京政府對其成就給予讚揚，但在當時的條件下不可能實施。

卜凱夫人賽珍珠幾乎參加了調查活動、分析資料的全部過程，她後來寫作了以《大地三部曲》、《母親》為主的系列中國農村小說，就是卜凱學術觀點的形象表現。不過賽珍珠很高明，她不著一字，沒有直接宣揚卜凱的觀點，而是通過具體人與事表露出來，一般讀者看不出。南京農業大學教授盛邦躍在他的《卜凱視野中的中國近代農業》一書中指出：「閱讀《大地》可以使我們更直觀地理解卜凱的思想。」實際上也可以反過來說：只有弄清卜凱對中國農村問題的思考，才能準確理解《大地》、《母親》等小說。

一九二三年，孫中山確立聯俄政策。在他聘請的蘇聯顧問團內，有一個名叫馬箚爾的農業經濟學家。他根據南方國民政府提供的統計資料和一些調查報告，寫了一本《中國農業經濟》。他的學術成果，帶有一定政治功利目的。

大革命失敗後，馬箚爾回到莫斯科公開研究成果，認為中國已進

入資本主義，要解決中國的農業問題，在於建立蘇聯式的蘇維埃基層政權，引起當時正在蘇聯學習的中國學者陳翰笙的不同看法。在雙方爭論中，陳翰笙感到沒有統計資料支撐，很難反駁對方。回國後，在蔡元培的支援下，他下決心用馬克思主義階級分析方法，調查中國農村社會問題，在二十世紀三〇年代初發表一系列文章闡述他的觀點。他認為中國農村的主要問題，是土地分配不均現象嚴重，農民種地靠租佃，收入大部分交了地租、高利貸、賦稅，生活難以為繼，不斷破產。農民的基本生活無法保障，更無力改善和提高生產方式。他的理論被稱為「分配學派」，成為共產黨發動革命的理論依據。一九四九年後，一些學者甚至認為，民國時期「不足10%的地主富農，佔有80%的土地」。在三〇年代，陳翰笙、錢俊瑞等人對卜凱的學術觀點進行了批判，但卜凱並沒有進行反駁。

中國左翼作家以無產階級理論為指導，接受了「分配學派」的觀點，以此來觀察、分析、描寫他們見到的鄉村社會，吳組緗也不例外。後來這種以階級觀念解釋鄉村問題的做法，成為一種模式，在茅盾、丁玲、蕭紅、端木蕻良等人的小說中有不同程度體現。新中國成立後走向絕對化，一切敘事文學必須遵循這一原則，甚至將其推向歷史、哲學等學術研究領域和社會生活的方方面面。

與此同時，二十世紀三〇年代的「鄉村建設派」也有廣泛的影響。以梁漱溟、晏陽初、陶行知為代表，認為中國的主要問題是民智低下，國民受教育程度低，主張通過平民教育實現民族自救。在共產黨看來，他們雖然不暸解中國社會的主要矛盾，但在民主革命階段，他們是一定時期的團結對象。新中國建立之初，通過對電影〈武訓傳〉的批判和對梁漱溟的口誅筆伐，將其擊潰。八〇年代，他們在政治上得到徹底平反，其理論觀點也得到有限的肯定。

費孝通獨闢蹊徑，從社會學角度考察鄉村問題。他是吳文藻的學

生，得美國實證調查研究方法的真傳。在留學法國前，他回到家鄉江蘇吳江縣農村作田間調查，出國後在馬林諾夫斯基指導下，寫成《江村經濟》一書，作為博士論文，發表後引起西方學術界高度評價。作為具有國際影響的著名學者，費孝通算是牆外開花牆內香。在戰亂年代，他的觀點自然無法付諸實踐。新中國領袖毛澤東自認為是「農村問題專家」，沒時間也沒興趣閱讀他的大文章。費孝通坐了將近三十年冷板凳，終於在改革開放時大放光芒。他的鄉村工業化理論，切合中國實際，為中國農民帶來利益的同時，對幹部，對農民，更是一次思想和觀念的大解放。

日本出於全面侵略中國的需要，由南滿鐵路株式會社多次組織學者，對東北、華北農村廣泛進行抽樣調查，獲得大量珍貴資料，形成一萬多份文字報告。

以魯迅一九一九年發表〈孔乙己〉和〈藥〉為標誌，中國作家關注鄉村問題蔚然成風。中國學者在一九三〇年前後才開始研究這一問題，整整滯後了十年。文學以文字和形象感動人，學者以數理和邏輯分析說服人。判斷文學作品的價值和學者理論是否正確，往往需要幾十年甚至更長的時間來檢驗。

六

中共領導的新民主主義革命在一九四九年獲得了空前勝利。新中國成立了，但事情至此並沒有塵埃落定。

新中國的開局，與歷史上任何朝代相比，都是最好的。社會各階層的熱情支援，新中國成立後最初幾年的社會穩定，國民經濟的持續增長，似乎都在證明「分配學派」理論的無比正確，連很多西方學者也變得猶豫起來。但問題很快如山崩地裂般出現，「大躍進」後出現

大倒退。一九四九年，中國的經濟總量還是日本的二倍。一九六〇年，日本繼一九一九年後再次超過中國；到了一九七〇年是中國的四倍，一九七六年竟達到中國的十倍。毛澤東依靠至高無上的個人權威和強大的政權力量，壓制了中國國內的反思，但對國外的思想者無能為力。

西方一些學者苦於找不到資料，翻出當年日本南滿鐵路株式會社寫的關於中國華北、東北農村的調查報告，經過反覆對比、分析，確認其真實性和客觀性，然後參照了卜凱的研究成果，得出了讓人耳目一新的結論。

美國學者馬若孟的研究具有代表性。他在一九七〇年出版了《中國農民經濟》這一劃時代的著作。他的研究本來是為了確認社會經濟關係對農村經濟崩潰的作用，結果卻強烈顯示出這種觀點必須捨棄。他認為：從十九世紀末到一九三七年，中國農村地權沒有太大變化，佃農約占農戶總數的百分之十五，階級關係沒有引起大的社會矛盾；在政府官員和學者看來，農業只是一個可供剝削的產業；一九一一年至一九三七年間的鄉村主要問題，與軍閥混戰和兵匪相互轉化息息相關，兵匪劫掠損害了農村壯勞力、家畜和農具，形成鄉村經濟惡性循環；外國資本進入對中國有積極意義，解決了農民就業和收入問題，農民用城裡掙到的錢回鄉購置土地，在一定程度上保證了自耕農的增加和鄉村的穩定；地主、商人和高利貸者對鄉村經濟的發展，主要起正面意義；新品種如大豆、煙草、美棉的引進，在一定程度上抵消了天災和兵匪對鄉村經濟的破壞等。

時隔四十年，馬若孟根據不同的材料，得出與卜凱基本一樣的結論。

改革開放後，階級關係分析和階級鬥爭理論退出現實社會生活，但在近代歷史的敘述和解釋方面，依然具有相當大的影響。思想束縛

的打破，得益於對外國學術成果的借鑒和對檔案材料的發掘。在探索中國近代社會歷史變遷的因素時，自然災害過去長期只是在「三座大山」後順帶提到，二十世紀八〇年代後逐漸進入學者的視野。

他們發現，生活在民國時期的人，遭到歷史上罕見的自然災害的襲擊。學者李文海等編著《近代中國災荒紀年》，以編年體形式，對一八四〇年至一九四九年間中國歷年發生的各類重大自然災害進行詳細介紹，可謂怵目驚心。自然災害打擊的重點對象，便是保持幾千年傳統風貌的廣大鄉村。據學者夏明方在他的《民國時期自然災害與鄉村社會》一書中統計，從元代建立的一二七九年至一九四九年新中國建立的六百七十年間，共發生一次性死亡萬人以上的旱災、水災、地震、風災、冰雪災害等各種自然災害二百二十九次，總共死亡四千三百四十一萬人。民國只有短短的三十八年，遭災七十五次，死亡二千一百零三萬人。也就是說，民國在不到百分之五點六的時間裡，發生災害次數和死亡人數分別占百分之三三點七和百分之四八點四。

南京國民政府中央農業實驗所一九三六年形成的《農情報告》，對一九三一至一九三三年全國二十二個省被迫背井離鄉的農民進行調查，造成他們流亡的各種原因分別是：天災百分之三三點五、兵匪百分之一四點三、人多地少百分之七點三、貧窮破產百分之二六點六、租稅太重百分之五點四、外出求學百分之二點九。其中安徽省因天災和兵匪流亡的，達到百分之六十七，為全國最高；貧困破產百分之二三點三，租稅太重僅有百分之二點九。而這幾年，正是吳組緗小說大部分故事發生的時間。

一些學者注意到，自然災害作為一個獨立的重要因素對歷史走向產生了重要影響。《災荒與辛亥革命》、《1931年的江淮大水災及其後果》將具體災害與重大歷史事件結合起來考察，發人深省。一九三一年南方十六省特大洪水，死亡超過一千萬人，大量災民流離失所。

蔣介石置災民不顧，大災之際調兵遣將，仍堅持對江西蘇區和鄂豫皖蘇區進行第三次圍剿。日本趁機發動「九一八」事變，與這次大災荒造成國內的嚴重局勢有關。「九一八」的發生，改變了中國國內政治力量的組合，影響了中國歷史的走向。

年輕的鄧拓受到震撼，寫出了中國第一本研究災荒的學術專著《中國救荒史》。他在書中總結說：「歷史上累次發生之農民暴動，無論其範圍大小，或其時間之久暫，實無一而非災荒所促發，即無不以荒年為背景，此殆已成歷史之公例。」

丁玲敏銳地認識到這次大水災可能產生的嚴重後果，寫了小說〈水〉，儘管藝術粗糙，但真實而生動地描寫了災民的慘狀。因第一個兒子出生，這一年吳組緗照例回到家鄉。洪水氾濫了好幾個月時間，安徽又是重災區，但在吳組緗所有的小說中沒有提及這一次災難。如果是沈從文、廢名倒也罷了，但吳組緗專門寫這一時期、這一地區農民破產的故事，作為一個致力於從社會歷史方面探索鄉村問題原因的「社會剖析派」的代表作家，出現如此疏漏，實在令人遺憾，也讓人費解。

研究表明，大致在二十世紀二〇至三〇年代，中國確實存在著一個由大洪水、大旱災、大地震、大蝗災集中爆發的特殊現象。民國時期自然災害頻率之高、來勢之猛、範圍之大、死人之多、對歷史影響之深，可謂史無前例。非常巧合，在新中國的第一個十年，卻是風調雨順的好年成。

還有一點值得注意的是：按照「分配學派」理論，按照長期以來對歷史的述說，土地兼併嚴重的地方，土地越集中必然造成農民外流。但一些學者調查的結論恰恰相反：據金陵大學農學院調查，山東、河北地權較為分散，外流農民占總數的百分之五點四九；江浙皖地權相對集中，外流農民僅占百分之三點八五。另據中央農業實驗所

調查，察哈爾、綏遠、甘肅、陝西等四省土地分散，平均外流農民為百分之八點九三；而江西、江蘇、浙江、四川等四省土地集中，平均為百分之四點九三。兩個機構的調查結果完全一致。土地集中的地方，地主、富農當然多一些，但按中外學者調查研究形成的結論，那裡的農民，日子似乎好過一些。

包括吳組緗在內的中國左翼作家，更多將注意力集中在社會經濟關係上，在他們筆下，階級矛盾、帝國主義經濟侵略、政治腐敗衍生出來的兵匪之亂，是造成中國鄉村問題的主要原因，自然災害只是陪襯。而越來越多的中外學者著重考察經濟本身，在他們筆下，自然災害、兵匪之亂、人多地少，是主要原因，接下來是農業技術問題，而體現生產關係的階級矛盾幾乎可以忽略不計。

十九世紀末以來，外國資本不斷湧入，對中國社會經濟產生巨大影響，但正面的多還是負面的多？根據「分配學派」的理論，以外國資本大舉進入為特徵的帝國主義經濟侵略，直接影響民族經濟的正常發展，並造成鄉村自然經濟的破產。茅盾的〈子夜〉、〈林家鋪子〉、〈春蠶〉，就是以這種思想認識，來審視和描寫二十世紀三〇年代的中國城鄉社會。但現在學術界公認，三〇年代中國的民族經濟並未因外資進入而垮掉，反而迅速發展。鄧小平主持的改革開放實踐也證明，大量引進外資，是中國現代化發展的關鍵。現代世界經濟格局中，在歐美之外的第三世界國家，率先擠入發達國家的如亞洲四小龍，無一不是以大量引進和利用外資為前提。

茅盾、吳組緗等左翼作家，是有著強烈社會責任感和民族自尊心的知識份子，民富國強是他們追求的目標，他們的追求是真誠的。他們是學問豐富、功力深厚的文學大家，但他們秉持的文學創作理念，從文學史上來看，很難說是一種先進的思想武器。

近代中國的作家和學者，都在艱難環境中尋求解決社會問題的良

方。中外學者調查研究資料中透露的事實，與三〇年代左翼作家筆下的鄉村社會，與茅盾、吳組緗小說給出的結論，存在很大的差異和分歧。問題出在哪裡？為何會出現如此嚴重的分歧？

七

吳組緗對魯迅和茅盾相當尊崇，與其他左翼作家有不少交往，創作上也接受左聯思想意識形態的影響，但他在組織上與左聯沒有多大關係，仍然是一個獨立的自由作家。他沒有像臺靜農那樣直接參加中國共產黨的組織活動，但他一直同情中共，並不反對中共宣導的社會革命。他的小說內容客觀上與中共對社會的分析一致，被中共認同。

馮玉祥走過一條親蘇親共、親蔣反共、反蔣親共的道路，武力反蔣失敗之後隱居泰山，仍具有相當的政治軍事實力，抗戰前夕，為各方政治力量注目。馮玉祥文化不高，隱居泰山期間，他聘請陶行知、李達、鄧初民等知名學者為自己講課，其中也延攬了一批年輕知識份子入府，名為研究人員，實為現代「門客」。其中來得比較早的，有北京大學的楊伯峻、賴亞力和清華大學的吳組緗等人。

中共出於政治上爭取馮玉祥的需要，對馮玉祥身邊的工作人員也相當尊敬。一些馮玉祥的秘書和幕僚，被中共吸納成為秘密黨員，對此馮玉祥並不介意，還暗中保護。賴亞力就是在抗戰初期加入中共組織的，後來還有王倬如和吳組緗的茂林老鄉吳茂蓀等人。他們在新中國成立後都享有較高的政治地位，有的甚至成為周恩來的得力助手。依照吳組緗在小說創作中體現出來的政治傾向和當時實際擁有的社會聲望，中共組織完全有可能優先考慮發展他秘密入黨。吳組緗沒有留下這方面的回憶文字，後來的人們也就不知道作為馮玉祥秘書的吳組緗，在重大政治選擇上，他有過怎樣的猶豫和取捨。可以肯定的是，

他當初進入馮府，絕非沒有政治上的考慮。一年又一年過去了，他與馮玉祥的關係時遠時近，時分時合，始終未能擔任實際職務。長年重複草擬電報稿、撰寫演講題綱、修改詩文之類的事，逐漸讓他感到無聊。

抗戰初期，葉挺、項英率新四軍軍部入駐吳組緗老家——安徽涇縣。一直想寫一部長篇小說的吳組緗，在朋友的激勵下，利用自己熟悉家鄉山水民情的優勢，斷斷續續寫作了他唯一的長篇小說〈鴨嘴澇〉。小說在皖南事變發生的一九四一年一月開始連載，後來出單行本時經老舍建議，改名為〈山洪〉。小說對抗戰初期皖南山區農民心態的描寫頗見功力，但新四軍到來後的敘事，突然變得非常枯燥，如同乾巴無味的工作報告——作家實在不瞭解共產黨軍隊的真實情況。更讓吳組緗沮喪的是，這部小說政治上落得兩邊不討好：國民黨認為他在美化共產黨，共產黨認為他在美化項英的錯誤路線。後來吳組緗感歎：「我哪裡知道黨內鬥爭那麼複雜呢！」的確，雖然在馮玉祥身邊工作了多年，他沒有學會察言觀色、審時度勢的本領，他始終未能完成從一個學人到政客的轉變。

這並沒有影響他對共產黨的好感。一九四七年七月，吳組緗在美國為文稿及其他事務，與馮玉祥產生矛盾，遂辭職回南京教書。解放軍佔領南京的那一天，他想了很多，徹夜輾轉不能入眠。過了二十多天，他發表文章〈感想說不盡〉，對解放軍表示衷心歡迎。參加第一次全國文代會時，他碰到重慶時認識的周恩來。周恩來問他：「你準備做什麼？你可以留在文聯或者作協工作。」吳組緗回答：「我幹不了別的，我還是適合於去教書。」於是他回到母校清華大學，擔任中文系系主任、教授。一九五二年全國院系調整，任北京大學中文系教授。新中國成立的最初幾年，他曾去過朝鮮和東歐國家。反右時期，他給黨提意見：「黨的知識份子政策，像大人哄小孩子一樣，打一個

屁股，給一個糖吃。」又說：「政治擠癟了業務。」不久，他的中共
預備黨員資格被取消，直至一九七九年才重新入黨。此時吳組緗和他
在「文化大革命」中受到嚴重精神刺激的妻子沈菽園，均已白髮蒼
蒼、垂垂老矣。

一九八一年九月，吳組緗闊別三十四年後重訪美國。白先勇見
到他時，將自己年輕時研讀過的《吳組緗小說選》和《吳組緗散文
選》，題辭簽名後贈送給他，使他倍感親切和欣慰。白先勇與吳組緗
小說有相通之處，作品少而精，精雕細琢，藝術成就很高。他們都擅
長短篇小說，另有一部不算成功的長篇小說。分析、比較兩人作品文
本，可以看到吳組緗藝術風格對白先勇的積極影響。白先勇小說沒有
吳組緗那麼強烈的意識形態，但吳組緗小說帶傷成功突圍，實屬
難得。九年後的一九九○年，白先勇來到北京大學朗潤園，回訪吳
組緗。

這一年，吳組緗自知來日不多，決定身後與沈菽園合葬，並題寫
碑文：「竟解中華百日之恨，得蒙人民一世之恩。爐邊北國寒冬暖，
枕上東川暑夜涼。願生生世世為夫婦。」四年後，他走到生命終點，
與夫人合葬於北京西山。

八

彎彎曲曲的鄉間公路，把我帶到一塊不大的平壩──茂林到了。

茂林街道的格局，與別處並沒有兩樣，老舊的木屋與現代的水泥
樓房混雜在一起，讓人看了彆扭。小鎮的中央，有一個「三吳紀念
館」，陳列了作家吳組緗、書法家吳玉如、畫家吳作人的生平事蹟。
本來小鎮的名人很多，明清出了十九個進士，其中有吏部尚書和漕運
總督。新中國的高官有第六任財政部部長吳波、雲南省副省長吳作

民、中國外交學會副會長吳茂蓀等。當地單為幾位藝術家修建紀念館，見識不凡，崇文風尚可見一斑。紀念館旁，是建於明朝末年的吳氏大宗祠，估計年輕時吳組緗經常來這裡，不然〈一千八百擔〉不會寫得那麼具體生動。

我問了好幾次，最後沿著一條細長的土路，尋到吳組緗出生的地方——七房大夫第。大門外是一片菜地。大門由石塊砌成，字跡模糊，年代久遠。門內幾隻母雞悠閒地啄食，房檐下一位六十多歲的老人，正縮在木椅裡掏牙齒。他反應慢，口齒也不太清楚，費了很大力氣，我才弄明白，他是吳組緗的本家親戚，一個隔房的侄兒。我還想進去看看，但從裡屋黑暗處迎面出來一位中年婦女，把我堵住了。問她話，她愛理不理。

出了大門，我心有不甘。時值春天，萬物茂盛。我繞過老屋轉過去，想到後面小山上去看看，有沒有那種曾經寄託了幼年吳組緗的細膩情感、見證了苦難中國婦女悲慘命運的卍字金銀花……

二〇一二年四月二十八日，星期六，成都

主要參考文獻

艾曉明　《中國左翼文學思潮探源》　長沙市　湖南文藝出版社
　　　　1991年版

吳組緗　《吳組緗小說散文集》　北京市　人民文學出版社　1954年版

吳組緗　《山洪》　北京市　人民文學出版社　1982年版

吳組緗　《吳組緗文選》　北京市　北京大學出版社　2010年版

李文海等著　《中國近代十大災荒》　上海市　上海人民出版社
　　　　1994年版

馬若孟　《中國農民經濟》　南京市　江蘇人民出版社　1999年版

夏志清　《中國現代小說史》　上海市　復旦大學出版社　2005年版

夏明方　《民國時期自然災害與鄉村社會》　北京市　中華書局
　　　　2000年版

曹清華　《中國左翼文學史稿》　北京市　中國社會科學出版社
　　　　2008年版

盛邦躍　《卜凱視野中的中國近代農業》　北京市　社會科學文獻出
　　　　版社　2008年版

黃書泉　《鄉土皖南的書寫者——吳組緗創作論》　合肥市　安徽大
　　　　學出版社　2011年版

費孝通　《江村經濟》　上海市　上海世紀出版集團　2007年版

楊　義　《中國現代小說史》第二卷　北京市　人民文學出版社
　　　　1993年版

臺靜農　《地之子・建塔者》　北京市　人民文學出版社　1984年版

涇縣篇一九

王稼祥的政治生涯

　　新四軍軍部舊址雲嶺，位於青弋江左岸。皖南事變舊址茂林，位於青弋江右岸。以雲嶺和茂林兩點為直線，向西有一個與之形成等邊三角形的地方，名叫厚岸，這是王稼祥的故鄉。

　　厚岸的王稼祥故居，至今保存完好。小四合院雖不氣派，但整齊乾淨。房屋的佈局，顯示王家屬於當地的小康之家。

　　王稼祥是家裡的獨生子，上面有兩個姐姐。一九二五年初，在父母的一再催逼下，十九歲的王稼祥與母親的本家、鄰近查濟村一個沒有文化的姑娘查瑞香結婚。當年八月，他離開父母到上海，再也沒有回過家鄉。年底兒子出生、妻子死去時，他已在遙遠的莫斯科。抗戰初期，王稼祥寫信要接父母到延安，但兩位老人捨不得現成的生意，又故土難離。皖南事變後，國共關係惡化，王稼祥與父母斷了音信。直至大軍南下，才得知父母雙亡。王稼祥只好將從未謀面的兒子王命先接到北京，自己便匆匆趕到莫斯科，擔任新中國首任駐蘇大使。

　　他是一位在黨內大起大落、榮辱相間的人物。

緊跟王明在黨內異軍突起的年輕人

　　一九二五年孫中山去世後，蘇共中央決定在莫斯科建立中山大學，以紀念這位奉行對俄友好的中國革命家，培養國共兩黨急需的政治、軍事幹部。第一批學生分別從北京、上海、廣州三路出發，先乘

輪船到海參威，再沿西伯利亞鐵路橫跨歐亞大陸，於一九二五年底趕赴莫斯科。王稼祥這行人共計六十多人，其中有俞秀松、王明、張聞天、沈澤民、伍修權、孫冶方、吳亮平、蔣經國等日後對中國現代史產生重要影響的人物。

幾個月前還在中國的窮鄉僻壤，現在置身於世界無產階級革命的中心莫斯科，這對於年輕的王稼祥來說，眼界大開，刺激極大。蘇聯政府在國內經濟困難之際，對中國學生的生活關懷備至。他們住在供有暖氣的大樓裡，毛毯、衣物、鞋襪一應俱全。每日三餐，中、西餐自便。學習上注重理論聯繫實際，除開設俄語、馬克思主義著作、東西革命史、中國問題等課程外，還經常參觀革命遺址、集體農莊和大型工廠，同時還要進行軍事訓練。共產國際、蘇聯領導人，以及國共兩黨重要人物，也不時到學校演講，與他們進行面對面交流。在這種環境下，自然產生崇高的使命感和強烈的獻身精神。王稼祥在給友人的信中，就洋溢著這種樂觀、自信的情緒。

應該說，中山大學學生從事革命事業的起點是比較高的。但必須看到，中山大學是一種單一的意識形態教育。這種革命教育，容易使學生失去獨立思考能力，也容易把學生推向反面。後來的事實證明，中山大學的教學結果沒有達到蘇聯的預期。從這所學校走出去的，有堅定的共產主義者，也有堅定的反共分子，還有大量托洛茨基者和其他脫離政治的人。一九三〇年，蘇聯關閉了這所學校。在以後的半個多世紀，蘇聯再也沒有辦過這類學校。

在校期間，王稼祥勤奮學習，與王明建立了良好的個人關係，他們和陳原道、孟慶樹一起，被稱為「安徽系」。在中山大學幾次內部鬥爭中，包括反對旅莫支部、「江浙同鄉會」、托派、教務派、第二條路線同盟，他們都保持政治互動，逐漸形成以王明為首的政治集團，被人稱為「二十八個布爾什維克」。他們憑藉掌握的馬列主義理

論，憑藉對共產主義事業的忠誠，頂住了各種派別的激烈攻擊，與蘇共中央和共產國際保持一致，由此受到重視。這是一個依靠思想一致、沒有組織的組織。具體組成人員眾說紛紜，以盛岳的說法最流行：活躍於中共黨史上的有王明、博古、張聞天、王稼祥、陳昌浩、張琴秋、夏曦、凱豐、沈澤民、楊尚昆十人，他們中的絕大多數被認為是第三次「左」傾路線的代表人物。陳原道等三人被國民黨抓捕後處決。李竹聲、盛岳等十一人被國民黨抓捕後脫離中共，其中三人在新中國成立後被中共處決。另有三人回國後死於疾病。還有一人三〇年代在中共內部清洗中被殺。

就性格和工作作風而言，王稼祥與王明有較大差異，但並不影響他當初緊跟王明，成為王明志同道合的戰友。王稼祥在莫斯科期間，最引人注目的是積極參加反對陳獨秀的鬥爭，他在中山大學作批判陳獨秀的報告，後來又發表了題為〈陳獨秀主義之反革命的進化〉的論文。按照他當時的認識水準和掌握的情況，自然不可能對陳獨秀作出符合實際的分析和批評，所以在半個世紀後出版的《王稼祥選集》中，沒有收錄這篇文章。

一九三〇年春，王稼祥回到上海，擔任中共中央宣傳部幹事。當年六月，立三路線在全黨形成時，王稼祥與王明、博古、何子述經常在一起討論時政。他們根據對共產國際精神的瞭解和判斷，認為李立三犯了「左」的詞句下掩蓋的右傾機會主義錯誤，並在中央政治討論會上提出自己的觀點，遭到向忠發、李立三的嚴厲批評。王明受到留黨察看六個月、王稼祥等三人受到嚴重警告的處分。九月下旬，中央根據共產國際指示召開六屆三中全會，基本糾正了立三路線。不久，共產國際十月來信對李立三的定性更加嚴重，王明、博古等人從沈澤民處提前獲得這個消息，於是加緊活動，要求平反，迫使中央作出〈關於取消陳韶玉、秦邦憲、王稼祥、何子述四同志的處分問題的決

議〉，於是他們都成了反立三路線的英雄。從十二月上旬起，王稼祥連續發表四篇批判立三路線的文章，視共產國際是唯一正確的路線。這次現實政治鬥爭中的風雨同舟，使王稼祥進一步獲得了王明的好感和信任。

　　一九三一年一月四日，共產國際代表米夫在上海主持召開中共六屆四中全會，採用違背組織原則和強迫命令的方式，改組中共中央。王明、博古、王稼祥不是中央委員，也被指定參加會議，並擁有發言權和投票權。王明取代瞿秋白成為政治局委員，博古成為中央委員。不久王明被補為政治局常委，後來被稱為「黨內第三次左傾機會主義」的組織領導正式形成。王明等人沒有根據地生活經歷，為了加強對各地的控制，王明想出一個「高招」，向各地派遣具有生殺大權的欽差大臣——中央分局。這樣，張國燾、沈澤民、陳昌浩到了鄂豫皖，夏曦到了湘鄂西。王稼祥主動請纓，與任弼時、顧作霖一起，到了江西蘇區。以後幾個月裡，王稼祥陸續擔任了中共蘇區中央局委員、紅軍總政治部主任、中革軍委副主席職務。

　　過去在黨內默默無聞、年僅二十四歲的王稼祥異軍突起，超過彭德懷、林彪、劉伯承、葉劍英等久經沙場的紅軍將領，與毛澤東、朱德、項英等人平起平坐，地位顯赫。

王稼祥的支持與毛澤東的崛起

　　王稼祥臨行前，王明曾叮囑他要與毛澤東搞好關係。王稼祥到蘇區後，很快與毛澤東熟識。他在政治上支持毛澤東對「富田事變」的錯誤定性，反對項英的正確意見；在軍事上贊同毛澤東、朱德誘敵深入的作戰方針，反對項英轉移部隊、消極避戰的保守政策；在土地問題上，他與毛澤東略有分歧，主張地主不分田、富農分壞田的

「左」傾政策。一九三一年六月，王稼祥在廣昌縣看到一張招募紅軍的佈告，允許小商人加入紅軍。他說：「這是嚴重錯誤，應當立即糾正。」隨後他又解釋：「紅軍是工農的子弟兵，要努力擴大紅軍，必須堅持階級路線，號召和組織貧苦工農加入紅軍，要嚴防地主、富農、流氓、商人及其子弟混入紅軍。」

總的來看，王稼祥在江西蘇區時，政治上偏左，教條主義的東西有一些，而軍事上比較務實，尊重一線紅軍將領的意見。王稼祥在中央蘇區的前期，在項英與毛澤東的矛盾中，基本上支持毛澤東。尤其是一九三二年的寧都會議，當多數人指責毛澤東，並最終解除毛澤東兵權時，王稼祥旗幟鮮明地支持了毛澤東。

一九三三年博古率中共中央機關到中央蘇區後，剛鬥垮毛澤東不久的項英也失去權力。因此毛澤東的第二次失勢，與王明、博古等人無關。博古的「臨時中央」對毛澤東不感興趣，既沒有排斥，也沒有重用。倒是王明一直看重毛澤東，在遙遠的莫斯科電示博古，要博古等人尊重毛澤東。所謂羅明路線，很難理解是針對毛澤東的打擊，這可以從毛澤東掌權後羅明仍然長期不能平反得到反證。一九三四年初在江西蘇區召開的六屆五中全會，博古沒有通知毛澤東參加會議。張聞天、凱豐進入政治局，王稼祥成為政治局候補委員。名單報到莫斯科，王明認為毛澤東是江西蘇區的建立者，在軍隊和地方享有較高的威信，強行將毛澤東加進政治局。正是有了這種身份，毛澤東才得以經常向博古、李德等人建言。當然很可惜，他的一些正確意見未被採納。長征路上，毛澤東、張聞天和王稼祥在擔架上交流看法，統一了認識。為解決迫切的軍事路線和指揮問題，遵義會議上，張聞天批評了博古、李德軍事上的錯誤指揮；王稼祥年輕直率，直截了當提出應該由毛澤東同志來統率全軍。

沒有第三次左傾路線的失敗，沒有王明、王稼祥、張聞天的鼎力

支持，毛澤東很難成為中共的最高領袖。但毛澤東很明智，他不願立刻走上前臺，而讓張聞天當了總書記。王稼祥在遵義會議上也擔任了政治局委員，成為黨的核心領導成員。毛澤東的高明策略，使遵義會議失勢的博古、凱豐、李德等人，在隨後與張國燾的鬥爭中，成為他的支持者。一九三七年底王明回到延安後，他們在王、毛對最高領導權的爭奪中，基本上保持了中立。

關鍵時刻，王稼祥再立新功。在江西蘇區時，王稼祥腹部負重傷，是被紅軍戰士抬到陝北的。西安事變後，王稼祥經過石家莊、天津、上海、海參威等地，於一九三七年七月初到達莫斯科，對舊傷進行了清除。在這裡，他見到了「恩師」王明。短暫的欣喜之後，兩件事使他對王明產生了負面看法。王明在滔滔不絕講了自己如何撰寫〈八一宣言〉之後，又講史達林對他的器重，講過去的上司米夫現在已經成了他的下級，言辭中頗為自得。隨後他們與季米特洛夫一起去見史達林。史達林問王稼祥：「現在紅軍有多少人？」王稼祥如實回答：「在陝北大約三萬人。」不料王明突然插話糾正說：「是三十萬。」這讓王稼祥大為吃驚。三天後，王明、康生啟程回延安。王稼祥作為中共駐共產國際代表繼續留在蘇聯，經常向共產國際和蘇聯介紹中共的現狀、毛澤東的情況。

可以推想，王明的自得和浮誇，與當時毛澤東的謙遜和實在，在王稼祥心中形成鮮明對比，影響了他的政治傾向。史達林和季米特洛夫都是精明之人，也可能從王明謊報紅軍人數一事中看出問題，從而作出承認毛澤東黨內領袖地位的決策。一九三八年三月，任弼時受中央派遣到莫斯科。王稼祥、任弼時這兩位六屆四中全會王明上臺後的第一批受益者，同時作出了支持毛澤東的政治選擇。他們彙報的中共政治路線，得到共產國際的肯定。

王稼祥心繫延安，他的職位由任弼時接任。一九三八年七月臨行

前，季米特洛夫說：「應該告訴大家，應該支持毛澤東同志為中共領導人，他是實際鬥爭中鍛煉出來的。其他人如王明不要再去競爭當領導人了。」這個決定沒有史達林的同意，是很難想像的。王稼祥從莫斯科帶回延安的，不僅有這個重要決定，還有三十萬美元的現金支票。毛澤東的喜悅可想而知，立刻通知召開六屆六中全會。王稼祥宣佈這個消息後，王明承認現實，轉而支持「毛同志」。

讓人難以理解的是，在毛澤東擔任中共最高領袖的道路上，王稼祥應該是第一功臣，其支持力度超過任弼時，但他在延安整風中受到的衝擊卻不亞於王明、博古、張聞天等人。中共「七大」，任弼時成為五大領袖之一，王稼祥落選中央委員。毛澤東專門講了他的貢獻，才選為候補中委，其境況只比在遵義會議上對毛澤東盡情諷刺挖苦的凱豐略好一點。難道只因為他在整風中拒不檢討？與王明、博古、張聞天、凱豐相比，他確實沒有太多值得檢討的地方。因為他一到蘇區就成為毛澤東的堅定支持者，對的錯的都支持，只有在打不打贛州這個具體問題上與毛的意見相左。歷史有時就是這樣不講道理！

、解放戰爭中，王稼祥任東北局城市工作部部長，凱豐任東北局宣傳部長。一九四九年的七屆二中全會，王稼祥遞補為中央委員後，才檢討了自己在第三次左傾路線期間所犯的錯誤。

新中國對外援助的興起

新中國成立後，王稼祥擔任首任駐蘇大使。只幹了一年二個月，他就將這個差使交給張聞天，回國組建新成立的中共中央對外聯絡部，一九五六年「八大」當選中央書記處書記後，繼續擔任中聯部部長，直至六〇年代中期。他是中國對外援助從無到有，從有到多，以至不堪重負這段歷史時期的見證人。這個曾經的「老教條主義者」，

在變得嚴謹務實之後，就與自己本職工作相關的問題，極其委婉地提出了一些不同看法，遭到新教條主義者的嚴厲打擊，從而贏得全黨的尊重。

新中國成立初期毛澤東訪問蘇聯，與史達林就社會主義陣營的事務達成默契：蘇聯主要負責歐洲，中國負責亞洲。對中國而言，這是蘇聯老大哥的信任，也是自己應盡的國際主義義務。對蘇聯而言，則轉移了沉重的經濟負擔。當越南胡志明向蘇聯請求援助時，史達林讓他跟中國同志商談。於是從一九五〇年起，中國向越南派出軍事顧問團，並提供大量資金和物資援助，拉開了對外援助的帷幕。同年，中國將解放軍中由朝鮮族組成的兩個半師，成建制移交給金日成。金日成以這支久經沙場、經驗豐富的部隊為主力，向南朝鮮發動進攻，將中國拖入朝鮮戰爭。朝鮮戰爭中，中國耗資約一百億美元，其中相當一部分是以向蘇聯貸款的形式購買大量武器，占同期蘇聯對華貸款的百分之四八。這筆費用，中國直至一九六四年才還清。

朝鮮戰爭和越南抗法戰爭結束不久，中國分別向這兩個國家無償援助八億元人民幣。萬隆會議後，中國不僅向越南、朝鮮、蒙古、阿爾巴尼亞等社會主義國家提供援助，而且向亞非拉新獨立的國家慷慨解囊。對一些國家的共產黨組織，中共除提供資金外，還要培訓人才。

王稼祥所在的中聯部，直接負責和各國共產黨組織的聯絡事宜，對中國此間對外援助情況是非常清楚的。不僅如此，他還承擔了繁重的黨務接待工作。一九五六年中共召開八大，邀請了全世界六十四個共產黨代表團來華參加。王稼祥事無巨細，幾乎累趴下。一九五九年的國慶十週年、一九六〇年的國際工聯理事會等接待活動，規模浩大，人山人海，大宴會套著小宴會，浪費巨大。但中國的熱情和慷慨，常常讓外國朋友滿載而歸。

據統計，從一九五〇年至一九六〇年，中國提供無償援助和貸款

總額為四十億元人民幣，其中支援兄弟國家的三十五點四億元，絕大部分被越南、朝鮮、蒙古分享。

戰後蘇美爭霸的冷戰時期，正值各國獨立運動風起雲湧，新建國家都面臨發展道路的選擇問題。作為兩個陣營的首領，他們將對外援助作為一種政治手段，以努力尋求各國的支持，並將其納入自己的勢力範圍，增強在聯合國的發言權。但對外援助的惡性競爭，很快引起美國朝野的警惕。從一九六〇年起，美國國會先後通過〈共同安全法案〉和〈對外援助法〉，強調對外援助必須符合美國人民的自身利益和國際人道主義的理想。覈算成本，有法可依，使美國的對外援助注重實效。儘管外援絕對數額不小，但在國民經濟總收入中所占比例很小，對美國人民的生活影響不大。而蘇聯則相反，不計成本的外援使其不堪重負，蘇聯人民生活品質普遍下降，以至民怨沸騰。蘇聯在冷戰中敗亡，過度的外援導致國力衰弱是一個重要因素。

正當蘇美對峙之際，中國擠了進來，成為與自身實力極不相稱的對外援助大國。

反右派運動和「大躍進」，給中國帶來災難性後果。事與願違的現實，使毛澤東發展經濟、「趕英超美」的熱情大減。於是他丟下國內事務，將目光轉向國外。蘇美首腦會談，說明美國仍以蘇聯為社會主義陣營的「龍頭老大」，不與中國為對等的談判對手，使他老人家有了被冷落的感覺。一九六〇年，中蘇關係開始惡化，而此時獲得獨立的國家越來越多。為了支持這些國家反對殖民主義和帝國主義，更為了與蘇聯爭奪影響力，在中國大地餓殍遍地之時，毛澤東四處出擊，到處點火，對外援助工作日益繁重。新年伊始，中國成立對外經濟聯絡總局，以加強對外經濟援助力度。

恰好這年六月，執政的十二個社會主義國家在羅馬尼亞布加勒斯特召開會議。在中蘇的分歧中，因彈丸小國阿爾巴尼亞支援中國，蘇

聯從該國撤走專家。有人與蘇聯唱對臺戲，毛澤東極為高興，立刻決定加大援阿步伐，幾乎把這個國家所需的一切包了下來。古巴卡斯楚政府建立後，中國馬上提供軍火，中國剛剛研製成功的高射機槍，連解放軍都還未裝備，就優先援助到了古巴。一九六○年十月，中國決定給古巴六千萬美元無息貸款，隨後大量購買古巴白糖以支持該國經濟。這些援助，與中國國家安全沒有任何關係。所謂世界革命，所謂解救三分之二的世界被壓迫人民，只能理解為一種夢囈。

進入六○年代，中國在自身經濟幾近崩潰之時，在幾乎斷絕了所有外來援助的情況下，與經濟強大的美國和蘇聯同時為敵。與周邊國家的關係也搞得非常緊張，不得不耗費大量人力、物力、財力以加強邊防。對此，國內有反對者。起義將領龍雲反對沒有限制的對外援助，他說：「抗美援朝的經費，全部由中國負擔很不合理。」後來他被打成右派。

力不從心的對外援助，加重了中國人民的苦難，也妨礙了大饑荒之後國民經濟的恢復。但在經歷了反右運動和反彭德懷右傾主義鬥爭之後，黨內大員對此均保持沉默。

王稼祥的憂慮和量力而行的提出

對於一個曾經留學蘇聯的共產主義者來說，王稼祥明白，沒有蘇聯對中共的援助，中國革命要獲得成功是困難的。因此他不反對無產階級的國際主義，也不反對向那些需要援助的國家和組織伸出友誼之手。

日益增長的對外援助和貧窮落後的中國現實，使他深感憂慮。但自己「左」傾教條主義歷史的硬傷和頂撞毛澤東可能帶來的後果，又使他顧慮重重。一九五八年興辦人民公社時，他在一次會議上就說，要分清社會主義和共產主義兩個階段的不同性質，強調共產主義的一

個重要條件是人們所需的物質產品的極大豐富。他後來通過劉少奇向
毛澤東轉達自己的意見：對人民公社「一平二調三收款」和國民經濟
計劃的高指標、對急於過渡有異議。毛澤東不高興了，要他在會上詳
細說說他的看法，他說：「我的意見已經全部都講了，中央認為對的
就請考慮，中央認為不對，可以隨時批評和處分我。」他沒有在會上
講，可能是擔心遭到圍攻。

　　六〇年代初，王稼祥曾經極力避免中蘇破裂，認為在中蘇關係上
應當防止和糾正「左」的錯誤。他反對四面樹敵，主張集中精力改善
國內經濟狀況。七千人大會上，毛澤東說：「不論黨內黨外，都要有
充分的民主生活，就是說，都要認真實行民主集中制。」這番話使他
撐起有病的身子，鼓起勇氣向中央和毛澤東提意見。他主持撰寫了兩
篇文章，闡述對國際問題和對外援助的一些看法。

　　在〈實事求是，量力而行〉中，他說：「我們應該支持別國的反
帝鬥爭、民族獨立和人民革命，但又必須根據自己的具體條件，實事
求是，量力而行。特別是在我國目前處於非常時期的條件下，更要謹
慎從事，不要說過頭，做過頭，不要過分突出，不要亂開支持的支
票，開出的支票要留有餘地，不要滿打滿算，在某些地方甚至要適度
收縮，預見到將來我辦不到的事，要預先講明，以免被動。」在〈略
談對某些國際問題的看法〉一文中，他強調「我們的戰略目的是要贏
得世界和平，贏得時間，使我們的社會主義建設取得勝利」。他反對
過分強調世界戰爭的危險，認為「新的世界戰爭是能夠制止的」。他
不同意「在帝國主義存在的條件下，不可能有和平共處」等錯誤說
法，反對在國際事務中勇往直前、一鬥到底的做法，提出「我們不宜
突出，不宜打頭陣」。文章寫得很客氣，經常以毛澤東曾經說過的話
作論據，反對六〇年代對外關係的日益左傾，反對無視國內民生而不
斷增長的對外援助。總的思想是，處理國際關係要服從國內經濟建

設，不能樹敵過多和援外太多，為中國經濟建設爭取一個寬鬆的國際和平環境。

文章是以中聯部的名義寫的，王稼祥與副部長劉寧一、伍修權都簽了字。但劉寧一臨陣膽怯，到毛澤東面前說自己簽字是被迫的。毛澤東掰著指頭說：這是對帝國主義要和，對修正主義要和，對印度和各國反動派要和，對支持民族解放運動要少，這是「三和一少」。面對毛澤東的指責，王稼祥在中共八屆十中全會上，承擔了責任，並作了簡短的檢討。從此王稼祥淡出政壇，不再問事。

批判王稼祥「三和一少」的一九六二年，中國對外援助達到新中國成立後最高水準六點二六億元。此後中國的對外援助逐年攀升，一九六四年至一九七〇年，接受中國援助的國家從過去的二十一個增加到三十二個，對外援助金額達一百三十七點五億元，比前十四年增加了八十八點六億元。其中對越南的援助占總額的百分之五十點六，同時中國軍隊進入越南北方作戰，最多時達到十七萬人。援外體制的弊端，使得毛澤東為了虛無飄渺的世界革命而缺乏理性，隨心所欲。「文化大革命」中老人家有一次接見外賓，見對方所有成員胸前都戴著自己的像章，心裡高興，就給了一百萬元。一九七〇年中國紅十字會決定向秘魯地震捐款五萬元，毛澤東指示：「可否給一百萬或一百五十萬？」同年匈牙利水災，中國擬捐十五萬元，毛澤東批示：「似太少，可贈五十萬元。」情緒支配下的對外援助，使中國經辦人員產生強烈的犯罪感，但有王稼祥的前車之鑒，任何人都不敢說一個「不」字。與此同時，中國還承擔了包括坦贊鐵路、平壤地鐵、阿爾巴尼亞冶金聯合企業等一些舉世矚目的大型工程項目，建設週期長，耗資巨大，中國人民只有勒緊褲帶苦苦支撐。

自一九六九年九月胡志明去世後，越南親蘇勢力上臺，與中國的離心傾向日漸明顯。中國為了拉住越南不倒向蘇聯，又投入更多的外

援。一九七五年南北統一後，越南開始反華，並欲以武力控制柬埔寨和老撾，威脅到中國的國家安全。中國從戰略制衡上考慮，被迫支持對內實行種族滅絕的柬埔寨波爾布特政權，從而背上「柬埔寨萬惡之源」的罪名。

毛澤東作為曾經的戰略家和軍事家，晚年在支持越南問題上犯了一個低級錯誤：不支援其統一，造成南北分治，越共必不敢反華；只要統一，其必然反華。毛澤東時代，中國援助越南共計兩百多億元、阿爾巴尼亞一百多億元，占同期中國對外援助的百分之六十以上。最後的結果，不是兵戎相見就是翻臉罵娘，中國人民以巨大的犧牲，花錢樹敵。僅以中國對越南、阿爾巴尼亞和朝鮮援助得到與預期完全相反的直接後果而論，就可以基本否定毛澤東時代對外援助的科學性和合理性。

長期以來，我們有一種觀點：毛澤東時代的對外援助，對中國重返聯合國起到了重要作用，毛澤東也說過：「是非洲朋友把我們抬進聯合國的。」但仔細分析，這種觀點不正確。中國恢復聯合國的合法席位是一九七一年十月二十五日。早在這一年的六月，基辛格秘密訪華後，〈中美上海聯合公報〉宣佈，美國總統尼克森將於一九七二年五月底以前訪問中國。中美關係的鬆動和明顯改善，才使很多國家解除顧慮，能夠在這件事上公開支援中國。在加拿大投石問路之後，日本、紐西蘭、澳大利亞等屬於美英陣營的發達國家，才敢於與中國建立外交關係。

因為毛澤東的錯誤判斷，一九七一至一九七五年，中國急於感謝第三世界各國的支援，對外援助的規模上升到令人匪夷所思的程度。到七〇年代初期，中國在國民生產總值只有蘇聯百分之二八的情況下，援助總額連續超過蘇聯，每年達十億元以上。從一九七一年到一九七五年，中國每年援外支出占國家財政支出的比例都在百分之五以

上，在國民生產總值中的比例高達百分之二，遠遠超過蘇聯和美國。

最後的結局

「文化大革命」初，王稼祥被免去一切職務，搬出中南海，他的中聯部部長和中央書記處書記職務，被劉寧一接替。王稼祥的兒子王命先被劃為「牛鬼蛇神」，不堪精神壓力，跳水自殺。康生斷言：「二十八個布爾什維克沒有一個好人」，致使張琴秋和陳昌浩先後自殺。王稼祥被概括為「三和一少」的政治主張，這時也升級成所謂的「三降一滅」——投降帝國主義、投降修正主義、投降各國反動派，撲滅各國革命運動，他遭到更加猛烈的批判，在肉體上、精神上飽受摧殘。他忙於檢討和接受批判，每晚服用大量安眠藥，仍睡不安穩，在疲倦、緊張、不安、恐懼的狀態下過日子。他當然不認為自己有罪，儘量克制自己的感情衝動，俯首服從造反派的擺佈，他頸下胸前掛著「反革命修正主義」的牌子，在中聯部反復遊鬥，有時還要邀請外國一些政黨參加。就因為王稼祥主張削減外援經費，有的外國人指著王稼祥破口謾罵。

中共「九大」，王稼祥再次落選中央委員。根據林彪指示，他被疏散到河南信陽。後因嚴重肺炎，才得以回北京治療。在醫院裡，王稼祥與謝覺哉、鄧子恢、廖承志等人住在一起。此時謝老已經四肢癱瘓，靠人工灌食維持生命。主張「三和一少」的王稼祥，與主張「三自一包」的代表人物鄧子恢相見，回憶往事，不勝唏噓。

林彪事件後，王稼祥在王震鼓勵下，提筆給毛澤東寫信表態。他把自己狠狠批了一通，然後寫道：「我請求在我餘下不多的歲月裡，分配我一點力所能及的工作，以求補過於萬一，並能得到一個最後的鑒定。」信剛寫完，胡耀邦來探望他，於是他拿出信給胡耀邦

看。胡耀邦看完後說：「我同意你所寫的，但是，你的自我批評過分了些。」毛澤東看完信後說「這樣的老幹部只講過，不講功，很難得……他是教條主義中第一個站出來支持我的。遵義會議上他投了關鍵的一票。王稼祥功大於過。」

有了老人家的發話，王稼祥就算「回到毛主席革命路線上來了」，處境迅速改善。他重新有了小車，配了司機和廚師，住處增派了警衛，兩位秘書也根據他的指示前前後後忙碌著。一九七三年八月召開的中共「十大」，王稼祥當選中央委員。王稼祥終於有了一個可以安度晚年的生活環境，對此他感到欣慰。復出後的第一個除夕之夜，他和夫人朱仲麗擺了兩桌，感謝身邊各類工作人員。高興之餘，他還親自給大家夾菜。

兩天之後的大年初二，他得知《北京日報》和《人民日報》先後發表文章，重新批判「三和一少」。王稼祥細讀全文，憂心忡忡。當天晚上，王稼祥接到電話，要他第二天上午趕到體育館參加「批林批孔」萬人大會。王稼祥心力交瘁，疑懼交加，上床後突發心臟病，不治身亡，終年六十八歲。他死時可能不知道，一九七三年的對外援助金額，破天荒達到五十五點八四億元。

王稼祥去世四年後的一九七八年，中共中央中止了對越南和阿爾巴尼亞的援助，並全方位調整對外援助的指導思想，對外援助講求實效，同時接受西方國家對華經濟援助。九○年代以後，儘管中國對外援助總額有較大增加，但在國民經濟總值中的比例，逐年減少。

鄧小平主導的中國對外關係和對外援助，使王稼祥當年的政治主張基本上得以實現。無論國際形勢如何變化，中國不出頭，不扛旗，韜光養晦，成竹在胸。

主要參考文獻

〔美〕詹姆斯・卡特　《蘇聯對外援助淨成本》　上海市　上海人民
　　　出版社　1973年版

〔美〕盛岳著　《莫斯科中山大學和中國革命》　北京市　東方出版
　　　社　2004年版

丁韶彬　《大國對外援助》　北京市　社會科學文獻出版社　2010年版

牛軍編著　《中華人民共和國對外關係史概論》　北京市　北京大學
　　　出版社　2010年版

王稼祥　《王稼祥選集》　北京市　人民出版社　1989年版

王稼祥選集編輯組著　《回憶王稼祥》　北京市　人民出版社　1985
　　　年版

王凡西　《雙山回憶錄》　北京市　東方出版社　2004年版

中華人民共和國國務院新聞辦公室　《中國的對外援助》　北京市
　　　人民出版社　2011年版

朱仲麗　《毛澤東與王稼祥》　北京市　中共中央黨校出版社　1999
　　　年版

沈志華主編　《中蘇關係史綱》　北京市　社會科學文獻出版社
　　　2011年版

施昌旺　《王稼祥傳》　合肥市　安徽人民出版社　2003年版

徐則浩　《王稼祥傳》　北京市　當代中國出版社　2007年版

徐則浩　《王稼祥研究論集》　合肥市　安徽人民出版社　1991年版

張郁慧　《中國對外援助研究》　北京市　九洲出版社　2012年版

涇縣篇二〇

皖南事變新解

涇縣是抗戰前期新四軍軍部所在地，也是皖南事變的發生地。皖南事變最終不了了之，是抗日民族統一戰線名存實亡的標誌。

作為國共關係史上的一件大事，皖南事變對中國未來的歷史走向影響深遠。在此之前，國共雙方偶有摩擦，但都比較克制，注意維持團結抗戰的大局。國民黨政府向中共所屬的軍隊按月發餉，中共承認與國民政府的上下級關係，有事也向國民政府請示彙報。在此之後，中共在政治、經濟、軍事、文化多方面走向獨立，實際上與國民政府分庭抗禮。

更重要的是，隨著國際形勢的變化，尤其是美、英、蘇、中同盟的形成，國共都日益明顯地意識到，日本戰敗只是時間問題，借助國際力量可以坐享其成。雙方刻意發展和保存實力，要以槍桿子為後盾，增強戰後建立國內政治秩序的發言權。

然而皖南事變並非不可避免。其之所以成為事實，是國共雙方政治理念和軍事策略衝突的體現，更是中共內部一系列矛盾發展的結果。

毛、項矛盾的淵源與新四軍山頭的形成

新四軍的倉促成立，有一定的偶然性。七七事變前，分散在南方八省的紅軍遊擊隊，經國民政府反復圍剿，活動範圍日益狹小，已到

了舉步維艱、生死存亡的最後關頭。沒有抗戰的爆發，沒有葉挺的復出和操持，就沒有新四軍。

遵義會議，尤其是經歷了張國燾部隊的威脅後，毛澤東非常看重對軍隊的實際控制和掌握。紅四方面軍幹部經過學習和提高認識，分散到八路軍各部隊，使中央實現了對第一、第二、第四三個方面軍的有效整合。張國燾脫離中共後，從反面說明這種整合的必要性，來自紅四方面軍的分離傾向已基本解除。新四軍的成立，使毛澤東又喜又憂。喜的是，分散得支離破碎的遊擊隊得以整編成一支正規軍，使中共在長江中下游地區獲得有利的戰略支撐。憂的是，如何消除游離傾向，使這支軍隊能夠真正貫徹中央的意志。

對於新四軍的主要領導人葉挺和項英，毛澤東別無選擇。他只能在承認葉、項地位的前提下，逐步解決這個新的「山頭」存在的各種問題。好在「黨指揮槍」的原則已成為黨內共識，他可以向新四軍派遣張雲逸、袁國平、周子昆等一批中央幹部。他與陳毅、張鼎丞、鄧子恢、譚震林、粟裕等人不是井岡山的老下屬，就是閩西的老相識，彼此都很瞭解和信任。不放心的是葉挺和項英。相比之下，鑒於歷史上的淵源和矛盾，他對項英更不放心。

與毛澤東熱衷於農民運動不同，項英在中共黨內主要從事工人運動。一九三〇年底項英到江西蘇區後，在兩件事情上與毛澤東有過尖銳的意見衝突。一、在處理「富田事變」時，項英堅持認為屬於黨內矛盾，主張改善鬥爭方式——歷史證明項英的意見符合實際。二、兩年後的寧都會議，項英不贊同毛澤東的軍事路線，直接導致毛澤東失去紅一方面軍總政委的職務，回後方專事蘇維埃政府工作——歷史證明項英的意見是錯誤的。還有一件事毛澤東生前並不知道，在中央紅軍長征前，項英曾提醒李德，要防止毛澤東半道上將他們推翻。遵義會議後確立了毛澤東的領導地位，項英組織上服從中央，而內心對毛

澤東個人不以為然。不僅如此，項英對毛澤東的個人生活也不贊成。
一九三九年冬，他在明知毛澤東與江青已經結婚的情況下，仍將從揚
帆處瞭解到的有關江青不良經歷的情況，電告中央。

　　一九三七年，王明、康生從莫斯科到延安，帶回史達林贈送給項
英的禮物：一支手槍、一床毛毯、一副望遠鏡，表明史達林對項英的
厚愛。毛澤東當然知道項英對自己不服氣的態度，但鑒於項英的革命
資歷、政治地位、史達林對項英的看重，加之剛剛回國的王明，正在
躍躍欲試挑戰他在中共黨內的領袖地位，所以毛澤東這時需要項英的
支援、配合，他必須對項英採取從長計議之策。一九三七年十二月會
議上形成的〈對於南方遊擊區工作的決議〉，對項英給予了頗多的讚
揚之詞。這個將實事求是的評價與政治策略的需要夾雜在一起的做
法，確保了在毛澤東與王明爭奪中共最高權力的較量時，項英能夠保
持中立。事實證明，毛澤東的這一招很成功，他穩住了項英。

　　與八路軍相比，新四軍的成分更為複雜，內部的矛盾也更多。針
對內部「山頭林立」的現狀，項英做了很多工作。時任新四軍第六團
團長、四十多年後擔任全國人大常委會副委員長的葉飛回憶說：「新
四軍是南方八省紅軍遊擊隊組成的，一下集中起來成立一個軍，需要
克服山頭主義，才能成為一個整體，這是不容易的……新四軍處理山
頭主義，沒有傷害人。延安調來一大批幹部，從團到營到連都有，這
就發生一個外來幹部、中央派來的幹部和本地幹部的團結問題，做這
個團結工作是很艱苦的……那時不要說一個團一個山大王，有的一個
團有幾個山頭呢。所以說這一條項英起了作用，葉挺不可能起這個作
用。」葉飛此言沒有任何功利目的，當屬真實。事實也是這樣，在項
英提出的新四軍軍委會名單中，就有四支隊司令員高敬亭。如果當時
毛澤東採納項英的意見，錯殺高敬亭的冤案也許可以避免。

　　總的來看，項英作風嚴謹樸實，工作按部就班，缺乏一個政治家

的創造力和想像力。他做事為人偏於厚道、誠懇，導致他在抗日民族統一戰線中墨守成規，拘泥於國民政府的種種束縛，反對擅自擴編和收編土匪。項英絕對沒有認識到，他性格上的缺點，做事為人上的特點，無意中會使自己成為一個「山頭」。當發現自己這個「山頭」即將被中央拿掉時，就像新四軍被圍在石井坑一樣，他已想不出任何辦法。他於政治鬥爭，根本不是毛澤東的對手，雙方的心智和實力不在一個層面上。

無論是在江西蘇區還是在抗戰初期，項英認為毛澤東太左，對毛的缺點看得較多，這與陳毅等人對毛優點看得較多的尊敬態度相比，大不一樣。他通過「富田事變」，成為中共黨內較早瞭解毛澤東行為風格及其潛在危害的人，由此拒絕了不少毛澤東正確的東西。他的悲劇在於，他將嬰兒和污水一起倒掉，最後輸得一無所有。

葉挺的政治態度

葉挺生於一八九六年，比項英大兩歲。他先後就讀廣東陸軍小學、武昌陸軍中學、保定陸軍軍官學校，接受了系統而完整的軍事教育，畢業後擔任孫中山的警衛營長。大革命時期他與周恩來等交往深厚，並在莫斯科參加了共產黨。北伐戰爭開始後，他率領第四軍獨立團兩千人——也是共產黨唯一掌握的正規部隊——當先鋒，從廣東韶關攻入兩湖，勢如破竹，聲威赫赫。大革命失敗後，他先後參加領導南昌起義和廣州起義，是中共軍隊的創建者之一。

難能可貴的是，葉挺在實戰中絲毫沒有被軍校的各種教條所約束，其酣暢淋漓、不拘一格的指揮風格，在北伐戰爭時期的汀泗橋、賀勝橋戰役中，在南昌起義後南下途中的會昌戰役、潮汕戰役中，得到鮮明體現。他治軍嚴謹，作風頑強，打法靈活，揮灑自如，其軍事

素養在國共兩黨高級將領中有口皆碑。廣州起義後，他受到共產國際和中共中央的指責、批評。做事認真的葉挺到莫斯科討公道，也沒有任何結果。受了委屈的葉挺離開蘇聯，在德國柏林以開餐飲為生。一九三二年回國，生活在澳門，一九三七年初遷居上海。

赫赫有名的葉挺，以其豐富的人生經歷，在國共兩黨上層，形成廣泛而良好的人脈關係。離開中共後，他多次婉拒國民黨軍界人士「協力共事」的邀請。而一旦周恩來請其主持改編南方紅軍遊擊隊，他就一口答應，並立刻活動。在主力紅軍完成改編並開赴前線之際，南方遊擊隊改編陷入僵局，曾經是國民黨員，後來成為共產黨員，而現在是無黨派人士，具有傑出軍事才能的葉挺，成為國共雙方唯一能夠接受的人選。一九三七年九月二十八日，蔣介石的國民政府單方面宣佈葉挺為新四軍軍長。十一月初，中共方面也因其十年內戰期間沒有與國民黨共事的經歷，接受了國民政府的這個任命。

葉挺的延安之行，受到中共的盛大歡迎。但當毛澤東提議願意重新接納他加入共產黨時，他婉拒了。他表示，自己願意在黨組織之外、黨的領導下進行工作。後來葉挺到重慶見蔣介石，蔣勸葉挺加入國民黨。葉挺回答說，他現在一心只想抗日，不想參加任何黨派。在抗戰初期，葉挺的政治態度確實不明朗。他想走一條中間路線，事實證明是行不通的。但不可否認，這是他當時真實感情的流露。

儘管他全力以赴解決新四軍草創時期的若干瑣事，為編制、軍餉、彈藥、人員等問題在國共之間艱難周旋，但很難得到中共的信任。葉挺提出成立新四軍委員會，先是項正葉副，後改變為葉正項副，仍然沒有使他得到軍事指揮權。他實際上只是新四軍的一面旗幟，一個稱職的「後勤部長」。他在任三年多，先後四次提出辭職。兩次針對國民黨，規模小而時間短。兩次針對共產黨，規模大而時間長。這個表面現象讓新四軍的一些人認為，相比之下，他與國民黨的

關係似乎要好一些。葉挺是標準的軍人作風，在歐洲、澳門、香港、上海生活多年，喜歡軍容整潔，經常手持文明棍指指點點，這些「洋作派」也讓絕大多數工農出身的幹部感到不適。一九三八年七月，項英離開雲嶺赴延安參加中共六屆六中全會的第二天，軍部特務營營長葉道志攜槍逃跑，葉挺將其抓回，沒有考慮他曾經擔任紅軍師長的歷史，也不問他為何逃跑，就倉促決定將其槍斃。一九三九年六月，他又上報國共兩黨，在得到蔣的指示後將戰功累累、但錯誤嚴重的四支隊司令員高敬亭處以死刑。這兩起事件，在葉挺看來是單純執行軍紀，但國共兩黨有不同的解讀，仿佛葉挺在極力證明什麼。這期間，中共單方面成立了五支隊和六支隊，對國民政府而言無疑是「先斬後奏」的行為。但幾個月後，葉挺在重慶多方交涉，兩支部隊的番號竟然獲得批准，全軍的軍餉也由九萬元增加到十三點二萬元。此事說明，蔣介石的國民政府對葉挺的工作是認可的。

葉挺以自己的特殊方式，殫精竭慮發展新四軍。但由於上述問題的存在，容易使中共一些人認為他是「腳踏兩隻船」，其中也包括項英等高級幹部。皖南事變中葉挺臨陣表現出的沉著冷靜、英勇無畏，事變後寧折不彎的軍人氣節，才讓人們重新認識了他的可貴品質。

經過血與火的洗禮，新四軍政治部組織部部長李子芳深有體會地說：「我們過去對葉軍長是不夠瞭解的，既不尊重也不夠信任。這次皖南事變讓我們看得清楚了。葉挺軍長對黨對人民是忠貞不渝的，是一個無產階級的革命軍事家，一個偉大的共產主義者。他主張突圍的意見是完全正確的。」

李子芳對葉挺看法的轉變，在中共黨內很有代表性。項英抓住新四軍大權不放，既有「黨指揮槍」的原則作依據，也有廣泛的民意基礎。袁國平、周子昆是葉挺在獨立團的老部下，他們受毛澤東委派到新四軍任職，應該非常清楚毛澤東對葉挺的真實看法。就軍事指揮能

力而言，他們作為職業軍人，不會不清楚葉挺和項英水準的高低。但他們在重大問題上，總是站在項英一邊，即使到了事變中也是如此，他們都屬於「對葉軍長是不夠瞭解的」那些人。所以項英對葉挺的不信任，背後是毛澤東對葉挺的不信任。

葉挺自然明白其中道理，他從來沒有指責過項英。他的辭職，主要不是針對項英。

新四軍的肢解與軍部的架空

新四軍建立之初，毛澤東對項英和葉挺都缺乏信任，但內容不一樣。對於項英，主要是歷史上的過節和對其軍事才能的懷疑。對於葉挺，主要是找不到他忠誠的證據。沒有多久，在新四軍戰略發展的方式和方向上，毛澤東與項英的分歧越來越大，與葉挺的共同點越來越多。這就出現一個矛盾：政治上信任而現在握有實權的人缺乏理解自己戰略意圖的能力，理解他戰略意圖的人，沒有掌握實權，而且政治上又不能完全讓人放心。這個問題困惑著毛澤東，使他寢食難安。

毛澤東經過一番深思和權衡，決心利用中央權威和過去舊屬的忠誠，進行越級指揮——這在他揮灑自如的軍事生涯中，是極為罕見的做法。一九三八年四月，新四軍江南部隊尚未完全集中、整訓，他就命令粟裕從一、二、三支隊各抽調部分人馬組成先遣支隊，挺進蘇南敵後，名為偵察，實為獨立作戰。隨後一、二支隊在陳毅帶領下也到達蘇南。蘇南茅山根據地和江南指揮部的建立，基本由中央直接指揮。項英要調回一個團到皖南軍部，也得與中央反覆交涉才能實現。但以茅山為中心的蘇南根據地有一個重大缺陷：位於滬、寧、杭之間，迴旋餘地小，難以進行戰略展開。發展江北已刻不容緩，而項英似乎並未意識到這一點。新四軍對中央東進北上的戰略貫徹力度不

夠，行動緩慢。

八路軍深入華北敵後的戰略態勢初步形成後，效果很好，部隊發展很快，毛澤東不再等待了。一九三八年九月，在中共六屆六中全會上，長江局撤銷，原屬長江局的東南分局改為東南局，以項英為書記，同時設立中原局。因葉挺鬧辭職，項英中途趕回皖南。

項英走後，政治局在項英缺席的情況下，決定任命劉少奇為中原局書記，同時明確中原局的職權範圍：統一指揮隴海路以南、長江以北的黨務、軍事工作，這實際為後來劉少奇統一指揮北上的新四軍部隊和南下的八路軍部隊，埋下了伏筆。毛澤東將能夠深刻理解其政治、軍事策略的劉少奇，從華北調入華中，希望儘快移植華北經驗。沒過幾天，中央以整訓四支隊為名，又將張雲逸調到江北，成立江北指揮部。葉挺北上處決高敬亭後，也許他本人沒有意識到，他實際上幫助中央完成了對四支隊一分為二的肢解，也完成了對四、五支隊的掌控。新成立的江北指揮部以張雲逸為總指揮，整訓後的新四軍第四支隊以徐海東為司令員，第五支隊以羅炳輝為司令員。他們都是毛澤東政治、軍事路線的堅決支持者。

與此同時，以新四軍河南省確山縣竹溝留守處為中繼站，利用新四軍番號，命令彭雪楓和李先念東進西出。彭雪楓率兩個連的兵力成立新四軍游擊支隊，滾雪球一樣迅速壯大，不到一年就增加到上萬人，並在此基礎上發展成第六支隊，皖南事變後改編為新四軍第四師。李先念率一百多人的豫鄂獨立游擊支隊西進鄂中，不久就發展到九千多人的豫鄂挺進縱隊，為皖南事變後成立新四軍第五師奠定了基礎。一九三九年初，劉少奇到竹溝佈置江北發展大計。當年秋天，劉少奇經竹溝到淮北。一九四○年三月的半塔保衛戰，使四、五支隊在皖東的勢力得以鞏固，劉少奇的中原局和張雲逸的江北指揮部在此會合。這一次劉少奇親自處理八路軍南下、新四軍東進北上部隊的組

織、協調關係，直至皖南事變後重新統一，將諸多大事安排妥當，他才放心離開。

項英慢慢才明白過來，他的地位明升暗降，實際權力大大削弱，只負責長江以南的中共黨務和軍事指揮。也就是說，隨著陳毅和粟裕率蘇南主力部隊北上，項英只能指揮新四軍軍部和附近一些微不足道的游擊隊，其中成建制的戰鬥部隊只有三個團。

葉挺後來爭取到五、六支隊的合法地位，對於急需經費的江北部隊來說，這無疑是雪中送炭。在毛澤東的心目中，項英和葉挺的分量，一點點地此消彼長。但礙於項英的政治地位，毛澤東此時對他仍是客氣的，至少電文是這樣顯示的。

面對新四軍的肢解和軍部的大權旁落，項英內心的沮喪可以想像。即使如此，中央對項英仍不放心。一九四〇年四月十六日，中央沒有徵求項英的意見，決定派遣饒漱石到皖南擔任東南局副書記，目的是「幫助東南局工作」。這時項英確信，他因對東進北上政策執行不力，已徹底失去了中央的信任。二十日，項英在給中央軍委的電報中發牢騷：「對部隊的部署，事實上我只能負皖南與江南之責，因我之意見事實上不為人所重視，不過等於空話而已。」又說：「軍部僅為一獨立支隊，不過對外是代表全軍應付而已。」被架空後無可奈何的失落心態躍然紙上。

毛澤東並不理會項英的情緒。六月，黃克誠率八路軍三四四旅越過隴海線南下，與新四軍第六支隊會師於渦陽。七月，新四軍蘇南主力部隊北渡長江，江南指揮部改稱蘇北指揮部，陳毅、粟裕任正副指揮，他們迅速揮師佔領黃橋。江北的轟轟烈烈與江南的死氣沉沉，形成鮮明對比。至此，新四軍軍部已被徹底架空。

黃橋之戰後，中共隴海路以南的江北部隊共有八萬人，已完成戰略佈局，皖東、蘇北與華北連成一片，新四軍軍部的作用進一步邊緣

化，已成可有可無的一支孤軍。

十一月十七日，華中新四軍八路軍總指揮部成立，中央發佈命令，由葉挺任總指揮，劉少奇任政委，陳毅任副總指揮，統一指揮隴海路以南的中共部隊。特別值得注意的是，新機構中沒有項英的位置。這個時候，毛澤東再也用不著給項英留哪怕是一點點面子。

項英的進退維谷

江北形勢越好，項英和新四軍軍部就越危險。

中共在華中大打出手，黃橋之戰殲滅韓德勤主力一點一萬人。重慶政府反應強烈，於黃橋之戰結束九天後，發出強硬的「皓電」，命令朱德、彭德懷、葉挺一個月內，全部開赴黃河以北；同時密令所屬各部，形成對新四軍的進攻態勢。孤懸皖南的新四軍軍部，此時已危在旦夕。

其實在黃橋之戰前的九月十九日，中央為提高此戰的取勝把握，曾來電指示：「望葉、項率部迅即渡江，應於兩星期內渡畢增援皖東為要。」但項英按兵不動。黃橋之戰後，針對「皓電」，中央回復「佳電」，同意新四軍皖南軍部北移。十一月二十一日，中央致電軍部：「你們可以拖一個月至二個月。」三天後又說：「你們必須準備於十二月底全部開動完畢。」同時要求葉挺立刻出發。十二月八日，何應欽、白崇禧通電重申「皓電」命令。中央意識到情況嚴重，反覆來電要求項英迅速開拔。十二月二十六日，毛澤東回電時發火了：「全國沒有一個地方有你們這樣遲疑猶豫無辦法無決心的……究竟你們的主張是什麼，主張拖還是主張走，似此毫無定見，毫無方向，將來你們要吃大虧的。」

項英之所以一拖再拖，是有原因的。過去人們一般認為，項英主

要是右傾思想嚴重，對國民黨的反共本性缺乏認識和警惕，這誠然是對的。但還有深層次的原因，在患得患失、猶豫不決的背後，如高敬亭一樣，對自己地位不確定的未來的擔憂，使他對中央產生強烈的抵觸情緒，他認為中央在故意削弱他的權力。

新四軍成立初期，項英過於遵守紀律，把維護統一戰線看得太重。但項英的「一切服從統一戰線」與王明大不一樣：王明一切主張的出發點、落腳點都以莫斯科的指令和利益為中心；項英更多覺得做事為人應該厚道，他從這個指導思想出發，恪守作為下屬的基本準則。他認為這是每一個抗戰愛國者應有的自覺性，只有這樣才能全國人民團結一致戰勝敵人。他對蔣介石借抗戰以加強獨裁缺乏起碼的認識，使他的厚道顯得幼稚膚淺。毛澤東深入敵後放手擴大武裝和地盤，雖然被國民黨方面指責為不守規矩、不講章法，但滿足了群眾抗日的需要，也符合黨的長遠利益。沒有槍桿子就沒有發言權，這是蔣介石教給共產黨的。當時中共以「民主自由」和「全民抗戰」的口號作為發展自身力量的武器，毛澤東的主張之所以得到中共黨內、軍內的一致擁護，也得到很多愛國民主人士的支持，就是這個原因。項英不理解這一點，在黨內逐漸陷入孤立，也就不足為奇。

在項英沒有參加的中共六屆六中全會後半程，毛澤東作出旨在削弱項英權力的決定，說明以此為標誌，毛已對項失去耐心。這個決定，不能說完全沒有個人恩怨的歷史因素，但更多還是現實鬥爭的迫切需要，但項英很可能將這個決定單純理解為對他個人的不滿。項英的三次辭職，主要不是針對葉挺，而是針對中央和毛澤東。但這個時候毛澤東也不願項英回延安，原因在於王明。這兩個在黨內有重大影響、現在都失意的政治局委員，如果攪在一起，料不准會生出麻煩事！

黃橋之戰前，毛澤東親自電請項英出兵北上。如果項英這時能以大局為重，順水推舟渡江支援，本來是緩和雙方矛盾、一舉幾得的最

佳時機。或許項英還在鬥氣，或許他認為沒有取勝的可能，於是隔江觀火。好在陳毅、粟裕爭氣，最終以少勝多，江北新四軍得以生存。

項英為自己的短視，定將付出沉重的代價。首先他失去了與毛澤東緩和關係的機會，在未來江北的政治軍事格局中，毛澤東沒有留給項英一席之地。為了軍部安全過江，曹甸戰役本來可不打或緩打，劉少奇執意要打，毛澤東也就同意打。其次得罪了包括陳毅、粟裕在內的多位中共高層領導，皖南事變後批判項英時的「牆倒眾人推」，絕非偶然。第三，也是最糟糕的，孤懸皖南的項、葉軍部，經過曹甸戰役火上澆油，成了國民黨軍事報復的首選對象。

現在項英真正犯難了，他進退維谷。如果渡江北上，他的東南局書記徒有虛名，只能寄人籬下，成為中原局和八路軍新四軍總指揮部的客人；或者回到延安負荊請罪，像張國燾那樣接受批判和清算。如果原地不動，違反國共兩黨的軍令，等於坐以待斃。如果南下進入天目山或黃山山脈，也許能夠生存，但怎麼說服下屬跟自己幹？況且國民黨可以名正言順進行清剿，以自己的軍事能力，必定凶多吉少。在撤離路線上，他猶豫不決，最後選擇了充滿更大危險的南下路線。他的內心深處，不排除與國民黨軍隊接火後，以受阻無法北上為由，率部進入皖、浙、贛山區的打算。皖南事變中，他不願硬拚進攻星潭，在百戶坑猶豫七小時後採納周子昆退回里潭倉，出高嶺，到太平，入黃山，再伺機東進的意見，就多少反映出項英的這種僥倖心理。誤走濂嶺，突圍受阻，得知敵人總攻時間，便臨陣脫逃。周子昆隨項英脫逃後返回，曾當著饒漱石的面，指責項英硬要帶他們出去打游擊。這說明，項英寧願再去過三年游擊戰爭的艱苦生活，也不願回延安向毛澤東低頭。

一九四〇年八月，葉挺在離開將近一年後，重新回到雲嶺軍部。與項英相反，葉挺比較灑脫。作為軍事家，他清楚知道黃橋之戰特別

是曹甸之戰後皖南軍部的險境。他本來可以脫離這種險境，但他沒有按中央的要求先走。他將妻子送回澳門，毅然留下來與軍部共存亡，這是一種可貴的責任感和犧牲精神。中共中央任命他為江北八路軍新四軍總指揮後，他感到中央是信任他的，心情大好。在轉移路線和突圍方向上，他的正確意見一一被否定，也不急躁氣惱。項英、袁國平、周子昆等失蹤後，他冷靜指揮，希望能夠力挽狂瀾。雖然未能如願，但其臨陣不亂的氣度，讓人蕭然起敬。

毛澤東是皖南事變最大的贏家

一拖再拖，一錯再錯，皖南新四軍部隊幾乎全軍覆沒。在一個地方占了便宜，在另一個地方吃點虧，這對兵家而言是常識。皖南事變與黃橋之戰，特別是隨後的曹甸之戰，存在著明顯的因果關係，這是新四軍為北上華中、中共為發展華中付出的代價。黃橋之戰屬於生存的自衛，而曹甸之戰則是主動挑釁。雙方你來我往，也在情理之中。

從時間和路線上來說，國民黨稱新四軍違反軍令，也不是沒有道理。但採取如此極端的手段以維護軍令，顯然說不通。就像當時蘇聯駐中國的軍事總顧問崔可夫所說，士兵只是服從指揮官的命令，最高軍事當局只能對指揮官進行懲處，而不能以消滅整個部隊為目的。

中共中央在皖南事變後，經過短期的激憤，很快就冷靜下來，確定了政治上採取攻勢、軍事上採取守勢的原則。國民黨方面也無意鬧得太大，嚴格控制事態，反覆宣稱只是針對違紀的新四軍部隊，沒有涉及中共和八路軍。雙方的明智，使大事化小、小事化了，不過半年就已風平浪靜。

如果將皖南事變放在整個國共關係史中來考察，我們不難發現，國民黨幾乎沒有任何收穫，共產黨則以微弱的損失，大大地賺了一

把。中共和毛澤東是皖南事變最大的贏家。

抗戰初興，項英掌握新四軍大權，他對新四軍這個牌子的含金量認識不夠，使中央指揮起來困難重重，令毛澤東頭痛不已。一九三八年，中央派張雲逸渡江北上，電令項英給兩個營的兵力，但項英只給兩個連。毛澤東以處理四支隊問題為突破口，利用各方矛盾，以江北指揮部為載體，實現對四、五支隊的控制。隨後派彭雪楓、李先念東進西出，則為中原局的建立創造了條件。再後令陳、粟渡江入蘇北。到一九四〇年秋，共花了兩年多時間，繞了很大一個圈子，才實現了對新四軍主力部隊的直接領導。但毛澤東對皖南新四軍軍部這個「山頭」一直無能為力。如果軍部順利北上，對其人員怎麼安排，怎麼處理東南局與中原局的關係，仍是一件麻煩事。關鍵時刻的皖南事變，蔣介石出來幫忙，一切問題迎刃而解。蔣介石幫助毛澤東實現了軍令暢通。

事變後，中共再也沒有領過那點微薄的軍餉，卻趁機擺脫了蔣介石國民政府的領導和干預，我行我素，放開手腳發展軍隊，建立政權，廣攬稅收。通過廣泛宣傳，中共根據地軍民接受、明白了一個重要觀點：丟掉幻想，準備戰鬥。

對中共來說還有一個重大的意外收穫，葉挺的表現幾近完美。葉挺被扣後，將軍人的氣節和人格的尊嚴，看得比生命還要寶貴。他拒絕國民黨的高官誘惑，多次提出願意用自己的生命換取新四軍被俘人員的自由。作〈囚歌〉，寫〈囚語〉，政治態度鮮明，壯志未酬的真誠感人至深。出獄後的第二天，他便重新申請加入中國共產黨。他將自己的個人訴求與中共的政治訴求融為一體，加深了人民對共產黨的關注和瞭解，增加了中共事業正義性的分量。

難怪毛澤東親自撰寫回覆接受其入黨的電文：「欣聞出獄，萬眾歡騰。你為中華民族解放與人民解放事業進行了二十餘年的奮鬥，經

歷了種種嚴重的考驗，全中國都已熟知你對民族與人民的無限忠誠。」的確，葉挺通過皖南事變後的五年牢獄之災，解釋了什麼是忠誠。

在二十世紀四〇年代中國社會的政治轉型中，作為一個符號，葉挺成為最佳宣傳材料，具有潛在的示範效應；作為一種力量，國民黨因此受到的傷害，不亞於遭到十萬精銳部隊的進攻。

二〇一二年十月十六日於成都

主要參考文獻

王輔一　《走近項英》　北京市　中共黨史出版社　2009年版

中央檔案館編　《皖南事變（資料選輯）》　北京市　中共中央黨校
　　　出版社　1982年版

中共中央文獻研究室著　《劉少奇年譜》（上冊）　北京市　中央文
　　　獻出版社　1996年版

安徽省檔案館編　《皖南事變文電選編（國民黨部分）》　1985年內
　　　部刊印

施士明　《未授銜的元帥葉挺》　上海市　上海人民出版社　2001年版

童志強　《關於新四軍》　上海市　上海科學技術文獻出版社　2005
　　　年版

逄先知、金沖及　《毛澤東傳》（6卷本）　北京市　中央文獻出版
　　　社　2011年版

逄先知　《毛澤東年譜》　北京市　人民出版社、中央文獻出版社
　　　1993年版

新四軍戰史編輯室著　《新四軍戰史》　北京市　解放軍出版社
　　　2007年版

楊奎松　《國民黨的“聯共”與“反共”》　北京市　社會科學文獻
　　　出版社　2008年版

是天國，還是地獄？
——從夏燮、羅爾綱到史景遷的太平天國研究

　　從宿松進入安徽省界，輾轉安慶、六安、合肥、池州、皖南、宣城，終於到了當塗。一路走來，都是當年太平天國的古戰場。兩次樅陽會議，著名的安慶保衛戰，陳玉成霍邱被苗沛霖暗算，祁門曾國藩設立大本營，寧國洪天貴福與幹王會合……幾乎每個地方都留下不少關於太平天國的文字記載。

　　當塗縣現屬安徽省馬鞍山市，距江蘇省會南京只有六十公里。太平天國時期，這裡是太平軍和清軍拉鋸作戰的地方，雙方主要戰將石達開、李秀成、李世賢、曾國藩、曾國荃、左宗棠、彭玉麟等人先後來到這裡指揮作戰。湊巧的是，當塗也是當時著名歷史學家夏燮的家鄉。夏燮在曾國藩幕府時，寫作了一本《粵氛紀事》，記載了一八五〇年代的激烈戰況。作者無法想到，隨著時代的變化，他所記錄的這一歷史事件，後人有截然不同的評價。譽之者稱其為「偉大的農民革命運動」，毀之者稱其為「空前的民族浩劫」。對洪秀全的評價，時而是「最早向西方尋求真理的先進中國人」，時而是「人品低下、能力平庸的邪教教主」。

　　後人對於中國近代史上重大的歷史事件，如鴉片戰爭、洋務運動、戊戌維新、辛亥革命甚至義和團運動等，大體能夠意見統一，唯獨對於太平天國及其領袖，觀點針鋒相對，看法如水火不容。

一

　　夏燮，字季理，別號江上蹇叟、謝山居士，生於一八○○年，道光舉人。他先後在江西吉安、永寧、宜黃等地任知縣。一八六○年後，又做過兩江總督曾國藩、江西巡撫沈葆楨的幕僚。他出身於書香世家，自幼受家庭教育的薰陶，兄弟之間自相師友，學業日進。他熟讀經史，留意時務，終成一代史家，著有《明通鑒》和《中西紀事》。

　　《粵氛紀事》寫作、刊行於同治年間，記錄時間從一八五○年太平軍在廣西的活動起，直到一八六○年太平軍攻佔蘇州時為止，是國內最早有關太平天國研究的學術專著。與當時張德堅的《賊情匯纂》相比，《粵氛紀事》的記事內容偏重於清朝一方，以清軍和太平軍的鬥爭為主線，對撚軍、小刀會、天地會的活動也有涉及。全書按太平軍活動的地域分為十三卷，每卷包括綜論、敘事、死亡清單三部分，文字簡潔，敘事生動。

　　以清朝地方官員的親歷者身份記錄當時歷史，使《粵氛紀事》具有獨特的史料價值。作者不僅廣泛搜集資料，而且注重實地調查，所以具有極高的可信度，在許多方面可以彌補官方檔案的缺失。夏燮在書中從不同角度探討了太平軍產生的原因，指出主要在於「民不堪命」以致「相聚為盜」，這是非常客觀的。他分析了戰爭初期雙方在戰略戰術方面的得失，真實地記錄了太平軍破釜沉舟的戰鬥氣慨，以及誘敵深入、巧於偽裝、善於突襲等靈活多變的戰術。而清軍內部的推諉、扯皮現象，清軍將領的畏縮不前、貪生怕死，以及各地軍隊的互不救援，歸根結底在於清軍指揮調度的不統一和軍事將領的不成熟。

　　夏燮對於太平天國內部的典章制度、政策法規和機構組織沒有涉

及，但指出了其失敗的一個重要原因，那就是洪秀全、楊秀清急於兌現當初起事時給眾將，尤其是給高級將領的承諾，耽於享樂。早在武昌時，太平軍就有「指日揚帆東下，直趨小天堂」的說法。「小天堂者，蓋粵西人以金陵為繁華都會，有如天堂之口號也。」後來洪、楊進入南京，即不思進取，「一旦入其所謂小天堂者，不但珠玉綺羅，充物山積；即搜其橐藏、發其窖鏹，亦以數百萬計。方擁秦淮妓女，置酒高會，日有富貴故鄉之想。」不願派遣主力部隊立即北伐，坐失戰機，致使北伐部隊孤軍深入，寒冷的氣候使其迅速失敗。

清軍和太平軍的指揮官，都是在戰爭中逐漸成熟的。前期太平軍屢出奇兵，占盡優勢，後期卻繼承了清軍的所有毛病，各自為戰而互不相救。可惜《粵氛紀事》到一八六〇年戛然而止，只能是半部「天國戰史」。

夏燮在書中，對太平軍一直以「賊」相稱，表明了他鮮明的政治立場，這也是當時漢族知識份子普遍的政治態度。但《粵氛紀事》的問題主要不在這裡，而在於對上帝教的地位和作用沒有提及，對當時漢族知識份子為什麼要站在太平軍的對立面分析不足。這決定了該書的總體價值不如同時代的《賊情匯纂》、韓山文的《太平天國起義記》、羅孝全的《洪秀全革命之真相》，後來也很少被史家所引用。夏燮在他撰寫《中西紀事》時體現出來的近代眼光，在《粵氛紀事》中找不到痕跡，此一點讓人甚感不解。

太平天國失敗後，一些學者囿於偏見或怯於禁忌，未能對這一重大事件作出嚴謹的學術評判。一九〇二年，梁啟超在日本流亡時著《李鴻章傳》，順帶論及太平天國和洪秀全。這位戊戌維新的著名人士，以高屋建瓴的近代眼光，從太平天國的政治制度、洪秀全對傳統文化的態度及其個人品質和能力等幾個方面，第一次對太平天國進行了理性的學術探討。

　　梁啟超奠定了二十世紀此項研究的基本觀點和方法，無疑在太平天國研究中具有里程式碑的重大意義──可惜他的理性研究，很快被孫中山為首的革命派日益激烈的政治需要的呼聲壓下去了，從此很少被浩浩蕩蕩的太平天國研究大軍所注意。

二

　　孫中山看中太平天國的排滿，認為洪秀全的努力，可以成為推翻滿清政府的資產階級革命的方向和旗幟。一九〇四年，革命黨人劉成禺（漢公）編著《太平天國戰史》，孫中山欣然為之作序。此序以文言寫成，將洪秀全與朱元璋相提並論，說他們都是推翻異族統治的英雄。而曾國藩、左宗棠之類不明春秋大義，中了清廷以漢攻漢的奸計，致使太平天國敗亡。他盛讚洪秀全的豐功偉績，要求「洪門諸君子」繼承洪氏遺志。

　　孫中山憤於清政府的頑固，逐漸形成了「為目的而不擇手段」的指導思想。為了鼓舞士氣，一九〇六年革命黨人編輯出版了《太平天國翼王石達開遺詩》，共收錄二十五首，其中多有慷慨激昂的詩句，讀後令人感動。後經柳亞子考證，詩集中有二十首係他人偽作。黃小配創作的長篇小說〈洪秀全演義〉也於一九〇八年出版，其人物和情節多有編造。辛亥革命成功後，洪秀全更被頌揚成「民族英雄」和「革命先驅」。孫中山從政治需要出發肯定洪秀全，實為洪氏在二十世紀走紅、太平天國研究成為歷史研究「顯學」的濫殤。在當時對推翻清政府有一定積極作用，但長期看，其弊端是很明顯的。梁啟超後來說，他之所以與孫中山分道揚鑣，就是不贊同他「為目的而不擇手段」的做法。辛亥革命後梁啟超選擇袁世凱，不與孫中山合作，可能也與此有關。

　　民國初年，太平天國研究能夠參引的真實文獻資料極為貧乏，導致史實真偽混雜，訛誤很多。李法章《太平天國志》（1923）、李一麈《太平天國革命運動史》（1930）、王鐘麒《太平天國革命史》（1931）偏重於敘事，張霄鳴《太平天國革命史》（1932）側重於理論分析。一些著作盛讚太平天國的「革命性」，雖有開拓意義，難免內容空疏。

　　蔣介石南京政府建立後，情況有一些變化。蔣氏十分推崇曾國藩，經常要求部下學習曾文正公的為人、做事，自然使美化和拔高洪秀全的現象，得到一定程度的降溫。同時在一九三〇年前後，有兩件事對太平天國的研究產生積極影響：一、隨著史料發掘、考證、辯偽工作的深入，特別是太平天國文書從海外回傳，一些經歷過太平天國的外國人的文字記錄也翻譯出版，使對太平天國進行嚴謹的學術研究成為可能；二、三〇年代初期，中國進行了一場聲勢浩大的社會性質討論，如何認識、評價中國自一八四〇年鴉片戰爭以來發生的若干重大事件，也關係到當時對一些現實問題的處理。學者們出於責任感，覺得有必要加以澄清——於是在太平天國研究領域，出現了一個熱鬧場景。加之在學術領域逐漸形成的民國時期特有的不受意識形態左右的良好學風，使學者能夠各抒己見，自由爭論，以各種理論、思想審視這一歷史事件。可以說，二十世紀三〇、四〇年代，太平天國研究出現了第一次高潮，充分體現了暢所欲言的民主風氣，是一次難得的學術盛筵。

　　二十世紀太平天國研究的重要學者，即所謂「學術大家」，都在這一時期脫穎而出。羅爾綱認為太平天國是「貧農的革命」；郭廷以認為「論其性質，初不限於政治、種族，實兼有宗教、經濟、社會諸因素」；蕭一山、簡又文則力持民族革命運動說。簡又文明確反對運用馬克思主義理論來解釋太平天國史，主張站在客觀的立場從事研

究，並由此得出太平天國「大破壞」的結論。他認為：「以破壞性及毀滅力論，太平天國革命運動僅亞於現今日本侵略之一役耳，其前蓋無匹也。」

與李一塵等人主要偏重理論分析相比，羅、郭、蕭、簡等人十分重視考據，儘管他們所從事的僅是個別或部分史事的考訂，但單就研究方法而言，仍不失為一種有益的改進。朱謙之曾對這兩大研究流派的長短進行褒貶，主張史料考訂和史料解釋並重。他還引用孫中山和馬克思的相關論述，否定了李一塵等人的觀點，認為「太平天國自始至終只是反封建的農民革命」，並不帶有資產階級革命的性質，並認為太平天國按照〈天朝田畝制度〉中的設想，實行了「土地共產革命」。

三

一九三四年，陳恭祿出版六十多萬字的《中國近代史》，以西方自由主義立場審視太平天國。他從政治、經濟、文化、宗教等方面，尤其是造成的嚴重後果，對這場「內亂」進行全面否定。這部著作的問世，表明對太平天國持批評意見的觀點，開始佔據學術界的主流。此書列為二十世紀三〇年代的「部頒教材」，被譽為民國時期的經典著作。

蔣廷黻一九三八年出版了《中國近代史》，他以心平氣和的語調，認為曾氏、洪氏都不能救中國。但相比之下，更多地傾向於褒揚曾國藩、否定洪秀全。因為前者雖然支持了不可救藥的清政府，但還能夠吸收中國傳統文化和西洋文化的一部分，其門生部下一般比較正派；後者的真實心志不在建設新國家或新社會，對社會革命消極，宗教簡直成了迷信，個人人格和才能也有很大的缺點。

　　一九四〇年，商務印書館出版錢穆的《國史大綱》，主要從發動者和參與者的文化素質方面入手，分析「洪楊之亂」興起和失敗的原因，均在於「愚民」。他第一次將太平天國與「邪教」相提並論，指出在法國、美國革命後的這一次農民「革命」，沒有任何先進精神。蔣廷黻、錢穆的結論概說較多，似沒有深入研究，有「以論帶史」的缺點。

　　真正對太平天國具有劃時代意義的研究者是李劍農。他是孫中山和辛亥革命的堅定支持者，也是一個老同盟會員和國民黨員。他還有一個別人不具有的優勢，親自主持過湖南省的政治革新，對於中國實際政治的複雜性，體會比純粹的學者要深刻和全面一些。他從一九二八年開始撰寫《最近三十年中國政治史》，抗戰期間擴充為《中國近百年政治史》，在國內外學術界產生了重大影響，受到中外學者的高度重視。他在書中的一段議論值得注意：

> 滿清顛覆後，大家認洪秀全為革命的先驅，他的賊名消滅了；曾國藩又得了反革命的罪名。賊與非賊，隨時勢與感情為轉移，本來沒有一定，不過，我們研究歷史的人最宜注意的就是要以客觀的事實下判斷，不要以主觀的感情下判斷。洪秀全與曾國藩的功罪，我們固然不可以兩方的成敗來斷定，但也不可為感情所蔽，抹殺歷史的事實。

　　他以大量的事實為依據說明，太平天國在形式上對於中國的宗教、政治、經濟，仿佛都是革命的，但在精神上，這種革命實在不是合乎現代精神的革命。他對李秀成的才幹和人品給予高度讚揚，指出其精神實質與曾國藩相似，但仍無力挽回太平天國的敗局，根本原因在於洪秀全輩的神權主義精神是假的，只是利用神權，假託神權，對於神權並沒有真實的信仰，不過借此來滿足個人的野心欲望。而曾國

藩輩的名教主義精神是真的，誠心誠意要維持名教，他的同僚受了他的薰陶，大多能夠做到言行一致，精神境界相差不遠。

李劍農在本書中，用了超過記敘鴉片戰爭和洋務自強運動的篇幅，來論述洪秀全及其領導的太平天國，材料充分，持論公允，很有說服力。

相比之下，郭廷以的觀點最為激烈。他認為太平天國是「神權專制政治」，「是一個低級的迷信，絕對的暴力集團，神權，極權，愚蠢的統治，只為滿足自己的無限欲望，絲毫不顧及大眾的福利，所造成的是遍野白骨，滿地荊棘」。而洪秀全「野心極大，但知識幼稚，措施狂妄。他不瞭解中國文化，更不認識世界大勢」。

洪秀全是孫中山親自樹立起來的革命榜樣。孫中山是國民黨的領袖，蔣介石自稱孫中山的忠實信徒，陳恭祿、蔣廷黻、錢穆、李劍農、郭廷以所論，無疑與孫中山的觀點對立，有的甚至暗示孫中山不尊重歷史事實，但他們都沒有受到壓制和打擊。

一九四九年，大陸政權更替，研究太平天國歷史的第一批知名學者，李劍農、陳恭祿、羅爾綱等人留在大陸，李一塵、蔣廷黻、錢穆、郭廷以、簡又文、蕭一山等人移居海外。其中羅爾綱、李一塵、蕭一山、簡又文對太平天國持肯定或同情態度，其餘持否定態度。由此可見，學術觀點與政治態度或政治選擇，在這裡表現出不一致。

四

凡是提到二十世紀的太平天國研究，羅爾綱是無法繞開的一個人物，不僅因為他對此項研究做了大量的資料搜集、整理、辯偽、勘誤工作，提出了不少獨特的見解，而且因為他的特殊身份和在政治風雲中的尷尬角色。

　　羅爾綱，一九〇一年出生於廣西貴縣，與太平天國翼王石達開同鄉。二〇年代接觸太平天國史料，並發表有關紀念文章。大革命時期因下鄉宣傳反帝反封建，遭到父親痛斥。一九二六年進入共產黨人主辦的上海大學，兩年後仰慕胡適大名，轉入其擔任校長的中國公學。一九三〇年七月從中國公學畢業，應邀到胡適家整理文稿，兼督促兩個兒子的學業。他與胡適先後有五年的師生之誼，深受胡適治學方法影響。一九三七年他出版了成名作《太平天國史綱》，以階級鬥爭觀點解釋太平天國，提出「太平天國革命的性質是貧農的革命」，顯示出他在治學理念上與胡適存在差異。胡適肯定了此書的文字簡潔、可讀性強，然後話鋒一轉，批評此書最大的毛病在於追趕「時髦」。他不客氣地說：

> 你寫這部書，專表揚太平天國，中國近代自經太平天國之亂，幾十年來不曾恢復元氣，你卻沒有寫。做歷史家不應有主觀，須要把事實的真相全盤托出來，如果忽略了一邊，那便是片面的記載了。這是不對的。你說五四新文化運動，是受了太平天國提倡通俗文學的影響，我還不曾讀過太平天國的白話文哩。

　　當時羅爾綱虛心表示接受，但後來的事實證明，他沒有真正理解胡適的治學精髓，即作為一個歷史學家應當具有的獨立思考。新中國成立時，羅爾綱已經是一個卓有成就的太平天國研究專家。他對農民起義的深厚感情，得到了人民政府的熱情回應，並奉命籌建南京太平天國歷史博物館。一九五一年一月十一日，在金田起義爆發一百周年之際，《人民日報》發表胡繩起草的社論，宣稱「太平天國是中國近代史上一次偉大的農民革命」，「取得了廣大人民的擁護」，高度頌揚了太平天國抗擊國內外敵人的光輝業績。該報同時還刊登了羅爾綱撰寫的一篇文章〈太平天國起義日期考證〉。這一年，羅爾綱出版

了兩部書，一部是《太平天國史稿》，一部是《李秀成自述原稿箋證》。前者在《太平天國史綱》基礎上修改而成，後者論證了李秀成自述的真實性，並提出了李秀成學姜維詐降的觀點。二十世紀五〇至八〇年代，羅爾綱連續推出了十多部有關太平天國的專著和論文集，其精細、嚴謹的考證，引起海內外學術界的極大關注。

當然在這期間，他也遭遇了批判胡適思想的尷尬。作為與胡適亦師亦友的人物，他很難成為一個保持沉默的旁觀者，於是他在一九五五年一月發表了一篇題為〈兩個人生〉的文章，與胡適劃清界限。在這場以政治謾罵為主調的批判浪潮中，在一堆充斥著「反革命」、「反動」、「洋奴才」、「買辦文人」的激烈字眼中，羅爾綱的文章顯得溫和而淳樸。在〈兩個人生〉裡，羅爾綱大多數筆墨都在檢討自己的錯誤，即在解放前研究太平天國史時，「沒能從原則上提到太平天國的革命是反封建、反侵略的農民革命」。羅爾綱認為，這是胡適對他的毒害，是胡適讓他既要看見太平天國光明的一面、也要看到其陰暗面所造成的。同時他還承認，歷史學是研究階級鬥爭的科學。

羅爾綱的檢討得到認可，他不僅頻頻參加各種學術、紀念活動，而且在一九五八年加入中國共產黨。在他龐大的研究文字中，儘管掌握了充分的資料，卻經常以主觀的感情下判斷。比如他認為李秀成自述表現了堅貞的革命理想、鮮明的階級立場，而洪秀全幾乎成了完人。進入六〇年代，太平天國研究日益政治化，羅爾綱對李秀成的讚揚也受到公開批判。當時對所有太平天國的主要人物都重新劃定階級成分，學術研究成為現實政治鬥爭的工具，從而走入歧途。毛澤東逝世後，太平天國研究回歸正常，但整個八〇年代，即使是「人民群眾是創造歷史的真正動力」受到廣泛質疑的時候，太平天國研究作為學術界「顯學」的地位，仍然牢不可破。羅爾綱被譽為此項研究的「一代宗師」，以一百五十萬字的《太平天國史》，幾乎完美地迎來九十

歲生日。而他與胡適的關係，在沒有禁忌的時代，得以重新被人提起。他本人也在人生的最後時光，寫下《胡適瑣記》，回憶他與恩師的點點滴滴。值得注意的是，他的回憶文字，心平氣和，感情內斂，與《太平天國史》的感情外露，形成鮮明對比。比較《太平天國史》和同一時期姚雪垠的長篇小說〈李自成〉，至少在精神境界和指導思想兩方面，兩部書驚人一致。

一九九一年，羅爾綱撰寫的《水滸傳原本》與《太平天國史》幾乎同時上市。讓人詫異的是，他老人家竟然公開宣稱，堅持認為自己最大的學術貢獻，是搞清楚了《水滸傳》的最初版本，即七十回本。

五

在毛澤東時代，范文瀾、郭沫若、翦伯贊是國內公認的三個馬克思主義歷史學家。他們對太平天國及農民起義的態度，耐人尋味。

范文瀾成名於二十世紀三〇年代，抗戰時期到延安，曾在馬列學院、中宣部任職。他比所有同時代的學者更瞭解毛澤東「農民起義是推動歷史發展的真正動力」的論點。范文瀾撰寫的《太平天國運動史》一書初版於一九四五年，一九五一年收編為暢銷一時的《中國近代史》上編第一分冊的第三章，故而影響深遠。該書具體分析了太平天國敗亡的主客觀原因，認為主觀上在於太平天國領導層存有宗派、保守、安樂三種思想，「總根源在農民階級消極方面的狹隘性、保守性、私有性」；客觀上在於中外反革命勢力逐漸結合，反革命勢力超過了革命勢力，加之當時中國的進步階級尚未誕生。他認為，「〈救世〉、〈醒世〉、〈覺世〉三篇的製成，奠定了太平革命的理論基礎」，並充分肯定了太平天國革命的歷史意義，認為它使舊式農民起義的面目「為之大變」，「揭開了中國舊民主主義革命的序幕」，

「是中國歷史上第一次提出政治、經濟、民族、男女四大平等的革命運動」。范文瀾力圖按照毛澤東的歷史觀來闡述中國歷史，對洪秀全及其領導的太平天國給予高度評價。

新中國成立後，范文瀾理直氣壯地說：「學術一定要為政治服務。」對當時歷史學科研究的理論導向，產生了重大影響。在頌揚、美化和神化洪秀全的過程中，范文瀾不是第一個人，但屬於用力最勤、最為熱心的一個。在他去世前，幾乎成了官方史學的代言人。

一九四四年，郭沫若發表〈甲申三百年祭〉，對李自成領導的農民起義進行誠懇的分析、檢討，毛澤東將其印發給全黨作為整風檔。當時毛澤東還致信郭沫若：「倘能經過大手筆寫一篇太平軍經驗，會是很有益的。」郭也認真收集了許多資料，但多年過去了，他至死沒有寫出一個字。新中國成立後，他在曹操評價等問題上支持了毛澤東的觀點，但始終沒有對如日中天的太平天國研究發表任何看法。

翦伯贊是二十世紀五〇年代批判胡適思想的堅決支持者，一九五七年反右運動時，他也積極對向達等「資產階級學者」進行了言辭激烈的攻擊。但史學界日益嚴重的「以論代史」現象引起了他的警惕。他拒絕跟風，在六〇年代初連續發表〈目前歷史教學中的幾個問題〉、〈對處理若干歷史問題的初步意見〉、〈史與論〉等多篇文章，提倡「論從史出」、「史論結合」，強調歷史研究必須「從實際出發，從具體的史實出發，不能而且不允許從理論出發，從概念出發」。他要求史學研究應當先從史料入手，再下結論，不能先下結論，再找證據。具體到農民戰爭，他認為農民起義從來沒有把封建當作一個制度來反對，把地主當作一個階級來反對，把皇權當作一個主義來反對；不能強調農民戰爭的落後性、盲目性，也不該誇大它的組織性和自覺性。聯繫到當時太平天國研究的日益政治化，他的針對性顯而易見。

　　翦伯贊的史學觀點遭到戚本禹的批判，在「文化大革命」初期被迫自殺。

　　三個最著名的馬克思主義史學家，對於當時太平天國研究的學風，一個大力支持，一個保持沉默，一個表示反對。

　　一九五一年為《人民日報》撰寫紀念太平天國起義一百周年社論的胡繩，也是新中國非常活躍的一位馬克思主義史學家。一九五四年，他在一篇論述中國近代史分期問題的文章中，主張「用階級鬥爭的表現來做劃分時期的標誌」，並首次闡述了三次革命高潮的概念，認為「太平天國的革命運動是中國近代史中第一次革命運動的高潮」，其特徵表現為「地主階級和農民階級的矛盾展開為巨大的爆發」。八〇年代初期，他主持編著《從鴉片戰爭到五四運動》，出版後影響巨大。二〇〇〇年胡繩去世前夕，他說，共產黨領導的中國革命，本質上就是一場農民起義。

　　二十世紀的後五十年，儘管大陸有關太平天國的研究機構不斷增加，研究隊伍日益龐大，但除羅爾綱在資料搜集、整理方面卓有建樹外，其餘的絕大多數學者，都圍繞毛澤東對農民起義的看法進行闡述、論證，很少有新穎、獨特的貢獻。這也不奇怪，在一個言論和思想都有可能成為犯罪理由的年代，學者只能在規定的框架內解釋和書寫歷史，誰也不願意拿自己的飯碗甚至腦袋來提出不同看法！

六

　　羅爾綱生命的最後幾年，目睹了太平天國研究的冷落、蕭條。

　　一九九一年，羅爾綱的四卷本《太平天國史》和茅家琦的三卷本《太平天國通史》先後問世，似乎標誌著太平天國研究達到了頂點。與此同時，唐浩明著長篇小說《曾國藩》，紅極大江南北。此書雖然

將曾國藩和洪秀全作為兩種人生理想來寫,但對曾國藩、左宗棠、李鴻章等人濃墨重彩,傾向性不言而喻,客觀上起到了還原歷史真相的「正名」作用。隨後,國內出現曾國藩研究熱及其大量相關圖書的出版。

肯定曾國藩等人對中國近代化的貢獻,以及他們在這一歷史過程中體現出的信仰的真誠、做事的幹練、相對正直的人品,無一不在降低多年來經過國共兩黨領袖讚美的、由大大小小馬克思主義史學家精心樹立起來的洪秀全及其太平天國的威望,進而促使人們考慮這樣一個問題:歷史的真相是否被掩蓋?為什麼要掩蓋?

羅爾綱逝世三年後的二〇〇〇年,復旦大學教授潘旭瀾寫了一本名叫《太平雜說》的歷史隨筆。他用大量的事實「撥亂反正」,將洪秀全及太平天國鮮為人知的一面,血淋淋地展現在人們的眼前,引起一場軒然大波。潘旭瀾開宗明義:「我知道,比起山呼海嘯的宣傳,這本由短文結成的小冊子,是很孤立而渺小的。可以引以為慰的是,它表明沒有在迷魂陣中迷失自我。」他極力讚揚「以曾國藩為首的一批讀書人,歷盡艱險,打敗了以洪秀全為首的太平軍,是傳統文化戰勝野蠻、反人性、惡質文化的邪教軍事割據」。他認為洪秀全四次科舉不中的經歷,滋生了對抗社會、報復社會的陰暗心理,起事後實行了一套比封建主義更加野蠻、落後的蒙昧主義和神權主義,造成中國歷史上空前的浩劫。

應該說潘旭瀾使用的材料和作出的結論都不新鮮,只是重複了半個世紀前陳恭祿、錢穆、李劍農、郭廷以等人披露過的史實。但大量材料的集中使用,人物心理的細緻剖析,加之用語的激烈尖銳,還對照二十世紀後五十年的中國社會現實加以反思,產生了震撼人心的效果。

接著對洪秀全和太平天國進行顛覆性敘述的,是一個名叫史景遷

的美國學者。二○○一年，他的《天國之子和他的世俗王朝》（即二
○一一年版的《太平天國》）在國內出版，再一次引起轟動，使人們
對太平天國殘存的一些好感蕩然無存。作者在該書的前言中，指出了
幾十年來中國大陸太平天國研究持續火爆的根本原因：

> 在大陸……還有幾百位歷史學家和編輯人員在從事太平天國研
> 究，這是因為共產黨當局把太平天國看成社會主義者的原型，
> 他們的經驗可作為革命的借鑒，而且太平天國的失敗也說明：
> 如果沒有紀律嚴明的馬列政黨來領導，這類農民起義不可能竟
> 其功。

史景遷從宗教入手，引領人們走進洪秀全逐漸由灰色變成黑色的
內心世界。他不動聲色地講述一個又一個故事，讓人們加深了對腐
朽、邪惡、野蠻、自私、殘酷、狂妄、愚昧、無知、倒退……這些詞
彙的理解。讀者從他沒有直接褒貶的文字中產生一個疑問：在現代文
明曙光初照的十九世紀中期，在擁有五千年燦爛文化的中國，居然產
生了一個比中世紀神權統治還要古怪的政權！有的進一步懷疑，中共
執意將自己與這麼一個短暫、落後的農民政權緊密聯繫在一起，是否
一種不明智的自我貶低？

反對者不便對一個外國學者說什麼，潘旭瀾遂成為猛烈反擊的對
象。但多數反駁文字用語陳舊，沒有新意，甚至字裡行間不時露出一
些久違的「文革」遺風。只有二○○六年夏春濤所著《天國的隕落》
值得注意。

此書首先界定「邪教」的概念。作者根椐有關權威的法律文書指
出：「邪教組織是指冒用宗教、氣功或者其他名義建立，神化首要分
子，利用製造、散佈迷信邪說等手段蠱惑、矇騙他人，發展、控制成
員，危害社會的非法組織」。「邪教對正常的社會秩序造成嚴重的威

脅和破壞,是披著宗教外衣,帶有強烈的政治色彩,具有反科學、反社會、反人類、反政府性質的犯罪集團。」按照這個定義,「邪教」不是宗教的某個教派,而是冒用宗教名義、披著宗教外衣的非法組織、犯罪集團。作者認為:「與清代民間教門和秘密會黨相比,上帝教所信奉的獨一真神信仰無疑是一種歷史進步。正是借助於威嚴剛烈、權能無限的上帝形象,洪秀全才得以有效地統一號令……星星之火迅速形成燎原之勢。」

最後夏春濤作出結論,太平天國不是「邪教」,對洪秀全及其太平天國不能完全否定。有人立刻著文,以其矛攻其盾,根據夏春濤提供的定義,對照當時的事實,恰好證明太平天國運動具有「反科學、反社會、反人類的邪教」性質。

又是一篇篇歷史隨筆,二〇一〇年陶短房《這個天國不太平》在全國熱銷。作者宣稱,他要跳出「好人」和「壞人」的評價,來述說太平天國歷史。但我們看到的,是比潘旭瀾筆下更加不堪、更加邋遢的歷史細節。一部洪秀全主導的「天國史」,讓人傷心得不忍卒讀。

從夏燮到羅爾綱,從孫中山到毛澤東,從李劍農到史景遷……他們敘述的,是天國,還是地獄?在二十一世紀,要作出權威的結論,沒有必要,也不可能。但有一點很明確,政治介入學術,損害的不僅僅是學術。

二〇一三年三月二十八日於成都

主要參考文獻

中國太平天國史研究會編　《紀念羅爾綱教授文集》　南京市　江蘇
　　　文史資料編輯部　1998年版

史景遷　《太平天國》　桂林市　廣西師範大學出版社　2011年版

李劍農　《中國近百年政治史》　長沙市　商務印書館　2011年版

祁龍威　《太平天國史學導論》　北京市　學苑出版社　1989年版

南京大學編　《太平天國史論叢》　1979年版

夏春濤　《天國的隕落》　北京市　中國人民大學出版社　2006年版

夏　燮　《粵氛紀事》　北京市　中華書局　2008年版

崔之清主編　《太平天國戰爭全史》　南京市　南京大學出版社
　　　2002年版

范文瀾　《中國近代史》　北京市　人民出版社　1947年版

近代史研究所編　《范文瀾歷史論文選集》　北京市　中國社會科學
　　　出版社　1979年版

郭毅生　《羅爾綱傳》　桂林市　廣西師範大學出版社　2005年版

郭廷以　《近代中國的變局》　北京市　九州出版社　2012年版

陳恭祿　《中國近代史》　北京市　工人出版社　2012年版

陳基余主編　《安徽文化史》　南京市　南京大學出版社　2000年版

錢　穆　《國史大綱》　北京市　中華書局　1997年版

潘旭瀾　《太平雜說》　南昌市　百花文藝出版社　2000年版

陶短房　《這個天國不太平》　北京市　中華書局　2010年版

蔣廷黻　《中國近代史》　武漢市　武漢出版社　2012年版

羅爾綱　《太平天國史》　北京市　北京大學出版社　2010年版

羅爾綱著　《師門五年記‧胡適瑣記》　北京市　生活‧讀書‧新知
　　　三聯書店　1995年版

無為篇二二

無為記事

一

呂惠生，一九〇二年生於無為縣城北門官巷。呂父是晚清秀才，不善置業，躬耕三十畝沙地，租住潘家公館五間廂房。房前有一塊空地，地上有一棵大梧桐樹。家境清寒，寧肯典當衣物，也不願向他人開口。呂父生性豁達，平常總是笑嘻嘻的樣子。兒子考試不好，他便安慰說：「沒有失敗就沒有成功。這樣年輕，何必著急。」每逢節下，他就會在門口貼上「志士不嫌茅屋小，英雄總是布衣多」之類的新對聯。一家人高談闊論，書聲、歌聲、嘻笑聲不絕於耳。

呂惠生在米公祠讀初小時，有富家沈氏移居城內。由雙方父母做主，八歲的呂惠生與沈氏五女沈自芳訂親。眾人因兩家貧富差別而詫異，沈母回答：「我但有佳婿，何愁其貧！」

此話讓呂惠生感念終生。他勤奮攻書，先進入安慶第一農業學校，後考取北京農業大學。不巧呂父去世，全靠岳父資助，得以讀完大學。他本想實業報國，在北京、山東等地求職無果，遂回無為教書。此時國共合作，呂惠生閱讀孫中山的三民主義，精彩之處，使他激動不已，熱血沸騰。不久他加入國民黨，並與胡竺冰等人一起，在無為秘密組織國民黨縣黨部。共產黨人盧光嫠與他談及無產階級專政，他很不以為然：「有產階級壓迫無產階級，固然不公平。如果反而行之，豈不又存在一個不公平嗎？」

　　一九二七年九月，中共成立無為縣特別支部，在無為中學發動「擇師運動」，呂惠生在一片擁戴聲中擔任了無為中學校長。他不是中共黨員，卻在學校聘請多位共產黨員任職。縣教育局官員貪污辦學經費，他率領師生罷課、請願，迫使縣政府滿足要求。他深入民間募捐，改善了辦學條件。同時興辦濡江書店，經營各種進步書籍。一時全縣民眾中，激盪起濃郁的政治空氣。呂惠生因此遭受當地惡俗勢力排擠和流言蜚語攻擊，他激憤中自動脫離國民黨，以九百元賤價賣去三十畝沙地，於一九三一年夏離開家鄉，輾轉於貴池、宿州、安慶等地，以教書或培育蔬菜新品種為生，秉持自由主義思想，遠離黨派。一九三五年返回家鄉養病，病癒後受聘縣政府建設科長。有富家想長期霸佔公地而行賄呂惠生，遭其斥責，堅持要富家拆房讓地。

　　抗戰爆發，共產黨員張愷帆回無為活動，呂惠生登門拜訪，兩人暢談抗日大事，結下深厚情誼。呂惠生以合法身份，將一批共產黨員安排到縣政府工作，協助組織抗日人民自衛軍。張雲逸率新四軍到無為組建江北游擊縱隊，呂惠生四處奔走，籌集資金、彈藥、糧草，動員群眾參加抗日隊伍。一九三九年初，呂惠生被國民黨安徽省政府列入逮捕名單，他拖家帶口投奔新四軍，跟隨部隊撤往淮南津浦路西根據地，被任命為儀征縣縣長。呂惠生在日記中寫道：「我之全家，已委託全部生命於革命，革命進則我全家存；革命敗則我全家亡。此已為明顯不易之鐵的事實，我何他慮！」

　　新四軍五支隊羅炳輝部的抗敵劇團挑選演員，看中呂惠生十二歲的女兒呂曉晴和十歲的兒子呂其明。沈自芳捨不得，呂惠生勸她說：「讓他們到革命隊伍裡去鍛煉，闖出自己的人生之路。」姐弟倆從此穿上肥大的軍服。

　　皖南事變後，曾希聖奉命成立新四軍第七師，立足無為開闢皖江抗日根據地。呂惠生因熟悉當地情況，奉調任無為縣長。一年後，他

經參議會選舉，擔任皖中行署主任，並由行署黨委書記張愷帆、無為縣長陸學斌等人介紹加入中共。呂惠生坦言：「起初不滿封建勢力而與之不斷搏鬥，既而瞭解新的黑暗，覺察到改良主義無功，乃漸皈依於現實主義，衷心的信仰共產主義的制度。」其時女兒呂曉晴和兒子呂其明也從羅炳輝所在的新四軍二師調入七師文工團，一家人得以經常見面。

　　「三更燈火五更雞，累斷命根不遲疑。」呂惠生經常不帶警衛員，一個人戴頂草帽、拄根拐杖就下鄉去做群眾工作。無為是著名的魚米之鄉，過去無論水田、旱田，只種稻子。呂惠生要求種植棉花、油菜、煙葉和各種豆類，使農產品更加豐富。農民的房前屋後，也種上蔬菜和樹木。為了提高生產率和調濟勞動力，他提倡在鄉村組織農業合作社和換工隊。沒過多久，無為城鄉一片繁榮。有一次，他到石澗埠鎮，眼見街上群眾摩肩擦背，熱鬧異常，各色貨物，堆滿街市。鄉下人將沿街茶鋪坐得滿滿的，隨心點買想吃的東西。人們說，這是新四軍民主政府帶來的福氣。廬江等地的群眾來此貿易，無不羨慕，咒罵道：「他媽的廣西佬在那裡，把雨水也弄沒了……」

　　無為緊鄰長江，東鄉的黃絲壩江堤建於清代，年久失修，自同治以來已潰堤九十六次。呂惠生和張愷帆多次現場勘察，制定了興修計畫。行政公署動員幾十萬民工，用了二百多天時間，就建成了新堤。建設期間，呂惠生每天都要親臨工地，嚴格檢查工程品質，還經常與民工一起鏟土、挑擔、打夯。皖江根據地為表彰呂惠生對修建新堤的特殊貢獻，由參議院提議，將新堤命名為「惠生堤」。

　　呂惠生感動地在日記中寫道：「黨與首長們對於我，總算是特殊又特殊，我再不加緊報之以工作，是沒有心肝。」但根據地個別老革命似乎對這個曾經的國民黨員、後來的自由主義者、現在的共產黨員並不完全放心，為此呂惠生在一九四五年二月二十四日的日記中，隱

約流露出無奈:「老無端而作政治上的懷疑,則我只有痛心罷了。時間是試金石……我之為人,是忠是奸,我有我偉大之人格自作保證。」

機會來得慘痛。抗戰勝利後,新四軍第七師和皖江根據地黨政機關北撤江蘇淮陰。一九四五年九月十五日,呂惠生送別張愷帆等走陸路的同志。二十日,呂惠生、沈自芳夫婦率領部分醫護人員、傷病員和三個子女,無限眷戀地離開家鄉,乘船順江而下,途中被汪偽政權的無為縣長胡振綱扣押。胡振綱正在國共之間選擇,便以呂惠生為籌碼,與國民黨接收官員談判。呂惠生向他詳細解釋中共政策,力勸他投奔新四軍,並保證可以既往不咎。然而最終胡振綱接受國民黨改編,反過來勸呂惠生與他一道投靠國民黨,被呂惠生拒絕。胡振綱無計可施,釋放了其他被俘人員,卻將呂惠生移交國民黨部隊以證明自己對國軍的忠誠。呂惠生歷經酷刑,絕不屈服。他托人帶出所作〈獄中詩〉:

> 忍看山河碎,願將赤血流。煙塵開敵後,擾攘展民猷。
> 八載堅心志,忠貞為國酬。且喜天破曉,竟死我何求!

十一月十三日夜晚,呂惠生在南京從容就義。臨死時,他高呼:「中國共產黨萬歲!」「和平民主萬歲!」他最後的政治立場表明,他之所以追隨共產黨,終極目的是實現和平與民主。

二

張愷帆順利到達淮陰後,得知呂惠生被捕和犧牲的消息,悲痛不已。新四軍第七師為其開了一個隆重的追悼會。一九五〇年十月,沈自芳和五個子女一起,護送呂惠生遺骸回到故鄉,無為縣政府將其安

葬在風光秀麗的繡溪公園。張愷帆再次見到他的老搭檔時，已是一塊莊嚴的墓碑。十一月，張愷帆專門寫了一篇文章紀念呂惠生殉難六周年。他說：「惠生同志，你的預言全被證實了，曾經是黑暗無邊的中國，不僅早已破曉，而且是紅日東升，光芒萬丈了。」張愷帆的樂觀情緒沒有延續多久，就被現實風暴一掃而空，他本人也遭受橫禍。

張愷帆，一九〇八年十二月出生在無為縣陡溝區張家墩一個小地主家庭。家裡藏書很多。父親守著四十多畝地，半耕半讀。張愷帆八歲那年，一位表叔下鄉收租時打了佃農，他憤憤不平地責問：「你自己有田不種，坐享其成，還要打人！」他在鄉下念了幾年私塾，十二歲時進無為縣城讀書，聽過共產黨人盧光婁的反帝愛國演講。在蕪湖讀中學時，跟著老師李克農參加學生運動，接受共產主義思想。大革命失敗後，張愷帆加入中共，回到無為東鄉小學，以教書為掩護，從事農民運動。一九三〇年，參與組織的六洲暴動流產，被迫外逃到蕪湖、宣城、南陵等地，堅持黨的地下工作。一九三三年到上海，經胡竺冰幫助找到黨組織，先後擔任中共閘北、滬西區委書記，半年後被捕入獄。在獄中，張愷帆作詩一首：

> 龍華千古仰高風，壯士身亡志未終。
> 牆外桃花牆內血，一般鮮豔一般紅。

抗日戰爭初期，張愷帆和幾位難友從蘇州監獄釋放，找到南京八路軍辦事處，要求到延安學習。辦事處的聯絡幹事李世農對張愷帆說：「你在無為工作有基礎，你回去發動群眾抗日，我不久也要到安徽。」從此以後的半個世紀，張愷帆與這位河北漢子結下牢固的友情，直至一九八五年同時離休。

一九五二年，安徽省行政建制恢復，曾希聖任第一書記，李世農和張愷帆同為書記。轉眼到了一九五七年，轟轟烈烈的反右鬥爭中，

李世農因反對全省右派數量過多，自己反而被曾希聖打成右派。隨之而來的，是「大躍進」的「五風」氾濫。起初張愷帆也異常興奮，一九五八年七月，舒城縣千人橋農業社放了一顆水稻畝產萬斤的衛星，他陪同曾希聖趕去祝賀，做了一首頌詩：「千人橋上萬人瞧，誰放衛星出九霄。槐樹中心旗杆隊，社員風格比天高。」隨後一哄而起的人民公社、公共食堂和大煉鋼鐵，使他逐漸清醒，對這種「窮過度」產生負面看法。當年十二月，彭德懷到安徽視察，由張愷帆全程陪同。彭德懷談到黨內風氣不好，報喜不報憂。張愷帆也談到地方上的浮誇和作風不純，有的地方高產高得沒了邊。兩位越談越投機，臨別時，他們並肩而立照了一張相片。

送走彭德懷，張愷帆立刻下鄉，見到的慘狀比想像的還要嚴重：農戶十室九空，公共食堂清水煮青菜，開始發生死人現象。他趕回合肥彙報實際情況，卻被批評為「受了農民的騙」。有人甚至說，農民晚上才點燈弄好吃的。張愷帆帶人夜間再次察看四鄉，大地一片漆黑。他直接找到曾希聖彙報，被指責為右傾。

一九五八年，安徽全省產糧一百六十八億斤，向中央虛報成四百五十億斤，由此導致高徵購。農民在挨餓，省委反瞞產。一九五九年三月，曾希聖主持萬人大會，認為農村不缺糧，全省普遍發生了「瞞產私分」。在說真話成了政治禁忌的時候，張愷帆的奔走呼號和拍案而起，多少顯得孤掌難鳴，不合時宜。張愷帆的家鄉無為縣，不斷有人向他告急。

也許是歷史的巧合，張愷帆的糾「左」，與彭德懷的行動，思想上和時間上驚人一致。一九五九年七月二日，盧山會議召開當天，張愷帆帶人前往無為。抗戰時期他在這裡擔任皖江行署書記，認得當地很多人。此時見到他，就圍上來訴說：「我們還不如以前的雞，雞一天還有兩把米。」「聽說上頭每人每天發二兩原糧，發到公共食堂，

層層克扣，我們就一點也見不到了。」有老人下跪：「請張省長救命！」也有群眾哭訴：「我們只有等死了。」石澗公社（原石澗埠鎮）某村，十多戶人家，有的全家餓死，有九個孩子成了孤兒。農村情形如同毛澤東詩詞所言「千村薜荔人遺矢，萬戶蕭疏鬼唱歌」。縣委書記姚奎甲彙報時滿不在乎地說：「全縣浮腫的只有萬把人，浮腫的都是好吃懶做，不做事當然沒有飯吃！」張愷帆立刻反駁：「蕪湖地委通知每個浮腫病人發一斤紅糖，你是不是報了二十萬人？你準備在無為餓死多少人？」姚奎甲無言以對，臉色煞白。張愷帆命令：「從明天起，每人每天不得少於一斤原糧。公共食堂停辦。自留地歸還群眾。你通知下去，明天開大會，基層幹部都來，我要講話。」

七月七日，幹部群眾齊聚縣城觀政潮廣場，靜聽張愷帆講話。他首先將批評的鋒芒直指「大躍進」和浮誇風，他說：「過去有人提出，人有多大膽，地有多大產，哪有那麼容易！破除迷信不是不要科學，如果破除科學，那也就是迷信。」「留自留地，發展家禽家畜，好處很多。資本主義是不勞而獲、剝削別人。請問，社員搞點小塊土地，養幾個雞生幾個蛋賣賣，這是剝削了哪個？我們是領導群眾走共同富裕的道路，不是走共同貧窮的道路。如果要走共同貧窮的道路，哪個幹革命？就是我張愷帆也不幹。」「有些幹部堅持搞公共食堂，是為了方便自己多吃多占。」「在我們省裡來說，有些官僚主義。」「我吃人民飯，我要管事，我不能吃糧不當差。」「我準備在縣裡蹲個把月，如果查到哪個克扣糧食，一定要按法紀嚴處。否則，這樣搞下去，人家要革我們的命。」張愷帆的講話深刻尖銳，酣暢淋漓，廣場上歡聲雷動。姚奎甲表示遵照執行，並迅速落實。隨後，張愷帆請求省委候補書記、宣傳部部長陸學斌派記者來無為寫內參，他們要把實際情況反映上去。

張愷帆「大鬧無為二十天」的糾「左」行動和切中時弊的講話

稿,被曾希聖派人整理成材料,上報給正在廬山批判彭德懷的毛澤東。毛澤東指示,稱張愷帆是彭德懷反黨集團在地方上的代表人物。曾希聖讓省長黃岩回合肥,開展對張愷帆、陸學斌的批判。張愷帆不服:「如果我反映的情況不實,再批鬥不遲。」黃岩說:「先批鬥你再說。」又說:「你到無為去瞭解情況是可以的,為什麼要揭蓋子?揭安徽的蓋子對你有什麼好處?」曾希聖回到合肥後,將他們打成「反黨聯盟」,開除黨籍。曾希聖還舊事重提,派人外調二十多年前張愷帆的獄中情況,但沒有找到可以使其罪行升級的任何蛛絲馬跡,只得作罷。

九月下旬,張愷帆夫婦被趕出合肥,押往淮北濉溪林場從事體力勞動。全國各地鑼鼓喧天、歡歌笑語慶祝國慶十周年的時候。張愷帆想到了戰爭年代崢嶸歲月裡的奮鬥者,更想到了如今在死亡線上掙扎的饑餓者。他低頭深思,吟詩一首:

> 建國十年長,黎元尚菜糠。
> 五風吹不盡,慚愧吃公糧。

他抬起頭來,已是淚流滿面。

三

張愷帆沒有想到的是,他全家因此跌入苦難,六個親人被迫害致死。他料到的是,「這樣搞下去,人家要革我們的命。」

無為縣因張愷帆事件被批鬥和處理者,共達二萬八千七百四十一人。極左之風更加猛烈,農民稍有不滿就被逮捕、槍殺,以致監獄人滿為患。饑荒時代,全縣因饑餓而死者達三十三萬人,占城鄉總人口的三分之一。姚奎甲對付饑民手段之殘暴,農民死亡狀況之恐怖,人

性扭曲之醜陋，非文字所能形容。

饑餓催生反抗，高壓促成暴動。無為縣終於出現了黃立眾反革命暴動未遂案。

黃立眾，一九三六年出生於無為縣昆山鄉蘆塘黃村。父母都是當地勤儉老實的農民，抗戰時擁護皖江根據地民主政府，積極參加修建「惠生堤」。黃立眾幼年時，家裡也住過新四軍。曾希聖率領第七師撤離無為時，全家若有所失。黃立眾從小酷愛讀書，新中國成立後，他要求進步，讀中學時加入了共青團。一九五六年，當呂其明為電影〈鐵道遊擊隊〉創作的歌曲〈彈起我心愛的土琵琶〉流行大江南北時，黃立眾以優異成績考上北京大學哲學系。他唱著這一曲動人的歌謠，乘火車北上，來到美麗的未名湖畔。

他愉快的心情沒有持續多久，就從家信中感覺到了農村的日益貧困。學校裡開會，盛讚農村形勢一片大好，說農業合作化和人民公社是前無古人的革命創舉，將給億萬人民帶來巨大的幸福。輪到黃立眾發言，他提出相反的看法，還說出了農村吃不飽飯的真相。他遭到同學們的圍攻，被認為配合右派向黨猖狂進攻。他百口難辯，無數次檢討也沒法過關，最後仍被劃為右派，開除團籍、學籍，遣送回無為老家。

鄰里鄉親對黃立眾的落魄而歸，沒有歡迎，沒有抱怨，也沒有驚訝。他們已經被饑餓折磨得奄奄一息，除了吃的，對什麼也不感興趣。儘管黃立眾有思想準備，但眼前看到的，親耳聽到的，還是讓他震驚：家裡的鐵鍋、門鎖、農具都充了公，很多熟識的長輩和兒時的玩伴餓死了。基層幹部強迫農民幹活，稍有不服或力不從心，就以反黨、反社會主義論處，輕則跪下接受批判，重則捆綁、吊打、逮捕、判刑。處於生死邊緣的饑餓者，喪失一切道德和自尊，露出人性中最醜陋的一面。父子不認，兄弟相殘，母女相欺，偷盜、搶劫經常發

生。人吃人成為鄉間的普遍現象，人們見多不怪。每當聽說有人死去，眾人相互邀約，分而食之。甚至已經埋入泥土的屍體，也不能倖免。個別大隊幹部不准人們上山下河尋找吃的，說現在的野菜、魚蝦都姓「共」，擅入者就是偷盜，就是反共。

黃立眾目睹鄉間慘狀，決心為農民說話。他走村串戶進行認真調查，列舉現象，分析原因，研究對策，然後撰寫材料，組織社員們上訪。但公社幹部不允許向外透露農村真相，命令民兵封鎖道路，將他們強行驅趕回鄉。黃立眾深感悲憤和絕望。

哪裡有壓迫，哪裡就有反抗。正應了共產黨當年號召人民起來革命時那句老話，黃立眾串連了一些沒有餓死的同學和鄉親，組織成立「中國勞動黨」，撰寫了〈黨章〉、〈宣言〉和〈告全國同胞書〉，籌畫武裝暴動。他召集吳舜臣、方榮舟、焦兆祥、焦水雲等骨幹分子開會，慷慨激昂地說：

> 統治者暴力搶糧，屠殺農民，倖存者十餓九病，性命朝不保夕。這樣的暴政還要繼續存在，那真是天理不容！
> 在國家、民族和人民的危急時刻，大丈夫當挺身而出、除暴安良，存天理，救萬民。即使一死，也重於泰山。人民將記住我們這些救亡者！歷史將記住我們這些反抗暴政的英雄！

中國勞動黨綱領明確，組織嚴密，發展迅速，僅僅幾個月時間，就在四個公社吸收黨員一百二十多人，其中有一些共產黨員、共青團員。他們就像當年共產黨鬧革命一樣，說幹就幹，分頭準備刀斧、積攢糧食、進行軍訓。

地方官員對饑餓造成成千上萬的死難者，冷漠視之；對可能存在的「階級鬥爭」和「敵對動向」，則保持高度警惕。姚奎甲派出的暗探，逐漸掌握了黃立眾等人的情況，將其一舉拿獲。消息傳出，安徽

全省震動。省、地、縣政法部門集中人力、物力、財力，將所有涉案人員陸續逮捕，並株連到大量無辜者。他們遭到不同程度的打擊，掛牌遊鬥，勞動改造，造成大量冤假錯案。

對黃立眾的審訊開始了。

問：「你為什麼要進行反革命暴動？」

答：「我是這片土地上受苦受難最深的農民的兒子，我要為苦難農民尋找出路。」

問：「你的行為是反對黨，反對社會主義，反對毛主席。」

答：「把人民逼上絕路的暴君，人民有一萬個反抗他的理由！」

應該說，當時各級黨政機關和政法部門的一些領導者，包括有的審訊者，非常清楚事出有因，他們對黃立眾和追隨他的那些農民，內心是同情的。一九六二年李葆華上任後，對其中絕大多數進行了平反。無為饑荒和未遂暴動的責任人姚奎甲，此時已調任徽州地委副書記，也受到撤銷職務和留黨察看的處分。在當時的政治背景下，黃立眾等幾位核心成員仍被關押。

「文化大革命」中，李葆華、李世農、張愷帆等人靠邊站，黃立眾案件隨之升級。一九七一年八月，黃立眾以「現行反革命集團首犯」的罪名，被判處死刑。臨刑前，他留下最後一張照片。他反剪著雙臂，被全副武裝的士兵按著，跪在地上。他沒有低頭，兩眼倔強地盯著前方，無所畏懼。他不知道的是，為了購買射向他胸膛的那顆子彈，他的親人按照上面的要求，支付了五分錢。這是極不人道、讓人心酸的五分錢！

一九八二年，安徽省高級人民法院重新判決：

> 被告黃立眾為首的中國勞動黨，主要是出於對當時農村受左傾政策的影響，農民生活沒有改善和對五風盛行不滿，想要改變

和改善這種現狀，並非出於反革命目的，而且他的主張現已證明有些是正確的。但被告黃立眾為首成立的組織是非法的、錯誤的，原判以反革命集團罪處刑不當，屬冤殺，其餘被告均宣告無罪。

幾年後，張愷帆從省政協主席的崗位上離休，開始口述回憶錄。他對安徽和無為的諸多人事進行了詳細述評，包括姚奎甲一九八一年摸黑找到他家要求平反、被他拒絕一事，但沒有提到黃立眾的未遂暴動案件。

四

張愷帆回憶錄中，應該提到而沒有提到的，還有一個名叫呂其明的人。他屬於張愷帆的侄兒輩，也許是無為縣近百年來知名度最高的一個人。

呂其明，一九三〇年出生於無為縣，父親是後來成為皖江行政公署主任的呂惠生。他在無為度過了童年時代，黃金塔、米公祠留下了他和姐妹們的歡歌笑語。一九三九年，為逃避國民黨地方政府的迫害，他們全家投奔新四軍，從此部隊成了他的「家」。第二年呂其明十歲時，到羅炳輝部的抗敵劇團當了一名小演員，有時在後臺等候演出就睡著了。部隊生活雖然艱苦，但培育了他的藝術愛好，他學會了吹口琴、吹笛子、拉二胡……一九四二年，著名音樂家賀綠汀到根據地講課，即興演奏的小提琴曲，讓年幼的呂其明著了迷。賀綠汀對他說：「你要你父親想法買一把小提琴，你現在十二歲，正是學琴的時候……」從此他對音樂的喜愛與日俱增。羅炳輝高大魁梧，呂其明拿他的皮帶在自己腰間繞了幾圈，惹得他哈哈大笑。後來呂其明有了屬

於自己的小提琴，部隊每到一個地方，他總是尋找樂器和樂譜，他開始創作和演唱歌曲。

呂惠生被殺害後，曾希聖、張愷帆等對烈士家屬多方安撫、關照。戰爭結束，曾希聖親自安排呂惠生妻子沈自芳在合肥的住處，並給她配備了一名勤務員。一九四九年十一月，呂其明所在部隊進入上海，決定文工團集體轉業到上海電影製片廠。他依依不捨脫下軍裝，走上了電影作曲崗位。不久組織上又保送他進入上海音樂學院，成為賀綠汀的學生，學習指揮和作曲。他潛在的音樂天賦終於展現出來。

一九五六年初，呂其明受導演趙明邀請，為電影《鐵道遊擊隊》作曲，故事背景恰好是他曾經跟隨部隊生活過的蘇、魯、皖地區。他想到了父親，想到了從小見到過的那些身穿便衣、神出鬼沒的游擊隊員，也想到了黨組織對他們全家的細心關懷。他將對黨的感情、對革命事業的感情，與對父親的懷念和理解，緊緊聯繫在一起，寫出了舒緩優美、不乏壯志豪情的樂曲。〈彈起我心愛的土琵琶〉立刻唱響全國，呂其明一炮走紅。

三年困難時期，物質供應的匱乏，呂其明肯定能夠感覺到。以他所處的環境，自然很難確認這是全域的災難。在饑荒到處蔓延的時候，在他的同鄉黃立眾要為改變農民悲慘命運鋌而走險的時候，呂其明創作了曲調歡快的〈六十年代第一春〉。緊接著，他隨電影〈紅日〉攝製組來到魯南山區。周圍的樹皮草根，都被饑餓的村民刨得乾乾淨淨，當作糧食充饑了。在這種惡劣的條件下，他與楊庶正、肖珩合作，寫出極具地方風格、充滿樂觀情緒的歌曲〈誰不說俺家鄉好〉。他作曲的水準，得到電影界同行的公認。

尋找突破的機會說來就來。一九六五年二月，每年一次的「上海之春」音樂會即將舉行，上海市音樂家協會賀綠汀、丁善德、黃貽鈞等音樂界前輩一致決定，由呂其明趕寫一部大型音樂作品〈紅旗

頌〉──這顯然考慮到他的家庭背景和本人的特殊經歷。呂其明接受
任務後既緊張又興奮，熱血沸騰，夜不能寐。他是烈士的兒子，在革
命隊伍中長大，對鮮豔的紅旗有著深厚感情，對黨的恩情有著切身體
會。他以開國大典為敘事起點，音符在腦海中閃動，靈感如泉水般湧
現。激動的淚水，真摯的感情，僅僅一個星期，就催生出大氣磅礡的
〈紅旗頌〉。當年五月，在上海文化廣場舉行的開幕式上，大型管弦
樂作品〈紅旗頌〉首演，獲得巨大成功。以這部作品為標誌，呂其明
躋身中國當代一流作曲家的行列。有人認為，〈紅旗頌〉與斯美塔那
的〈我的祖國〉、西貝柳七的〈芬蘭頌〉一樣，已經成為一個國家音
樂文化的精神象徵。這種觀點顯然沒有注意到，〈紅旗頌〉最後一段
中加入〈東方紅〉變曲，與整個作品不太協調。強烈的意識形態色
彩，使它的魅力能否像小提琴協奏曲〈梁山伯與祝英台〉那樣超越時
代，在更廣闊的時間和空間裡被不同文化背景的人所接受，面臨一定
考驗。

　　憑藉這種音樂創作中鮮明的意識形態色彩，呂其明平安度過了
「文化大革命」時期。他音樂才華的再一次綻放，體現在一九八○年
為電影《廬山戀》、一九八二年為電影《城南舊事》譜寫的音樂。相
比之下，《城南舊事》的音樂更好一些，細膩而單純，樸實中具有震
撼人心的效果。一九九○年為電影《焦裕祿》譜寫的音樂，已成最後
的絕響。他在五十多歲時曾經說過，有人在八十多歲還能寫出佳作，
這個目標對他而言，似乎已經很難實現。一九九八年，他寫作的管弦
樂組曲〈雨花祭〉和絃樂合奏〈龍華祭〉，仍然運用三十多年前寫作
〈紅旗頌〉的思維模式和創作理念。業內有人叫好，社會反響不大。

　　綜論呂其明幾十年的作曲生涯，真誠，質樸，透明；熱情有餘而
內斂不足，單純有餘而深刻不足。總的來說，是名家，不是大家。

　　對於故鄉無為，呂其明有很深的感情。一九九五年十一月十三

日，是父親呂惠生五十周年的祭日，他和姐妹們回到無為。他們去了新四軍第七師和皖江行政公署舊址，緬懷父親，緬懷父親死後一直關照他們全家的曾希聖。他們去了繡溪公園，那裡長眠著他的父親，長眠著父親生前的好友胡竺冰、張愷帆。當然呂其明不可能想到，在三十公里外的昆山鄉，還有一座殘破的墳墓，裡面躺著一個名叫黃立眾的人。呂其明也許根本不知道世上曾經有這個人，更談不上為這個人的生死寫一首曲子。假如時間可以倒流或者互換，呂惠生晚生三十年，可能去做黃立眾的那些事；黃立眾早生三十年，也可能像呂惠生那樣從容赴死。從精神氣質來看，他們都是頂天立地的人，都是中華民族優秀的子孫。只不過時代不同，命運也就不同。

每一次回無為，呂其明姐弟必然要去「惠生堤」，那是父親的傑作。站在江堤上放眼遠望，長江浩浩蕩蕩向東流去。

古往今來，無數英雄豪傑和凡夫俗子從這裡經過，無論上下求索去創造光輝的業績，還是艱難掙扎以尋求卑微的生存，他們用鮮血和淚水譜寫的交響曲，同樣驚心動魄，催人淚下。長江見證了中國人民的不幸和悲哀，仍然平靜流淌，習以為常，默默無語。

二〇一二年十二月二十六日於成都

主要參考文獻

上海電影家協會　《紅旗頌——呂其明從藝60年》　2000年編印

北京新四軍暨華中抗日根據地研究會編　《鐵流》第7輯　北京市
　　　　解放軍出版社　2003年版

呂其明編著　《音符裡的暢想》　北京市　中國電影出版社　2009年版

宋　霖　〈張愷帆在1959年〉　載《炎黃春秋》　2012年第八期

汪毓和　《中國近現代音樂史》（現代部分）　北京市　高等教育出
　　　　版社　2006年版

張愷帆口述　宋霖記錄整理　《張愷帆回憶錄》　合肥市　安徽人民
　　　　出版社　2004年版

無為縣誌辦編著　《無為縣誌》　北京市　社會科學文獻出版社
　　　　1993年版

無為縣黨史辦、政協文史組、地方誌、民政局編印　《呂惠生烈士史
　　　　跡》（內部發行）　1985年版

《曾希聖傳》編纂委員會著　《曾希聖傳》　北京市　中共黨史出版
　　　　社　2004年版

葛正基、陸德生主編　《紀念曾希聖文集》　北京市　當代中國出版
　　　　社　2005年版

謝貴平　〈1960年黃立眾反革命案及其社會背景〉　載《炎黃春
　　　　秋》　2012年第九期

巢湖篇二三

國家利益高於一切

──張治中「美蘇並重」外交思想的形成和失敗

一

　　張治中，字文白，一八九〇年出生於安徽省巢縣一個名叫洪家疃的村子。幼年時家貧，考秀才不中，做過商號學徒、候補兵丁和員警，寄人籬下。辛亥革命時在上海參加學生兵，後轉保定軍官學校。一九一六年畢業後在滇、川、桂地方軍隊中歷經艱險，頗不得志。一九二四年入黃埔軍校，得到校長蔣介石的信任，從此青雲直上，長期成為蔣介石的心腹重臣。

　　在國民黨高級將領中，張治中以敢於提出和堅持自己獨到的政治見解而著稱。他對於地方軍事割據深惡痛絕，極力支持蔣介石統一中國，擁護被稱為排斥異己的「削藩戰爭」。但他認為與共產黨的分歧是主義之爭，屬於政治問題，只能用政治手段協商，而不能用武力解決。因此他對於蔣介石多次「圍剿」蘇區的做法不以為然，始終採取迴避態度，這使他成為唯一沒有參與對共產黨軍隊作戰的國軍高級將領。西北綏靖公署成立，張治中被任命為軍政長官，但他遲遲不肯就職，直至蔣介石將名稱改為「西北軍政長官公署」，他才走馬上任。

　　一九四八年十二月，中共中央公佈國民黨戰爭罪犯名單，共計四十三名，涉及黨、政、軍各界的頭面人物，其中包括西北軍政長官公

署的兩位副長官馬鴻逵、馬步芳,而身為西北軍政長官公署一把手的張治中,不在這個名單之列。由此可見,共產黨對於張治中多年來致力於緩和國共關係的努力是認可的。

正因如此,一九四九年國共北平和談失敗後,共產黨對國民政府的首席談判代表張治中,給予了真誠的挽留和細緻的安排。在中共政權下,張治中依然保持在蔣介石面前「知無不言,言無不盡」的坦率風格,被稱為唯一一位能夠對蔣介石和毛澤東直諫的人。他的很多建議被國共雙方採納,但他一生中最重要的思想,即外交上關於「美蘇並重」的建議,未能被蔣介石和毛澤東認真對待。儘管在當時並沒有影響雙方對他的信任,於國家卻是實在的損失。

二

張治中並非專門的外交官,其外交理念根源於「和為貴」的思想,更重要的是出於中國現實政治、經濟的需要,即「國家利益高於一切」。

他對於外國的興趣,起源於二十年代初的上海大學時期。那時上海大學染著「紅色」,張治中先後與瞿秋白和陳獨秀談過一次話,過去他想到德國去留學,現在對社會主義的蘇聯心嚮往之,產生了環遊歐美的想法,為此他刻苦自學過英文、德文和俄文。黃埔軍校時期,他與周恩來、鄧演達等人交往頻繁,被視為「紅色教官」。多年後張治中自述時稱,那時他甚至動過參加共產黨的念頭。

一九二七年國共分裂時,出於對蔣介石的知遇之恩,他在政治上堅定地選擇了蔣介石,但內心非常苦悶。年底,他決心出國「換換空氣」,制訂了一個五年留學計畫,到歐美遊歷。此行他走訪了德國、比利時、法國、瑞士、義大利、英國、美國、日本等國家。特別是第

一次世界大戰慘敗後的德國，給他留下深刻印象。那時德國還在〈凡爾賽和約〉的束縛下，而科學文化之優越，現代工業之發達，家庭生活之整潔，社會風氣之儉約，一切都讓他驚訝不已。在蔣介石的一再催促下，他才依依不捨回到中國。八個月的旅行，張治中考察了當時歐美最發達的國家，對資本主義先進的科學技術羨慕不已，對中國人民的貧困落後慚愧萬分。

二十年後，他向周恩來、毛澤東提出外交上實行「美蘇並重」，最重要的理由，就是擔心「一邊倒」可能造成像滿清政府那樣閉關鎖國，妨礙對西方先進科技的引進。由此可見，此次歐美之行，對張治中外交思想的產生和形成，有著非常重要的影響。

回國後，張治中執掌中央軍校教育長整整十年。其間堅決支持蔣介石的「削藩」，五次率軍作戰，多有軍功。每次戰事結束後，他立刻交還軍權，繼續回學校上課，杜絕擁兵自重之嫌，此舉深得蔣介石的好感、信任。與此同時，張治中對鄉村建設興趣濃厚。從一九二九年到一九三三年，他先後拿出十多萬元積蓄，在故鄉洪家疃創辦了黃麓小學、黃麓師範學校，聘請陶行知的愛徒、曉莊師範學校教師楊效春擔任校長。

抗戰爆發，張治中先後擔任湖南省主席、蔣介石侍從室第一處主任、軍事委員會政治部部長。從一九四二年起，他作為國民黨代表，先後與周恩來、林彪、林伯渠進行談判。雖然最後的結果不了了之，但他親蘇聯共的政治主張已廣為人知，是國民黨內著名的主和派。

蘇德戰爭爆發前後，蘇聯忙於應付德國日益增長的軍事威脅，減少了對中國國民政府的軍事援助；與此同時美國面對日本咄咄逼人的攻勢，加大了對中國國民政府的支持力度——蘇、美兩國對華援助呈此消彼長之勢。隨著國民黨內親英美派的增加，國民政府外交政策對英美尤其是對美國「一邊倒」的態度日趨明顯。不僅新疆的盛世才撕

下偽裝公開反蘇，內地反蘇活動也日漸猖獗。這種情況引起張治中的擔憂，多次向蔣介石陳述「一邊倒」可能帶來的危害，由此遭到親美派的攻訐。

張治中不為所動，在抗戰末期重慶反蘇空氣日趨深厚的時候，多次宴請蘇聯大使彼得羅夫、羅申，以求安慰蘇聯並緩和感情。有一次，他在宴請蘇聯代表時，很動感情地說：

> 今天個人想趁這個機會，向親愛的蘇聯盟友們說幾句肺腑之言。當然，這個宴會並不是正式的宴會，這裡也不是外交的場合，所以我講的話並不是代表政府的意見。不過我是一個軍人，說話向來坦白，今天我願意推開窗子說亮話，率真地和各位談談我個人的意見……

接著他從道義上、利害上、信仰上、中共問題上，分析中蘇關係的重要性。他總結道：

> 中國不但不應該反蘇，不可能反蘇，而且必然地親蘇，必然地期待蘇聯今後對中國政治方面、經濟建設方面的大力幫助。這樣才能保證國內的和平、統一、民主、團結，才能建設一個三民主義新中國，才能維持遠東的和平，以致促進世界的和平。以上所述，雖然說是我個人的意見，但是也可以說是全國人民的信念。更重複一句：我們目前以至將來，不但要親近蘇聯、敦睦中蘇邦交，而且希望蘇聯給予我們幫助，使我們能夠完成戰後長期的建設，使我們能夠成為一個現代的國家，使我們能夠和蘇聯並肩維持遠東乃至世界的和平。

張治中誠摯的態度、樸實的語言，受到蘇聯代表的熱烈歡迎和贊同。可惜國民黨、蔣介石不改反蘇立場，仍然頑固地堅持「一邊倒」，使

張治中感到「這些話等於在說謊，及今思之，猶感痛心」。內心充滿憂憤。

三

張治中的外交主張，在其受蔣介石全權委託處理新疆問題時，部分而短暫地得以實現。

盛世才統治新疆前期，倒向蘇聯以抗衡國民政府，甚至秘密加入了蘇聯共產黨，事實上形成強大的地方割據勢力。蘇聯軍隊在蘇德戰爭爆發初期全面潰敗，使善於投機的盛世才產生誤判。他以為蘇聯必敗無疑，為求自保而向重慶國民政府表示忠誠，於是撕下偽裝，公開反蘇反共，使本已冷淡的中蘇關係雪上加霜。重慶政府對盛世才素無好感，看到新疆各種矛盾迅速激化，趁機果斷「削藩」，迫使盛世才下臺離開新疆。

一九四四年十一月，在蘇聯或明或暗的支持下，新疆伊犁、塔城、阿山爆發「三區革命」，消滅、驅逐了國民黨駐軍，建立了一個「東土耳其斯坦共和國」。一九四五年八月，以阿合買提江、包爾漢為首的三區民族軍隊趁日本投降之機，向國民黨軍隊大舉進攻。他們迅速突破國軍防線，前鋒距離省會迪化（今烏魯木齊）只有一百四十多公里。國民政府駐新疆的軍政首腦朱紹良、吳忠信無法控制局勢，向重慶告急。蔣介石深感事態嚴重，情急之下派遣張治中到迪化，任務是「振奮士氣，安定人心，考察這次事變的實在情況，提出報告，作為解決問題的參考。」正在參加國共重慶談判的張治中，九月十三日緊急乘機抵達新疆。

張治中第一次入疆只有三天，但與各界交流後，解決新疆問題的方略已成竹在胸。他認為，新疆問題首先是民族問題，要妥善處理這

個問題，必須結束過去高壓和剝削的做法，認真落實各民族政治上、經濟上一律平等的原則。新疆和蘇聯向來就有歷史的、地理的、民族的、經濟的種種密切聯繫，「三區革命」雖然有蘇聯插手，但可以肯定，蘇聯對於新疆沒有領土訴求，而是想建立一個緩衝地帶。蘇聯不能容忍在新疆出現反蘇局面，所以新疆絕不能反蘇，一定要和蘇聯保持親善友好的關係。

國民政府奉行親美反蘇政策，而新疆要安定必須親蘇，這是張治中面臨的極大矛盾，考驗著他的政治智慧。

當年十月，張治中第二次飛赴新疆，在蘇方外交官員的積極協調下，與三區代表反覆商談，在維護國家領土、主權完整的基礎上，就建立新疆地方聯合政府有關事宜，初步達成共識，使新疆問題出現和平解決的重大轉機。

一九四六年四月，國共整軍談判告一段落，張治中被任命為國民政府西北行轅主任兼新疆省主席，第三次來到新疆，就組建聯合政府若干細節和整編民族軍隊問題，再次進行艱苦談判。張治中的善意和真誠，得到三區代表和蘇聯方面的熱情回應，終於克服重重困難，談判大功告成。七月一日，一個史無前例的民族聯合政府在新疆成立，經國民政府批准，阿合買提江和包爾漢分別擔任省政府副主席。在省政府成立的慶祝大會上，張治中稱蘇聯是「我們偉大的友邦」，對蘇聯的斡旋表示了誠摯的感謝。他在講話中指出，要確保新疆全面的、永久的和平，一定要做到增進中蘇親善、擁護國家統一、實行民主政治、加強民族團結。他說：「我們要做到增進中蘇親善，凡是反對蘇聯的言論和事實，我們是堅決不能容許的。」

然而張治中的局部成功，無法改變整個中國的形勢。先是美國拒絕蘇聯軍隊登陸日本本土，讓史達林窩了一肚子氣；後是蔣介石政府不顧蘇聯出兵東北的貢獻，以及在新疆問題上釋放的善意，一味親美

反蘇，使史達林怒不可遏，終於作出支持中共軍隊的決定，將在中國東北佔領的地盤和接收的武器，儘量提供給中共。蔣介石「一邊倒」的外交政策，不僅使中國東北形勢驟然逆轉，而且使張治中在新疆的努力毀於一旦。張治中離開新疆後，受國內局勢影響，新疆親美反蘇的保守派占了上風，阿合買提江、賽福鼎等人不滿麥斯武德擔任省政府主席，重新返回三區。新疆聯合政府無可挽回地分裂了，從終點又回到起點。

經過抗戰勝利後同蘇聯和美國的深入接觸，張治中真切感受到，由於歷史和現實的諸多因素，中國內政問題的解決，暫時還無法離開蘇聯、美國的支持配合，在冷戰氛圍日益增長的國際形勢下稍有不慎，就可能產生極其嚴重的後果。

一九四七年十二月，國共內戰正酣，張治中寫了一篇〈機密建議〉給蔣介石，對「一邊倒」的親美外交政策進行批評，指出這種政策不僅喪失獨立自主之精神，而且也不符合國家現實利益。要解決國內問題，必須排除「美國吃醋」的顧慮，向蘇聯派遣特使以打開中蘇關係的僵局。一九四八年一月，蘇聯駐華大使武官羅申回國前到張治中家辭行，張治中首次提出了中國「善意中立」和「美蘇並重」的外交路線。他說：

> 萬一世界戰爭爆發，這就是蘇美之間的戰爭。那麼，中國將怎麼樣？在我個人的意見，中國應該採取善意的中立。既不聯合美國對蘇聯作戰，也不聯合蘇聯對美國作戰⋯⋯中國如果能夠保持善意的中立，對美國有利，對蘇聯有利，對中國當然更有利。
>
> 中國在東方處於很好的地位。我們應該有一個抱負，善用中國的地位來促進美蘇在國際上的友好關係，最少也可以促進美蘇

在東方的合作關係。我們不願意因為中國的關係，使美蘇關係
更趨複雜，乃至拖美蘇下水。中國採取美蘇並重的外交政策，
不但可以保障遠東的和平，同時也可以促進世界的和平。

張治中進一步指出：

如果蘇聯看清楚這種利害關係，幫助中國解決內部問題，使中
國避免戰爭，獲致和平統一的話，美蘇間有了這樣偉大的一個
緩衝國家，我想美國是可以放棄培植日本以對付蘇聯的企圖。

一九四八年六月，張治中在西安面見蔣介石，再次陳述利弊得
失。他懇切地說：「主動停止戰爭，這樣一來，在國際可以獲得同
情，在國內也可以得到人民的擁護。」蔣介石先是回答：「假使我們
一旦宣佈停戰，內部馬上要分裂，士氣馬上要瓦解。」後來又說：
「現在絕不是停戰的時機，還是先把局勢好轉再說。」

四

對於國民黨而言，國內局勢沒有好轉，反而加速惡化。遼沈、平
津、淮海三大戰役尚未完全結束，中共公佈四十三名戰犯名單，並聲
明願意在八項條件下進行和平談判。蔣介石內外交困，已無法繼續進
行戰爭，被迫宣佈下野，由李宗仁代理總統，主持和談。

這是國共兩黨關係史上，第一次在國民黨失去軍事優勢時的談
判，也是第一次在共產黨控制區內舉行的談判。作為國民黨內著名的
主和派，張治中被李宗仁任命為國民黨方面的首席談判代表，四月一
日率領和談代表團到了北平。

這次談判對於共產黨而言，是一個熱愛和平的姿態；對於國民黨

而言，是如何保持體面。所謂「劃江而治」的願望，不過是國民黨內部那些不識時務者的一廂情願。張治中明白，共產黨贏得全國政權只是時間問題。在國內形勢大局已定的情況下，談判桌上其實沒有多大討價還價的餘地。能爭的只是形式的緩和、措辭的委婉。

張治中與共產黨一直保持親密友好的關係，彼此談話也比較坦率、隨便。當天晚上，周恩來等在六國飯店宴請張治中及各位國民黨方面的和談代表。張治中說：

> 我們這次到北平來，就是抱著一片真誠來爭取國家和平統一的。我認為，國民黨失敗的原因很多，但主要的是長期以來奉行一條一面倒親美的錯誤外交政策。我主張，我們今後要實行美蘇並重的外交政策。就是說，親美也親蘇，不反蘇也不反美，平時美蘇並重，戰時善意中立，以親美又親蘇的美蘇並重來消除美蘇的對立，促進美蘇合作，使中國成為美蘇關係的橋樑。這對中國有利，對美蘇有利，對世界和平有利。別的不說，就單從軍事觀點來說，如果在美蘇對立中，中國不能保持善意的中立，聯合美國對抗蘇聯，則美國為了支援中國，必須調動大量的海陸空軍橫渡太平洋到中國大陸，這樣，中國就成為美國的負擔。反過來說，如果中國聯合蘇聯來對美作戰，蘇聯為了支援中國，也必須出動大量的軍隊越過西伯利亞來援助中國。不但是蘇聯的負擔，而且使蘇聯陷於兩面作戰的不利局面。所以中國處在舉足輕重的地位，是我們應該好好運用的。

第二天，毛澤東在香山與張治中個別交換意見。毛澤東客氣地問張治中，對今後建國有何意見。張治中誠懇而坦率地說：「今後是你們執政了，你們怎麼做，責任是重大的。」接著他詳細闡述了自己關於外交政策上「美蘇並重」的主張。除了上述與周恩來所談之外，還

作了如下補充：

> 抗日戰爭勝利後，在國民黨政權中占統治地位的是親美反動集
> 團。他們的一面倒親美、死硬反蘇的錯誤外交政策，是一個致
> 命的賭注，給國家民族帶來嚴重的災難，不僅危及國家民族的
> 命運，而且影響到遠東的和平……中國太大了，在未來國家建
> 設中，光靠蘇聯不夠，還得從英美等國去爭取援助。光靠任何
> 一個國家都不行。現在世界交通日益發達，各國人民貿易往
> 來，有無相通，是正常的事，我們要和所有國家做生意，而不
> 能像滿清時代那樣閉關自守，一律排斥外來的東西。
> 我曾經向蔣委員長反復建議過，可惜他猶豫不決，不能實行，
> 不知你以為如何？

毛澤東並不接受張治中的觀點，他回應說：

> 二次世界大戰後，國際上分成以蘇美為首的兩大集團，互相對
> 立，劇烈鬥爭。以蘇聯為首的是社會主義集團，以美國為首的
> 是資本主義集團，前者是革命的、民主的、要解放全人類的，
> 後者是壟斷的、侵略的、壓迫剝削窮人的，我們只能倒向以蘇
> 聯為首的集團，而不能倒向以美國為首的集團。

事隔一晚，張治中說法有微妙變化。雖然張治中都在闡述「美蘇
並重」的外交思想，但與周恩來所談，是以國共和談成功，實現國家
和平統一為前提的；而與毛澤東所談，是以共產黨執政為前提的。張
治中的外交思想，是從務實的理念出發，國家利益高於一切，兼顧世
界和平。毛澤東的外交思想則是從虛幻的概念出發，帶有鮮明的意識
形態色彩，甚至透露要輸出「革命」。對國際形勢的判斷誰更符合實
際？兩個集團誰更革命、更民主？誰的主張更能促進中國的發展？此

後幾十年的歷史，已經給予了明確的回答。

張治中的機要秘書余湛邦後來評價道：「他主張外交上美蘇並重，而不是政治上美蘇並重。政治上美蘇並重是一種中間路線，外交上美蘇並重是一種策略，是為了達到政治上的目的而採取的一種策略，這中間是有顯著區別的。」

需要說明的是，在一九四九年政權交替之際，張治中的觀點並不孤立。作為與蔣介石政權對立的羅隆基，委託從上海到北京的吳晗，帶給沈鈞儒一封信，要求沈鈞儒代表民盟向中共提出幾個條件，如果答應就訂立協議；如果中共不接受，民盟可以退出聯合政府，成為在野黨。其中第一個條件是，不要向蘇聯一邊倒，實行「協和外交」。並說這是他與張瀾、黃炎培等一起商量的，由他執筆。張東蓀說服傅作義放下武器後，也有類似觀點。張東蓀和羅隆基在新中國成立前後，都不希望中共外交倒向蘇聯，去做史達林的附庸。

但當時毛澤東和他的同事，正處於軍事勝利帶來的極度自信之中。六月三十日，在劉少奇秘密訪問蘇聯取得超越預期的成果之後，毛澤東發表〈論人民民主專政〉，正式宣佈新中國奉行「一邊倒」的外交政策。他說：「一邊是社會主義，另一邊是帝國主義，當今之世，非楊即墨，不是倒向蘇聯一邊，便是倒向美國一邊，絕無例外，騎牆是不行的，第三條道路是沒有的，我們反對倒向帝國主義一邊的國民黨反動派……」從此中國基本斷絕了與世界最先進國家的政治、經濟、科技、文化的交往，閉關鎖國長達三十年。

五

張治中的「蘇美並重」和羅隆基的「協和外交」，字面有所不同，意思基本一樣。

他的外交思想對蔣介石有所觸動，但沒有產生實質影響。在赴北平談判，與周恩來、毛澤東見面之前，從他談話的內容來看肯定進行了精心準備，並自信有可能說服即將執掌全國政權的中共領導人。

張治中的自信絕非空穴來風，確有一定根據。延安時期，毛澤東通過與美國人的交往，建立了一定程度的信任，並以美國的民主、自由思想為武器，以美國政治制度為標準，反對國民黨的一黨專制。

先是美國記者斯諾到延安採訪，寫作了《紅星照耀中國》。這是第一本正面介紹中共政治理想和生存現狀的專著，其中對毛澤東領導的中國革命不乏敬意和譽美之詞。該書出版後，在國內外引起轟動，極大提升了中國共產黨和毛澤東個人的威望。隨後美國女記者史沫特萊專門採訪朱德，又寫作出版了《偉大的道路》，進一步消解了長期以來國民黨對「朱毛」的醜化。毛澤東和他的同事們，對美國記者的客觀、公正，留下了很好的印象。

抗戰初期，蘇聯對國民政府給予大量軍事援助，同時向延安贈送大量馬列主義的書籍，對此毛澤東頗感沮喪。可是他在黨內的地位沒有完全穩固，中共力量也很弱小，只得將怨氣悶在心裡。後來日蘇關係緊張，史達林要求中共出兵東北，在戰略上牽制日軍，地位穩固的毛澤東一口回絕。不僅如此，蘇德戰爭爆發後不久，延安整風開始，目標直指王明、張聞天、王稼祥、凱豐等莫斯科信任的留蘇學生，並於中共「七大」上，將他們全部趕出高層決策圈。毛澤東此舉，被認為在清洗親蘇派。只因延安整風的學習材料是《聯共（布）黨史簡明教程》，馬、恩、列、斯和季米特洛夫的著作，加之蘇聯忙於對德作戰，才勉強維持了兩黨的關係。留在延安的蘇聯記者，長期受到冷落，只有例行公事的接待和宴請。塔斯社記者弗拉基米洛夫在延安待了三年，沒有與毛澤東等中共領導建立任何私人友情，以至於後來在他的《延安日記》中，也未能掩飾其寥落的心境。

　　與此相反，美國記者在延安大受優待，美國朋友被捧為上賓。太
平洋戰爭爆發後，美國希望國共兩黨團結抗戰，史迪威對重慶政府的
腐敗無能多有指責，對中共卓有成效的敵後抗戰大感興趣。他的政治
顧問大衛斯先後於一九四二年和一九四四年兩次寫報告，建議白宮直
接與中共接觸。一九四三年，史迪威還提出直接武裝中共軍隊，以增
強抗日力量。一九四四年，美軍觀察組包瑞德、謝偉思等十八人到延
安，朱德、周恩來等要員到機場迎接，毛澤東親自主持接待晚宴。

　　一九四四年七月，謝偉思在其第一份報告中寫道：「我們來到陝
北後，發現這裡是中國具有許多現代事物的地方。」「有一種朝氣蓬
勃的氣象和力量，一種和敵人交戰的願望，這在國民黨的中國是難以
見到的。」他認為共產黨與國民黨政權不能並存，而共產黨將在中國
長期生存下去；中國未來的希望在於中國共產黨，而不是蔣介石領導
的國民黨。

　　美國人的態度，使毛澤東、劉少奇等中共領袖大受鼓舞。此間他
們發表一系列文章和談話，對美國民主、自由的價值觀和政治制度給
予了熱情的讚揚。從一九四一年到一九四七年，中共主辦的《新華日
報》、《解放日報》，總共發表關於民主自由的言論八十五篇，其中
一九四四至一九四六年的三年間就達六十九篇。

　　毛澤東於一九四二年發表〈向國民黨的十點要求〉，呼籲「開放
黨禁，扶持輿論」；一九四三年要求「誠意實行真正民主憲政，廢除
『一個黨，一個主義，一個領袖』的法西斯獨裁政治」。同年在與謝
偉思談話時說：「每一個在中國的士兵，都應該成為民主的廣告，他
們應該對他們遇到的每一個中國人談論民主。美國官員應當對中國官
員談論民主。總之，中國人尊重你們美國人民主的思想。」接著他還
說：「我們不怕美國民主的影響，我們歡迎它。」一九四四年在接受
美國著名記者福爾曼時說：「中國共產黨不是蘇聯那樣的共產黨，不

會模仿蘇聯的社會和政治制度。」劉少奇也發表文章，宣稱「一黨專政反民主，共產黨絕不搞一黨專政」。

一九四五年，毛澤東在中共「七大」上所做政治報告〈論聯合政府〉中，提出了「人民的言論、出版、集會、結社、思想、信仰與身體這幾項自由，是最重要的自由」。他代表中共主張在驅逐了日本侵略者以後，「在全部國土上進行自由的無拘束的選舉，產生民主的國民大會，成立統一的聯合政府」。稍後他參加重慶談判，在回答路透社記者甘貝爾提問時，闡述了中共對「自由民主中國」這個概念的理解。他說：

> 自由民主的中國，將是這樣一個國家，它的各級政府直至中央政府都是由普遍、平等、無記名的選舉所產生，並向選舉它們的人民負責。它將實現孫中山先生的三民主義，林肯的民有、民治、民享的原則與羅斯福的四大自由。它將保證國家的獨立、團結、統一以及與各民主強國的合作。

中共對「民主政治」的要求，對「聯合政府」的主張，對「與民主強國的合作」的承諾，極大地鼓舞了全國人民，尤其是深感專制政治之弊的民主黨派、民主人士。他們從中共身上看到了中國未來的希望，增強了與封建專制政體作戰的勇氣。

張治中是國民黨內著名的主和派，是三民主義的忠實信徒，也是中共親密友好的朋友，雖然時過境遷到了一九四九年，但他對中共的上述政治主張，肯定會記憶猶新。北平和平談判中，他是面臨失敗的國民政府的和談代表，關於即將建立的新政權的外交政策，當然不在談判範圍內。他在談判之外反復提出自己在外交上「美蘇並重」的思考，出於維護國家利益，也出於對中共的信任。但中共對他的建議毫不理會，多少出乎他的預料。

毛澤東由親美到反美，主要在於美國在國共關係中沒有支持中共，使已經冷卻的中共和蘇共關係好轉，並急劇升溫。當時主持國共整軍談判的馬歇爾認為，中共對美國的政策缺乏根本的瞭解，同時中共需要樹立一個任意欺凌中國的帝國主義國家作靶子，以激發中國的民族主義情緒，不幸選中了美國——這顯然並不符合歷史事實，即美國本著門戶開放政策，一貫尊重中國的領土、主權完整。

六

有資料顯示，開國大典當天，在即將登上天安門城樓時，張治中仍然提醒毛澤東，「一邊倒」的外交路線，可能妨礙中國學習西方先進的科學技術，同時影響中、美兩國的傳統友誼。一九五二年，毛澤東到張治中家裡探訪，張治中還在作最後的挽回：「毛主席啊，我們國家這麼大、這麼多人口，我們只跟蘇聯建立外交關係，做生意、搞貿易不是長久之計。我們應該和各個國家搞貿易、做生意。」毛澤東已有點不耐煩了，他站起來說：「東風壓倒西風，我們兩個人要爭論一百年。」

此後，張治中再也沒有提及這個沉重的話題。

其實即使在當時，對「一邊倒」可能帶來的危害，也有人看得非常清楚。一九五○年一到八月，晏陽初在與盧作孚的通信中，多次對中美關係惡化表示擔憂。晏陽初寫道：

> 在災民、饑民、病民、死民遍國的今日，中共只靠一個在經濟上自顧不暇的蘇聯，怎麼得了？……我輩如能為中國多拉一個強大的友國如美國，那麼中共做（蘇聯）附庸的可能就可減少多了，獨立的中國可能性也就可加強了……中美關係長此惡化

下去，非我國之福，非美國之福，非世界之福。對於中美關係的改善以及農、工、建設的合作，弟和各方友好無日不在積極努力中。天下無難事，天下無易事，只在吾輩如何努力耳！

不久朝鮮戰爭爆發，晏陽初們的努力終成泡影。

對中國甘當蘇聯「附庸」的擔憂實屬多餘，但中國從此接受蘇聯政治、經濟僵化模式的消極影響卻是致命的。客觀來看，新中國「一邊倒」的外交政策，也不是一無所獲。中國成功收回了中東鐵路和旅順的權益，為國家贏得了尊嚴。蘇聯的經濟、科技實力雖不如美國，但當時也給予中國不少急需的援助，奠定了新中國的工業基礎。無論是史達林還是赫魯雪夫，對新中國都是非常友好的。

關於中蘇反目成仇，過去流行的一種說法是蘇聯的大國沙文主義和有意損害中國主權，但現在越來越多的學者認為，主要是毛澤東不自量力去爭奪國際共產主義運動領導權未成而惱羞成怒，是蘇美緩和、共同主導國際事務而使中國地位邊緣化引起毛澤東心態失衡，更與赫魯雪夫公開指責「大躍進」、人民公社的荒唐鬧劇，以及由此造成大饑荒、大倒退而讓毛澤東難以面對有關。

在張治中生命中的最後幾年，中國與蘇聯、美國兩個超級大國同時為敵，只能依靠「對外援助」，與一些在世界上無足輕重的小國保持關係。這與張治中的外交理念相去甚遠，顯然是他更加不願意看到的局面。

一九七二年，中美關係實現突破，儘管毛澤東本意不在借鑒美國的先進科技和政治制度，客觀上意義重大，表明中國外交政策終於有了歷史性的變化。但若說毛澤東是以「偉人的眼光」、「巨人的魄力」推動了中美關係，顯然言過其實。比如三國並立，最弱的一個要生存，上策是與兩強友好交往，中策是聯合一強國以對付另一強國，

下策是同時與兩強為敵——這是一個非常平庸的執政者也能夠想到的策略，毛澤東卻整整用了十年時間，才放棄眾人早已看得非常明白的「下策」。毛澤東時代的外交政策，總的來說意氣用事，沒有章法，不能評價過高，更不能刻意美化。

一九七九年，中美建立外交關係。在鄧小平時代，中蘇關係緩和，逐漸開始實施「美蘇並重」外交政策。一九八二年，李慎之主持了黨的十二大報告國際部分的起草。這個報告第一次明確提出了中國外交政策「國家利益高於一切」的指導思想，並明確提出不與任何大國結盟，實行獨立自主的外交政策。這一報告被海外認為是中國拉開與美國距離、放棄建立反對蘇聯霸權主義的統一戰線，實行等距離、全方位外交的宣言書。

張治中在三十多年前苦口婆心提出的外交思想，至此得以實現。回首往事，如果一九四九年毛澤東能夠接受張治中的建議，才真正稱得上具有眼光和魄力。從這個意義上來看，與其說是張治中的失敗，不如說是毛澤東的失敗。

然而一九八九年後，中美關係一波三折，近年來似有重新走向對抗的危險，不僅有礙兩國經濟文化正常交流，政治上的良性互動，而且使一些對中國有領土主張的國家有了可趁之機，這顯然不符合中國的國家利益。

二〇一三年五月四日於成都

主要參考文獻

〔美〕鄒讜　《美國在中國的失敗（1941-1950年）》　上海市　上
　　　海世紀出版集團　2012年版

牛軍編著　《中華人民共和國對外關係史概論》（1949-2000）　北
　　　京市　北京大學出版社　2010年版

中國社科院近代史研究所譯　《國共內戰與中美關係——馬歇爾使華
　　　秘密報告》　北京市　華文出版社　2102年版

安徽省政協、巢湖市政協文史資料委員會合編　《張治中將軍》　中
　　　國文史出版社　1990年版

宋恩榮、張睦楚　〈1950，晏陽初在去留之間〉　載《炎黃春秋》
　　　2013年第一期

余湛邦　《張治中與中國共產黨——張治中機要秘書回憶錄》　北京
　　　市　中共中央黨校出版社　1991年版

沈志華主編　《中蘇關係史綱》　北京市　社會科學文獻出版社
　　　2011年版

章詒和　《往事並不如煙》　北京市　人民文學出版社　2004年版

張治中　《張治中回憶錄》　華文出版社　2007年版

張素我口述　周海濱執筆　《回憶父親張治中》　江蘇文藝出版社
　　　2012年版

喬東光　《毛澤東與張治中》　北京出版社　1998年版

屠笵武、范泓　《張治中傳》　合肥市　安徽人民出版社　2003年版

楊者聖　《和平將軍張治中》　上海市　上海人民出版社　2011年版

楊奎松　《中華人民共和國建國史研究》第二集（外交）　南昌市
　　　江西人民出版社　2009年版

樊振編　《鄧演達年譜彙集》　北京市　中國言實出版社　2010年版

陶文釗、何興強　《中美關係史》　北京市　中國社會科學出版社
　　2009年版

全椒篇二四

《儒林外史》和《圍城》的寫作心境

一

全椒——清代著名文學家吳敬梓的故鄉。

吳敬梓曾經生活過的「探花第」，經過二百多年的風雨浸蝕和戰亂損毀，早已蕩然無存，連斷垣殘壁也未能留下。坐落在縣城襄河南岸的吳敬梓故居紀念館，與「探花第」遺址近在咫尺，是始建於二十世紀五〇年代末期、重建於八〇年代初期的一個紀念園，體現了那個時代的修復理念和欣賞水準，設計簡單，佈局平庸。雖然這裡詳細介紹了吳敬梓的生平事蹟，保存了不少研究資料，但沒有原汁原味的地方民居和一代又一代傳下來的真實遺物作媒介，難以撥動來訪者內心深處的情感，不能達到睹物思人的效果，終究不是訪古探幽的所在。

清朝初年，吳家是全椒縣的名門望族，其興盛得益於科舉。吳敬梓五世祖吳沛只是一個廩生。在明、清兩朝，秀才分為三等，廩生是秀才中最高等級，吃國家供給的糧食。吳沛雖然沒有當官，卻也初步嘗到了科舉的甜頭。他克勤克儉，對五個兒子嚴加督促，終於讓四個兒子進士及第，其中吳敬梓的曾祖吳國對，在順治十五年（1658）高中探花，吳國對的一個侄子後來又成為康熙三十年（1691）的榜眼。在此前後五十年，是吳氏家族的鼎盛時期。

吳氏先輩沒有想到，家族後輩會出現一個對科舉制度深惡痛絕的

叛逆者。更沒有想到，這個叛逆者竟然依靠當時不入流的小說寫作，成為光耀祖宗、名垂青史的功臣。

沒有吳敬梓和他的不朽著作《儒林外史》，誰會有興趣對全椒吳氏家族進行細緻入微的考證和研究呢！二十世紀初，大名鼎鼎的胡適在編成《吳敬梓年譜》後說：「吳敬梓是我們安徽有史以來第一個大文豪。」魯迅充分認識到《儒林外史》的偉大，讚揚吳敬梓「公心諷世」。學貫中西的學者錢鍾書，也在《儒林外史》影響下，寫出了著名小說《圍城》。吳敬梓憑藉《儒林外史》這部小說，把桐城文派所有作家的全部作品都壓下去了。一個廩生的孤軍作戰，打敗了由幾十個進士、名流組成的綿延二百多年的寫作隊伍。《儒林外史》與《紅樓夢》一起，成為清朝文學的兩座高峰。

曹雪芹和吳敬梓是同時代人，都經歷了由童年的富貴生活到晚年的窮愁潦倒。不同的是，前者屬於命運使然，後者屬於性格所致。這在文學史上反倒是一件好事，促使他們接觸廣闊的社會生活，在世態炎涼中看清各色人物的本質，對生命進行獨特的思考。

到吳敬梓父輩，科舉已無大的斬獲。父親吳雯延是秀才，嗣父吳霖起是拔貢。吳敬梓本人十八歲考上秀才後，再也不見起色，屢試不中，備受族人冷落和譏笑。父親和嗣父去世後，給吳敬梓留下了三萬兩銀子，大約相當於二○一一年的上千萬資產。可惜他不懂理財、守財之道，樂善好施，肆意揮霍，加上外人連哄帶騙，不到十年便將所有家產全部敗光，被當地人視為「敗家子」，並成為故鄉人引以為戒的人物。三十三歲時，吳敬梓在全椒已待不下去，遷居南京，靠賣文和朋友接濟為生，生活日益貧困。四十歲時，為修葺南京泰伯祠，他賣掉最後一點家產──全椒老屋「探花第」。後來當好朋友程晉芳也陷入貧困時，吳敬梓感慨萬端、無限悽惶地說：「你也到了我這種地步，這種日子不好過啊，怎麼辦呢！」貧困背後的萬般辛酸，難以言狀。

　　好在中國士人素有安貧樂道、發憤著書的優良傳統。吳敬梓窮且益堅，不墜青雲之志。他一定從孔子、左丘明、司馬遷、陶淵明、李白、杜甫那裡找到了精神力量，從時人不以為意的小說寫作入手，開始了人生的第二次搏擊。這對於他的生活並無絲毫改善，但從歷史上來看他成功了，不僅給後人留下了寶貴的精神財富，也使他和他的家族名垂青史。

　　如果說曹雪芹是從古典詩詞和戲曲接受藝術影響，那麼吳敬梓更多是從《左傳》和《史記》中尋找藝術靈感，同時也吸取了當時正在形成的桐城文派的一些長處。曹雪芹體現出不可抑制的才情，吳敬梓更多表現出令人驚歎的功力。

　　在吳敬梓確立以著書來寄託自己的人生理想時，有兩點值得注意：第一，在吳敬梓時代，桐城文派日盛，考據學派初興，小說仍屬於不入流的。他的好友程晉芳惋惜地說：「吾為斯人悲，竟以稗說傳！」言下之意，吳敬梓寫作小說，實在是浪費了自己的才華。由此可見在他南京的交往圈子裡，很多人不理解、不贊成他寫小說。吳敬梓一意孤行去做這件不入流的事，實在需要深邃的眼光、堅定的信念和不畏人言的勇氣。第二，一個長期處於貧困境地、飽經世態炎涼的人，很容易產生憤世嫉俗的偏激情緒，寫抒情的詩詞尚無大礙，寫人事的小說則為大忌。值得慶幸的是，吳敬梓沒有在寫作中過多地感歎個人境遇、以個人得失來看待社會現象，因此對於社會現實、科舉制度的批判顯得格外有力──魯迅稱讚他「秉持公心，指摘時弊」。

　　這種超越自我的心境，使他在小說第一回就開宗明義提出自己的寫作觀點。當朱元璋確定以八股文章開科取士時，吳敬梓的代言人王冕說：「這個法卻定的不好，將來讀書人既有此一條榮身之路，把那文行出處都看得輕了。」隨後又大聲疾呼：「一代文人有厄！」話音剛落，忽然起一陣怪風，刮得樹林都「颼颼」地響，水面上的禽鳥

「格格」驚起了許多。

有了這樣的思想境界和認識水準，吳敬梓懷著巨大的悲憫情懷，將文人置於被害者的地位，不滿足於或停留在對儒林人士自身各種缺點的批評和嘲諷，將重點放在追根索源，揭示原因，批判造成一代文人厄運的政治腐敗、科舉制度和社會惡俗風氣。作家愛恨分明，感情強烈，但對小說中自己不屑的人物絕不「醜化」，始終以「公心」看待人事，在從容敘述中給予客觀公正的評價。周進、范進、馬二先生、王玉輝等大多數人，儘管迂腐可笑，甚至殘忍可恨，但更多的是可憐可歎。他們敦厚善良的品性，也換來讀者深深的同情。

更為可貴的是，吳敬梓具有司馬遷式的強烈使命感和責任感。《儒林外史》自始至終貫穿了深刻的憂患意識、樂觀的生活情緒、堅定的探索勇氣、崇高的精神追求。無論是思想境界還是藝術構造，吳敬梓都是有史以來司馬遷最好的學生。

二

吳敬梓出生二百年後的一九〇一年，李寶嘉開始寫作《官場現形記》；《儒林外史》寫作二百年後的一九四七年，錢鍾書的小說《圍城》由上海晨光出版社出版。這兩部小說都對《儒林外史》有頗多借鑒，但前者主要是藝術形式方面，後來主要在思想內容方面。

不論是主題意旨、敘事方式、語言風格、人物故事，還是貫穿全書的議論比喻，《圍城》都是一部非常獨特而有魅力的小說。小說出版後至一九四九年連續印刷三次，引起一些爭論，貶多於褒。新中國前三十年，閱讀界和評論界長期無人問津。一九六〇年經夏志清《中國現代小說史》極力推崇，在海外有較大影響。一九八〇年人民文學出版社重印後暢銷不衰，並一直成為研究熱點，褒多於貶，評價越來

越高，接近玄乎。夏志清宣稱，《圍城》比任何中國古典諷刺小說優秀，顯然針對《儒林外史》而言。一九八〇年後，有論者認為《圍城》是中國現代文學史上一部新的《儒林外史》；《儒林外史》是中國封建社會最傑出的諷刺藝術，《圍城》則是現代中國文學史上最傑出的諷刺藝術，繼承並且在一些方面超過了《儒林外史》；有人甚至斷言，《圍城》是一個既現實又奧妙的藝術王國，無論接觸到哪一層意蘊，總會深者得其深，淺者得其淺——真有點「封口」的味道，多少讓有不同看法的人不敢說話了。

確實，無論是小說發行量的大小、讀者群的多少，還是研究者的熱情、評論界的熱鬧，在一九八〇年後的三十多年裡，《圍城》都遠遠超過了《儒林外史》。但這並不完全說明問題。魯迅在一九三五年為葉紫的《豐收》作序，談到《儒林外史》不被理解時，感慨地說：

> 偉大的文學是永久的，許多學者們這麼說。對啦，也許是永久的罷。但我自己卻與其看薄凱契阿，雨果的書，寧可看契訶夫，高爾基的書，因為它更新，和我們的世界更接近。中國確也還盛行著《三國演義》和《水滸傳》，但這是為了社會還有三國氣和水滸氣的緣故。《儒林外史》作者的手段何曾在羅貫中下，然而留學生漫天塞地以來，這部書就好像不永久，也不偉大了。偉大也要有人懂。

其實在魯迅以前的一百多年裡，《儒林外史》的被冷落就一直存在。明代有四大奇書之說，指的是《三國演義》、《水滸傳》、《西遊記》和《金瓶梅》。明末清初金聖歎評選的六才子書，包括《莊子》、《離騷》、《史記》、《杜工部集》、《水滸傳》和《西廂記》，其中小說雖只有一部，但意義重大。後來毛宗崗推崇《三國演義》，將其列為第一才子書。清代中後期，在明代四大奇書基礎上，

《紅樓夢》替下《金瓶梅》，中國古典文學四大名著之說沿用至今。
而與《紅樓夢》同時代的《儒林外史》則被排斥在四大名著之外。

魯迅批評的現象，七十多年後的今天仍然存在，甚至更加突出。
《儒林外史》的研究規模不僅不如《圍城》，也不如《紅樓夢》、
《水滸傳》、《三國演義》、《西遊記》，甚至不如《聊齋志異》。
此外，影視界也對拍攝《儒林外史》興趣不大。

這種狀況，與《儒林外史》本身價值和在文學史上的地位不相
稱。之所以出現如此尷尬局面，魯迅在上述文字中透露了一個原因，
那就是當時社會上還存在著「三國氣和水滸氣的緣故」，而《儒林外
史》中大量的交往禮儀和社會習俗離我們已很遙遠。程朱理學和封建
科舉支配下的士人心理，也與現代人很難溝通。現代社會中，《三國
演義》中的很多策略，已演變成商戰規則；《水滸傳》的忠義和豪
氣，仍被許多人認可，並在社會上踐行；《西遊記》故事對龐大的青
少年群體，具有持久的吸引力；而《紅樓夢》則有永恆的愛情主題作
支撐。尤其是動漫時代，三國、水滸、西遊故事更是推陳出新，深入
人心。相比之下，《儒林外史》沒有生動曲折的情節，沒有驚心動魄
的打鬥，沒有夢幻奇妙的想像，更沒有纏綿淒婉的愛情，影視創作難
以從中找到「噱頭」和「作料」。

還有一點與《儒林外史》特殊的藝術形式有關。作品宗法《史
記》、《漢書》，呈鏈條結構特點。一段故事完成後，由相關人物引
出另一人物，開始新的故事，全書沒有貫穿始終的人物和故事，名為
長篇小說，實際上是相對獨立的短篇小說。在不同的故事中，又借鑒
了《史記》中「互見法」的藝術手段，一個故事中的主角，在另一個
故事中往往成為配角。這種藝術結構本身沒有問題：《水滸傳》中人
物上梁山前就是這樣的。美國安德森的《小鎮畸人》、英國喬依斯
的《都柏林人》、蘇聯阿斯塔菲耶夫的《魚王》也類似這種藝術結

構——但大多數習慣了情節的中國人並不喜歡。加之作品善用白描，對人物只以具體語言和行動進行冷靜客觀敘述，基本不作褒貶，作家強烈的感情都巧妙地內藏起來，使不少讀者在閱讀時不那麼「痛快」。接受《儒林外史》，不僅需要豐富的人生閱歷，需要熟悉明清時代的典章制度和社會風俗，還需要瞭解《春秋》、《左傳》、《史記》、《漢書》的寫作特點。《儒林外史》不宜「閱讀」，只能「品味」，在仔細的品味中獲得感悟，從而認識其深刻和偉大。

被譽為新的《儒林外史》的《圍城》，對於《儒林外史》的藝術借鑒是顯而易見的：首先是知識份子題材；其次是諷刺風格；三是塑造人物性格時白描手段的廣泛運用。

在錢鍾書的《圍城》最走紅時，作家吳組緗挑剌說：「《圍城》不過是教授小說，用力學《儒林外史》的諷刺罷了，作者的生活圈子狹窄，不宜過高評價。」吳組緗的直率和勇氣固然值得肯定，但他對《圍城》的批評沒有抓住要害。《圍城》的諷刺確實學了不少《儒林外史》，卻也有很多創造性的新手段。生活圈子狹窄也不一定就寫不出好作品。張愛玲生活面就狹窄，可依然寫出了《金鎖記》這樣光芒四射的佳作。普魯斯特一輩子基本不出門，窗子都難得打開一次，可他寫出了劃時代的巨著《追憶逝水年華》。另外喬依斯、卡夫卡、帕斯捷爾納克等人，生活面也很狹窄，並不妨礙他們寫出傳世之作。

錢鍾書的主要問題在於心境不平：一是寫作動機的比試心理；二是寫作過程的心氣浮躁和偏激情緒，使《圍城》不可避免地產生一些缺點。

三

錢鍾書是一個跛腳奇才，數理化極差，文史哲俱佳。一九二九年

報考清華大學時,數學僅得十五分。按規定只要有一科不及格就不能錄取,校長羅家倫見他國文和英文都是第一名,讚歎不已,便打破常規,將其破格錄取。在校時,錢鍾書博覽群書,深得葉公超、馮友蘭、吳宓賞識,吳宓甚至稱讚錢氏為「人中之龍」。

到畢業時,校方有意挽留錢氏,錢說:「整個清華沒有一個教授有資格充當錢某人的導師。」左右皆側目而視。一九三三年,錢氏被上海光華大學破格聘為講師,兩年後考上英國牛津大學。他春風得意,豪氣沖天,攜新婚妻子楊絳遠赴英國求學。

在出國的船上,錢氏與楊絳吵架了。原因只為一個法文"bon"的發音。楊絳說錢氏的發音不對,錢不服,說了許多傷感情的話。楊絳奮起還擊,也盡力傷他。依楊絳的才華,估計用語的火力不會太差。最後夫妻倆請船上的法國女士公斷,證明是錢氏錯了。六十八年後,九十二歲的楊絳在回憶這次爭吵時寫道:「我雖然贏了,卻覺得無趣,很不開心。」

在英國和法國期間,能與錢鍾書對等玩的人僅有向達等少數幾個人。有人以錢氏過於刻薄敬而遠之,錢氏趁機勤奮攻書,奠定了堅實的西學基礎。

一九三八年,歐洲大陸戰雲密佈之際,馮友蘭、葉公超說服西南聯大校長梅貽琦,破格聘請遠在巴黎的錢鍾書回國擔任聯大外文系教授。船到香港,錢氏與楊絳分別,直奔昆明。

在西南聯大不到一年的時間裡,錢鍾書旁徵博引、風趣幽默的講課風格,很受學生歡迎。但口無遮攔、鋒芒畢露、任意臧否人物的狂妄個性,也使其樹敵過多。他曾對別人說:「西南聯大的外文系根本不行,葉公超太懶,吳宓太笨,陳福田太俗。」以學識而論,此三人不是大才,但也並非庸碌、等閒之輩,分別是貨真價實的劍橋碩士、哈佛博士、哈佛碩士,況且都是老資格的清華教授。他們對只有學士

學位的晚輩錢鍾書是欣賞的，或多或少有過幫助和提攜。錢氏之論，有部分真實，也有部分不實。錢氏出口傷人，葉、陳聯手向校長建言不聘錢氏；吳宓厚道，對於錢氏之言毫不計較，主張繼續聘請。多年以後，有人向葉公超問起錢鍾書在西南聯大的事，葉回答他不記得錢氏這麼個人，可見錢氏傷人之深。此一事件，錢氏無禮在先，葉、陳還擊於後。吳宓是君子，胸懷寬廣讓人敬佩；葉、陳也不是小人，最多只能說是防衛過度，於「嫉妒」還有一段不小的距離。

錢鍾書暑假回上海探親，等不來聯大的聘書，只好沿著後來《圍城》中方鴻漸的路線，輾轉寧波、金華、吉安，來到湖南藍田師院擔任外文系主任。他一邊「照顧」父親錢基博，一邊高談闊論，一邊在桐油燈下埋頭苦讀。有一次在課堂上談到父親，他說：「家父讀的書太少。」父親聽說後坦率地承認：「他說得對，我是沒有他讀的書多。」一九四一年暑假，錢氏獲悉西南聯大決議聘其回校，便辭去藍田師院的職務，回上海靜候佳音。但這次他又是「癡漢等婆娘」，一直沒有消息。十月底，已是外文系主任的陳福田到上海，親自上門聘請錢鍾書回校。但錢氏認為，如果對方真誠，聘書早就應該到了。遲遲不發，顯然是不歡迎他。他幾句話就將陳福田打發走了。從此寓居上海，直至一九四九年解放軍進城。

抗戰末期，上海淪陷區文學空前繁榮。師陀、蘇青、張愛玲、徐訏、無名氏等人的代表作都是在這裡誕生的。楊絳回國後一直生活在上海，寫過〈稱心如意〉、〈弄真成假〉、〈風絮〉等戲劇作品，後來又有〈小陽春〉等一些短篇小說問世。當時與錢鍾書、楊絳夫婦經常來往的有鄭振鐸、李健吾、傅雷夫婦、宋淇、柯靈、許國璋、李玄伯、鄭朝宗等人。楊絳的文學才華得到大家一致好評，這多少讓爭強好勝的錢鍾書感到不是滋味。

此時錢鍾書沒有得到公認的著作，只在一九四一年底出版了一本

薄薄的散文集《寫在人生邊上》。此書狂傲與偏執糾結在一起，作者情緒幾乎不能自持，文風極差，談不上文學性，但對研究錢氏一生為人、為文的特點具有特別重要的意義。一九四三年，張愛玲經柯靈扶持，在上海文壇異軍突起，先後發表《沉香屑》、《傾城之戀》、《金鎖記》。一九四四年四月，眼界甚高、從不輕易讚揚他人的傅雷發表〈論張愛玲的小說〉，對張氏已發表的作品誠懇而直率地予以點評，稱《金鎖記》是「我們文壇最美的收穫之一」。柯靈和傅雷是錢家的常客，錢氏不可能不知道張氏的崛起。

在楊絳無形的壓力和直接的鼓勵下，在張愛玲的刺激下，個性、自尊心極強的錢鍾書，連續兩年閉門不出，於是有了短篇小說集《人‧獸‧鬼》和長篇小說《圍城》。從藝術風格上來看，錢氏小說與楊絳差異大，而受張愛玲小說影響比較明顯：一是題材上的獨闢蹊徑；二是在淡淡的戰爭背景下對個人感情的關注；三是語言生動機智、充滿靈氣；四是沒有意識形態或政治傾向的介入。讀錢氏小說，總能感覺到與張氏小說的相通之處。

有一次朋友來訪，稱讚楊絳的劇本。錢氏在場，立刻正色道：「你只會恭維季康的劇本，卻不知道錢鍾書的《圍城》──錢鍾書在抗戰時所寫的小說──的好處。」此時的錢鍾書，尚無實績支撐他的才華，似乎格外在意別人對他文學創作的評價。他很失望，《圍城》雖然再版了兩次，銷路不錯，但評論界負面看法居多。連經常見面的好朋友傅雷也保持沉默，全然沒有《金鎖記》出版時的熱情。

《圍城》的內容與錢鍾書的經歷息息相關，三閭大學有西南聯大和藍田師院的影子。真實的錢鍾書在小說中淡化了，並且一分為二──成為方鴻漸和趙辛楣。他們都是錢氏的代言人，對誰都瞧不起，彼此趣味相投成為好朋友，在不同的場合，輪番代表錢氏對社會和人事發表看法，並推動情節發展。他們的經歷，真實反映了錢氏特

殊個性在婚姻和事業中遭遇的困難，以及錢氏尚不徹底的反思，因此《圍城》本質上屬於自傳體小說。

錢鍾書無疑是個百年難遇的奇人，兼具突出的才情與深厚的功力。《圍城》是偉大與緲小、深刻與膚淺、傑出與平庸、高雅與俗氣、誠懇與油滑、機智與笨拙、嚴肅與戲謔……糾結在一起的產物。這是一部瑕瑜參半，讓有眼光、有見識的評論家很犯難的小說。如果錢氏不是急於要證明自己的才華，急於要宣洩婚姻和事業不順引起的憤怒，等待自己的偏激情緒平息後再動筆，情況會不會好得多呢？畢竟，在《人‧獸‧鬼》中，〈貓〉和〈紀念〉兩個短篇小說證明，錢鍾書具有很高的文學創作天賦。

與《寫在人生邊上》相比，錢鍾書寫作《圍城》時，試圖努力控制自己的浮躁心理和偏激情緒，可惜他進步不大，最終未能戰勝自我——這對他的小說寫作產生了難以估量的損害。他自視太高，又缺乏自省，認為在所有的矛盾衝突中，都是別人的錯誤，於是他在小說《圍城》中盡情發洩。小說中除方鴻漸和趙辛楣外，幾乎所有人都成為他諷刺、嘲弄、挖苦、貶低的對象。錢氏將這些人的缺點隨意放大，抓住一點，不顧其餘。更讓人困惑的是，這些人的個人品質不好，不是社會影響或者制度欠缺產生的，仿佛是他們與生具有的。魯迅所說的「公心諷世」，錢氏絕不具備。

三閭大學校長高松年，在錢氏筆下虛偽、媚上、好色輕友。先說虛偽，高松年寄給方鴻漸的聘書，說好是教授，方鴻漸到校後，不願拿出「克萊登」大學的假博士文憑，高松年以此為由，聲稱通信產生誤會，只聘其為副教授，承諾一年後聘方為教授。再說媚上，高松年先聘李梅亭為中文系主任，後來要討好教育部副部長，未告知李，便安排副部長親戚汪處厚當了主任。好色寫得含蓄而明確，汪處厚外出打牌時，高松年夜訪汪處厚夫人不遇，原來是與趙辛楣夜遊去了。高

松年慫恿汪處厚抓姦，並推波助瀾逼走趙辛楣。三件事的第一件，高松年完全有理；第二件，高松年有不得已的苦衷；第三件，高松年夜訪有夫之婦，好像有點「那個」，但並無出格之事。趙辛楣要走，主要是為了自己的面子。《圍城》中的其他人物，與高松年大同小異，極為不堪。

在錢鍾書看來，三閭大學所有的教師，都與猥瑣、庸碌、虛榮、好色、無知、自私沾邊——這不是對現實的批判，而是對現實的偏見。其實在錢鍾書的人生旅途中，幾次「破格」，正說明民國時期大學校長唯才是舉的良好素質，讓人振奮和敬佩。蔡元培、胡適、羅家倫、梅貽琦、傅斯年、馬相伯、張伯苓……民國校長們的學識和才幹、獨立辦學的精神、民主自由的思想，已成為中華民族最寶貴的財富，人們至今念念不忘。方鴻漸幾乎與所有人關係緊張，高松年作為校長總要有所取捨，最後不發給方鴻漸聘書，實在是大勢使然。現實生活中的錢鍾書，清華大學（西南聯大）厚之甚多，以其多次狂妄至極、出口傷眾的前科，被其指名道姓諷刺為「太俗」的陳福田，竟能親自上門聘請，實為胸懷寬廣。錢鍾書不領情，繼而在《圍城》中發洩怨氣，一杆子打倒一大片，反而顯得心胸狹窄。

截至《圍城》發表，錢鍾書的為人、為文，確實有值得檢討的地方。錢鍾書的文才和學識，均不輸給吳敬梓，但他的偏執與刻薄，妨礙了他成為一個偉大的作家，《圍城》的總體成就，當在《儒林外史》之下。研究《圍城》的諸多學者，怵於錢氏後來的學術成就，對其仰望和敬畏，多於懷疑和批評。倒是錢鍾書本人後來多次表示，《圍城》並不成功，卻也不是不能待客。這是他作為傑出的學者，經過自我反省後得出的結論，絕非謙遜之詞。

四

對於錢鍾書個人而言，《圍城》出版後產生的負面影響是多方面的。

首先反映了錢氏小聰明多，大智慧少，在文學創作中缺乏宏觀分析和總體把握的能力；小說的議論中多有機智和深刻之處，但有些地方並不自然貼切，容易被認為油腔滑調，運用過度也確有賣弄和炫耀學問之嫌；有的言論失之膚淺，實際是對讀者的不尊重、不信任，寫小說畢竟不是做學問；作者對時代背景交代、烘托不夠，沒有考察人物思想性格形成的社會、歷史、環境等方面的原因，造成性格的單一性，進而對真實性產生懷疑。

其次，表現了作者高高在上、自以為是、嘲弄一切的刻薄心態。對小人物缺乏同情、寬容之心，極不厚道。方鴻漸、趙辛楣從上海上船，住進頭等艙後，發現李梅亭、顧爾謙竟然買了通艙票。作者通過方、趙分析，一定是李、顧二人為了省錢，將學校寄來的旅費留在家裡了。方、趙是富家公子，慣於享受，李、顧上了年紀，有家室之累，雙方經濟能力的差異，導致完全不同的選擇。聰明的作家，一定會利用這個細節，交代李、顧的個人歷史和現在的家庭狀況，使人物形象更加豐滿。但遺憾的是，錢氏通過方、趙，對李、顧的行為表示鄙視和不屑。不知生活艱辛，不識貧困滋味，竟至於此！如果有人據此說錢氏沒有體諒他人的寬容之心，我們是很難反駁的。另外，李梅亭到三閭大學後，開設「中國先秦小說史」這門課，這在現實生活中是根本不可能發生的事。錢氏本意借此諷刺李的無知，但這事太誇張，不真實。戲謔過度，玩笑太大，反倒說明作家創作心態不成熟。

《圍城》激化了本已存在的錢氏與他人的緊張關係，並在一定程度上影響了一九四九年大陸政權更替時錢鍾書夫婦的人生選擇。此時被錢氏稱為「太懶」的葉公超，已是國民黨政府的外交部長，與葉交

好的胡適、梅貽琦、傅斯年都是臺灣文化界的頭面人物，他們都對錢氏印象不佳。相反，錢氏夫婦在法國留學時，曾經偶然應朋友的約請，作為共產黨代表，參加過一九三六年在瑞士召開的「世界青年大會」。他們三〇年代與中共領導的左翼文化界人士從無過節，並在上海孤島時期與鄭振鐸等中共地下黨員建立了良好的私人友誼，況且《圍城》也可理解為諷刺國統區教育界現狀的憤世之作。權衡利弊，錢氏夫婦決定留在大陸，並順利北上，重返北京清華大學，這在以前是困難的。因為在抗戰結束後，錢氏與梅貽琦領導的清華大學，一直沒有改善關係的跡象。

以錢鍾書的鮮明個性和英法留學的背景，要適應集體主義和組織至上的新政權，必須脫胎換骨。這一次，錢鍾書成功轉型。一個善於高談闊論、口無遮攔的錢鍾書不見了，一個言行謹慎、低調內斂的錢鍾書出現了。作為一個智商極高、學貫中西的人，也許是《圍城》出版後帶來的負面效應，促使他對自己前半生的得失進行了深刻、徹底的反思。他清醒地認識到，個人再有才華，在龐大的社會力量面前，卻顯得緲小而微不足道。古今中外歷史上，才華橫溢的人，往往比隨和平庸的人更易遭到打擊，甚至迎來滅頂之災。正因如此，在歷次殘酷的政治運動中，錢氏夫婦大體安然無恙，平穩進入二十世紀八〇年代。而民國時期遠不如錢氏張揚的其父錢基博、好朋友向達，在反右中未能逃避厄運。摯友傅雷、吳晗在「文化大革命」中被迫自殺。

錢鍾書最可貴的是，他接近權力而不受權力影響。任何情況下勤奮攻書，著文不受意識形態左右，堅持了一個學者獨立思考、精神自由的勇氣。他的自視甚高，從來不曾改變過。只不過前半生揚於外，後半生藏於內。

繼《談藝錄》後，《宋詩選注》、《管錐編》給他帶來巨大的學術聲譽；擔任國家社會科學院副院長，又使他擁有了很高的政治地

位。晚年錢鍾書，功成名就，已犯不著與任何人爭長論短，甚至犯不
著多看崇拜者敬仰的目光。但他在《管錐編》中，用整整五頁對「文
如其人」的觀點進行了批駁。第四冊〈全梁文卷一一〉，作者針對簡
文帝〈誡當陽公大心書〉中：「立身之道，與文章異；立身先須謹
重，文章且須放蕩。」這句話，旁徵博引古今中外幾十個例子，從
正反兩方面證明「文不如其人」或「人」與「文」的分離。錢氏評
論道：

> 見「文章」之「放蕩」，遂斷言「立身」之不「謹重」；作者
> 有憂之，預為之詞而辟焉……王國維《紅樓夢評論》第五章：
> 「如謂書中種種境界，種種人物，非局中人不能道，則是《水
> 滸》之作者必為大盜，《三國演義》之作者必為兵家」……有
> 英人日記中評當時兩名家作詩皆適反其為人：一篇章蕩狷而生
> 平不二色、無外遇，一詞意貞潔，而肆欲縱淫，無出其右。

　　錢氏不厭其煩的論證，其實並無多大說服力。主張「文如其人」
的論者，照樣可以引經據典，舉出更多的例子證明「文如其人」論斷
的正確。錢氏是不是意識到了自己早年寫作的《寫在人生邊上》、
《人・獸・鬼》和《圍城》中確實存在不良文風，在此進行委婉的辯
護呢？或者是隨著年齡和閱歷的增長，他想把自己早年為文的負面影
響極力降低？

　　錢鍾書、楊絳夫婦很明智，儘管有夏志清、司馬長風在海外大力
推崇，國內的《圍城》熱在二十世紀八〇、九〇年代達到高潮，他們
始終沒有對《圍城》給予任何帶傾向性的評價，不曾為此而自誇。一
九八〇年《圍城》重印時，楊絳應邀寫了一篇〈記錢鍾書與《圍城》
的〉文章，結尾時有一段文字值得注意：

我認為《管錐編》、《談藝錄》的作者是個好學深思的鍾書，《槐聚詩存》的作者是個「憂世傷生」的鍾書，《圍城》的作者呢，就是個「癡氣」旺盛的鍾書。我們倆日常相處，他常說些癡話，說些傻話，然後再加上創造，加上聯想，加上誇張，我常能從中體味到《圍城》的筆法。

二〇一二年六月五日於成都

主要參考文獻

孔慶茂　《錢鍾書與楊絳》　海口市　海南國際新聞出版中心　1997
　　　　年版

吳敬梓　《儒林外史》　北京市　人民文學出版社　1980年版

李洪岩　《錢鍾書與近代學人》　南昌市　百花文藝出版社　2007年版

李漢秋編　《儒林外史研究論文集》　北京市　中華書局　1987年版

夏志清　《中國現代小說史》　上海市　復旦大學出版社　2005年版

張國風　《儒林外史試論》　北京市　中華書局　2002年版

黃書泉　《吳組緗創作論》　合肥市　安徽大學出版社　2011年版

楊　義　《中國現代小說史》　北京市　人民文學出版社　1991年版

楊　絳　《我們仨》　北京市　生活・讀書・新知三聯書店　2003年版

陳子謙　《論錢鍾書》　桂林市　廣西師範大學出版社　2005年版

劉勇、尚禮主編　《現代文學研究》　北京市　北京出版社　2001年版

閻浩崗主編　《中國現代小說研究概覽》　保定市　河北大學出版
　　　　社　2008年版

錢鍾書　《圍城——人・獸・鬼》　北京市　生活・讀書・新知三聯
　　　　書店　2009年版

錢鍾書　《寫在人生邊上》　北京市　生活・讀書・新知三聯書店
　　　　2009年版

錢鍾書　《管錐編》　北京市　中華書局　1986年版

鳳陽篇二五

榜樣的力量是有限的

自明朝以來，鳳陽縣以出了個開國皇帝朱元璋而聞名，但朱元璋並沒有給這塊土地帶來太多的變化。幾百年來，鳳陽仍是全國有名的窮地方，尤其是人民公社集體經濟時代，外出逃荒要飯者絡繹不絕，僅一九七七年，從上海被遣返的鳳陽籍農民就達數千人，陣容頗為壯觀。

窮則思變。一九七八年，該縣小崗村十八個農民以按手印的形式簽訂了一份協議，將農田分戶經營，受到當時安徽省委書記萬里的大力支持，第三次包產到戶漸成燎原之勢。小崗村的包產到戶，被認為是中國農村經濟體制改革的起點。

二十多年過去了，小崗村雖然名氣大，但經濟發展並不突出，農民也不算富裕。小崗村當年的大包乾帶頭人死的死，老的老，其餘的忙於彼此攻擊和防範。直至二〇〇三年，全村人均收入仍然只有二千元左右，不僅與華西、耿莊、南街等改革開放後的名村相比差距巨大，而且與人民公社集體經濟時代的典型大寨相比，也漸漸落後。在市場經濟條件下，小崗人似乎沒有太多的辦法。鑒於小崗村在中國農村改革中的特殊地位，上面派了好幾位村支書，都沒有太大的建樹。其中甚至有一位刑警隊長出身的，也沒能壓住陣腳。

直至一個名叫沈浩的人來村裡擔任第一書記，情況才有了根本好轉。可惜得很，沈浩於二〇〇九年去世。他死後，備受官方推崇，被中組部譽為新時代基層幹部的先進榜樣。沈浩的事蹟通過媒體宣傳，

名氣直追二十世紀六〇年代的焦裕祿。

於我而言，對小崗村的興趣，遠遠超過鳳陽古城和明皇陵。小崗村是我旅途中早就決定要重點考察的地方。

沈浩死後成了榜樣

事有湊巧，到鳳陽的前幾天，中央電視臺開始播放根據沈浩事蹟改編的電視劇《永遠的忠誠》，據說這是為建黨九十周年而拍攝的獻禮片。我對這一類具有主旋律性質的影視作品向來不感興趣——其中絕大多數不僅降低人們的藝術境界、鑒賞品位，還要以各種理由教唆人們怎樣變得猥瑣、平庸——讓人如食蒼蠅。

晚間無事，加之好奇，便決定看一看電視劇是如何塑造這個榜樣的。沒有想到的是，看第一集時就被深深吸引住了，從此欲罷不能，直至劇終。作品的水準很高，總體藝術構思和人物性格塑造頗見功力，日常生活場景和細節真實可信。張國強、陶虹飾演的沈浩夫婦，普通人的生活氣息濃厚。幾個主要人物的表演非常到位，即使一些次要角色也性格鮮明，能夠給人留下深刻印象。全劇沒有生硬的說教和明顯的漏洞。人物和事件之間的過渡、銜接，也顯得自然流暢。這是一部很有說服力的成功之作。

幾乎與此同時，以沈浩事蹟拍攝的電影《第一書記》也在全國公映。與電視劇相比，電影的演出陣容更加強大，徐帆、楊立新、黃宏、何冰、蔣雯麗、宋丹丹、劉威、陳小藝、劉儀偉等一線的大牌明星就有十多個。但遺憾的是，電影的宣傳色彩太濃，豪言壯語不少，藝術上遠不及電視劇那麼親切、真實、自然。

沈浩在二十世紀八〇年代中期大學畢業，被分配到安徽省財政廳工作，一直沒有提拔的機會。二〇〇四年他在三十九歲時，被下派到

小崗村擔任第一書記。他抓住人生最後的一次拚搏機會，克服常人難以想像的困難，利用農村改革開放第一村的「品牌」效應，與小崗村一起實現「突圍」。其個人特點是，既有發展區域經濟的戰略構想和實施手段，又有關心群眾具體生活的耐心細緻，還有和善友好的親民風格。本來下派時間是三年，在他即將完成任期的二〇〇六年底，小崗村群眾以當年大包乾按紅手印的特殊方式，把他留了下來。二〇〇九年底在他將要結束第二個任期，小崗村又用同樣的方式想留下他時，他因勞累過度，於夜間猝死在村裡。於是小崗村群眾第三次按手印，將他的骨灰永遠留在了這個村子——這個寄託了他生命中最後五年全部熱情和理想的村子。

如今的小崗村，人流如織。大包乾紀念館裡，當年按紅手印的十八個農民的像片並不完整，分田到戶的協議也只是影本，倒是各級領導來村視察的資料保存較多。紀念館的出口處有一售貨點，出售一些冠以「小崗」品牌的農產品。相距不遠的地方，有沈浩先進事蹟陳列室，大致敘述了沈浩的生平事蹟。又不遠處，便是沈浩的墓地。墓碑上刻著「沈浩同志之墓」幾個隸書大字，墓前擺放著一些鮮花。

漫步在寬闊的水泥路上，已看不到幾年前破舊的房屋，只有在一座題名為「當年農家」的土屋，還能看到過去的一些影子。我特意開車沿著水泥路來回緩行，兩旁都是高樓大廈，其中有小崗面業、敬老院、小崗小學，以及正在興建的GLG大廈……

當晚在鳳陽縣城往下後，我迫不及待地打開電腦，輸入「沈浩」一詞查詢。沈浩死後不到一百天，中央電視臺評選的二〇〇九年度「感動中國十大人物」中，沈浩榜上有名。其頒獎詞為：「兩任村官，六載離家，他走得匆忙，放不下村裡鄉親，對不住家裡親人。那一年，村民按下紅手印，改變了鄉村的命運；如今，他們再次伸出手指，鮮紅手印，顆顆都是他的碑文。」接過鮮花和獎盃的，是曾經很

不理解他、也不太支持他的妻子王曉勤。此時，他的妻子已淚流滿面。

後來我知道，沈浩的妻子王曉勤整理了他生前的日記，輯成《沈浩日記》出版。她在丈夫死後對他說：「早知道我有這麼好的丈夫，我應該多去理解你，鼓勵你。」其妻的回憶，飽含深情，字字催人淚下。

一個榜樣眾多的時代

新中國六十多年，是一個英雄輩出、榜樣眾多的時代。

每個歷史時期，中共宣傳機構總是根據當時的需要，推出一個又一個先進典型，要求全國的幹部、群眾學習這些榜樣。報紙、電臺、電視臺等各種媒體鋪天蓋地，會議、海報、橫幅隨處可見，影視劇、報告會、歌曲輪番上陣……這種獨特的強力灌輸方式，使生活在這個時代的中國人，可以對這些榜樣的事蹟，如數家珍般的熟悉。

這些供全國人民學習的榜樣有先進群體，如魏巍散文〈誰是最可愛的人〉中頌揚的志願軍英雄群像，還有南京路上好八連、大寨大隊、海島女民兵、草原英雄小姐妹、32111鑽井隊、小崗村十八個包產到戶的農民、中國女排五連冠群體、硬骨頭六連、一九八九年進入北京平息政治風波的共和國衛士、兩彈一星功臣、唐山十三個抗震救災義士……。

作為榜樣的個人典型更多，宣傳力度也更大。二十世紀五〇年代有丁佑君、黃繼光、邱少雲、羅盛教、楊根思、趙夢桃、王國藩、向秀麗、時傳祥、劉文學等。六〇年代有雷鋒、王傑、劉英俊、歐陽海、焦裕祿、陳永貴、邢燕子、王進喜、董加耕、麥賢得、戴碧蓉、金訓華等。七〇年代有張鐵生、黃帥、華羅庚、陳景潤、李四光、張秉貴、張志新、遇羅克、何運剛等。八〇年代有蔣築英、羅健夫、張

海迪、林巧稚、張華、彭加木、史光柱、徐良、錢學森、鄧稼先、賴寧等。九〇年代有孔繁森、袁隆平、韓素雲、王選、史來賀、王啟民、梁強、吳仁寶等。入二十一世紀後，樹立的榜樣更多，猶如滿天繁星，讓人目不暇接：馬永順、孔祥瑞、丁曉兵、包起帆、白芳禮、許振超、楊利偉、宋魚水、孟二冬、任長霞、王順友、牛玉儒、楊善洲、沈浩、郭明義……。

近年來對榜樣的宣傳力度之大、範圍之廣、規格之高，大有超過毛澤東時代的勢頭。新華社推出「時代先鋒」，中央電視臺推出「感動中國」。前者主要宣傳各個工作崗位的先進榜樣，形式老套呆板。後者突出平民百姓中的人性之美，更受普通人歡迎，但近兩年政治色彩加重，觀眾正在流失。各新聞媒介不遺餘力抓典型，樹榜樣。你有「黨旗飄飄」，我有「公僕本色」；你有「凡人壯舉」，我有「身邊感動」；你尋找「最美的鄉村教師」，我發掘「最美的鄉村醫生」。

隨著交通、通信、接待條件的改善，承載這些榜樣先進事蹟的巡迴報告團，奔波於全國各地。每到一處，主持人一絲不苟，宣講人聲情並茂，聽講者淚眼汪汪。所有環節無不讓人感到：我們生活在一個好人好事層出不窮、全國形勢一片大好的時代。

盤點榜樣，略有所思。不同時期的榜樣，確實在當時引起不同程度的感動和震撼，如雷鋒、焦裕祿、陳景潤、沈浩、楊善洲等，有全國人民留下的淚水作證。上述榜樣中的絕大多數，除特殊時期的張鐵生、黃帥（他們也不是壞人，而是被利用的一個個政治符號）外，也確實有一些值得敬仰、尊重的價值。

檢閱歷史，我們不能不承認一個基本事實：六十多年來，榜樣的多少，與黨風、民風和社會風氣成反比。也就是說，榜樣越少，社會風氣越好，榜樣越多，社會風氣越糟糕。或者說，榜樣無助於改善整個社會風氣。二十世紀五〇年代前期，除了朝鮮戰爭中的一些英雄

外，並沒有樹立多少供人民群眾學習的榜樣，整個社會朝氣蓬勃，人們真誠地相信黨和政府，相信未來一定美好。五○年代末至六○年代，我們推出了一批至今都還在學習和宣導的榜樣，但這是中國最不好的一個歷史時期，各級領導普遍不說真話，城鄉極度貧困，群眾對立，彼此防範。七○年代末八○年代初，伴隨著冤假錯案的平反、思想解放，中國大地如沐春風，這一時期榜樣相對較少而社會風氣較好。九○年代至今，在中國經濟高速發展的同時，社會風氣再次全面惡化，道德水準急劇下降。我們總是一次又一次強調，發展中存在的問題要在發展中解決，而且拿出美國、韓國等國家和臺灣、香港地區曾經出現過這些問題，試圖解釋其必然性。對於日益嚴重的官場腐敗，高層也多次坦率承認，這是一個亡黨亡國的大事，抓了一些，也殺了一些，就是沒有成效。社會矛盾和社會風氣相互轉化，形成惡性循環。二十年來，積累的問題和樹立的榜樣越來越多。

人們對於榜樣的態度，也越來越麻木，甚至對其真實性產生懷疑，對鋪天蓋地的宣傳產生反感。無論是幹部還是群眾，通過各種形式獲取這些榜樣的感人事蹟時，也會潸然淚下，或有所觸動；但過後不久，便一如往昔。原因很簡單，出門看到的，完全是兩回事。榜樣在現實的衝擊下，一觸即潰。絕大多數人敬重榜樣，但不學榜樣。連雷鋒的生前戰友喬安山和他的妻子，經過現實的多次打擊和教育，也對學雷鋒的意義表示懷疑。有人甚至認為，有的「活雷鋒」如同演員，背後是不純的政治動機和現實的利益驅動。

任何社會形態，任何歷史時期，只要有人的地方，就有人性的光輝和理性的力量，就有催人淚下的人事。榜樣並非某一種社會形態所獨有，何況中國有十三億人，要發現一些感人的典型和榜樣，是比較容易的。政治上的高尚，工作上的敬業和創新，人品上的優秀，社會主義社會有，封建主義社會有，資本主義社會也有，有時還更多。榜

樣多，什麼也不能說明，什麼也不能證明。如果硬要以榜樣多來說明和證明什麼，那就是：我們的社會，好人好事的比例太小。因為少，才成了新聞。多了，就不是新聞了。

曾經有人斷言，榜樣的力量是無窮的。事實證明，榜樣的力量是有限的。

樹立榜樣的目的、標準與得失

不可否認，榜樣本人絕大多數有一些值得肯定的品質。但幾十年來，我們樹立榜樣的目的和標準，大有問題。有些榜樣，經不起歷史的檢驗。

英雄主義和愛國主義是永恆的主題。朝鮮戰爭中產生的榜樣，任何時代都具有不朽價值。那些在保家衛國戰爭中犧牲的勇士，將永遠受到人民的懷念。

一九五六至一九五八年，從三大改造完成到農村人民公社建立，計劃經濟體制開始在城鄉佔據絕對主導地位。在社會主義生產資料公有制形成的大背景下，為了證明這種制度的優越性和領導決策的正確性，有必要樹立熱愛集體的榜樣，於是有了向秀麗、劉文學等榜樣的走紅。

因此新中國榜樣最明顯的一個特點，具有濃厚的意識形態色彩。毛澤東時代，榜樣多是文化程度不高的工農兵和工農兵出身的革命幹部。中國共產黨自認為是「偉大的、光榮的、正確的」，在此前提下，要求各級幹部和人民群眾成為「馴服的工具」和「永不生銹的螺絲釘」，黨叫幹啥就幹啥。這一標準，一直延續到二十一世紀的今天。只不過從鄧小平時代以來，增加了知識份子，使科學家、教師和醫護人員佔有了一定比例。

在長長的榜樣名單裡，有一個特殊的群體，就是劉文學、龍梅、玉榮、戴碧蓉、何運剛、賴寧幾個十五歲以下的小英雄。其中十四歲的劉文學、十三歲的何運剛都是在與破壞集體財產的壞人搏鬥時犧牲的。十五歲的賴寧為撲滅山火被燒死，他沒有撲火的專業技能，也沒有相應的體能，不聽勸阻，執意上山撲火。他們都是未成年人，本身需要社會保護，卻承擔了與其年齡不相稱的社會義務。作為個人，有可敬、可愛之處。但作為國家，不應該提倡這種行為。樹立其為全國中小學生的榜樣，更加荒唐。一個年輕的生命與一背兜被偷的辣椒相比較，到底哪個更重要？光環的背後，是對人的生命的冷漠和輕視。相比之下，三個活著的小英雄更讓人感動：龍梅、玉榮是著名的「草原英雄小姐妹」，為保護公社的羊群而被凍殘截肢，當時只有十二歲和九歲。一九六八年戴碧蓉十一歲時，救下三個在鐵路上玩耍的小孩，失去一隻手和一隻腳。她們有幸活了下來，並受到社會的關照。最經得起歷史檢驗的是戴碧蓉，她畢竟救下三個比自己更小的鮮活的生命——總的來說，這種鼓勵以幼小年齡履行成年人職責和義務的宣傳方法，實在不是一個正常社會應該提倡的。

與三個犧牲的小英雄一樣，上海知青金訓華也是為了保護國家財產，在試圖撈起被洪水沖走的木材時被淹死的。他也死得不值，但為了證明知識青年的覺悟，他死後一夜紅遍大江南北。凡是有知青的地方，牆壁上都貼著他那經典造型的圖片。毛澤東時代的榜樣，很多被人為地拔高，並或多或少賦予了一些不存在的思想、覺悟。總的來說是為其極左路線服務，有的還給國家帶來很大災難，如王國藩的「窮棒子王國」，陳永貴的大寨精神，張鐵生和黃帥的反潮流精神。只有雷鋒和焦裕祿，至今仍然得到相當程度的肯定。

改革開放至今，經濟發展與國際全面接軌，而思想領域和意識形態方面，官方仍舊採用很多毛澤東時代的慣用做法。榜樣不見減少，

反而日益增多。官方樹立的榜樣，選擇更加慎重、合理，有兩點變化：一是科學家多了，如陳景潤、錢學森、鄧稼先、袁隆平等；二是出現勵志型榜樣，如張海迪、史光柱等殘疾人的自強精神。對於上述榜樣，社會沒有太多異議。

有的榜樣因有明顯失誤和漏洞，引起社會爭議。一九八八年的賴寧已如上所述，如果在毛澤東時代還情有可原，但發生在思想異常活躍的二十世紀八〇年代，不好理解。還有一個引起人們普遍異議的是孔繁森。孔繁森是山東聊城人，文化程度不高，六〇年代從農村到部隊當兵，被評為學習毛主席著作標兵。一九七九年和一九八八年兩次入藏擔任縣、市、地領導，每一次進藏，官升一級。在西藏的十年間，他基本上沒有往家裡寄過錢（援藏幹部的工資加各類補貼費是很高的，他有三個子女需要撫養）。平常所談，豪言壯語頗多，口頭禪是：「我要把人民給我的錢全部用於人民。」為了扶危濟困，他曾經三次賣血，就其收入而言，完全沒有必要。為了促進民族團結，他收養了三個孤兒，就其職責而言，有不務正業之嫌。有一次，他去醫院獻血，得錢九百元，卻偏要拿出證件告訴醫生，他是阿里地委書記。時隔不久，他到部隊視察，又拿出二千元給連隊改善伙食……點點滴滴，讓人感到孔繁森確實是一個對自己苦虐、對親人刻薄的作秀高手，為了職務的升遷，有點不顧一切。畢竟——只要不死，榜樣可以名利雙收。

我那時正在當記者，來往於各地，接觸面廣，聽到很多對孔繁森的非議。曾有人直言不諱地說：「你們做記者的，怎麼能宣傳這些古怪的人呢？」然後他將孔的一件件不近情理的事細細分析，以證明他的結論，讓我無言以對。而更多的人，對孔繁森的領導能力和工作方法，表示強烈質疑。

六十多年來，中國在塑造和宣傳大大小小的榜樣時，的確或多或

少忽略了人民群眾的辨別能力，低估了人民群眾的智商。話說回來，熱衷於樹立榜樣的潛在心理，便是不相信人民群眾。好像沒有榜樣，人民群眾就不知道怎麼生活和工作，就不知道怎麼做人，就可能往邪路上走。一方面高呼：「人民萬歲」、「人民群眾是真正的英雄」，一方面唯恐人民群眾不學好──這是多麼讓人費解的思惟邏輯！

另類榜樣的命運

　　二十世紀七○年代末在批判極左路線時，得到胡耀邦等中共開明領導人支持，推出了兩個與林彪、「四人幫」英勇鬥爭的榜樣──遇羅克和張志新。他們與以往的榜樣截然相反，不是馴服的工具和螺絲釘，而是能夠獨立思考，敢於懷疑、批評黨的路線、方針和政策的思想者。他們的事蹟公開報導後，在全國引起巨大反響。其政治眼光讓人佩服不已，其悲慘命運讓人淚流滿面，其視死如歸讓人肅然起敬。

　　遇羅克的父親是工程師，一九五七年被打成「右派」。他本人品學兼優，但因出身問題被剝奪了上大學的機會，參加工作後是北京機器廠工人。一九六六年，他發表文章〈機械唯物論進行鬥爭的時候到了〉，反對姚文元批判新編歷史劇《海瑞罷官》。同年底，他又寫下了著名的〈出身論〉一文，激烈批判當時盛行的血統論，提倡民主和人權，在社會上產生了廣泛的影響。不久被捕，拒不認罪。一九七○年以「反革命罪」被槍殺。

　　張志新是天津人，中共黨員，中國人民大學畢業後，任遼寧省委宣傳部幹事。她以對黨至誠的態度坦露心跡，批評「文化大革命」中的極左路線，反對對毛澤東的個人崇拜，不贊同打倒劉少奇。被捕後她被告知，只要承認有罪，就可不死，但她屢遭折磨，不改觀點。一九七五年被處決前，有關方面為防止她呼喊「反動口號」，殘忍地將

其喉嚨割破。一九七九年張志新平反，時任遼寧省委書記的任仲夷沉痛地說：「和她相比，我們太渺小！作為共產黨員，我們都缺乏一些東西。」

同樣因堅持真理而獲罪的，還有被譽為「中國市場經濟理論第一人」的思想家顧准。他一九一五年生於上海，是一位二十世紀三〇年代加入中共的老革命。十九歲就出版會計學專著，被大學聘請為教授。抗戰後參加新四軍，新中國成立時任上海市財政局長兼稅務局長。他辦事幹練，曾私下說過自己可以當市長和總理。一九五二年因反對不斷增加工商業者的稅收額而被撤職。調入北京中國科學院後，與蘇聯專家發生爭執，被誣為「反蘇」。他認為從經濟交往的成本上考慮，中國應當與日本和美國建立聯繫，並著文〈試論社會主義制度下的商品生產和價值規律〉，對當時從蘇聯照搬過來的計劃經濟提出質疑。由於他不隱藏自己的觀點，一九五七年成為右派，後來在歷次政治運動中飽受摧殘。他不改做人準則，多次被下放農村勞改。六〇年代初，他對整個中國會計制度的改革提出合理建議。「文化大革命」中，他家破人亡，因不願作偽證被打得頭破血流。他不因個人不幸而氣餒，思考史達林政體的危害、民主與專制的關係、中國和世界的未來等大問題。他長期身處逆境，勤於著述，在生命的最後幾年寫作《糧食問題初探》、《希臘城邦制度》、《從理想主義到經驗主義》等專著，主張提高糧食收購價格以繁榮農村，提出社會主義市場經濟理論、發現民主與終極目的等一系列理論創新。他永遠充滿自信，曾說自己可以拿經濟學、歷史學家和數學三個博士。他視野開闊，思想深度、廣度和理論的獨創性，超過遇羅克、張志新。其經濟主張對孫冶方、吳敬璉產生深刻影響，成為中國二十世紀八〇年代思想解放的先驅。顧准被中外學者譽為毛澤東時代唯一的思想家，為中國知識份子集體挽回了面子。

　　沒有多久，對遇羅克、張志新、顧准的宣傳降溫了。新聞媒體的文章越來越少，書籍出版困難重重。似乎有人投鼠忌器，認為對他們的讚揚，可能會使人民群眾超越對林彪、「四人幫」的憤慨，繼而思考更深層次的問題。於是他們從「榜樣」的名單中被變相刪除。

　　一九八五年，當時的著名記者劉賓雁發表〈第二種忠誠〉，記敘哈爾濱教師陳世忠和上海海運學院教師倪育賢，在最殘酷的現實面前，拒絕放棄獨立的思想與判斷，並恪守自己的信念。劉賓雁痛心地指出：「勤勤懇懇，謙虛謹慎，老實聽話，從無異議，這是一種忠誠。懷有這種忠誠的人，本人在個人利益上也須做出或大或小的犧牲，但比較安全，順當，一般不致招災惹禍。由於在上級眼裡可愛，仕途往往可以步步高升。第二種忠誠，像陳世忠、倪育賢……往往要付出從自由、幸福直至生命這樣昂貴的代價。」只過了一年多，這位二十世紀四〇年代加入共產黨、對社會主義充滿熱情、一九五七年因揭露官僚主義而被開除黨籍、劃成右派的人，於一九八七年再次被清除出黨。

　　與遇羅克、張志新、顧准、陳世忠、倪育賢一樣屬於「第二種忠誠」的人，在中共高層有彭德懷、張聞天、鄧子恢、沙文漢、陳修良等。散落在民間的人數更多，但鮮為人知。他們有：一九五六年中國第一個主張並實行包產到戶被劃為右派的縣委副書記李雲河，一九五七年反對極左路線、高呼「自由萬歲」的北大學生林昭，要組織更要真理而開除軍籍的老紅軍蔡鐵根大校，一九六二年上書要求毛澤東檢討「大躍進」、兌現新民主主義承諾的農民黨員楊偉名等人，他們不是處死就是自殺，只有李雲河倖存下來。

　　以同是縣級領導的焦裕祿和李雲河為例，我們可以清楚地看到「第一種忠誠」和「第二種忠誠」的不同結局。焦裕祿是值得尊敬的，樸實、親民、苦幹，但工作沒有創新，在「左」風盛行時代也沒

有對上面說「不」，在大的錯誤路線下，他的努力根本無法改變蘭考的窮困面貌。論家庭出身、革命資歷，李雲河更勝一籌，他具有焦裕祿的一切品質和作風，還具有焦裕祿沒有的懷疑能力、創新意識和勇於堅持真理的犧牲精神。以同是普通農民的王國藩和楊偉名為例，一個緊跟形勢迎逢上意，官至地委書記、中央委員；一個敢於直言現實弊端提出正確建議（八〇年代農村改革時全部實現），被折磨得死去活來，最後夫妻雙雙被迫自殺。誰更應該成為榜樣？本來不言而喻，事實恰恰相反。

二〇〇九年，在紀念中華人民共和國成立六十周年時，由中央幾個權威部門在全國範圍內評選感動中國一百個優秀人物，有兩個缺點：包括張志新、顧准在內的「第二種忠誠」的中共黨員集體缺席（或落選），包括費孝通、巴金在內的人文學者一個沒有。即使第一種忠誠的人物也不公平：劉文學、賴寧榜上有名，而事蹟更加突出、感人故事延續幾十年的戴碧蓉和楊善洲不見蹤影。天天強調核心價值觀，但在實踐中，我們的價值導向出了問題。

更讓人深感不安的是，在塑造榜樣或先進典型的過程中，由於相關方面各取所需、有利可圖，事實上已形成一條完整的利益鏈。大家都在認認真真營造一種空泛、虛假的社會氛圍，以為個別就是整體，局部就是全面。這種落後、幼稚、愚民的宣傳方式，對國家、對社會、對個人，都極為有害。

並非多餘的話

劉賓雁概括了「第二種忠誠」，是一個重大成果。但他在文章中提出的「第三種忠誠」，則顯得很籠統，不夠嚴謹、科學。他說：「第三種忠誠作為第一種忠誠的變種生長起來。只要是上級的旨意，

明知錯誤而有害，也認真執行，甚至還要做過頭，以博得上級賞識；遇到重大是非爭議，分外謙虛謹慎，不置可否，明哲保身，把責任上交或下放；善觀風向，順風轉舵，隨時可以反戈一擊，另換效忠的物件。」他對此類人完全否定。

他所說的這類人，在被認為是「第一種忠誠」的人群中產生是對的，但他一棍子打倒所有人，說得太絕對。存在決定意識，有什麼樣的導向，下面的幹部群眾就要想辦法來適應。盤算利益得失，是人的本能，不能苛求。

細分這類人，有三種情況：一是不高尚的人或壞人要投機，把自己偽裝起來做點好事、吃點小虧，以換取更大的利益。如果碰巧運氣好，便有可能飛黃騰達。左右逢源、順風轉舵是他們的生存方式，與「忠誠」永遠無緣。如果他們得勢，很有可能造成災難性的嚴重後果。這類人目前越來越多。二是部分人有家室之累等難言之隱，或者對錯誤產生的危害程度估計不足，也可能對明知錯誤而有害的上級意旨不置可否，採取明哲保身的辦法，認真執行，或將矛盾上交、下放──雖是體制性錯誤，也堅決執行，對這類人雖不能肯定，但不能過多責備。如果上面的政策正確，這類人中的絕大多數，是可以做一些好事的。我們更應該看到第三種情況，在現存政治體制下，大智慧者在明知錯誤而且有害，卻也不能改變時，暫時執行或變通執行以保存自身力量，在實踐中糾正。保存了力量，就有可能在更大範圍爭取正確。換成軍事術語就是，以暫時的退卻換取長遠的進攻，以局部的犧牲換取全面的勝利或不失敗。他們做人做事堅守道德底線，並力圖將錯誤控制在最小的範圍。如果他們硬頂，不僅自己迅速被官場淘汰，還可能導致真正的壞人上臺。在現有體制下，這類人是非分明，懂得策略，他們相對較少。如果當政，是能夠為國家、人民做很多好事的。

　　那麼有沒有「第三種忠誠」呢？有！

　　「第一種忠誠」，無條件服從上面，甘當黨的螺絲釘和馴服工具，對個人的好處和國家的利弊，劉賓雁已分析得非常透徹。悄無聲息長期做好事者如楊善洲之類，是真正的雷鋒；大張旗鼓、呎三喝四做好事者，或一門心思、別出心裁做好事者，或不近情理、惡待妻兒做好事者，動機可疑。受現實利益驅動，有可能產生虛偽、虛假的鑽營之徒。目前像演戲一樣學雷鋒的這類人很吃香。

　　「第二種忠誠」，有條件服從上面，敢於批評黨在一定時期的路線和政策，甚至批評黨的最高領袖。如彭德懷、遇羅克、張志新者，不僅需要能力、眼光和思想，更需要勇於堅持真理不怕死的精神。由於他們的行為還有可能連累家人和朋友，因此很少。

　　「第三種忠誠」應該在「第二種忠誠」中產生。他們文化水準高，一般不做具體的好人好事，將精力集中在黨和國家向何處去這樣的頭等大事。他們注重思想啟蒙和思想解放，與第二種忠誠相比，他們的思想更加深刻超前，道德感強、責任感強、使命感強。他們中有的是老資格的共產黨員，對專制政體給國家和人民造成的危害有切膚之痛，面對蘇聯解體後俄共在國家政治生活中日益邊緣化的現狀，對中國共產黨的命運憂心忡忡。他們認為要徹底反思過去極左路線，從根本上杜絕「左」傾思想的回潮，只有實行憲政民主。其中有的人還主張，國家利益高於黨派利益，因此主張結束一黨政治，允許黨內反對派或反對黨存在。他們要求中共履行二十世紀四〇年代對民主的承諾，由此使共產黨獲得新生，獲得主動，確保共產黨在未來永遠立於不敗之地。

　　中共中央黨校一位副校長說：「我們常講我們黨的執政地位是歷史的選擇，是人民的選擇，難道歷史不能做第二次、第三次選擇？人民就不能做第二次、第三次選擇嗎？」中國社會科學院名譽學部委員

李步雲說：「我是個共產黨員，我當然希望我們的黨能夠執政一萬年，但是我不太高興用槍桿子來維護政權，這樣的狀態我感到彆扭。因此，我主張所謂的轉型。我不像有些人目前那樣悲觀，如果把黨禁、報禁一開，可能共產黨就上不了臺了。這個不見得，主要是看我們黨自己怎麼樣。我自己對此是很有信心的……現在的政治體制應當是一種更加文明的政治體制，共產黨應當是一個更加文明的政黨，是憑自己的實力得到人民擁護，是通過自由選舉來執政，而不是靠其他的因素，不是靠『老子打天下，老子也要坐天下』作為一個理由，或者用極端的手段來維護這個權力。」

李銳、李慎之、杜導正等老資格中共黨員，也經常發表文章，語重心長表達類似觀點，他們極力維護言論自由的公民權利。事實上，他們能夠比較自由、順暢地表達自己的政見，已說明在中共高層中，寬容和開明的觀點一直存在，而這種情況正是中國未來的希望所在。

對於目前樹立的大大小小、林林總總的榜樣，他們不感興趣，認為這是治標不治本的落後的宣傳方式，甚至認為是現代愚民政策的一部分。有人如此評價沈浩：

「假如沈浩的事蹟全是真的，無疑令人尊敬。但分析沈浩的人生軌跡，我們可以發現諸多問題。比如以前對小崗村的宣傳，很多就是假的。比如以沈浩的突出能力，四十歲連個科長都不是，說明我們的幹部制度出了問題。所以政治制度的問題不解決，千千萬萬有才能、有抱負的沈浩，只能被現存體制埋沒。近年來隨著幹部任用的腐敗，逆向淘汰機制正在逐漸形成。有才能者，往往個性鮮明，不願媚上。更有才能者，可能還有明顯的缺點。他們常常在前幾輪競爭中就被淘汰出局。沈浩能施展才華並被發現，只能是個案。」

二〇一二年十一月二十八日於成都

主要參考文獻

上海市閘北紅小兵文藝讀物編寫組編繪　《小英雄戴碧蓉》　上海市　上海人民出版社　1971年版

中共中央組織部研究室編　《領導幹部的楷模——孔繁森》　北京市　黨建讀物出版社　1995年版

中共中央宣傳部宣傳教育局編　《時代先鋒》　北京市　中共黨史出版社　1998年版

中央創優爭先活動領導小組辦公室編著　《楊善洲的故事》　北京市　人民出版社　2011年版

李印中主編　《孔繁森的故事》　濟南市　山東人民出版社　1995年版

李延海、楊鳳山、郝桂堯　《孔繁森》　北京市　新華出版社　1995年版

李自良編著　《楊善洲的100個故事》　北京市　新華出版社　2011年版

沈浩　王曉勤整理　《沈浩日記》　北京市　科學出版社　2010年版

洪金、宋紹祺　王仲清、胡克文、顏梅華繪畫　《劉文學》　上海市　上海人民出版社　1970年版

孫　偉　《王國藩社的變遷》　北京市　中國文聯出版社　2006年版

戴煌編　《新格鬥》　北京市　學林出版社　2000年版

楊偉名　《一葉知秋》　北京市　社會科學文獻出版社　2004年版

雷　鋒　《雷鋒日記選》　北京市　人民出版社　1973年版

溫躍淵　《沈浩故事》　長春市　長春出版社　2012年版

劉正綱、韓志利　《為政幹事做人——向楊善洲學習什麼》　北京市　國家行政學院出版社　2011年版

陳桂棣、春桃　《小崗村的故事》　北京市　華文出版社　2009年版

陳廣生、崔家駿　《雷鋒的故事》　北京市　解放軍文藝社　1973年版

陳廣生　《雷鋒小傳》　北京市　中國青年出版社　1990年版

藍　天　《青山的回答——走進楊善洲的精神世界》　北京市　中國
　　　　林業出版社　2011年版

羅銀勝　《顧准傳》　北京市　團結出版社　1999年版

羅銀勝編　《顧准再思錄》　福州市　福建教育出版社　2010年版

顧准　陳敏之、羅銀勝編　《顧准文集》　福州市　福建教育出版社
　　　　2010年版

《為真理而鬥爭——優秀共產黨員張志新的英雄事蹟》　瀋陽市　遼
　　　　寧人民出版社　1979年版

宿州篇二六
賽珍珠和同時代的中國作家

一

宿州地處安徽北部，位於徐州與蚌埠之間，四周是一望無際的淮北大平原。淮河的主要支流沱河，從河南省的夏邑、永城緩緩流過來，橫穿濉溪，在宿州繞城而東，最終注入江蘇洪澤湖。民國元年（1912），宿州改名宿縣，北京政府時期屬於淮泗道。

一九一五年，京浦鐵路通車，南來北往的列車呼嘯而過，驚醒了千百年來沉睡的土地。當地人大開眼界，第一次見到了從列車裡鑽出來的西方人。他們走村串戶，樂此不疲。其中就有美國人卜凱，和他兩年後來到這裡的新婚妻子賽珍珠。

對於卜凱和賽珍珠來說，宿州的經歷和見聞，改變了他們的命運，在各自享譽世界的事業中，具有重要意義。儘管後來他們不再是夫妻，但在中國的遭遇頗為相似：二十世紀三四〇年代，在讚譽中有更多的非議；新中國相當長的一段時期，被徹底否定、封殺；二十世紀八、九〇年代以來被重新認識，在爭議中有更多的讚譽；二十世紀四〇年代最後一次離開中國後，再也沒有回到這塊他們所熟識和摯愛的土地；進入新世紀，在重新評價歷史的呼聲中，他們的後代來到中國，受到各自領域的熱情接待……他們以不同的方式，記錄了中國人民苦難時代的生存狀況，在中、美兩個大國的經濟文化交流史上，扮演了絕不是無足輕重的角色。

賽珍珠在襁褓中隨父母來到中國，少年時代接受了三年中國傳統文化的嚴格訓練，熟讀《三國演義》、《水滸傳》、《紅樓夢》、《儒林外史》等古典小說；青年時代遊歷了歐洲和俄國後回到美國，並在美國讀完大學。一九一七年出現在宿州時，新婚燕爾的賽珍珠剛好二十五歲，已經在中國的上海、鎮江、南京、廬山、武漢、北京、哈爾濱等地，輾轉生活了整整十八年，是一個漢語流利、深諳中國社會風俗和人情世故的「中國通」。

就在這一年，陳獨秀應蔡元培之邀出任北京大學文科學長，並將其主編的《新青年》遷往北京，發表了劃時代的〈文學革命論〉；卜凱當年在美國康奈爾大學的同班同學胡適，應陳獨秀之邀回國，出任北京大學教授；魯迅離開南京到達北京任職，文學創作蓄勢待發；陳衡哲寫出中國第一篇現代白話文小說〈一日〉——中國新文學大幕徐徐拉開。多年以後，賽珍珠在回憶陳獨秀這位對她青年時期影響最大的導師時說：「我比其他人都要早地研究陳獨秀的個性。他聰明、大膽、激進。」由此可見，身居淮北的賽珍珠一直關注著新文學的動向。

賽珍珠熱愛文學，但她認定三十歲之前不能動筆。在與卜凱結婚前，她曾有過幾次無疾而終的情感糾葛。最終與卜凱走到一起，既有中、美兩國共同生活背景的原因，更與卜凱的工作性質有關係——和城鄉各類中國人打交道，對於賽珍珠來說是喜歡的，輕車熟路，如魚得水。可以說，賽珍珠是有備而來。事實證明，賽珍珠是卜凱的好助手，她成了卜凱田間調查時與農民交談的翻譯。她不嫌「農民腳上有泥，身上有汗臭」，深入瞭解鄉村生活中諸如婚喪嫁娶、婆媳矛盾、鄰里關係、宗教迷信等的日常細節，對各種農時節氣、耕作方式、農具使用、種子貯存、農家收入支出比例等刨根問底，目睹了一樁又一樁因愚昧無知或冷酷無情而產生的活生生的悲劇，自然也看見了兵匪橫行和自然災害給中國人民造成的無盡痛苦。每天晚上，賽珍珠將白

天的見聞、感想和I各類統計資料，通過資料記錄、書信等形式保留下來。一九一九年離開宿州時，卜凱和賽珍珠都具備了出書的能力。多年後的一九三〇年，卜凱出版《中國農家經濟》，成為中國現代農業經濟研究的奠基之作。一九三一年，賽珍珠出版的長篇小說《大地》，成為大規模敘述中國農民生存狀況和社會變遷的史詩性巨著。

這種獨特的經歷，這種近距離體驗生活、認識生活和研究生活而獲得創作素材和靈感的做法，在當時的中國作家中沒有一個，更不用說中國新文學的第一批女作家了。二十世紀三〇年代初，茅盾、吳組緗等作家短時間裡這麼做過，寫出了《子夜》和I《一千八百擔》等佳作。四〇年代在毛澤東〈在延安文藝座談會上的講話〉精神「指導」下，丁玲、歐陽山、草明、周立波、柳青等解放區作家長期做過。新中國成立後，這種方法得到大力提倡。但由於指導思想、研究方法，尤其是創作方法的不同，文學創作的效果大不一樣。有備而來的賽珍珠，似乎提前二十多年，就已經在踐行毛澤東的〈講話〉精神，在感情上與農民融為一體了。

可能賽珍珠本人並沒有意識到這一點，但從她的經歷和《大地》的文本分析，她應該是現代中國文學史上用社會科學方法，觀察和認識生活並指導創作文學作品的第一個作家——儘管她是一個美國人。

值得注意的是，從一九三二年元旦起，到年底十二月十六日止，上海《東方雜誌》連載胡仲持翻譯的《大地》。這一年七月，可能是為了搶讀者，由復旦大學教授伍蠡甫根據《大地》翻譯，上海黎明書局出版了《福地述評》，不久又出版《兒子們》，銷路很好。伍蠡甫在評論中從社會學的角度，討論了中國的土地問題、財產問題、婦女問題等，指出《大地》「非常精確地道出了中國若干的社會狀況」。而整個一九三二年，茅盾在構思和寫作《子夜》，後來他回憶「《子夜》初版印出的時間是一九三三年二月初」。可惜沒有資料表明，在

茅盾寫作《子夜》的過程中，是否讀過《大地》。

二

　　當中國第一批女作家在二十歲左右嶄露頭角時，賽珍珠仍採取旁觀者的立場。她贊同陳獨秀文學革命的主張；喜歡魯迅的小說，認為魯迅是第一個寫中國普通人的作家；她也愛讀郭沫若的新詩；對同時代中國女作家冰心和丁玲在作品中體現出的無懼無畏感到自豪；與胡適、徐志摩、冰心等新文學名人有過交往……但她當時默默無聞，在文學上很可能難以發表自己的見解和主張，肯定也沒有得到這些人的重視，以至於她寫成《大地》後，找不到合適的人幫她看一下。

　　獲得諾貝爾獎後，在發表題為〈中國小說〉的演講時，賽珍珠終於道出了對中國新文學的真實看法，雖然不無道理，但顯然有失偏頗。她說：「是中國小說而不是美國小說決定了我寫作的成就。我最早的小說知識，關於怎樣敘述故事和怎樣寫故事，都是在中國學到的。今天不承認這點，在我來說就是忘恩負義……我說中國小說時指的是道地的中國小說，不是指那些雜牌產品，即現代中國作家所寫的那些小說，這些作家過多地受了外國的影響，而對他們自己國家的文化財富卻相當無知。」

　　她在盛讚中國古典小說時，對現代中國新文學作家一網打盡，給予了諷刺和否定。這番不是實事求是的話，將其置於所有中國新文學作家的對立面：首先，從她自身的創作來看，中國古典小說的影響顯而易見，但在作品的整體構思、佈局、敘事角度等方面，也有歐美小說，尤其是美國女作家的深刻影響；其次，中國新文學學習和消化西方小說的文學技巧是很正常的事，在短短二十年時間裡，魯迅、茅盾、沈從文、曹禺等一批敘事文學作家取得了巨大成就，已經或正在

中國以外的歐美國家，產生越來越正面的影響──就作品的品質而言，並不比她差多少，有的還比她高──況且中國新文學一流作家，無一不是吸取中外敘事文學的長處而形成自己風格的。

賽珍珠對中國現代作家及其作品的否定，事出有因。如果說寫出《大地》之前，賽珍珠對自己遭到中國作家無意中的忽視和冷遇，感到可以理解並予以諒解的話，那麼在她寫出《大地》並很快獲得普利茲獎之後，仍遭到中國同行像以前一樣的待遇，甚至遭到冷嘲熱諷，她肯定會感到不被理解和重視的委屈、哀怨和痛苦，繼而怒不可遏！

首先是魯迅的態度。一九三三年魯迅在致姚克的一封信中說：「中國的事情，總是中國人來做，才可以見真相，即如布克夫人，上海曾大歡迎，她亦自謂視中國如祖國，然而看她的作品，畢竟是一位生長中國的美國女教士的立場而已……因為她所覺得的，還不過一點浮面的情形。只有我們做起來，方能留下一個真相。」鑒於《大地》在中國引起的轟動，可以推想在此之前，魯迅也完全可能和其他人談到對於《大地》的類似看法。魯迅掌握的資訊和作出的判斷是不準確的，用詞也有點輕視或不屑的意思。姚克時年三十歲，是年輕的翻譯家和劇作家，在上海文化圈人脈廣泛，他不可能不向他的朋友轉達魯迅的觀點。

以魯迅在中國的崇高地位和影響，給賽珍珠造成的傷害可想而知──儘管後來魯迅在逝世前又有新觀點：「關於《大地》的事，日內即轉胡風一閱。胡仲持的譯文，或許不太可靠，倘若是，對於原作者，實為不妥。」但負面影響已無可挽回，這時的賽珍珠也在大洋彼岸，無從得知了。

《大地》出版後，中國文壇興起了一場辯論。據南京大學教授劉海平統計，到一九三四年為止，中國媒體至少有五十篇介紹和評論賽珍珠及其小說的文章，多數基本肯定。但仔細看看，肯定者幾乎沒有

什麼名氣，而有名的作家如茅盾、巴金，評論家如胡風、江亢虎、陳衡哲等人著文予以否定。其他活躍的文化界名人，即使是與賽珍珠夫婦交往較為密切的胡適等人，均保持沉默。只有當時還不算太有名，在中國民族危機日益嚴重時因提倡「閒適文學」，被左翼作家批判得有點狼狽不堪的林語堂，對她表現了相當的熱情——這種狀況，是賽珍珠沒有料到的。

還有一個沒有明說但心知肚明的原因，賽珍珠不僅是個美國人，而且是位女性。中國當時活躍在文壇的有名氣的作家，不可能都「不識貨」。賽珍珠厚積薄發，一氣呵成，推出具有史詩風格的《大地》，細膩而充滿感情地描繪了農村生活，其出手不凡和一炮走紅，著實讓現代中國作家大吃一驚。

自魯迅以來的中國新文學，到左翼作家的興起，始終都以農村為關注重點，標明作家文學觀念和思想感情的轉變，這在幾千年的中國文學史上是一個巨大進步。賽珍珠作品佈局的大氣、視角的新穎、敘事的老道、文字的精煉、人物的生動，以及作家與她塑造的人物心靈相通的親密感情，對農村各種社會現象揭示的深度，一下子使很多中國鄉土作家的作品黯然失色，客觀上反襯出中國作家與土地和農民的關係，並不像他們所宣稱的那麼親密，甚至對農村日常生活細節的觀察，也存在相當的差距。五四新文學本身一直存在的問題，即作家與他們所描寫的農民之間「隔了一層」的毛病，在賽珍珠的《大地》出現後，被擺到了桌面上——這是一件讓中國作家難堪的事情！

中國主流作家和批評家的諷刺、拒絕、沉默，有的是沒有細讀文本造成的誤判，有的是鑒賞力有問題，有的是出於自尊和不自信絞在一起的扭曲心理，多少有點酸溜溜的感覺！

賽珍珠感到失落、委屈和憤慨，也是有理由的。她在作品中以平等、博愛的人道主義立場描述了中國人的堅韌、勤勞、善良、樸實，

沒有一點對中國人進行醜化和貶低的意思，卻被中國人深深誤解。若是沒有文化的普通中國人倒也罷了，主要是那些有留學國外經歷、天天聲稱要科學與民主、時時不忘以拯救農工為己任的知識界精英，在漠視、抹殺《大地》的存在和價值，這不能不使她懷疑中國知識界，尤其是文學界名人的公正心和鑒賞力，使她強化和誇大了對中國新文學的負面看法。既然得不到中國文學界主流作家和批評家的承認，她只好帶著無限的感傷回到自己的祖國——何況她父母已死，與卜凱的情緣已盡，美國好歹還有一個慧眼識珠的「伯樂」與她心心相印。當然這並不妨礙她對中國一往情深的眷戀，更難能可貴的，是對具體事情的理性對待：仍然推崇魯迅，熱心幫助林語堂，周到接待老舍和曹禺，不遺餘力地譯介中國文化，為中國抗戰奔走呼號……。

有了機會，她也不忘出出心中的怨氣，一九三八年她在獲得諾貝爾獎時的演講，就反映了這種心理。她在這個特殊的場合，不厭其煩地「強調」她對中國文學的理解和對中國人民的熱愛，並不比任何一個中國作家差。她的直率和任性，使她失去了與同時代中國作家一次極好溝通和諒解的機會。不過這篇題為〈中國小說〉的演講，對中國敘事文學特點和流變的理解，倒是非常精准而深刻的。

在二十世紀二、三〇年代，中國知識界普遍認為魯迅是有資格拿諾貝爾文學獎的——事實也確實如此。如果賽珍珠在獲獎時能對同時代中國作家進行客觀介紹和適當讚美，肯定會贏得更大的好感。可惜她在抓住一個機會時，又失去了另一個機會！

三

沒有資料表明賽珍珠與魯迅有過當面交往。但從兩位作家作品的文本分析，可以看到他們有很多相似的地方。

在賽珍珠提筆寫作前，魯迅已經譽滿天下，是當時和後來中外公認的二十世紀中國最偉大的作家。在魯迅筆下走動的人物，神形兼備，生靈活現，內涵豐富，體現了那時中國最先進的知識份子對現實社會深刻的觀察思考，凝聚了他對現實問題的擔憂和憤慨。除非別有用心，哪怕是最挑剔的評論家，也會承認魯迅創造的藝術形象的巨大魅力。

賽珍珠對於魯迅是尊敬的，對他的作品也是欣賞的，她在演講、文章中多次提到這一點。《阿Q正傳》在美國出版，她還熱情地寫了評論。賽珍珠總體創作成就在魯迅之下，她創造的不朽藝術形象──《大地》裡的阿蘭和《母親》裡的母親，其概括力和感染力雖不及魯迅筆下的阿Q，但與祥林嫂、閏土、孔乙己不相上下。阿蘭和母親這樣的女人，在夫權社會的舊中國比比皆是，出現在文學作品裡，卻是賽珍珠的獨特發現和創造。

在當時和後來很長一段時間裡，賽珍珠備受指責的一點是，她筆下的中國現實是扭曲而不真實的，她筆下的中國人不能夠代表中國人，她醜化了中國人的形象。時間證明，這種指責缺乏根據。

賽珍珠與魯迅的共同點在於：真實再現了封閉落後的鄉村環境；對生活在社會最底層的人給予了真摯的同情；對兵匪遍地給人們帶來的災難進行了毫不留情的譴責；對那種環境下出現的愚昧、迷信和由此造成的種種悲劇，感到無奈和痛心。他們都用沉痛的筆調，描述了幾乎找不到任何希望的未來。他們筆下的現實生活都是灰色的，但賽珍珠似乎更樂觀一點：魯迅用主觀抒情和想像，在〈故鄉〉和〈藥〉裡留下些許「亮色」；賽珍珠卻永遠對未來充滿信心，並贊同用「革命」的手段，去開創未來──儘管她並沒有講清楚是怎樣的「革命」。

如果賽珍珠應該受到指責，那魯迅更應該受到譴責。事實上在二十世紀初，很多外國人正是從魯迅筆下認識了中國的骯髒、醜陋、落

後、迷信、野蠻、黑暗……魯迅正是這樣確立了他作為一個偉大作家在世界上的崇高地位。魯迅作為中國人，可以正視和揭露中國社會的各種缺點，中國人高度讚揚。但同樣的事，由外國人說出來，中國人就受不了。雙重標準的背後，實際上折射出一種小國寡民心態。

中國之窮，主要窮在鄉村。政治混亂，兵匪肆虐，災害頻繁，民智低下，造成近代鄉村社會急劇凋敝、民生艱難。以魯迅為發端，經文學研究會的宣導，從二十世紀二〇年代起，中國新文學逐漸形成蔚為壯觀的鄉土作家群。在中國新文學的第一個十年，湧現出許欽文、王統照、王魯彥、蹇先艾、臺靜農、許傑、彭家煌等作家，他們以短篇小說為主，取得較為顯著的成績。作品裡的人和事，除廢名的田園牧歌、許地山的清麗溫馨外，絕大多數是灰色而麻木的，這是那個時代鄉村社會的普遍現象。在一九二六年蹇先艾的〈水葬〉裡，寫一個因窮而行竊者，被水葬處死，施暴者泰然行之，圍觀者漠然視之，被葬者也麻木受之，都不覺得有何不妥。臺靜農在〈新墳〉裡，寫一個寡婦，女被強姦，兒被亂兵殺害，家產也被洗劫一空，寡婦最後神情錯亂而自焚。

現實如此，怪不得作家。賽珍珠就說，她寫的全是親眼看到、親耳聽到的。其實從賽珍珠後來寫的敘事散文中，還有很多比《大地》裡更為慘烈和辛酸的故事。

二十世紀三〇年代左翼文學興起，以柔石、沙汀、吳組緗、蔣牧良、葉紫、丁玲、蕭紅、羅淑等為主力的一批青年作家，以更加成熟的藝術手法，展現農民的悲慘處境，並試圖探索背後的社會方面的原因。

這期間敘述鄉村生活的鄉土作家，體裁以中短篇小說為主，雖然故事完整，但線索單一，往往圍繞一人一事展開，雖不乏震撼人心之處，但終究沒能塑造出一個後代讀者至今記得清楚的藝術形象。知識份子腔調有所減少的同時，政治化、概念化的傾向開始顯露，況且敘

事者與農民「隔了一層」的毛病沒有大的改變。這種情況,甚至在茅盾一類「大家」身上,也是存在的,他的〈子夜〉、〈林家鋪子〉、〈春蠶〉等小說,將民族工商業的萎縮歸咎於外國資本的擠壓,就有失偏頗。

沈從文是個例外,他以詩人的眼光審視鄉村生活,想像多於現實。其成功之處是營造一種令人流連忘返、回味無窮的意境,雖然也有淡淡的哀愁,但他關注的重點在美好的一面,鄉村生活的艱辛和痛苦,則被忽略了。何況他筆下的人物,即使是《邊城》和《蕭蕭》裡的主角,作為封閉狀態下的鄉村女子,共性多於個性。左翼鄉土作家的作品,社會歷史價值大於審美價值。沈從文相反,審美價值遠大於社會歷史價值——沈從文的堅持,使他後來贏得更多的世界聲譽。其成功與不成功之處,就這樣糾纏在一起。至於廢名,沿著沈從文的方向,更走向了極端。

賽珍珠作品的審美價值與社會歷史價值同樣突出,而且有阿蘭和母親這兩個不朽的藝術形象作支撐,使她在中國描述鄉村生活的敘事文學中,居於魯迅一人之下、眾人之上的地位。在所有同時代的中國作家中,她也絲毫不遜色於茅盾、曹禺、老舍、沈從文、張愛玲、趙樹理、柳青。說到巴金,《家》無論從哪方面分析,都不是很成功的;《寒夜》比《家》寫得好。巴金最重要的作品是幾十年後的《隨想錄》。作為一個小說家,他不能與賽珍珠相提並論。

四

賽珍珠是幸運的。她深入中國鄉村生活,得風氣之先,以社會科學方法觀察、研究農民的衣食住行和精神狀態。她接受中國傳統文化的薰陶,得心應手地運用古典小說表現技巧。同時她也深受歐美文

學，尤其是美國女作家的影響。

在十九世紀和二十世紀的世界文學中，美國女作家獨樹一幟，在敘事文學中獨佔鰲頭，與美國政治傳統中始終堅持的民主自由精神息息相關。在一個開放包容的社會裡，女性意識的覺醒，使她們的創作潛能得到較好的發揮。

一般說來，在專制政治的環境下，女性的社會活動空間狹窄，思想和創造力受到更大的壓抑。在五四新文化運動前中國漫長的歷史長河中，在歐洲啟蒙運動前的中世紀，女性在文學史上幾乎沒有留下太大痕跡。像中國的李清照和日本的紫式部，只是偶然的例外。從十九世紀起，隨著西方現代民主制度的基本確立，整個世界進入一個全新時代，文學創作欣欣向榮，從英國、法國開始，美國後來居上，女性文學空前活躍。但在專制制度下的德國、俄國、日本和中國，女性文學仍然如一潭死水。在新舊交替的俄國白銀時代和中國新文化運動中，女性文學有一定突破，但發展並不充分，只在兩個時代之間曇花一現。在整個蘇聯時期和新中國的前三十年，女性文學的生存空間再一次受到壓縮，尤其是敘事文學領域，幾乎全軍覆沒，無一倖存。

美國女性文學與歐洲英、法兩國相比，也有較大差異。英、法兩國雖然是現代西方民主政治的發源地，也是女性文學的發源地，但美國歷史負擔較輕，傳統束縛較弱，更有利於女性文學的生存與發展。在最近的兩個世紀，英、法女作家更多地關注於家庭生活和個人情緒的瞬間感受，雖然有雪萊夫人和喬治・桑這樣的浪漫主義作家，但主流卻是喬治・艾略特、曼斯費爾德、伍爾夫這類從家庭入手寫個人感情的作家。

美國大不一樣，女作家出手就石破天驚。美國的斯陀夫人和英國喬治・艾略特是同一個時代的女作家，分別確立了美、英女作家的不同走向。斯陀夫人的小說《湯姆叔叔的小屋》，以尖銳的目光觸及當

時美國社會的主要矛盾──蓄奴問題，最終導致南北戰爭的爆發和蓄奴制度的廢除，為美國資本主義發展掃清了阻礙。《湯姆叔叔的小屋》如刀削斧砍，與作家後來的《牧師的求婚》、《老城故事》相比，藝術上略顯粗糙，但樂觀堅定，充滿人道主義情懷，具有重大的社會歷史意義。經過後一輩女作家朱厄特、薇拉‧凱瑟的發揚光大，被賽珍珠、米切爾、莫里森繼承，綿延至今。她們的共同點是：善於抓住重大的社會題材進行構思，主題深刻，氣勢雄渾，場面巨大，朝氣蓬勃，樂觀向上，字裡行間洋溢著一種催人奮進的力量，崇高精神和人道主義關懷貫穿始終。同時美國女作家還有由奧爾科特開創的另一種風格，更接近於英、法女作家的風格，視野相對狹窄，局限在家庭生活和個人情感的精細描繪，經華頓、斯坦因，為波特所繼承，她們受美國作家豪威爾斯、亨利‧詹姆斯和英國女作家的影響要大一些，貴族氣質較濃，更多體現出一種賓至如歸的溫馨。但總的說來，由斯陀夫人、朱厄特開創的第一種風格占主導地位，社會影響也要大得多，是美國女性文學發展的主流。

如果說以英、法為主的女性文學溫柔婉約，那麼美國女性文學豪放大氣；如果說英、法女性文學在藝術形式上的創新意識更多，而題材內容上比較守舊，那麼美國女性文學在題材內容上的開掘更深、更強，反而在藝術形式上獨創性稍差。

賽珍珠從小就喜歡讀狄更斯的小說，臨死前還讓人將狄更斯的小說擺放在自己床前。在十九世紀的歐美小說中，狄更斯的小說與中國古典小說最有相通之處，重視情節，擅長說書講故事。賽珍珠在美國讀大學時，就體現出對文學的偏愛和在這方面的天賦，在學校舉行的文學比賽中得了一等獎。她下決心從事文學創作時，朱厄特和薇拉‧凱瑟的作品在美國家喻戶曉，如日中天，她不可能視而不見，接受其影響是非常正常的事。當時正在歐洲興起的現代派文學，似乎對賽珍

珠沒有產生多大的吸引力，終其一生也是如此。

毫無疑問，賽珍珠接受了中、英、美三國文學傳統的影響。具體地說：中國古典小說的白描手法，通過人物的行動和語言去塑造性格；英國以狄更斯為代表的古典小說，對普通人命運的關注和編織故事的方法；美國小說尤其是女作家，善於表現社會重大主題，體現崇高精神和人道主義情懷。她巧妙地將三者融會貫通，帶著對中國人民的深刻理解和滿腔同情，以自由、平等、博愛之心，創造了一個讓世界人民走進和感受中國人普通生活的藝術世界。

這一次驚心動魄的藝術之旅，給她帶來了巨大的聲譽和財富，也給她帶來了巨大的精神創傷和思念之苦。生前，中國人民在她的心中；死後，她活在中國人民心中。

五

中國新文學第一批女作家，主要生活在新文化運動的中心北京，集中在北京大學、燕京大學和北京女子高等師範大學三所學校。

她們大多比賽珍珠年輕幾歲，卻成名較早，在中國新文學第一個十年就走過了自己的創作高峰期，那時賽珍珠還默默無聞。在中國新文學的第一個十年，前兩年賽珍珠在安徽宿州（1917-1919），後幾年在南京（1919-1927）。

中國新文學的第一批女作家，是在五四精神影響下破土而出的。她們之中有陳衡哲、袁昌秀、冰心、馮沅君、盧隱、蘇雪林、凌淑華、林徽因、石評梅等。她們出身在相對富裕的家庭，先後接受過正規的大學教育，學歷較高，除盧隱、石評梅外，都有歐美留學的經歷。到賽珍珠提筆書寫《大地》時，石評梅已死，冰心和盧隱還在創作，其他的全部放棄了寫作，進入學術研究領域。一九三四年，盧隱

去世。冰心一直在文壇上筆耕至一九九九年,在新中國文壇地位很高,曾任中國作家協會名譽主席、中國文聯副主席。同一年,蘇雪林在臺灣去世,中國新文學第一批女作家全部走進歷史。由於地域的因素,賽珍珠與她們很少交往,二十世紀二○年代只和冰心在上海或南京有過幾次簡短的接觸。

從創作實績來看,以盧隱和冰心的成就最大,凌淑華次之,餘者再次之。盧隱的價值在於第一次以女作家身份闖進了長篇小說領域,但由於女性意識過於強烈,使其作品顧影自憐,沒有多大社會價值。冰心雖然被譽為二十世紀中國文壇「常青樹」,但實際在二十世紀三○年代後,無論思想與藝術都已處於停滯不前的狀態。究其原因,主要是視野的狹窄和創作源泉的枯竭。她們的成名,在於領風氣之先;她們的貢獻,在於突破了幾千年來中國女性不能從事敘事文學的舊格局。

大革命失敗後,丁玲以《夢珂》和《莎菲女士的日記》異軍突起。無論敘事的簡潔,還是心理刻畫的細膩,以及開創題材的膽識和鋒芒,遠非第一代作家能比。一九三一年的《水》,表明她已開始注意社會問題,但同時也在失去自己的風格。到延安後,思想幾番掙扎終歸於淨化,《太陽照在桑乾河上》為其創作生涯畫上句號。新中國成立後經歷曲折,可惜未能有自己的反思,使其八○年代回歸後的作品有不如無。從丁玲的創作悲劇來看,天才是可以被不好的創作思想扼殺的。來自東北的女作家蕭紅,小說〈生死場〉和〈呼蘭河傳〉以散文方式敘述鄉鎮故事,構思大氣,目光深邃。但〈生死場〉場景轉換太突然,加之文字過於生澀拗口,容易使人失去閱讀興趣。〈呼蘭河傳〉克服了這個毛病,但結構失之散漫,懷舊情緒沖淡了對現實的直面剖析,故事反倒沒有〈生死場〉那麼驚心動魄。寫過〈生人妻〉的羅淑,創作生命太短。她們比起第一批女作家,經歷豐富,眼光開

闊，對於社會問題的關注更為自覺，藝術上也更成熟。但楊義在三卷本的《中國現代小說史》中，對她們的評價過高，有點名不副實。

真正在創作成績上與賽珍珠有得一拚的是張愛玲。這位抗戰末期在上海灘大紅大紫的女作家，當時就受到著名翻譯家傅雷的極高評價。她後來因為與汪偽政權高官的感情交往，而不幸有了「漢奸」背景，長期在國共兩黨執政的社會裡備受冷落。二十世紀七〇年代，經夏志清的「淘金」和堅定的推介而被重新發現，在現代文學史上獲得應有的地位。確如夏志清所言，張愛玲《傳奇》裡的人物都是道地的中國人，有時候簡直道地得可怕，因為都是道地的活人，有時候活得可怕。每個人被他們的背景一襯托，更顯得栩栩如生。以《金鎖記》裡的曹七巧最為經典，入木三分地表現了金錢對人性的扭曲。張愛玲的人物大多衣食無憂，卻生活得痛苦不堪。

在其早期的作品中，張愛玲重點從人物的特殊境遇中來解釋發生在他們身上的悲劇的原因。一九四九年以後，從〈十八春〉和〈秧歌〉開始，她出人意料地開始從社會方面來尋找產生悲劇的原因，這與作家政治態度的變化有關。新政權建立之初，張愛玲抱有很大的希望，應夏衍的邀請，她還出席了上海官方組織的一些文藝活動。在她的第一部長篇小說〈十八春〉的結尾處，對新政權進行了間接的讚揚，多少反映了這種心理。但不久，她就感到嚴重的不適應，最終於一九五二年出走香港，並在三年後移居美國。

在香港期間，張愛玲發表了引起很大爭議的長篇小說〈秧歌〉，一個在新政權下普通農民生活悲劇的故事。胡適、夏志清、龍應台等對其給予很高推崇，認為是中國現代小說史上難得的不朽之作。反對者提出的質疑，主要有兩點：一是從文本上來看不真實；二是從動機上來看有為美元寫作，甚至有為獲取赴美簽證的功利目的。如果從文學價值來判斷，評論者只能從第一點入手，而對第二點可以忽略不計。

〈秧歌〉敘述的故事，時間是一九五一年，地點不清楚，大體在離上海不遠的江浙一帶。金根、月香夫婦是本分老實的農民，土改後雖然分得土地，但一年所獲，大部分低價交了公糧，日常生活仍然十分清苦，饑餓時時相逼。年關將近，村裡要求每家每戶出資慰問軍屬，當地農民不堪重負，起來反抗，年幼的女兒被踩死，金根被民兵槍殺，月香走投無路，放火燒了糧倉，自己投火自盡。這部小說，風格沉鬱，文字簡潔，結構完整。無論是農村生活場景，還是鄉鄰關係，以及人在饑餓時的心理狀態，都有細緻入微的真實展現，很難想像是出自對農村並不熟悉的張愛玲之手。但作家有幾個地方交代得不清楚，確實容易使在大陸生活的人，尤其是熟悉中共黨史的人感到「不真實」。小說中作為共產黨官員代表的王霖同志，也是悲劇的直接責任者，是參加革命十七年的老同志，曾在江西幹過，按小說時間推算下來，應是一九三四年的老紅軍，在新四軍時結婚，就應當是團職幹部（新四軍規定團職幹部才能結婚）。王霖出場時已四十多歲，一個人住在村裡，作家並沒有介紹他的具體職務，只稱其為「王同志」，其具體工作也僅是挨家挨戶催款催糧之類的雜務。以王霖出生入死的完整的革命資歷，完全可以擠進「高級幹部」行列，何以還在村裡行走？過年前慰問軍屬，要求每戶出四十斤年糕、半隻豬，「規定」到底來自縣裡、區裡，還是鄉裡、村裡，慰問的範圍有多大，軍屬有多少，在農戶中占多大比例，都沒有交代。農戶負擔之重，軍屬能否吃完，都不合情理，讓人匪夷所思。王霖下令民兵開槍鎮壓農民，造成嚴重流血事件，也有值得懷疑的地方：一個村的武裝力量，充其量只有幾支破槍，在憤怒的民眾面前顯然寡不敵眾，況且民兵與農民都是本村鄉親，很可能民兵家裡也要承擔慰問軍屬的重負，他們有沒有意見，他們願不願執行屠殺鄉親的命令……這些問題不寫清楚，人們當然有理由質疑作品的「真實性」。臺灣女作家陳若曦在中

共新政權下生活了七年，她根據自己在大陸的見聞寫成小說《尹縣長》，海峽兩岸同聲讚譽，沒有人懷疑其「真實性」。如果作品在真實性上打了折扣，是很難成為一部不朽之作的。

但不能因此而否定《秧歌》的價值。這本書最精彩之處，是張愛玲通過作品中一個下鄉體驗生活的名叫顧岡的作家，比較全面地闡述了她對於大陸新政權文藝政策的看法：各種束縛太多，作家寫作時顧慮重重。一個作家要生存，只能按照上面的要求來寫，最終不得不胡編亂造，乃至出賣自己的靈魂。張愛玲幾乎是最早公開表明對大陸文藝政策不滿的作家。她在〈秧歌〉發表的一九五三年，就揭示了毛澤東時代文藝政策的各種弊端，並精確地預言了這種文藝政策將會產生的惡果——這或許也是她最終離開大陸的根本原因。

與張愛玲同時活躍在文壇上的女作家，還有二十世紀四〇年代紅極一時的蘇青和梅娘。這兩位的思想認識水準與廬隱差不多，藝術上也乏善可陳，小說雖然一時能獲得暢銷，終因沒有獨特的魅力而慘遭淘汰。只有張愛玲，在二十世紀的中國女性文學上成為最耀眼的明星，照亮著後繼者的創作之路。

很可惜，我們沒有看到張愛玲和賽珍珠有任何交往的記錄以及相互間的評論。

六

賽珍珠關於中國鄉村題材的文學成就，具有世界性的意義，這是不爭的事實。作為一個外國人，能夠精細地再現中國普通人的日常生活細節，準確把握一定歷史時期中國農民的心理、思想和感情，在世界文學史上也是罕見的現象，其獲得諾貝爾文學獎當之無愧。

近代中國是一個各種思想紛呈、社會劇烈變化的時代。加之中國

疆域遼闊，各地之間、城鄉之間差異很大，即使是中國作家，也很難從生活中抓住最本質的東西進行藝術概括。而賽珍珠偏偏在中國新文學作家最擅長的領域──鄉村題材──進行創作並取得突出成績，這無異於有點「明知山有虎，偏向虎山行」的大無畏氣慨。

賽珍珠橫空出世後，就有很多中國人指出其作品的缺點。醜化中國人一說，已被作品本身的存在和作家一生對中國人民的友好感情所推翻；鄉村農家生活中如先倒開水後加茶葉之類的日常細節也不是問題；偶然事件改變命運成就了王龍的發家史，也是完全可能的。

帶著挑剌的目的，以胡適「考證」的方法，再次細讀賽珍珠的主要作品，終於發現她在寫作時因重大疏忽而造成的難以彌補的缺陷和硬傷。

賽珍珠的主要作品《大地三部曲》（包括《大地》、《兒子們》、《分家》），時間和地域的模糊，造成一些歷史事實的混亂。王龍在《大地》出場，只有二十多歲。《分家》結尾時，王龍最小的孫子王源在美國生活了六年後回到皖北故鄉時，王源的父親即王龍的三兒子王虎已六十多歲，已接近生命的終點。《分家》發表於一九三六年，以此倒推，可以算出書中主要人物的生活時間：王龍大約生於清道光末年約一八四六年，一八六六至一八七六年間與其妻阿蘭生下大兒子王大、二兒子王二、傻女兒和三兒子王虎。大約在一八九五年前，阿蘭病逝。又過了幾年，王龍納梨花為妾，深愛梨花的三兒子王虎離家出走，進入南方軍隊。民國初年，不到七十歲的王龍死去。三年喪期結束時，王虎又將兩個侄兒帶入軍營，並帶領一百多人的隊伍在離故鄉不遠的一個地方自立門戶。在王大和王二支持下，王虎很快成為擁有八千人槍的地方軍閥，此時王虎約四十歲。大約在二十世紀二〇年代初，王虎將十五歲的兒子王源送入南方軍隊時，他正致力於統一全省。過了幾年，王源在「一個濱海的都市裡」（可能是上海）

從事革命活動時被捕，經父親和兩個伯父營救出獄，到美國留學，大約在一九三五年前回國。

結合書中的敘述，問題就出來了：

一、王龍因水災外出逃荒，大約是一八七〇年前後，帶著老父、妻子和兩個兒子和一個傻女兒，此時王虎尚未出生。賽珍珠在書中作了詳細的交代，他們是乘火車到江蘇去的一個城市（可能是南京），火車票價不到一塊銀錢。查閱《中國鐵路史》，中國第一條鐵路一八六五年誕生於北京，只有五百米，屬展覽性質；第一條營運鐵路是一八七六年通車的上海淞滬鐵路，全長十五公里；一九〇八年，上海到南京的滬寧鐵路投入使用；民國初年，從天津到南京的津浦線通車，途經安徽宿州、蚌埠、滁州——這是安徽歷史上的第一條鐵路；安徽省內第一條鐵路是一九三六年通車的淮南鐵路——由淮南到蕪湖的鐵路。王龍一家怎能乘座幾十年後才通行的火車呢？

二、王龍在江蘇那個城市當人力車夫時，有人向他宣傳資本家剝削人的道理，也有人嘲笑他還留著長辮子，最後王龍在敵人攻破城門時意外得到一包金銀財寶。賽珍珠沒有明確寫是江蘇的哪個城市，但從城市規模和繁華程度來看，很可能是南京。從一八五三年到一八六四年是太平天國的「天京」，湘軍攻入後又改為「南京」，從此到一九一一年的四十多年間，南京，以及江蘇的其他城市如鎮江、蘇州、揚州，社會秩序一直穩定，何來城市被敵人攻破一說？而且王龍此時正值壯年，清政府也處於同治中興和光緒初年比較好的時期，留辮子不會被嘲笑。至於有人向他宣傳資本家剝削人，更是無稽之談，那時中國還沒有「資本家」這個概念。

三、王龍發財了，大兒子也大了。大兒子要求到「南方一個城市裡去進大學」。中國第一所現代意義上的大學是北京大學，興辦於一八九八年，或是一八九六年的天津大學。廣州第一所大學是一九〇二

年的兩廣大學堂。王大要求上大學是在一八八六年前後，那時南方乃至整個中國都沒有大學，一個鄉村地主的兒子，他哪有那麼超前呢？

　　在《大地三部曲》中，王龍及其子孫們經歷了多次「革命」，但都沒有革命的具體內容。王龍逃荒時，就有青年向他散發革命傳單、宣講革命道理，主要是講資本家剝削人。二十年後，三兒子王虎到南方軍隊，立功受獎，迅速高升，後來成為獨霸一方的軍閥。再二十年後，孫子王源又到南方革命軍隊。這樣問題又來了：假如王源到南方是進入國民革命軍，那麼王虎進入南方軍隊就失去了依據。那時正值清末，雖有孫中山經常在廣州一帶武裝起義，但每一次都被鎮壓，況且孫中山也沒有軍隊，王虎也無處建功立業。民初南方發起的有一九一三年的護法戰爭和一九一六年的護國戰爭，如果王虎參加了這兩次戰爭，那麼他的兒子王源就不可能參加國民革命軍，時間上無法銜接。這樣整個《大地三部曲》就陷入時間的混亂和矛盾之中，難以自圓其說。

　　究其原因，一是因為賽珍珠對中國近代歷史發展的大背景缺乏深入細緻的瞭解，她寫鄉村生活時得心應手，寫革命鬥爭時則相形見絀；二是寫《大地》時，她可能並沒有想到會一炮打響，後來臨時決定續寫《兒子們》和《分家》，顯得過於匆忙，顧此失彼。如此大規模地敘述歷史事件，她顯然已經力不從心，最終導致三部曲的藝術水準，呈江河日下之勢。至於她回國以後靠回憶和經驗寫的中國題材小說，更是坐吃山空，與急劇變化的中國現實生活產生了距離。

　　上述事實的存在，或多或少使她不能與魯迅、福克納、普魯斯特、高爾基、布林加科夫等最具世界聲望的作家並肩，但也不能因此而否定她及她的作品在文學史上應有的地位。

二〇一二年三月十五日於成都

主要參考文獻

〔英〕希拉蕊・斯波林　《賽珍珠在中國》　重慶市　重慶出版社
　　2011年版

毛澤東　《毛澤東選集》　北京市　人民出版社　1964年版

夏志清　《中國現代小說史》　上海市　復旦大學出版社　2005年版

許曉霞、俞德高、趙玨主編　《賽珍珠紀念文集》　長春市　吉林文
　　史出版社　2003年版

茅　盾　《我走過的道路》　北京市　人民文學出版社　1997年版

傅林祥、鄭寶恒　《中國行政區劃通史・中華民國卷》　上海市　復
　　旦大學出版社　2007年版

魯　迅　《魯迅全集》　北京市　人民文學出版社　1981年版

賽珍珠　《大地三部曲》　北京市　人民文學出版社　2010年版

賽珍珠　《母親》　北京市　東方出版社　2010年版

淮北篇二七

艱難的反抗
——鄧子恢與新中國農村經濟體制的演變

在新中國農業發展史上，鄧子恢是一位「不合時宜」的重要人物。他被毛澤東委以重任，主持全國農業工作，卻在農村經濟發展的若干重大決策上，與毛澤東的想法格格不入，最終產生尖銳對立。他在新中國成立後受毛澤東批評的次數最多，持續的時間也最長，但他屢敗屢戰，節節抵抗，喋喋不休推銷自己的觀點和主張。一九八二年，也就是在他死後十年，他曾經極力主張的「包產到戶」，以「家庭聯產承包責任制」的名義通行全國。

他沒有高深的理論，在二十世紀五〇、六〇年代，為捍衛苦難的中國農民的利益而搖旗吶喊。他在農村問題上的真知灼見和政治上的敢於直言，贏得中共黨內外的普遍尊敬。

鄧子恢一生的事業，起於閩西，興於皖南，敗於皖北。在整個新四軍時代，他基本上是在安徽度過的。他擔任新四軍政治部副主任兼民運部長後，於一九三八年四月到達歙縣岩寺鎮，直到一九四五年十一月離開皖北，赴江蘇淮陰，負責組建中共中央華中分局和華中軍區。他的足跡幾乎遍及除皖西外的安徽各地，其中擔任新四軍第四師政委和淮北區委書記時，在皖北農村生活了四年半的時間。二十世紀六〇年代他總結、提倡淮北農村的「包產到戶」經驗，終於觸怒毛澤東，從此淡出中國政治生活。

《共同綱領》，新中國領導人對農村經濟發展的最初構想

一九四九年初，遼沈、淮海、平津三大戰役結束後，中共贏得國共內戰的勝利已成定局，建設一個怎樣的新國家，已刻不容緩地擺在中共領導人面前。二月底三月初，中共在西柏坡召開七屆二中全會，作出了全黨工作重點從農村轉向城市的戰略決策。這次會議對於全國經濟建設提出了一個總體原則：鑒於農業和手工業比重占經濟總量百分之九十的實際情況，在革命勝利後一個相當長的時期內，還要盡可能地利用城鄉資本主義的積極性，同時限制不利於國計民生的消極性。

當年九月，中國人民政治協商會議通過具有臨時憲法性質的《共同綱領》。其中有關經濟的政策規定：公私兼顧、勞資兩利、城鄉互助、內外交流，使農民和手工業者的個體經濟、私人資本主義經濟和國家資本主義經濟等各種社會經濟成分，在國營經濟領導之下，分工合作，各得其所。凡有利於國計民生的私營經濟事業，人民政府應鼓勵其經營的積極性，並扶助其發展。關於商業，在國家統一的經濟計畫內實行國內貿易的自由，但對於擾亂市場的投機商業必須嚴格取締。總的來看，《共同綱領》確定的是基本原則。劉少奇特別作了說明：「要在中國採取相當嚴重的社會主義的步驟，還是相當長久的事情，如在共同綱領上寫上這一個目標，很容易混淆我們在今天採取的實際步驟。」後來的事實證明，對這些原則的理解，黨的領導層並不完全一樣。

劉少奇最初提出的經濟發展規劃，著眼於改善人民生活，把農業放在第一位，輕工業放在第二位，然後才是重工業。他說：「農業是工業的基礎，農村是工業的市場，依靠農業發展提高人民生活水準，依靠農業積累資金，所以我們要先發展農業。」一九五〇年六月他

說：「我們所採取的保存富農經濟的政策，當然不是一種暫時的政策。在整個新民主主義的階段中，都是要保存富農經濟的。」毛澤東當時也認為，這個過程大約十五至二十年。

林彪時任中南局書記，非常重視鄉村工作。他認為中南地區的工作重點應該先放在農村。與劉少奇略有差別，林彪強調商業流通對經濟恢復的作用。他說：「只要商業興旺，城鄉內外暢通，經濟就可以活躍起來。」同在中南局任職的鄧子恢和杜潤生的主張更接近林彪。

東北地區土改後，原來部分貧雇農依靠經營和耕作方式的改進，逐漸成為新富農，並出現黨員雇工現象。主政東北的高崗予以限制和打擊，還要將雇工的黨員開除黨籍。在東北富農這個問題上，劉少奇持開明態度，他批評東北局在對待資本主義經濟和民族資產階級的政策方面，存在過「左」的傾向，引起高崗的不滿。

隨後中共高層又對農業合作化產生分歧。一九五一年四月，山西省委鑒於農村兩極分化致使農村互助組織渙散，提出通過政策調控扶植互助組的主張。他們的做法，與當時中央關於在土地改革過程中保存富農經濟、保護富農經濟發展的方針不一致，遭到中共華北局的反對。劉少奇支持華北局的意見，他說：「如果號召農民起來組織農業合作社，認為這就叫社會主義，發動群眾運動，就要犯大錯誤，那就叫空想的社會主義。」出乎意料的，毛澤東支持了山西省委的意見。

與此同時，劉少奇、李立三、鄧子恢等人在公有制企業的工會要不要為工人說話這個問題上，又與高崗的觀點產生嚴重對立。高崗認為公有制企業與工會的利益完全一致，不能「公私兼顧」。李立三上書毛澤東，明確支持公有制企業也要「公私兼顧」。劉少奇也寫了一篇九千多字的文章，其觀點與李立三、鄧子恢極為相似。但文章還沒有發表，毛澤東就對李立三進行了嚴厲的批評，並撤銷了李立三全國總工會主席的職務。

大體說來，新中國成立初期經濟發展的總體思路，劉少奇、周恩來、彭德懷、林彪、鄧子恢等人比較一致，強調在現有基礎上多適應，偏於穩健務實。高崗和個別地區領導人更強調「社會主義因素」，人數雖少，但得到毛澤東的支持。

分歧背後的實質，是要不要堅持《共同綱領》的問題，是農業、輕工業、重工業發展先後的問題，也有走自己發展道路還是走蘇聯犧牲農業、優先發展重工業的問題。當時毛澤東的主要興趣和精力集中在朝鮮戰爭，對上述爭論只是偶爾表態，除對李立三的觀點反應過激外，一般態度比較溫和，也沒有直接批評劉、周、鄧等人。在實際工作中，堅持新民主主義經濟政策的主張得到更多貫徹，國民經濟恢復迅速，一九五二年工農業生產超過歷史最好水準。這期間毛澤東的觀點雖有反覆，但傾向性日益明顯，這就促使其他領導人努力跟上他的思路。以毛澤東當時的威望，其他領導人先後放棄自己的主張，或對此保持沉默。一九五三年一月，毛澤東又尖銳批評了新稅制「公私一律平等納稅」的做法，稱實行新稅制犯了右傾機會主義錯誤。

鄧子恢就是在這種大背景下調到中央主持農業工作的。一九五三年一月，鄧子恢擔任中央農村工作部部長兼國家計委副主任，不久升任國務院副總理。不到四十歲的杜潤生隨鄧子恢一同進京，任農村工作部秘書長。當年六月朝鮮戰爭結束後，毛澤東將注意力轉向國內經濟建設，矛盾不可避免地發生了。

統購統銷，國家對農產品全面壟斷，農民擔負起工業原始積累的重任

在中共黨內，鄧子恢是少有的官派留日學生，回國後教過書，行過商，熟悉城鄉經濟和商品流通。五四時期，他就全部細讀過毛澤東

的《湘江評論》，對毛充滿敬意。一九二九年，毛澤東、朱德、陳毅率紅四軍從贛南打入閩西。毛澤東與鄧子恢第一次見面，相談甚歡。不久，紅四軍在鄧子恢的家鄉龍岩召開會議，解除了毛澤東前委書記的職務，由陳毅擔任，是為毛澤東在政治上的第一次失意。

這並未影響鄧子恢對毛澤東的態度。隨後毛澤東到閩西休養，一住就是五個多月。這段時間，鄧子恢與毛澤東朝夕相處，建立了深厚的友情。鄧子恢的誠懇、直率、樸實，以及他對農村土地改革、根據地建設等問題的見解，給毛澤東留下很好的印象。那時，毛澤東身患惡性瘧疾，體質虛弱，鄧子恢給予無微不至的關心照料。據五十年後曾志回憶，鄧子恢「派人尋找好的中、西醫為毛主席診治，託人專程去購買牛奶、白糖，為毛主席補養身體。還為毛主席每天買二斤牛肉燉湯，再燉上一隻母雞。由於精心醫療和鄧子恢等同志的精心照料，經過二十多天的治療，毛主席恢復了健康」。鄧子恢與毛澤東相識較晚，個人感情後來居上。

一九三二年，中華蘇維埃共和國成立。毛澤東當選主席後，立即提名鄧子恢擔任財政部長。一九三三年，毛澤東再次失勢，鄧子恢也被降職。主力紅軍長征後，鄧子恢留在閩西打遊擊，直至一九四六年，兩人在延安得以重新見面。時過境遷，感情和信任更加深厚。一九四九年黨的七屆二中全會上，鄧子恢當選為中央委員，隨即經林彪提名，被任命為中南局第三書記，不久上升為第二書記。林彪生病，由鄧子恢實際主持中南局工作。

鄧子恢於一九五三年初走馬上任。第一次拜見毛澤東後，他對杜潤生說：「看來合作化問題，中央已經確定大方向了。我們不好再說什麼。但是十五年還長，有的是時間，我們可以在細節方面，即在步驟和政策策略上多用心，多替中央操心。」可毛澤東農村經濟發展指導思想的迅速變化，還是超出了鄧子恢的預想。第一次全國農村工作

會議前夕，鄧子恢提出要搞「四大自由」、確保私有制。毛澤東批評說，什麼四大自由，四小自由也不能有。會議開始後，鄧借用毛澤東以前說過的話，強調農村合作化不應該操之過急，卻遭到毛的批評。

　　朝鮮戰爭結束前後，針對農民惜售糧食、糧商囤積居奇和國家徵糧困難的狀況，作為權宜之計，陳雲在兩難相衡取其輕後，提出可否對糧食實行「統購統銷」，引起黨內外激烈爭論，農民的抵觸情緒也很大。河北省副省長薛迅、全國供銷總社副主任孟用潛等一批黨內高幹堅決反對。中央農村工作部內部議論時，鄧子恢激動地說：「這是變相剝奪農民，我要向主席和中央反映，把數量減少些，價格提高。」最後鄧子恢不顧大家反對，找毛澤東談了此事，沒有任何結果。一九五三年國家徵購糧食七百八十五億斤，比一九五二年增加百分之三十，造成國家與農民關係緊張，有的地方鬧糧荒餓死人，個別地方發生農民暴動。

　　農民生活水準下降，也引起黨外人士的擔憂。這年九月，梁漱溟就城鄉差別擴大和農民生活困難向毛澤東建言，遭到毛澤東痛斥。

　　毛澤東沒有理會黨內外的反對意見，十月發佈在全國範圍內實行「統購統銷」的命令。從第二年開始，國家對油、棉、麻、絲及各項肉類產品實行「統購統銷」。農民基本失去農產品保障，即使是城市居民，每月也只能憑票配給零點五公斤豬肉、零點二公斤菜油，以及少得可憐的花生、茶葉、糖等副食品。全國性的食物短缺延續到改革開放初期。直至三十多年後的一九八六年，這項關係國計民生的重大政策才宣佈廢除。

　　國家通過強制措施，低價而且不定量統購農產品，壟斷買賣，杜絕流通。據統計，在實行「統購統銷」的年代，國家通過農產品的價差，共計積累資金達六千億至一萬億元。這些錢主要用在三方面：一是國家工業化的原始積累（含設備投資和職工工資），公路、鐵路、

水庫等基礎設施建設;二是數量日益增大的各級黨政人員開支,城鎮
居民生活所需農產品的價格補貼,社隊脫產、半脫產基層幹部的津
貼,維持一支最多時達六百萬人的軍隊;三是越來越多的外援。

　　第一項開支是必要的,毛澤東時代基本建立了中國的現代工業體
系,道路交通條件有不小改善,並創造了「兩彈一星」的佳績。第二
項開支多是體制造成的,可以壓縮,二十世紀六〇年代初減少城市人
口就是一次嘗試。第三項開支中的絕大部分屬於浪費,具有較多充面
子的隨意性,數額巨大的外援或者用於虛無飄渺的世界革命,或者支
援那些給錢就笑臉相迎、沒錢就翻臉謾罵的無賴國家,甚至還有花錢
樹敵的現象。

　　從「統購統銷」三十多年的實踐來看,事實上形成了城市剝削鄉
村、工業剝削農業的局面,導致農村凋敝,城鄉隔離,城鄉差別急劇
擴大。二〇一一年新版的《中國共產黨歷史》,在指出這項政策諸多
弊端時,仍從工業化角度給予肯定。仔細推敲,這個結論站不住腳。
一九七九年以後,按照劉少奇最初設計的農業、輕工業、重工業的道
路發展經濟,一樣達到了民富國強的目的。歷史證明,國家工業化並
非一定要以犧牲農業為代價,這是解決當時經濟問題的一個笨辦法。
實行「統購統銷」五十年後,年已九十多歲的杜潤生,對這項政策的
合理性與正當性,予以堅決否定。

　　鄧子恢最初反對「統購統銷」的態度鮮明,但迅速興起的農業合
作化分散了他的注意力。「統購統銷」弊端嚴重顯現時,他已失去了
對農村工作的話語權。

人民公社，農民喪失所有生產資料後被全面控制，走上通往奴役之路

鄧子恢支持農業合作化道路。

一九五三年鄧子恢剛進北京任職時，毛澤東告訴他，中央農村工作部的任務是，在十至十五年或更長點時間內實現對小農經濟的社會主義改造，完成農業合作化。鄧子恢表示堅決擁護。為此他按照農業生產互助組、初級農業生產合作社、高級農業生產合作社三個階段，循序漸進，穩紮穩打，批評部分農村急躁冒進、不顧主客觀條件盲目辦社的傾向。

在具體工作中，他反覆講，要與民休養生息，照顧個體農民的積極性，尊重農民的土地財產所有權，保護農民私有財產不受侵犯。

他與毛澤東在農業合作化的方向上完全一致，分歧主要集中在步驟、速度和規模上。毛澤東將統購統銷和加快合作化兩個政策同時進行，認為農村社會主義改造，一翼是統購統銷，一翼是合作化，兩者相輔相成。而鄧子恢認為合作化、統購統銷同步進行，農民承受不了。為了避免全面出擊，可以把合作化步子穩一下。一九五三年十月二日，可能是為了換取對合作化問題的讓步，鄧子恢不情願地放棄了最初反對統購統銷的態度。四日，中央同意了他在合作化問題上的主張。十五日，毛澤東的態度發生重大變化，他在談話時指出：「辦好農業生產合作社，，即可帶動互助組大發展……辦得好，那是韓信帶兵，多多益善。」同時強調要對發展數字進行「合理攤派」。正在外地考察的鄧子恢聞訊後焦急萬分，徹夜難眠。他坦率地向中央報告了自己與毛澤東的不同看法和主張。十一月四日，毛澤東又在談話中說：「『糾正急躁冒進』，總是一股風吧，吹下去了，吹倒了一些不應當吹倒的農業生產合作社。」這是對鄧子恢固執己見的有力回應，

也是對中央農村工作部的嚴厲批評。對毛澤東的出爾反爾，鄧子恢只能沉默。合作化勢頭越來越猛。

　　一九五四年，全國糧食生產未能完成任務，而糧食收購卻比原計劃增加一百億斤，有些地方收走了農民的口糧，農村形勢再度緊張。中央發出〈緊急通知〉，承認「群眾對於黨和政府在農村中的若干措施表示不滿」，宣佈下調糧食徵購任務，放緩合作化步驟。毛澤東此時約請鄧子恢談話，他走向另一個極端，將合作化進展降低到連鄧子恢都不能接受的程度。一九五五年四月，鄧子恢向毛澤東分析道，形成農村緊張的因素，是糧食統購統銷，城鄉私商改造太快太猛，最根本的是農業合作化出了毛病。不久中央書記處決定，今後農業生產合作社的總方針是：停止發展，全力鞏固。

　　不到一個月，毛澤東外出時看到農村形勢較好，態度又改變了。他立刻警告鄧子恢：「不要重犯一九五三年大批解散合作社的錯誤，否則又要檢討。」他要求在一九五六年春耕前將全國農業合作社發展到一百三十萬個，而鄧子恢堅持原定的一百萬個。鄧子恢還用東歐國家農業合作化太快造成嚴重後遺症的事實提醒毛澤東。兩人多次爭論，有時持續幾小時，都不歡而散。七月末，毛澤東嚴厲批評鄧子恢的右傾思想：「在全國農村中，新的社會主義群眾運動的高潮就要到來。我們的某些同志就像一個小腳女人，東搖西擺地在那裡走路，都是埋怨旁人說，走快了，走快了。過多的評頭品足，不恰當的埋怨，無窮的憂慮，數不盡的清規和戒律，以為這是指導農村中社會主義群眾運動的正確方針。」

　　更讓鄧感到不解的是，毛澤東將經濟工作中的分歧上升到路線高度：「這裡看來只有一字之差，一個要下馬，一個要上馬，卻是表現了兩條路線的分歧。」八月底，毛澤東直接要求各地關於農業合作化的報告，不要發給農村工作部，由中央直接答覆。同時，毛澤東的批

評不斷升溫，把「爭論」的性質上升到對抗中央。

毛澤東、劉少奇、周恩來點名批評了鄧子恢和杜潤生。在幾乎一邊倒的政治壓力下，鄧子恢被迫檢討，並承擔全部責任，他的得力助手杜潤生也被調走。一九五六年，全國農業合作化蓬勃發展，但並未帶來預期的效果，當年糧食產量繼一九五四年後再次下降。鄧子恢仍然經常下鄉指導農業生產，但他已很難對合作化問題發表意見，長期遭受冷落。接替鄧子恢工作的譚震林，為毛澤東發動的「大躍進」搖旗吶喊。

一九五八年，毛澤東一聲令下，全國農村在兩個月內就基本建立了人民公社。農民的土地、農具、耕牛、房屋和附近的樹木，統統歸公社所有。從此五億中國農民失去一切生產資料，除勞動力外一無所有。當年九月，鄧子恢去了一趟河北省徐水縣，他說這個縣是浮誇風、共產風的典型。「大躍進」期間唯一值得欣慰的是，一九五九年六月他不顧個人安危，冒險上書毛澤東，給農民留下了百分之五的自留地。六〇年代，毛澤東找到了人民公社就是好的證據，號召農業學大寨。「文化大革命」爆發，譚震林靠邊站，目不識丁的陳永貴取而代之，成為全國農業生產的最高領導。農民沒有權力過問種什麼、何時種、種多少，也沒有權力過問農產品收穫後自己能留下多少。他們只有勞動的責任，以及在田間高唱「社員都是向陽花」的自由。他們沒有起碼的醫療保障，也沒有起碼的人身自由，包括沒有外出逃荒要飯的自由。

人民公社具有政權職能，本質上是計劃經濟在農村的延伸，當然具備計劃經濟的一切特點。英國經濟學家哈耶克在二十世紀四〇年代就分析了計劃經濟的各種弊端：他關於極權主義對經濟的全面控制、最壞者當政和全民道德淪喪的論述，於人民公社非常適用。中國農民走上了通往奴役之路。他們的生活，與奧威爾著名反烏托邦小說《動

物農場》裡那些最底層的牲畜，極其相似。

包產到戶，農民在體制內尋找出路，三次變革終成定局

從合作化到人民公社，中國農民個人發家致富的夢想已成往事。農民勞動積極性和生產率雙雙下降。他們在「集體經濟」中吃不飽飯，甚至大量餓死，便在體制內想辦法規避風險，於是就有了幾起幾落的「包產到戶」。

一九五六年，安徽蕪湖、四川江津等地的農村合作社，零星出現具有包產包工性質的責任制，《人民日報》發文給予肯定。浙江永嘉縣委副書記李雲河據此說服縣委，在全縣進行包產到戶試驗，逐漸推廣到二百多個社，隨後所在的溫州地區各縣也紛紛仿效，涉及一千多個社和近十八萬農戶。儘管受到溫州地委機關報《浙南大眾報》的批評，但他們受到省委農業書記林乎加的讚揚。一九五七年一月，李雲河在《浙江日報》上公開發表為「包產到戶」正名的文章。他首先說明包產到戶沒有改變集體所有制和集體勞動的性質，且能將集體大田生產的優點和個體生產精打細算的優點相結合，從而避免造成窩工浪費現象。文章以該縣三溪區燎原社為例，詳細呈述了包產到戶的種種好處：理順了幹群關係、分清了生產責任、提高了糧食產量、改善了農民生活水準等；同時文章還以生產力與生產關係相適應的原則，闡述了包產到戶的必要性。文章從農民耕作傳統、生產實際和生活現狀出發，有很強的說服力。

反對者越過浙江省委向中央告狀，獲得中央高層支持，從而將永嘉縣的包產到戶實驗定性為「戴著合作社的帽子的合法單幹」。二十八歲的李雲河搬出《人民日報》文章和鄧子恢的有關講話為自己辯

護，仍被劃為「右派」，被開除黨籍和公職，歷盡二十多年的屈辱和磨難；支持他的縣委書記李桂茂被撤銷職務；相關責任者有十多人戴上「右派」、「壞分子」等各種帽子，趕出機關；二十多人被判刑，有的冤死獄中，有的被迫自殺；全縣二百多人受到無休止的批判。普通農民徐存權只因在大會上喊了一聲：「包產到戶就是好」，便獲刑二十年。

經《人民日報》、新華社等新聞媒介的口誅筆伐，各地從此談「包」色變。中國農村改革的最初探索，包產到戶的一場前哨戰，就這樣以悲壯而慘烈的結局告終。

「大躍進」期間盛行浮誇、瞞騙和胡亂指揮，加上高指標徵購糧食，造成至少三千萬人死於饑餓。嚴酷的現實，使一些省、地、縣幹部冷靜下來，變得更加理性和寬容，包產到戶得以重新出現。這一次的規模更大、組織性更強。河南省新鄉地委書記耿起昌、洛陽地委書記王慧智公開支持包產到戶。廣西龍勝、廣東清遠、甘肅臨夏、陝西清澗等地出現各種形式的包產到戶。湖南、江蘇等省「借田」給農戶，讓農民自種自收。安徽省委書記曾希聖在得到毛澤東勉強同意後，對全省百分之八十五的土地實行包產到戶。

在整個「大躍進」期間，鄧子恢無力左右大局，只能在現有體制內進行修補和完善。他因病沒有參加廬山會議，躲過了一場很有可能降臨他身上的災難。一九六○年，大病初愈的鄧子恢到山西、河北、江蘇等地農村調查，主持起草了〈農村人民公社內務條例〉，受到毛澤東、周恩來的讚揚。一九六一年三月，毛澤東委託陶鑄等人主持起草的〈農村工作六十條〉，體現了一些實事求是精神，頒發全國執行。同時毛澤東還在會上說，農村工作後頭犯的錯誤，是因為譚震林而不是鄧子恢。

鄧子恢受此鼓舞，對毛的信任有所恢復。他直言農村工作的瞎指

揮是從一九五三年開始的，公社體制導致農村生產力下降，要搞好集
體經濟，需要建立生產責任制。他對包產到戶的欣賞和推崇，再一次
觸怒毛澤東。

鄧子恢對包產到戶的認識和表態都比較晚，他是在這項政策遭到
嚴厲批判時給予堅決支持的，很有點為民請命的意思。一九六一年五
月，曾希聖向他彙報過包產到戶問題，當時他沒有明確態度。一九六
二年初的七千人大會，糾正了一些「左」的錯誤，但也批判了安徽的
包產到戶，撤銷了曾希聖的安徽省委書記職務。會議前後，鄧子恢又
聽到各地對包產到戶的不同看法，引起了他的濃厚興趣，決心弄個明
白。二月，他先後到湖南、廣西、河南、河北等地考察農村經濟和包
產到戶情況。回到北京後，他又接到安徽省宿縣符離集區委書記武念
慈來信，向他推薦「責任田」。於是他先後派調查組到安徽當塗和宿
縣，結論一致：包產到戶沒有改變所有制性質，多數能夠做到「五統
一」，是搞好集體經濟的一個創造。七月，他再次收到符離集區委全體
同志〈關於「責任田」問題的彙報〉，殷切期盼之情，使他深受感動。

他放棄個人得失的顧慮，在劉少奇、陳雲、鄧小平、李富春、田
家英等人或明或暗的支持下，試圖說服毛澤東。七月二十五日開始的
北戴河會議上，鄧子恢再次向毛澤東陳述自己的觀點，還送了安徽宿
縣的兩個調查報告。

此間，毛澤東讀到陝西戶縣農民楊偉名的文章〈一葉知秋〉。文
章在描述了農村民怨沸騰、生產凋零和饑餓難忍的慘景後，明確指出
農村政策犯了「左」的錯誤，建議從人民公社後退，集體與單幹聽憑
農民自願。文章還認為，〈農村工作六十條〉不能根本解決農村存在
的問題，應該退到新民主主義，先搞二、三十年的新民主主義，然後
才能搞社會主義。這篇文章戳到了毛澤東痛處，他大為惱怒。同時他
得知，中共西北局、陝西省委、咸陽地委、戶縣縣委的多數幹部支持

楊偉名的觀點，這讓他震驚，感到情況嚴重，必須反擊。於是他指斥鄧子恢等人支持包產到戶是代表富裕中農要求單幹，是站在地主、富農、資產階級的立場上反對社會主義。會議轉而討論階級鬥爭和批判「單幹風」，鄧子恢遭到陳伯達、柯慶施、李井泉等人用詞尖刻的圍攻。十月，中央撤銷了農村工作部，理由是十年來沒有幹過一件好事。鄧子恢心灰意冷，提出辭去黨內外一切職務，未獲批准。

有人趁機想置鄧子恢於死地，被毛澤東堅決制止。毛澤東說，他是一個單幹戶。「文化大革命」中，鄧子恢受到衝擊，但沒有遭受太多的皮肉之苦。中共「九大」，他仍然當選中央委員。關鍵時刻，毛澤東總是毫不猶豫地保護他，也許老人家還記得當年失意時鄧子恢送來的雞湯、牛奶和那些殘存的漸行漸遠的友情。

毛澤東時代對集體經濟的反抗就此結束。鄧子恢死後的第六年，在他當年生活、戰鬥過的安徽，以鳳陽小崗村為起點，全省實行了大規模的包產到戶。鄧小平主政的中共中央務實決策，允許各地自由選擇經營方式，包產到戶遂成燎原之勢。一九八〇年，四川省廣漢縣向陽鄉在全國率先摘下人民公社牌子──毛澤東的烏托邦成為歷史。

自由公民，中國農民渴望民主生活，呼喚真正的當家做主

作為農民的兒子，毛澤東種過田，按理說應該知道農村的實際和農民的思想。他領導的中國革命，農民是主力軍，犧牲了數百萬人的生命。然而革命勝利後，他不顧大家反對，放棄體現新民主主義思想的《共同綱領》，執意加快從合作化到人民公社的步伐，至少餓死了三千萬人。以慘痛的犧牲換來幾倍大的災難，長期成為備受社會歧視的二等公民，遭到不公正待遇，飽受貧困的折磨和精神的摧殘，這無

疑不是農民積極支援革命的初衷。面對慘痛的事實,毛澤東拒不反省,不允許任何體制內的改革,何以如此固執?

杜潤生認為:「他堅持社會主義一定消滅私有制,防止資本主義復辟,要組織農業生產大軍,儘早進入社會主義。現在看來,可能是他堅定不移的一個想法。」這個解釋固然不錯,也是毛澤東六〇年代反對鄧子恢主張「包產到戶」的理由。更重要的原因是,毛澤東急功近利,過多接受了蘇聯史達林的經濟發展理念,以犧牲農業換取工業的發展。何況人民公社體制,當時可以為公路、水庫等基礎設施建設提供大量無償或廉價的勞動力。

毛澤東年輕時與父親有過嚴重的衝突,形成了不喜歡家庭生活的習慣。進入北京後,他常年與親人分居,獨來獨往,未能從家庭生活中得到過樂趣。所以他反對以家庭為生產單位的包產到戶,宣導紅旗招展、轟轟烈烈的集體生活和集體生產——這實際是一種與自己生活相反的心理補償。「大躍進」失敗後,一方面他要維護自己的權威,不肯認錯,一方面似乎看到了合作化的好處:餓死那麼多人居然沒有出現大規模的農民暴動,使他更加確信人民公社體制是控制農民最有效的方法。

一九六二年七千人大會後,他決心打倒劉少奇。但此時很多中共高層幹部已經知道他在經濟建設上的無方和政治風格上的積習,毛澤東與劉少奇的威信呈此消彼長之勢,這讓毛澤東感到失落、緊張和憤懣。毛澤東明白,要依靠中央委員會實現打倒劉少奇這個目的已很困難。於是他遲遲不開「九大」,避免選舉上出現意外。與此同時,他利用基層幹部和普通群眾不掌握實情,以及他們對一九四九年以來積累的社會矛盾的不滿,提出「階級鬥爭」和「資本主義當權派」的問題。要搞階級鬥爭,必須發動和組織群眾,人民公社是最好的組織機構。如果包產到戶,農民埋頭種地,階級鬥爭就顯得冷冷清清;沒有

聲勢，就沒法清除劉少奇及其支持者。「四清」運動沒有達到目的，轉而發動「文化大革命」。

包產到戶的好處他不是不知道，這是非常簡單的道理，否則太小看毛澤東了。如果說他以犧牲農業發展工業表現了小農意識的深厚，發動「大躍進」表現了小資產階級的狂熱和浮躁，成立人民公社體現了烏托邦的空想，那麼他的堅持人民公社和反對包產到戶，則是政治家深思熟慮的韜略。

八〇年代以家庭聯產承包責任制為突破口的中國農村經濟改革，取得了舉世矚目的巨大成就。一九八一年三月，中共中央辦公廳向全黨發出通知，為鄧子恢平反。在〈關於建國以來黨的若干歷史問題的決議〉中，肯定了鄧子恢對新中國農業發展作出的貢獻，稱他是實行農業生產責任制的最早的宣導者，實際上是一九七八年後中國農村改革的先聲。他的助手杜潤生，參與八〇年代農村體制改革若干重大決策，被譽為「中國農村經濟改革的總參謀長」。

經過中國農村發展組三年的醞釀和設計，一九八五年國家中止執行實施了三十二年的統購統銷政策。農業經濟的健康發展，為輕工業、重工業和整個國民經濟的發展奠定了基礎。在這一過程中，中國農民煥發出計劃經濟條件下無法想像的生產熱情和創造能力，為綜合國力的提高作出了重要貢獻。進入二十一世紀後，中國取消了延續二千多年的農業稅，標誌著國家工業化開始反哺農業。

但必須注意到，中國農民得到的補償和生存現狀，與他們曾經為國家作出的貢獻相比，仍然不對等；與發達國家相比，仍然屬於落後和貧困之列。雖然取消了等級森嚴的戶籍制度，農民有了進城就業和遷居的自由，但由於歷史、教育和體制等諸多原因，他們的經濟地位和政治地位並未得到根本的改變。在現代化過程中，城鄉差距相對擴大，社會矛盾日益尖銳，農民的利益和訴求往往被忽略，他們急需自

己的代言人。沒有政治、經濟、教育、就業等方面的平等，所謂當家做主，只能是一句空話。而這些問題的解決，必須依靠政治體制改革。

只有千千萬萬的中國農民擁有民主生活，成為獨立的自由公民，能夠按照自己的意願選擇「公僕」，他們才能真正當家做主。杜潤生指出，經濟發展呼喚政治改革，唯一的選擇是建立民主制。怕民主也就是怕人民、怕群眾。

沒有農民的解放，中國不能解放。沒有農民的富裕，中國不能富裕。沒有農民的民主，中國便沒有民主。

二〇一二年十一月六日於成都

主要參考文獻

〔英〕哈耶克　《通往奴役之路》　北京市　中國社會科學出版社　1997年版

中共中央黨史研究室著　《中國共產黨歷史》（第二卷上冊）　北京市　中共黨史出版社　2001年版

《回憶鄧子恢》編輯委員會著　《回憶鄧子恢》　北京市　人民出版社　1996年版

李松科主編　《鄧子恢淮北文稿》　北京市　人民出版社　2009年版

金沖及主編　《劉少奇傳》　北京市　中央文獻出版社　1998年版

李雲河　《李雲河論文集》　北京市　中央文獻出版社　2000年版

杜潤生　《杜潤生自述：中國農村體制變革重大決策紀實》　北京市　人民出版社　2005年版

淩志軍　《歷史不再徘徊》　武漢市　湖北人民出版社　2008年版

魯彬、馮來剛、黃愛文　《劉少奇在新中國成立後的20年》　瀋陽市　遼寧人民出版社　2011年版

陸南泉　《走近衰亡》　北京市　社會科學文獻出版社　2011年版

《鄧子恢傳》編輯委員會著　《鄧子恢傳》　北京市　人民出版社　1996年版

《鄧子恢文集》編輯委員會著　《鄧子恢文集》　北京市　人民出版社　1996年版

睢溪篇二八

豔陽天下風雷起
——陳登科與中國當代小說創作

一

　　一九一九年三月，隨丈夫生活在皖北宿州的賽珍珠，目睹了當地因兵匪、天災、貧困和愚昧造成的一幕幕悲劇之後，在給友人的信中沉痛歎息：「幾乎在我生活中的每一天都會聽到或者接觸到這樣一些悲劇。」這時，為她日後贏得諾貝爾獎的以淮北平原為背景的小說《大地》，似乎已成竹在胸。

　　這一年春夏之交，在賽珍珠離開宿州時，中國作家陳登科出生了。他們的家庭狀況、教育背景、人生經歷大為不同，要將兩人放在一起說事，顯然有點牽強。但有一點是相同的：他們都以包含深情的筆墨，記述了淮北農村苦難的生活故事，只不過各自看待人事的觀點不一樣，作品的影響也不一樣。

　　陳登科不是安徽人，而是江蘇北部漣水人——那裡距淮北不遠，同屬江淮平原——因長期生活工作在安徽，並擔任安徽省作家協會主席多年，所以一直被認為是安徽作家。陳登科創作的小說數量不是太多，但絕大部分是寫淮北的。他對淮北大地和淮北人，具有特殊感情。與不少活躍在新中國前三十年的作家一樣，陳登科是被中共政權刻意培養出來的，對於中共自然有很深的感情。

　　他年幼時經常隨姐姐外出挖野菜，日子過得悽惶。雖讀過幾天私

塾，卻極頑皮，做了錯事也不肯低頭，被先生認為「只能放豬，不能讀書」，遂中止了學業。抗戰爆發那年，父母已雙亡，他被國民黨軍隊抓了壯丁，不久在中共地下黨影響下，攜槍投奔新四軍。他槍法精準，作戰英勇，據說殺死過幾十個鬼子和漢奸。一九四三年，他給一個知識份子出生的名叫趙靜塵的中共地方領導當通訊員，命運開始出現轉折。趙靜塵送了一本初級識字課本給他，說：「我們每一個革命戰士，都應該成為有文化的人。」他說：「打仗用不著識字。我不幹！」趙靜塵說：「不是你願不願幹，是命令。」於是他「當作任務來完成」，開始一個字一個字地艱難學習。很快他就可以寫信、寫日記、寫壁報了。第二年，他寫了一篇六十多字的小通訊〈鬼子抓壯丁〉，寄到〈鹽阜大眾報〉。編輯是阿英（錢杏邨）的兒子錢毅，耐心修改了三十多個錯別字後發表了。從此陳登科寫稿熱情高漲，不斷為報社寫稿。不到一年，他就被調到報社做記者。這期間，他接觸到毛澤東〈在延安文藝座談會上的講話〉和趙樹理的一些作品，同時得到錢毅、秦加林、路汀等人熱心的幫助和指導。這幾位青年知識份子或被捕犧牲，或英年早逝，陳登科晚年回憶起他們時，依然充滿感激之情。

解放戰爭初期，陳登科在轉戰途中被國軍包圍，視死如歸，跳入洪澤湖，被當地漁民救起。不久，又傳來他的妻子和兩個兒子被國軍飛機炸死的消息。在後來的淮海戰役中，陳登科冒著炮火幾乎走遍各個戰場。除了採訪，有時還要和戰士們一起炸碉堡、拚刺刀、抬擔架、救傷患。戰後，他進入新華社安徽分社工作。

一九五〇年，他先後發表了〈活人塘〉和〈杜大嫂〉兩個中篇小說。趙樹理是陳登科的伯樂，他在主編〈說說唱唱〉時，發現了陳登科小說〈替死〉初稿，經過幾天的修飾潤色，改名為〈活人塘〉發表，還根據小說人物事蹟寫了四首詩。趙樹理是新中國文藝創作的一

面旗幟，當時體現了中共提倡的文學發展的新方向。他的提攜和幫助，終於使陳登科成為一個專業作家。

二

〈活人塘〉和〈杜大嫂〉為陳登科帶來了一定聲譽。但以文學標準來衡量，結構單一，情節生硬。無論敘述語言還是人物語言，都非常粗糙。政治色彩太濃，口號標語式的語句比比皆是。作品不堪細讀，與其說是小說，還不如說是不太差勁的通訊。但對於一個幾年前還是文盲，弄不清消息、通訊、報告和小說區別的人來說，確屬難能可貴！

又是趙樹理推薦，一九五〇年底陳登科來到北京，進入丁玲主持的中央文學研究所學習。多年以後，陳登科回憶說：「在文學道路上，趙樹理是我的引路人，丁玲是我的啟蒙老師。」在這裡，陳登科比較系統地閱讀了一些中外文學作品，尤其是一九四二年以後在毛澤東〈講話〉精神指導下寫作的作品和蘇聯作品，同時接受當時正在建立的社會主義現實主義寫作規範的洗禮。這期間，隨馮雪峰率領的中國作家代表團訪問蘇聯。在整整兩個月時間裡，參觀了工廠和集體農莊。可以肯定，在他走馬觀花的訪問中，只能看到「陽光普照大地」，不可能看到史達林體制的弊端，也不可能看到普通蘇聯人的貧困和遍佈全國的集中營，更不可能認識到已經實行了二十年的社會主義現實主義創作方法給蘇聯文學造成的傷害。回國後，他以激動的心情提筆撰文，稱讚蘇聯人生活在社會主義的「人間樂園」。

一九五三年春文研所學習結束時，他的第一部長篇小說〈淮河邊上的兒女〉發表，仍不算一部成功的作品。丁玲讀完後，在給他的信中客氣而坦誠地指出：「寫了那麼多的不能給人以興趣的一個又一個

戰鬥，塞了一些在抗日戰爭時代就到處傳頌的動人的舍夫、棄子的故事進去，但我仍能感到作者是有很充實的生活基礎的。」客觀地說，這部小說文字水準有進步。

這時的陳登科，已成為黨的地方文化官員。一九五六年，他當選為安徽省作家協會主席。以創作實績來看，這多少有點「蜀中無大將，廖化當先鋒」的味道。但在來自解放區的文藝幹部一統天下的五○年代，以他出生入死的經歷和寫作水準日益提高的事實，確也理所當然。按照黨對文藝工作者的要求，他離開城市，深入基層，先後在四十多年前賽珍珠曾經生活過的淮北平原，掛職縣委書記、區委書記甚至公社食堂黨支部書記。他也像賽珍珠一樣，在淮北積累了豐厚的生活素材，滿載而歸。只不過在賽珍珠筆下，淮北兵匪遍地，沉重陰暗如一潭死水，而在陳登科筆下，淮北陽光燦爛，熱火朝天，在社會主義大道上高歌猛進。

賽珍珠的《大地》榮獲一九三八年諾貝爾文學獎，譽滿全球。陳登科的《風雷》六○年代譽滿中國，被指定為從事農村工作的教科書。陳登科也名利雙收，獲得五萬元的巨額稿費，並成為當時文壇的風雲人物。「文化大革命」興起，《風雷》被《人民日報》點名批判，陳登科身受五年牢獄之災。指控陳登科的罪名當然不成立，只不過以「文化大革命」時期更「左」的觀點來看，他在為劉少奇路線搖旗吶喊。

一九八○年，由全國十所高等院校主編的《中國當代文學史初稿》第二章第八節，整整十頁介紹浩然的《豔陽天》和陳登科的《風雷》。一九九九年北京大學洪子誠著《中國當代文學史》，對《風雷》只列目，未評論。二○○六年，董健、丁帆、王彬彬主編的《中國當代文學史新稿》，將《風雷》作為具有「文化大革命」政治色彩的作品一筆帶過。

社會變遷，歲月悠悠。如今五十歲以下的人，已不知道陳登科其人其事了。

三

長篇小說《風雷》共計五十五萬字。要讀完全書，不僅需要毅力，還需要研究精神。

故事並不複雜。淮北濉溪縣澮河以北沱河以南一個叫黃泥鄉的地方，在遭遇了一九五四年嚴重的自然災害後，共產黨員、復員軍人祝永康擔任了區委第二書記兼黃泥鄉黨委書記。他在縣委書記支持下，為改變貧窮落後面貌，依靠鄉長萬壽田和貧下中農出身的萬壽余、任為群、何老九、陸素雲、萬春芳等，與地主分子黃龍飛、混進黨內的壞分子朱錫坤、褪化變質的區委書記熊彬等人展開尖銳鬥爭，最終取得徹底勝利，走向農業合作化的社會主義「康莊大道」。

作品通過對人物的吃、住、行等日常生活細節的描繪，真實再現了農村的落後面貌，以及群眾迫切要求改變這種面貌的心情。鬥爭雙方的分歧在於，祝永康一派堅決走共同富裕的合作化道路——即當時主流政治主張的「社會主義道路」。熊彬一派則堅決走各家單幹、活躍農村市場——即投機倒把的「資本主義道路」。

朱錫坤經常掛在嘴邊的一句話是：「資本主義也好，社會主義也好，能吃飽肚皮就是好主義」——這和鄧小平七〇年代的名言「不管黑貓白貓，抓住耗子就是好貓」，意思完全一樣。問題是，作品將所有的矛盾和不同意見，統統上升到「階級鬥爭」的高度。為了證明壞人之所以壞，作者還將好吃懶做、姦污婦女、弄虛作假等惡劣品質送給那些反對走「社會主義道路」者。

以六〇年代階級鬥爭的政治觀點和日益激進的「革命現實主義」

文學創作理念，敘述五○年代農村合作化運動的長篇小說，還有浩然的《豔陽天》。這兩部幾乎同時發表於一九六四年的作品，的確有很多相同之處：主人翁都是復員軍人──這與當時軍人在社會生活中地位不斷上升有關──堅決走「社會主義道路」的帶頭人，牢記「階級鬥爭」這根弦，依靠貧下中農、團結中農和一些可以教育好的落後分子，與走「資本主義道路」的地主富農和不覺悟的中農針鋒相對。他們在上一級黨內都有堅決的支持者。只不過《豔陽天》著力歌頌的「英雄人物」蕭長春，思想行為更充滿火藥味。

更巧合的是，《豔陽天》裡，有一個冥頑不化的中農馬大炮，對上級領導說：「我看，單幹也有好處。各家有地，各家有牲口，咱們來一個你家跟我家比賽，我家跟你家比賽，比著勁兒把地種得好好的，打了糧食，該交公糧交公糧，該支援國家支援國家，家也發了，國也建了，這不兩全其美嗎？」而這種觀點──交了國家的，留下都是自己的──正是改革開放後農村實行責任制的依據。實踐證明，祝永康、蕭長春們滿腔熱情走進了「死胡同」，給國家和人民帶來了深重的災難。

同樣發生歷史錯位的還有趙樹理一九五五年的《三里灣》、周立波一九五七年的《山鄉巨變》、柳青一九六○年的《創業史》以及李准的一些小說。

趙樹理、周立波、柳青和陳登科、浩然、李准相比，有相同的地方，也有很大的不同。他們都是中共的堅定支持者，都認同〈講話〉確定的創作原則，瞭解農村現實狀況，熟悉農民的思想方式和日常生活細節。但他們對現實主義的理解和堅持力度不一樣，藝術風格不一樣，對各個階段農村政策的態度不一樣。

從〈小二黑結婚〉、〈李家莊的變遷〉開始，到長篇小說《三里灣》，趙樹理始終遵循嚴格的現實主義寫作原則，他以傳統小說和民

間文學為藝術手段，真實地表現了激烈的政治變遷對農村社會關係產生的影響，對人物不拔高、不粉飾。《三里灣》是肯定農村合作化的，但對壘的雙方卻是和風細雨的思想碰撞。而《山鄉巨變》和《創業史》儘管在藝術上更為獨特精緻，但對政策的配合意圖也更為明顯。

一九五三年朝鮮戰爭結束後，毛澤東將精力轉向國內，農村政策發生重大變化，糧食統購統銷，城鄉戶籍制度形成，農村合作化步伐加快，直至人民公社建立和「大躍進」浮誇風的盛行……農民利益受損，生活水準越來越低。在這種情況下，趙樹理始終不追趕潮流，寧肯放棄寫作，也要堅持自己認定的「原則」。夏志清在他的《中國現代小說史》中，以嘲諷的筆調評論趙樹理的創作，顯然沒有注意到趙樹理在特定歷史環境中，保持藝術家良知這一可貴的品質。

六〇年代，趙樹理基本放棄寫作時，他當年發現提攜的陳登科，以一部《風雷》出版而大紅大紫。此時剛經歷了「大躍進」和隨之而來的大饑荒，農村一片蕭條，周立波、柳青甚至李准都已保持沉默。沒有資料表明趙樹理對《風雷》和《豔陽天》有何評論，但有一點可以肯定，趙樹理知道他的藝術生命已經結束了。

以幾十年後的認識水準來批評《風雷》，似乎有點苛求。事實上，陳登科創作《風雷》，既是作為黨的文藝工作者的「職責」所系，也有他不得已的苦衷。一九五七年，陳登科所在的安徽省文聯，四十二人打出十七個右派分子；他擔任主編的《江淮文學》編輯部，十四人打了十二個右派分子。陳登科成為漏網之魚，得益於周揚給省委領導打招呼：「陳登科我瞭解，是個老實人，工農幹部出身，黨培養出來不容易，有點錯誤幫他改正就是了。」省委書記曾希聖在同陳登科下棋連贏三盤後，扔下棋子宣佈：「你那個右派不劃了。」

成為驚弓之鳥的陳登科，急於將功補過。他在親赴北京揭批丁玲之後，開始轉變去炮製假新聞、假文藝，千方百計證明自己對黨的忠

誠。二十多年後，他沉痛地回憶道：「為著保護自己，能夠求得混過關去，為著與上邊的口徑一致，合上領導的腳步，我不但甘願當了駝鳥，將頭埋進沙子，撅起屁股讓人打。」

四

新中國前三十年的文學創作，與從蘇聯引進的社會主義現實主義創作方法有關，更與中國自己提出的革命現實主義和革命浪漫主義有關。

俄國十月革命爆發時，白銀時代的主要作家和詩人仍處於創作的黃金時期。在全民建設一個嶄新國家的理想激情中，他們中相當一部分人自覺或不自覺認同了新政權，真誠地為蘇維埃鼓與呼。同時蘇聯第一代領導人列寧、盧那察爾斯基、托洛茨基、布哈林等文藝素養高，奉行寬鬆的文藝政策，使各種文藝流派包括激進的「拉普」與溫和的「謝拉皮翁兄弟」並存。無產階級作家與自由主義作家共同促進了最初十多年的文學繁榮。

二十世紀二〇年代末期，史達林取得對托洛茨基政治鬥爭的徹底勝利。在實現國家工業化和農業集體化的同時，史達林感到有必要結束各種文藝紛爭，統一意識形態，與高度集中統一的政治經濟體制相適應，以集中力量建設一個社會主義強國。他罷免了盧那察爾斯基，起用日丹諾夫，同時以鐵腕手段解散包括「拉普」在內的一切文藝團體；在一九三二年親臨高爾基寓所時提出「社會主義現實主義」的文學創作規範，並在一九三四年八月第一次蘇聯作家代表大會時，正式寫入《蘇聯作家協會章程》。當選第一任作協主席的高爾基，「帶著無盡的失望，無可奈何地接受了這個標準。」

值得注意的是，日丹諾夫在定義「社會主義現實主義」時，強調

文學的政治傾向性和文學為政治服務的宗旨，要求作家記住史達林教導，為社會主義鬥爭選題，寫出與時代共鳴的作品。「拉普」雖然解散了，但「拉普」的文學主張和組織路線以另一種形式，基本上得到確立。

為了宏偉理想和終極目的，凡是符合主流意識形態的文學作品，給予作家優厚的物質獎勵和政治待遇。反之作品沒有機會發表，作家本人也被清洗：要麼不給飯吃，在貧病交加中自生自滅，如茨維塔耶娃、普拉東諾夫、布林加科夫、格林、左琴科等；要麼逮捕流放，如曼德爾斯塔姆等；要麼在肉體上予以清除，如古米廖夫、巴別爾、梅耶荷德等。

明明白白的獎懲制度，決定了文學家的選擇。從三〇年代中期到五〇年代中期，文學作品中所體現出來的思想，淨化而單一，充滿崇高理想的小說詩歌成為文學主流，社會生活中的矛盾、底層人民的苦難、錯誤政策造成的悲劇……統統掩蓋在一片歌舞昇平中。人們在追求美好未來的過程中所付出的慘重代價，在文學作品中找不到蛛絲馬跡。

中國共產黨領導的民主革命，是在蘇俄影響和支持下開始的，並以蘇聯為榜樣，寄託了中國人民為改變自從鴉片戰爭以來蒙受恥辱和災難深重、民不聊生的迫切願望。在知識界，尤其是思想文化領域，絕大部分認同蘇俄道路，少部分認同英美道路。這與蘇、英、美在幾件大事上的對華政策有關：在巴黎和會上英美拒不支持中國的正當要求，而蘇俄則聲明要將帝俄時代佔據中國的土地歸還中國；在孫中山與北洋政府的對立中，英美不支持孫中山——這讓當時中國的先進而富有犧牲精神的知識份子，感到失望和不可理解，對其民主自由的政治主張大打折扣，甚至認為他們那些民主政治和自由理念是虛偽的、騙人的。接下來的北伐戰爭和抗日戰爭，幾乎所有中國人都認為是正

義的，但在戰爭初期，英美的表現並不積極，而蘇聯則相反，不僅外交上旗幟鮮明，具體行動上也是要人給人，要槍給槍。雖然後來英美也作了很大支持，但總給人以自私自利的印象。

在二十世紀三〇年代，絕大多數有創作實績的文學家，幾乎一邊倒地同情中共及其領導的革命活動。左聯的活躍和俄蘇文學翻譯的熱潮，證明了這一點。高爾基在中國作家中享有巨大威望，他逝世時，周立波在悼文中說：「在俄國的改革的功績上，他的名字，是可以和伊里奇和約瑟夫連接的。」那時，這種認識很有代表性。抗戰結束，國民黨政府加速腐敗，並且不容納異己政治力量和思想的存在，而與此同時，中共不失時機充當了進步知識份子保護者的角色。當那些「腳踏著祖國的大地，背負著民族的希望」的解放大軍，高舉「毛澤東的旗幟」橫掃中國大陸時，苦苦追求民族獨立與國家繁榮富強的知識份子和社會各界人士，無不激動得熱淚盈眶。他們在歡呼一個嶄新國家誕生時，幾乎沒有猶豫，便接受了毛澤東的〈講話〉精神，接受了文學服從政治並為政治服務的創作理念。在當時歷史的大背景下，這是可以理解的。問題是，在經歷了史無前例的三年大饑荒後，仍出現《風雷》和《豔陽天》之類的「文學作品」，就難以理解，也難以原諒。

毛澤東〈在延安文藝座談會上的講話〉中曾明確表示：「我們是主張社會主義的現實主義的」。由於那時中共只掌握偏居一隅的地方政權，後來又著眼於建立聯合政府、指揮更為迫切的解放戰爭，暫時沒有強調這個概念。一九四九年七月召開的全國第一次文代會，沒有提「社會主義現實主義」，但周揚在會上斬釘截鐵地宣佈：「毛主席的文藝座談會講話規定了新中國的文藝的方向……深信除此之外再沒有第二個方向了，如果有，那就是錯誤的方向。」隨後開展對電影《武訓傳》的批判和《我們夫婦之間》、《窪地上的戰役》、《初

雪》等「有問題」的作品的批判。胡風因對〈講話〉有「商榷」意見，被打成反黨集團。文藝界一方面強調〈講話〉精神的不可動搖，一方面重提「社會主義現實主義」的文藝創作規範，作家創作的指導思想日益「淨化」。一九五三年，人民文學出版社編輯出版了《蘇聯文學藝術問題》一書，被指定為中國作家學習社會主義現實主義的必讀檔。這一年九月召開的第二次全國文代會，確定「社會主義現實主義」為今後文藝創作和批評的最高準則。一九五三年，應該是中國政治、經濟、文化政策發生重大變化的一年。

一九五八年，與毛澤東急於擺脫蘇聯模式走自己的道路相聯繫，文藝界也出現更激進的現象。第七期《文藝報》上，郭沫若以毛澤東詞〈蝶戀花〉為範本，首先使用了「革命的現實主義和革命的浪漫主義的典型的結合」的說法。隨後，周揚在作理論闡釋後宣稱，這一完全新的創作方法是「最好的創作方法」。因為毛澤東經常讚揚曹操，郭沫若便身體力行，一九五九年寫成劇本〈蔡文姬〉。初演結束時閒談，郭沫若請陳賡等一批中共高級將領談感想，直率的陳賡說：「應該讓曹操來領導我們共產黨。」眾人皆哄笑。作為魯迅之後中國文壇的領袖人物，郭沫若在中國的地位與高爾基在蘇聯差不多，但對文壇風氣、走向所起的作用截然不同。

「兩結合」的創作方法，從題材到風格，到寫法……都有更詳細的要求，並有最高領袖的詩詞作範文，將社會主義現實主義創作方法推向極端化。此後的一九六二年，又有李建彤的小說《劉志丹》被「欽定」為「利用小說反黨」。寫作成為高危職業，作家舉筆維艱。著名學者洪子誠將其理解為走向「文革文學」的發端，是很有道理的。

客觀而論，〈講話〉誕生在抗戰最艱苦的一九四二年，當時最大的政治是打敗日本侵略者，實現真正的民族獨立，在文藝創作中要求

政治第一、妥善處理普及與提高的關係，都有一定的合理性。關於文學創作的有些論述，如主張作家深入生活、民族傳統的繼承、民間文學的挖掘和整理、中國作風和中國氣派的提倡……至今也是正確的，甚至是精闢的。問題在於，黨的文藝政策沒有因為戰爭的結束予以相應的調整，片面地強調政治第一，事實上忽略藝術，而且在不同時期，根據政治需要，對〈講話〉精神給予隨心所欲的解釋。用〈講話〉精神來批評文學作品，常常使作家有口難辯，苦不堪言。

其實，〈講話〉也就是很多種文藝觀點中的一種而已，毛澤東詩詞也就是百花園中的一朵花而已。新中國成立以後的事實是，〈講話〉已成為一種政治工具，要求所有的文學作品都成為黨的喉舌和宣傳工具的一部分。結果事與願違，無論是社會主義現實主義，還是〈講話〉精神極端發展而來的「兩結合」，都只能導致百花凋零，一片荒蕪。帶有強烈理想主義色彩的社會主義現實主義，是主觀唯心主義的產物，最終成為粉飾主義，甚至淪為偽現實主義，是極左路線愚民政策的一部分。

新中國前三十年，從審美角度和真實性來看，只有《三里灣》、《山鄉巨變》、《創業史》、《鐵木前傳》等幾部農村題材小說，路翎、茹志娟以及百花齊放曇花一現期間出現的幾個短篇，算是聊勝於無。經得起時間檢驗和淘汰的傳世之作，一部也沒有！

五

將一個特殊時代的創作不景氣，歸咎於權力者確定的創作規範，好像有點偏頗。

在整個蘇維埃時代，從十月革命的一九一七年起，到一九八八年蘇聯《文學報》編輯部關於「我們是否要放棄社會主義現實主義」的

圓桌會議，事實上終止這一創作方法為止，產生了一批不亞於與十九世紀如普希金、果戈理、陀思妥也夫斯基、托爾斯泰、契訶夫等一樣偉大的詩人作家，其中有肖洛霍夫、帕斯捷爾納克、索爾仁尼金、布羅茨基四位諾貝爾文學獎得主（還不算一九三四年得獎的蒲寧，他十月革命後一直生活在國外），還有布林加科夫、扎米亞京、普拉東諾夫、普里什文、阿赫瑪托娃、茨維塔耶娃、帕烏斯托夫斯基、阿·托爾斯泰、列昂諾夫、艾特瑪托夫、拉斯普京等一批享譽世界的文學家。他們的創作成就，與同時代的美國、英國、法國、日本及拉美「文學爆炸」時代的作家相比，也毫不遜色。

中國和蘇聯，同樣是由封建專制制度下通過暴力革命產生的社會主義國家，同樣的意識形態，同樣濃厚的社會理想主義色彩，甚至官方提倡基本同樣的社會主義現實主義創作方法，是什麼原因造成了中國和蘇聯作家的不同命運？文學成就的差距如此巨大？

蘇聯橫跨歐亞大陸，但人口集中在歐洲部分，經濟文化與歐洲聯繫更加緊密。雖然彼得大帝改革對政治理念和制度觸及不多，但促進了俄國社會的科技水準和經濟發展，打開了與歐洲交流的大門，後來的葉卡婕琳娜，與法國啟蒙時期的思想家多有信件往來。在十八至十九世紀，莫斯科和彼得堡的上流社會，都以說德語，尤其是法語為榮。特別是法國大革命和後來的法俄戰爭，使俄國貴族階層的知識份子大開眼界，接受了當時最先進的政治、經濟、文化思想的洗禮。十二月黨人起義失敗了，但勇於探索、勇於犧牲的精神，激勵了一代又一代的包括俄羅斯古典文學家在內的知識精英。在俄國十九世紀文學中，作家和作品中的人物，都體現出強烈的社會責任感和歷史使命感。由此薪火相傳，孕育了俄國的十月革命，也孕育了善於獨立思考、不畏權貴的「不死的俄羅斯知識階層」。

蘇維埃革命成功後，大多數詩人作家並無對立情緒，努力融入新

時代，甚至熱情歡呼，如馬雅可夫斯基、勃洛克、帕斯捷爾納克、阿赫瑪托娃、扎米亞京等。但面對政治上日益增長的社會理想主義情緒，他們由不適應，到擔憂，直至以獨特的形式開始反叛。古米廖夫等被鎮壓，葉賽寧、馬雅可夫斯基、茨維塔耶娃等先後自殺。其他的產生分化：一部分自覺或不自覺適應了形勢，如法捷耶夫的《毀滅》、《青年近衛軍》，綏拉菲莫維奇的《鐵流》，馬卡連科的《教育詩》，奧斯特洛夫斯基的《鋼鐵是怎樣煉成的》，阿箌耶夫的《遠離莫斯科的地方》等，這些作品雖有一定合理的價值，但虛偽成分太多、意識形態色彩太濃，終歸不是精品；另一部分則在創作中體現出與主流意識形態不一致，甚至相反的看法。作品沒有發表機會，他們仍然在險惡環境中忍受孤獨、貧困和I歧視，筆耕不綴，為幾十年後的讀者寫作，為歷史寫作——因此在蘇聯文學史上的不朽之作，都是以社會主義現實主義相對立的寫作方法，以對現實社會的理性思考、深刻反省而著稱，如布林加科夫、巴別爾、普拉東諾夫、扎米亞京、帕斯捷爾納克、索爾仁尼金、布羅茨基等。肖洛霍夫、阿‧托爾斯泰等作家，當他們用現實主義方法進行思考和寫作時，可以寫出讓世界讚歎的《靜靜的頓河》、《彼得大帝》，當他們迎合政治需要，寫出《被開墾的處女地》等歌頌作品時，就變得筆頭生硬。還有一部分既不願迎合政治，又要爭取個人生存和作品公開發表，只好獨闢蹊徑「打擦邊球」，如普里什文、帕烏斯托夫斯基、阿斯塔菲耶夫等，從大自然中尋找靈感，以抒情筆調寫出了人與自然的永恆主題，同樣具有不朽的價值。與中國的郭沫若不同，在蘇聯最初的近二十年，高爾基以其崇高的威望，不遺餘力保護可能或已經受到迫害的作家。巴別爾的《紅色騎兵軍》出版後，作為當年騎兵軍軍長的布瓊尼元帥氣急敗壞，高爾基則親自在史達林面前與布瓊尼爭論，為作家辯護。在高爾基晚年的創作中，也沒有絲毫的奴顏媚骨和歌功頌德，其人品和文

品對整個蘇聯時代的作家，尤其是有獨特個性的作家，潛在影響是巨大的。

反觀中國作家，「五四」以來相對思想獨立、有較高素養的新文學作家，進入新中國後顯得無所適從，集體失去自我，創作生命戛然而止。而來自解放區和從工農兵中培養出來的作家，大多學歷不高，藝術積累不夠，憑著滿腔政治熱情和對未來的真誠嚮往來寫作，可供參考的多是蘇聯的二、三流，甚至不入流的作品，創作出來的往往成為圖解政策的宣傳品。一九五四年，杜鵬程的長篇小說《保衛延安》出版，嚴格地說算不上文學作品，但主流媒體一片叫好，馮雪峰著文稱其為「英雄史詩」。如果馮雪峰說的是真話，我們就有理由懷疑新中國文藝界領導人的整體鑒賞水準。以後的《紅日》、《紅旗譜》、《青春之歌》、《紅岩》、《林海雪原》直至《昨天的戰爭》和《東方》等革命歷史題材作品，無論正面人物和反面人物，思想性格大同小異，英雄主義和樂觀情緒彌漫全書。如果說，農村題材小說多少還留下了幾個「中間人物」的鮮明形象，那麼革命歷史題材小說沒有留下一個成功的藝術形象。中國革命從一九二一年中共誕生時起，到朝鮮戰爭結束，在星火燎原的過程中，曲折生動，波瀾壯闊，驚心動魄，在古今中外的歷史中當屬絕無僅有，沒有產生一部《戰爭與和平》、《靜靜的頓河》之類的經典之作，實在遺憾。

史達林是蘇聯的第二代領導人，對十月革命的成功沒有太大影響，內戰時期也僅僅是個軍政委，而且得到政權的方式頗為可疑，雖然喜歡對文藝問題發表看法，也提出了「社會主義現實主義」的創作方法，但蘇聯作家對其敬畏有限，甚至可能不服氣。但毛澤東不一樣，從一九二一起一直在黨內有重要地位和影響，在二十多年革命歷程中，政治、軍事才能展現得淋漓盡致，是豪邁樂觀而不廢婉約的詩詞大家，又是寫白話文的高手，縱橫捭闔、文武雙全，著實把歷來清

高而相對獨立的中國文化人鎮住了。中國凡是搞文學創作的人，莫不對其頂禮膜拜。毛澤東的文藝觀對中國作家的影響，大大超過史達林的文藝觀對蘇聯作家的影響——這又是中國文學藝術家的不幸！

中國詩人作家面臨的創作環境，實在比蘇聯更為嚴酷。雖然沒有一個被直接下令槍殺，但有兩點讓蘇聯人甘拜下風，值得注意：一是文藝界事實上的株連政策，一人有罪，親友遭殃，文藝界反黨集團層出不窮；二是藝術家的精神折磨，他們常常遭到有組織的反戈一擊、劃清界限之後，還要面臨歷次運動中沒完沒了、永無休止的檢討批判，被整得變了人形——看看作家路翎，寫作《財主底兒女們》時意氣風發，充滿告別舊世界的豪情壯志，寫作《初雪》時溫柔細膩，充滿對志願軍真摯的敬愛。在遭遇了二十多年的牢獄之後，話說不清，字寫不全。其妻歎息：鳥兒在囚籠裡關得太久，已經不會飛了。而一些不為當局所容的蘇聯文學家被驅逐出境，如扎米亞京、索爾仁尼金、布羅茨基等，反而因禍得福，得到一個寬鬆的生存環境得以繼續創作。中國的詩人作家，永遠不會有這麼好的「運氣」。

相比之下，蘇聯創作環境較中國寬鬆。蘇聯文學家除更為反思、反叛外，還有一個優勢，便是強烈的宗教情懷——這可能是蘇聯文學家重要的精神支柱。布林加科夫、索爾仁尼金、布羅茨基等姑且不論，單看蘇聯政府認可的一個作家拉斯普京。一九七〇年，拉斯普京在小說《最後的期限》裡，寫了一個名叫安娜的老太太，含辛茹苦一生，臨死前處之泰然，因為她有宗教情懷。她不僅寬恕兒女的不孝，還為自己的一生感到慶幸，畢竟能死在故鄉。她堅信死後可以在埋葬祖先的地方，見到衛國戰爭時死去的丈夫和三個兒子。她甚至感到高興，她要與她所摯愛的土地和死去的親人融為一體了。在這裡，親情、鄉情，宗教情懷與道德思考交織在一起，讓人感動不已。

可以說，《最後的期限》在中國根本不可能發表。不僅如此，

《靜靜的頓河》作家立場不鮮明，《彼得大帝》宣揚封建帝王，《一個人的遭遇》宣傳和平主義，《紅色騎兵軍》污辱紅軍將士，帕烏斯托夫斯基不寫階級鬥爭，普里什文逃避火熱的革命現實……六〇年代，我們就是這樣批判肖洛霍夫的。甚至《鋼鐵是怎樣煉成的》也不行，作為無產階級戰士，怎麼能和資產階級小姐溫情脈脈地有感情糾葛呢……五〇年代對小說《紅豆》就是這樣批判的。

中國文學家膽戰心驚，就這樣走過來了。一九六五年，金敬邁的《歐陽海之歌》出版，其中有歐陽海學習劉少奇〈論共產黨員的修養〉一段文字。「文化大革命」初劉少奇被打倒，作者奉命將這段文字改成：「歐陽海隨手翻開〈論共產黨員的修養〉，唯讀了幾行，就覺得非常無聊，生氣地將書扔到牆角。」，「文化大革命」後又重新改過來。

一九五三年，柳青離開北京到陝西農村與農民同吃同住同勞動，讓人肅然起敬。六年後寫出了極具藝術特色的長篇小說《創業史》，將稿費全部捐獻給當地農村。不料「文化大革命」中被關進牛棚，倍受迫害，妻子也被逼死。他經歷了新中國風雲變幻中的很多事，本來應該對中國政治和各個時期的政策尤其是農村政策有自己的獨到見解。但他在一九七八年逝世前修改文稿時，令人意想不到地加入反對劉少奇路線的內容。原來，他並沒有自己的看法和觀點，他的《創業史》只是為了證明領袖關於農村政策的英明。當時鄧小平第三次出山，高考已經恢復，十一屆三中全會即將召開，一場深刻的社會變革馬上就要拉開帷幕。柳青最後的「一念之差」，反映了中國作家普遍的思維方式和思想認識水準——這是他個人的悲哀，更是中國當代文學的悲哀！

作家寫作時顧慮重重，編輯審稿時同樣謹小慎微、步步設防。六〇年代初期，著名編輯江曉天在編輯姚雪垠的長篇小說《李自成》第

一卷時，翻遍《毛澤東選集》尋找適用的「語錄」，最後在第四卷找到「李自成是我國幾千年農民革命史上一個傑出的英雄人物」的最高指示，抄錄下來，注明出處，層層上報。

因為江曉天是安徽人，四〇年代也在淮北幹過新四軍，因此陳登科的《風雷》手稿由領導交辦給他。他找來「人民出版社編印的毛澤東同志關於農業合作化高潮三本書的批文按語，查看了一遍，其中有一篇題為：〈把資本主義邪氣打下去，讓社會主義正氣升起來〉，《風雷》第一部所寫的，和這篇最高權威的文章所談的，完全一致。這才放下心來。」即使如此，「文化大革命」中陳登科被捕，江曉天也在劫難逃。

創作環境這樣，作家這樣，編輯這樣，中國當代文學的命運也只能這樣！

六

「文化大革命」中，當陳登科與絕大多數五四新文學作家和十七年中共自己培養的作家交惡運時，浩然的行情仍在「金光大道」上一路看漲，被茅盾稱為「八個樣板戲和一個作家」現象。十年後，當浩然在不斷檢討和交代中努力過關時，文藝界開始興奮而不失冷靜地審視新中國成立三十年來的遭遇，並反思背後的東西，同時謹慎地觸及一些敏感問題。

陳登科以積極追趕潮流、體現極左思想的《風雷》而罹難，具有一定獨特性。周揚當年沒有看錯，他本質上確實「是個老實人」。陳登科在一九七九年第四次全國文代會上的真情告白，打動了很多人。他說：「當浮誇風、共產風和顛倒是非的反右傾運動在全國蔓延的時候，我的筆，不是在捍衛人民的利益，而是跟著去歪曲生活，假造生

活，去欺騙人民。我還要去整那些敢於反映人民疾苦的同志⋯⋯我的筆下只能是形勢大好，一片光明。我實在感到痛心和羞愧。」又說：「作家應該成為自由職業，不領工資，免得受長官意志的束縛。」還說：「人類認識真理的道路是艱難而曲折的。認識真理往往要付出代價，作家更不例外。回顧自己三十年來的創作經歷，尤其感到這一點。」

在談到蘇聯時，他說：「我們國家的體制，是五十年代從蘇聯那裡學來的⋯⋯二十多年來的實踐證明，那個體制對文藝創作不是促進，而是束縛。」他呼籲「要廢除對文藝作品的審查制度」。對於當時一些有爭議的作品，他公開予以支援：「有一首詩〈將軍，你不能這麼做〉，我聽說該詩發表後，有十幾位將軍聯名寫信表示反對。對此有人就擔憂了。有什麼可怕呢？我說，要堅持真理，準備為真理而獻身，而絕不在壓力面前屈服，決不能違背真理。」

他的這些觀點散見於各類文章和言談中，雖不及周揚、巴金、韋君宜等人全面系統，缺乏理論的深刻，表達的方式也沒有如巴金的《隨想錄》和韋君宜的《思痛錄》那樣，具有相應的「文學性」，但畢竟是沉痛而真誠的。

在他文學創作的老搭檔魯彥周發表走紅全國的中篇小說《天雲山傳奇》時，陳登科也沒閒著，他與另一位老搭檔肖馬合作，推出了控訴極左路線的暢銷書《破壁記》。這部三十七萬字的長篇小說，首印二十萬冊，不到一年又加印二十萬冊，當時影響廣泛。作品力圖全景式地再現六〇、七〇年代中國的社會生活，但感情外露而無節制，並且很不聰明地涉及他並不熟悉的高層生活，這就容易給人以從另一個角度「圖解政治」的印象。從故事構思和行文風格來看，很難確定兩位作家對作品的貢獻，因此難以將陳登科理解為作品的主導者。

隨後十多年，陳登科構思和寫作了長篇小說《赤龍與丹鳳》，反

響不大。

在改革開放的大潮中，社會向多元化發展，文學界也不例外。從七〇年代末開始，以社會主義現實主義和「兩結合」方法進行創作的現象仍然存在，但理想主義色彩的式微趨勢明顯而迅速，逐漸被多元化的創作方式取代。新時期文學藝術家在題材上打破了前三十年以敘述農村生活和革命歷史為主的單一局面，在歷史的大背景下關注幾十年來知識份子的遭遇，城鎮普通居民的命運，以及正在進行的城鄉改革。從初期情緒化的道德評判，到個性化的理性認識和獨特感受，人道主義思想日益加強，有的作品還有限度地突破了〈關於建國以來若干歷史問題的決議〉中官方對歷史事件和人物的解釋。

五〇年代不被主流意志認可，剛露頭就被打壓下去的作家如王蒙、張賢亮、鄧友梅、李國文、從維熙、宗璞、高曉聲、張潔、陸文夫等成為主力，很快具有知青或部隊經歷的朱曉平、賈平凹、梁曉聲、莫言、張承志、王安憶、阿成、史鐵生、陳忠實等異軍突起，然後藝術思想更為先鋒的余華、葉兆言、蘇童、劉震雲等嶄露頭角──而貫穿始終的是資格更老，從「舊社會」走過來的作家，如巴金、楊絳、韋君宜、張中行、季羨林等，他們不甘落後，紛紛揚長避短揮筆上陣，直至生命的最後時刻……

在精彩紛呈、交替迅速、令人目不暇接的文學發展過程中，前三十年活躍在文壇上的作家，趙樹理、周立波、柳青等已死，活著的多少顯得有點落寞。他們也寫一些東西，但由於觀念和藝術等方面的原因，讀者群很小，他們和他們的作品正在被社會遺忘。

但有兩位作家不應該被忽略，那就是六〇年代一起走紅，奠定「文革文學」基本模式的浩然和陳登科。他們仍然將目光投向自己熟識的農村，在八〇年代初幾乎同時動筆，用自己的全部感情和最後力量，在一九八六年同時完成了各自文學生涯的收官之作──浩然是

《蒼生》，陳登科是《三舍本傳》。更為巧合的是，這兩部用傳統敘事方式寫成的農村題材的長篇小說，篇幅也一樣，四十三萬字。

七

「文化大革命」結束後，浩然受到清查，作品受到批判，人大代表的資格也被取消，政治待遇和社會地位一落千丈。人們在指責他為極左路線塗脂抹粉時，也懷疑他的藝術才能。顯然浩然並不服氣，但又無濟於事。他說：「《蒼生》是逼出來的，是被逼到沒有任何退路的情況下寫出來的。」他很明智地認識到，任何辯解都不是上策，只有握著筆寫作品才靠得住。於是他給自己定了個十六字的目標：甘於寂寞，安於貧困，深入農村，埋頭苦寫。

《蒼生》摒棄了《豔陽天》和《金光大道》的一切毛病，並將其優點推向極致。結構完整，情節自然，語言生動樸實。對二十世紀八○年代初期華北農村的貧困面貌和日常生活寫得細緻入微，對人物的內心世界和性格特徵體察得恰到好處。平原、山川、村落、農家小院；小院內的石碾、雞籠、柴房、灶房；灶房內燃燒的火光，照亮了全書的字裡行間；木柴節頭爆裂的聲音雖小，卻久久地回落在讀者的心裡……主要人物形象鮮明，尤其是青年農民田保根，思想性格的形成和變化，有巨大的社會內涵。村黨支部書記邱志國出場時，已經五十多歲，他在五○、六○年代曾是個「蕭長春」式的人物，此時已變得冷漠、自私、貪婪。這個人物實際上消解、否定了《豔陽天》和《金光大道》的理想主義觀點。作家清楚認識到，農村悲劇是貧窮落後造成的，要走向富裕必須改革，但他對當時具體的農村改革，態度是有保留地支持。他的擔憂不是沒有根據，後來農村問題的產生和發展，證明了浩然的預見性——儘管這些問題是發展中的問題，至今解

決起來也很困難。

這部小說能夠出版，更大的意義還在於體現了創作自由、言論自由和社會的寬容。以浩然的經歷和他在中國當代文學史上實際產生的負面影響，以及在作品中表現出的一些「不合時宜」的情緒，按極左時期的思維和做法，他的小說是有可能被封殺的。最後竟然出版了，這是社會的巨大進步！任何人都有充分表達自己思想的權力！

與浩然的《蒼生》相比，陳登科的《三舍本傳》名氣要小得多，幾乎不為人知。作品從解放初寫起，到反右傾時結束。可能是涉及當時的省委書記曾希聖（在作品中是個牆頭草式的風派人物）的原因，小說寫成六年後，直至一九九二年才由安徽人民出版社發排，只印了區區二千冊，紙張和印刷品質都很差，但這並不妨礙她成為一部好書——不僅是陳登科本人最好的作品，也是當代文學史上難得的佳作。

如果說讀《蒼生》，是在酣暢淋漓之後淚流滿面，那麼讀《三舍本傳》，則是在細細品味之後掩卷深思。

還是淮北那塊荒涼而貧窮的土地，河南、安徽交界處一個有一百多戶人家、名叫舍疃集的地方，十年間發生的若干悲劇與喜劇交織在一起。小集上有算命的、開煙館的、賣假藥的、說書的、開飯館的、打漁的、種田的……解放戰爭的槍炮聲一結束，他們就開始了人生中最重要的轉折：從解放、土改、抗美援朝、農村合作化、「大躍進」、浮誇風、大煉鋼鐵、饑餓浮腫直至反右傾。中心人物便是孤兒三舍，從志願軍的英雄，成為公社黨委書記後，既盲從又自信，與曾經的死對頭至今仍然心術不正的公社主任一起，不顧百姓死活搞浮誇，在大饑荒之後變得講究實際，最後在一九五九年成為右傾機會主義分子被撤職。三舍的命運沉浮，在新中國基層幹部中頗有代表性，他的每一次人生轉折，都來自巨大的權力影響，也來自他對黨的堅定信仰。小說具有濃郁的地方特色，語言清新雋永，敘事從容不迫，繪

聲繪色地展現了淮北地區的民俗風情和生活場景。

小說不動聲色地表現一個重要觀點：在解放初期農村基層政權剛建立時，積極分子大多不是真正的貧苦人，而是不務正業、善於投機的二流子，即所謂流氓無產者。靠他們鬥地主分浮財勉強可以，搞生產建設則不行。他們習慣見風使舵，是「階級鬥爭」路線最堅決的擁護者和受益者。如果社會清明廉潔，講究實事求是，宣導公平正義，致力經濟建設，這種人很難混下去。沒有天生的好人壞人，一個好的環境可以使壞人變好，一個壞的環境可以使好人變壞——這是陳登科在文學中的獨特發現。

小說最大的成功，還在於塑造了一個樂觀、善良、仗義、機智，又時常顯得粗俗的農村婦女劉五鬥的生動形象。從童養媳到全國勞動模範，劉五鬥如在眼前，呼之欲出，與丁玲歸來後筆下一位叫杜晚香的勞動模範相比，竟有天壤之別。劉五鬥可與魯迅筆下的閏土、祥林嫂，趙樹理筆下的三仙姑，柳青筆下的梁三老漢，周克芹筆下的許茂，高曉聲筆下的陳奐生，朱曉平筆下的金鬥，陳忠實筆下的白稼軒等不朽形象相提並論。姣姣、陳煒、陸蘇、朱月梅等幾個女性形象也很鮮活。

與《蒼生》相比，《三舍本傳》給人思考的東西更多更深一些，但藝術上打磨不夠，略顯遜色。第一卷第一節以講史方式靜止地介紹曹操老家譙縣的來龍去脈，既顯呆板，也屬多餘；以幾個巧遇來推動情節進展，留下編故事印跡；三舍最後的轉變，鋪墊不夠，略顯突然。

新中國前三十年被主流意志推崇的其他作家，在新時期已無任何佳作，即便丁玲歸來以後的作品，也成江河日下之勢。浩然和陳登科是幸運的，他們的創作生涯終於劃上了一個比較完美的句號。兩位當年的樣板作家，不約而同抓住最後一搏的機會，證明了自己的才能和

感情，或多或少減輕了當年因歪曲生活而帶來指責的心理壓力。

更重要的是，他們以自己的創作實踐，否定了文學創作中虛幻的理想主義，即所謂的社會主義現實主義的創作之路。

二〇一二年二月二十八日，星期二，完稿於成都

主要參考文獻

〔英〕以賽亞·伯林　《蘇聯的心靈》　南京市　譯林出版社　2010
　　年版

周立波　《周立波三十年代文學評論集》　上海市　上海文藝出版
　　社　1984年版

夏志清　《中國現代小說史》　上海市　復旦大學出版社　2005年版

洪子誠　《中國當代文學史》　北京市　北京大學出版社　1999年版

陳登科　《風雷》　北京市　人民文學出版社　2005年版

陳登科　《三舍本傳》　合肥市　安徽人民出版社　1992年版

浩　然　《豔陽天》　北京市　華齡出版社　1995年版

浩　然　《蒼生》　北京市　十月文藝出版社　1988年版

浩　然　《我的人生──浩然口述自傳》　北京市　華藝出版社
　　2000年版

董健、丁帆、王彬彬主編　《中國當代文學史新稿》　北京市　人民
　　文學出版社　2006年版

董　曉　《理想主義：激勵與灼傷──蘇聯文學七十年》　上海市
　　上海人民出版社　2009年版

劉文飛主編　《蘇聯文學反思》　北京市　中國社會科學出版社
　　2005年版

陸志成　〈陳登科的“瞞和騙”〉　載《炎黃春秋》　2011年第9期

陸志成編著　《中國，泥土中走出個陳登科》　合肥市　安徽文藝出
　　版社　1992年版

羅銀勝　《周揚傳》　北京市　文化藝術出版社　2009年版

《中國當代文學史初稿》　高等學校文科教材　北京市　人民文學出
　　版社　1984年版

渦陽篇二九

從新興集到中南海
──民主集中制與劉少奇的悲劇

一

　　抗戰初期，河南省確山縣竹溝鎮駐有新四軍第四支隊第八團留守處。一九三九年十月，劉少奇在竹溝說，竹溝作為中共中央與華中新四軍的交通樞紐，已經完成了歷史使命。鑒於周圍國民黨部隊的格外關注，他將中共在竹溝的工作人員分成三部分，立刻疏散。十月下旬，他自己率領中共中央中原局機關三百多人，經汝南、項城、沈丘，於十一月四日到達安徽渦陽以北的新興集──這裡是新四軍彭雪楓第六支隊的駐地。

　　新興集是皖北渦陽靠近河南省的一個小鎮，四周是一片開闊平原。年初劉少奇第一次到竹溝時，以中共中央中原局的名義，親自調度兩路人馬西進東出。現在西進的李先念部已在鄂豫邊地區，由一百多人發展到九千多人；東出的彭雪楓部在豫皖邊地區，以新興集為中心，也迅速擴充到七個團七千多人──中共六屆六中全會確定的「發展華中」戰略，現已初見成效。

　　十一月七日，是俄國十月革命二十二周年的紀念日。劉少奇在徐海東、彭雪楓、劉瑞龍等人陪同下，在新興集東北角的大操場，檢閱了新四軍部隊。在秋高氣爽的日子裡，新四軍戰士雖然裝備簡陋，但衣衫整齊，士氣飽滿，這讓劉少奇感到非常滿意。

　　不久即傳來確山慘案的消息：國民黨軍隊突襲竹溝鎮，殘殺來不及撤走的中共幹部、戰士及其家屬二百多人。中共及中原局向國民黨提出抗議和交涉，後來不了了之。

　　確山慘案雖然使劉少奇感到憤怒，但總的來說並未影響他的愉快心情。中共六屆六中全會確認了毛澤東黨內最高領袖的地位。作為王明「一切通過統一戰線」政治觀點的尖銳批評者，作為毛澤東關於開展敵後山地游擊戰軍事路線的堅定支持者和實踐者，劉少奇受到毛澤東青睞，政治地位上升。他被毛澤東委以重任，以中共中央政治局候補委員身份兼任中原局書記，統一整合、指揮隴海路以南、長江以北的中共部隊。

　　更重要的是，劉少奇關於黨的建設理論，也受到毛澤東大力讚揚。在一九三八年十一月結束的六屆六中全會上，毛澤東有過「中國黨的馬克思主義的修養」的命題，強調要圍繞馬克思主義中國化而加強黨的思想建設。同時，毛澤東首次以「四個服從」概括黨的紀律：「（一）個人服從組織；（二）少數服從多數；（三）下級服從上級；（四）全黨服從中央。誰破壞了這些紀律，誰就破壞了黨的統一。」在中共歷史上，毛澤東第一次將民主集中制的重要性，提高到前所未有的高度，顯然看重的是集中而不是民主。

　　劉少奇聞風而動，立刻對這兩個問題進行深入發揮和系統論述。從一九三九年一月初開始，他就在馬列學院等許多場合講述共產黨員的修養問題，同時重點論述了以「四個服從」為核心的民主集中制原則，這就是後來形成的兩篇文章〈論共產黨員的修養〉和〈黨的民主集中制的幾個問題〉。在毛澤東已經成為黨的最高領袖時，劉少奇的這些「理論」雖沒有新意，但其目的不言自明——那就是向毛澤東表明自己的政治態度，同時極力維護毛澤東的權威。

　　劉少奇在一系列的演講中強調說：

> 所有一切附有條件的服從都是不對的，應該是絕對的無條件的
> 服從。我們要反對不服從多數，不服從組織，不服從上級，不
> 服從中央的自由主義，黨員如果有不同意見，可以按一定手續
> 向上級控告，但是在上級核准你的控告之前，你仍舊應該服從
> 原來的決定。

劉少奇將演講稿整理、修改出來送毛澤東審閱，毛澤東說：「這篇文章寫得很好，提倡正氣，反對邪氣，應該儘快發表。」於是，此稿以〈論共產黨員的修養〉為題目，分三次刊登於延安《解放週刊》。劉少奇剛到新興集不久，延安新華書店出版了該書的單行本，從此一版再版，廣為發行。

在新興集，劉少奇照例像其他地方一樣，給新四軍幹部、戰士作報告，對個人主義和自由主義進行尖銳批評，大講共產黨員如何執行民主集中制、如何遵守紀律的問題。

直到十一月底，在彭雪楓部隊護送下，劉少奇、徐海東南渡淮河，經正陽關前往皖東的定遠縣藕塘鎮。不到十年，隨著他從新興集走進中南海，〈論共產黨員的修養〉也從解放區發行到全國各地。

二十世紀五〇、六〇年代，劉少奇在民主集中制基礎上，進一步要求全體黨員成為「革命的螺絲釘」和「黨的馴服工具」。

二

中共建黨之初，是將俄共列寧創造的民主集中制，作為組織原則移植到黨內的。一九二一年，陳獨秀就提出：「共產黨應該是民主集權制」，但「一大」通過的黨綱表述為「我黨採取蘇維埃的形式」。一九二二年中共「二大」通過決議加入共產國際時，完全承認共產國

際的組織原則：「加入共產國際的黨，應該是按照民主集中制的原則建立起來的。」一九二七年，中共「五大」規定「黨的指導原則為民主集中制」。

對於民主集中制，一九二七年蔡和森曾經在《黨的機會主義史》中提出懷疑。他認為這個提法「伏在裡面的危機是很大的」。他說：

> 既無黨的討論，又無選舉制度……養成的習慣是：只有上級機關的意見和是非，而沒有下級黨部及群眾的意見和是非……鐵的紀律成了威壓黨員的工具，而上級指導人卻有超越此鐵的紀律的一切自由。

蔡和森當時是中共政治局常委，能有如此深刻的見解，也許與他的留法經歷有關。在中共黨內，留法的黨員擁有的民主和寬容思想要多一些，而留蘇、留日和沒有走出國門的黨員，更加容易接受無條件服從的集中（專制）主義思想。蔡和森關於民主集中制的這些言論，清楚地表明他對於民主集中制有可能導致專制主義盛行的擔憂。不幸的是，他的擔憂在此後的歷史發展中，逐漸成為事實。綜觀黨的全部歷史，下級往往希望民主，而上級經常強調集中。黨內有無民主，完全取決於領導者的個人風格。在實際政治生活中，集中從來就是主流。

在武裝鬥爭的革命年代，蔡和森這一富有遠見的警告，似乎從來沒有引起過重視，反而集中主義在黨的理論和實踐中日益強化。一九二八年七月中共「六大」通過的黨章，重申「中國共產黨與共產國際的其他支部一樣，其組織原則為民主集中制」。遺憾的是，在中共領導的革命成功以後，蔡和森的上述思想被長期封存，知之者甚少。

劉少奇比蔡和森小三歲，都是湖南人，但他們之間的交往似乎不多，只在一九二八年處理順直省委組織問題時有過較多接觸。劉少奇黨內資歷深，一九二一年曾經到莫斯科接受培訓，轉為中共正式黨

員。他回國後長期兢兢業業從事工人運動，地位一直不高。大革命時期，他遠離廣州，屬於在陳獨秀領導下謹慎工作的文職人員，參與領導過上海第三次武裝起義，中共「五大」才當上中央委員。大革命失敗後因或多或少被視為陳獨秀派，受到一些冷遇。在廬山、上海養了一段時間病之後，被派往天津參加順直省委工作，以中央委員身份卻只能委屈地當一個常委。中共「六大」時未被通知參加，落選中央委員，被選為可有可無的中央審查委員會委員。瞿秋白中央時期，他不受重視，還多次受到指責。但在出任順直、滿州省委書記期間，他與彭真、饒漱石等一批人建立了信任，奠定了其「北方地下黨」基礎。

一九三一年一月的六屆四中全會，王明上臺。劉少奇時來運轉，躍過中央委員，一舉當上政治局候補委員，從此躋身於中共決策層。由於劉少奇作風務實，態度強硬，不免與臨時中央發生摩擦，其擔任的中央職工部部長也被撤銷。面對強大壓力，劉少奇被迫寫出書面檢討，多次表示接受中央的批評和決定，從此與「王明路線」結下了矛盾。其實總的來說，臨時中央還是寬厚的，沒有對劉少奇一棍子打死，在一九三四年一月的中共六屆五中全會上，他仍被選為政治局候補委員。也是這次會上，毛澤東缺席當選政治局委員。這使他們延安時期的政治結合有了一定基礎。

毛澤東與劉少奇的政治結合也不是一帆風順的。他們結識很早，一九二二年在長沙清水塘就有過長談，這一年曾在安源路礦工人運動中有過密切合作。一九二七年五月一同參加中共「五大」，以後各奔東西，直到一九三三年才在江西根據地重新見面。江西臨時中央時期，毛澤東和劉少奇境遇相似，沒有多少實權，卻有比較高的政治地位。但這段時期他們交往不多，至少缺乏相關文字資料記載。

遵義會議後，擔任紅三軍團政治部主任的劉少奇，不顧彭德懷反對，就軍事問題向中央軍委陳述不同意見，使毛澤東心生不滿，將其

調離軍隊。但長征途中這一點小小的不愉快，到延安後很快就被更多的政治主張和利益沖淡了。

三

一九三六年初春，劉少奇到天津主持中共中央北方局工作，痛感「左」傾關門主義、冒險主義的危害，努力糾正學生運動中「左」的偏向。經中央同意，他創造性地指示關押在北平草嵐子監獄而不曾叛變的薄一波、安子文、楊獻珍、劉瀾濤等六十一人，按當局規定在「反共啟事」上按了手印，使他們陸續獲得釋放，從而充實了華北黨組織的領導力量，為抗戰爆發後在這些地方迅速建立敵後根據地打下基礎。

一九三七年二月、三月，劉少奇分別從天津、北平連續給張聞天寫了兩封信，對中共歷史上，尤其是六屆四中全會以來的極左政治路線進行批評，指出：「這種錯誤的根源，一方面固然是對於形勢的估計錯誤，另一方面還是一種思想方法、哲學方法上的錯誤。」最後他提出：「為要轉變十年的傳統，對於過去的錯誤不能不在黨內公開批評。」

劉少奇的這些觀點引起張聞天不滿，絕大多數政治局委員也認為劉少奇言過其實，只有毛澤東站出來為劉少奇辯解。在同年五月舉行的白區工作會議上，回到延安的劉少奇當面重申他的看法，並且結合自身實際，認為極左路線造成白區工作「損失百分之百」，除了得到列席會議的彭真一人支援外，他再一次遭到柯慶施等人的圍攻和痛罵。關鍵時刻，毛澤東再次出手相救。毛澤東沒有正面肯定劉少奇的意見，卻大力讚揚他在白區工作方面「有豐富的經驗」，「懂得實際工作中的辯證法」。

　　否定六屆四中全會以來的政治路線，意味著否定張聞天和臨時中央的合法性。全面批評白區工作，意味著全面否定周恩來的能力和成績，況且也多少針對他們後面那位在共產國際擔任要職的大名鼎鼎的王明。而劉少奇本人也是這段時間進入中央決策圈的，這麼做也很可能引火焚身。他為何冒著巨大的政治風險，如此孤注一擲？儘管沒有文字資料證明，但有些學者還是懷疑他是否事先得到毛澤東的默許、支持或慫恿。

　　這場爭論因為「七七事變」的爆發而暫停。十二月會議上，意氣風發的王明點名指責劉少奇對國民黨的要求「過多」、「過高」。雖然沒有見到劉少奇的申辯或反駁的文字，但王明的草率，無疑加速了毛、劉的政治聯盟。

　　不到一年，情況大變。一方面，劉少奇在華北大力發展中共組織，在農村廣泛宣傳共產黨的抗日主張，使挺進敵後的八路軍得到有力支援，隊伍迅速發展到二十多萬人，高級將領對毛澤東敵後山地游擊戰的軍事思想，由懷疑轉為支持；另一方面，王明受到國民黨政府冷遇，其主持的中共長江局，因熱衷於動員民眾「保衛大武漢」而顯得空洞，武漢失陷後更是處境尷尬，乃至淪為笑談。兩相比較，對於中共壯大軍事力量而言，毛、劉的主張顯然更加符合實際。正在這時，王稼祥從莫斯科帶回了新的精神，毛澤東地位得以鞏固。毛澤東在六屆六中全會上任命劉少奇為中原局書記，即在於希望他儘快在新四軍部隊移植華北八路軍的成功經驗，在華中地區發展、整合新四軍部隊。

　　在這種特殊的歷史背景下，劉少奇從陝西到河南，到安徽，再到江蘇，一路不厭其煩地宣講共產黨員修養、民主集中制和六屆六中全會精神，也就不難理解了。他要從理論上支持中央的權威，同時向華中同志宣告，他是毛澤東正確路線的堅決維護者。誰如果不聽指揮，

當屬大逆不道。

華中的情況與華北大不一樣。新四軍成立晚，內部矛盾多，項英做事也過於拘謹、厚道。更主要的是，項英與毛澤東在江西蘇區時有過尖銳衝突，矛盾難以化解，加之他在主持新四軍軍務後，因不懂軍事而不怎麼理會毛澤東的指示，確實喪失了一些發展機遇。

有毛澤東撐腰，劉少奇便不把項英放在眼裡。他注重調查研究，做事雷厲風行，建議八路軍南下，新四軍一、二支隊北上，而毛澤東也有求必應。他們密切配合，短短一年時間就掌握了新四軍百分之九十的部隊，架空了孤懸皖南的新四軍軍部，讓項英苦不堪言。此間劉少奇多次放出風聲，說項英「錯誤嚴重」「中央在挽救他」，使項英倍感壓力，無所適從。黃橋戰役後，皖南新四軍已如熱鍋上的螞蟻，劉少奇不顧眾將反對，堅持發動曹甸戰役，無異於熱鍋下再加一把烈火，終於導致皖南事變的發生──抗戰爆發後中共軍隊最大的一個「山頭」，便由蔣介石幫忙打掉了。

皖南事變後，劉少奇在新四軍全面開展肅清王明右傾機會主義流毒的批判浪潮，在毛澤東的旗幟下，迅速實現了新四軍的軍令統一。

四

劉少奇以其特有的穩健、幹練、勤奮、忠誠，獲得毛澤東高度信任。一九四二年三月十九日，劉少奇在一個團兵力的護送下，從蘇北根據地啟程西行。毛澤東親自過問沿途的安全保衛工作，他電告劉少奇：「你的行止，以安全為第一，工作為第二⋯⋯」他叮囑林楓等人：「少奇同志過路，你們派人接護時須非常小心機密，不要張揚，但要謹慎敏捷。」十二月三十日，劉少奇經過九個多月的長途跋涉，穿越敵人一百零三道封鎖線，終於回到延安。

　　此時的延安，整風運動正進行得如火如荼。一九四三年三月二十日，中央書記處改組，劉少奇任書記，同時兼任軍委副主席，成為名符其實的黨內二把手。一個多月後，中央成立反內奸委員會，劉少奇任主任，與康生一起，成為毛澤東整風的左膀右臂，積極參與審幹和搶救運動。對於延安整風後期出現的偏差，劉少奇負有一定的領導責任。

　　劉少奇不但在整風中一切按照毛澤東的意思行事，還積極引導全黨對毛澤東進行個人崇拜和神化。他接過張如心、王稼祥的旗幟，全力以赴建立、完善「毛澤東思想」。中共「七大」上，由劉少奇主持制定的黨章明確規定：

　　　　中國共產黨，以馬克思列寧主義的理論與中國革命的實踐之統
　　　　一的思想——毛澤東思想，作為自己一切工作的指針，反對任
　　　　何教條主義的或經驗主義的偏向。

劉少奇還在〈關於修改黨章的報告〉中，高度論證民主集中制的極端重要性。他說：

　　　　黨內民主的集中制，即是在民主基礎上的集中和在集中指導下
　　　　的民主。它是民主的，又是集中的……黨內民主的集中制，即
　　　　是黨的領導骨幹與廣大黨員群眾相結合的制度，即是從黨員群
　　　　眾中集中起來，又到黨員群眾中堅持下去的制度，即是反映黨
　　　　的群眾路線。

　　而毛澤東對民主集中制的表述，與劉少奇完全一樣。不同之處在於，毛澤東首次表示要將民主集中制從黨內推廣到黨外，使其成為國家管理制度。他在〈論聯合政府〉中說：

> 新民主主義的政權組織，應該採取民主集中制……它是民主
> 的，又是集中的，就是說，在民主基礎上的集中，在集中指導
> 下的民主。

四年後的一九四九年九月，毛澤東如願以償，在具有臨時憲法性質的
《共同綱領》中，體現了他的主張：「各級政權機關一律實行民主
集中制。」一九五四年《憲法》第二條明確規定：「全國人民代表
大會、地方各級人民代表大會和其他國家機關，一律實行民主集中
制。」從此民主集中制作為憲法原則延續至今。

不論是「毛澤東思想」還是「民主集中制」，兩個概念的界定非
常含混、模糊，不能自圓其說。前者只裝正確的東西，沒有講清楚毛
澤東思想與毛澤東個人的思想和主張有何區別，在實踐中往往將與毛
澤東不同的看法，或對一些具體問題的差異，統統上升到反毛澤東思
想，為毛澤東大權獨攬打開方便之門。新中國成立後，毛澤東的意見
不容他人有任何質疑。

更荒唐的是，對於民主集中制，毛澤東幾乎壟斷所有的解釋權。
什麼時候該民主，程序如何，黨員的權利如何保障，都沒有規定清
楚。毛澤東隨心所欲予以解釋，經過一番辯證邏輯，繞來繞去，橫豎
都有理。而任何正確的意見和建議，只要經過「集中」，均以毛澤東
的是非為標準，最後一錘定音。蔡和森當年擔心的「鐵的紀律成了威
壓黨員的工具，而上級指導人卻有超越此鐵的紀律的一切自由」，終
於成為毛澤東時代政治生活的常態。

新中國成立前後，劉少奇非常可貴地意識到，中國經過幾十年戰
亂，急需「休養生息」。他主張在新民主主義階段，不應當採取社會
主義的實際步驟。他說：

> 中國實行社會主義至少需要十年二十年以後……如果目前採取

社會主義的步驟，對人民是無益的。傷害私人工業生產的積極
性，無疑地是破壞社會生產力的發展。

談到具體的經濟建設步驟，他說：

首先恢復農業及一切可能恢復的工業；其次發展農業和輕工業
以及必要的重工業；然後發展倚靠已經建立起來的重工業，進
一步發展農業和輕工業。

但後來他很快發現，毛澤東要直接過渡到社會主義，並且像蘇聯那樣
犧牲農業優先發展重工業，便不作任何申辯和陳述，很爽快地將自己
正確的東西鎖進了抽屜裡，把思想「集中」到毛澤東那裡。他模範地
按照民主集中制原則行事，贊助了五〇年代的一系列錯誤決策。

五

從一九五三年痛罵梁漱溟開始，毛澤東記憶減退，脾氣漸長，性
急多疑，說話做事常常顛三倒四、前後矛盾。在經歷了農業合作化、
工商業改造、反右派運動、「大躍進」、人民公社、反右傾機會主義
和隨之而來的大饑荒之後，迎來了一九六二年導致劉少奇與毛澤東分
道揚鑣的七千人大會——這是一次大談民主集中制的大會。

大饑荒本來是五〇年代由於毛澤東權力過於集中，親自推動的一
系列決策失誤引起災難性後果的總爆發，使毛澤東「一貫正確」的形
象受到懷疑。但毛澤東為七千人大會確定的主題卻是「反對分散主
義」，也就是說，「集中」還做得不夠。他無視自己多年來在中共中
央養成的獨斷專行，在會上大講民主集中制，批評各級黨委一把手
「獨裁」，言下之意是當時嚴重的經濟困難應由地方承擔責任——他

顯然是以雙重標準談論這個問題，希望繼續扮演「一貫正確」的角色。對此，劉少奇及其支持者表示了不同看法。

先是彭真第一個提出，責任承擔者包括不包括「主席、少奇和中央常委」的問題。後來這位毛澤東延安整風的積極幹將，進一步直接宣稱：「如果毛主席百分之一、千分之一的錯誤不檢討，將給我們黨留下惡劣影響。」

更讓毛澤東憤怒的是，劉少奇學著毛澤東經常扳手指頭算帳的方式，指出大饑荒的主要原因在於人禍：

> 過去我們經常把缺點、錯誤和成績，比之於一個指頭和九個指頭的關係。現在恐怕不能到處這樣套……恐怕是三個指頭和七個指頭的關係。還有些地區，缺點和錯誤不止是三個指頭。如果說這些地方的缺點和錯誤只是三個指頭，成績還有七個指頭，這是不符合實際情況的，是不能說服人的。我到湖南的一個地方，農民說是「三分天災，七分人禍」。你不承認，人家就不服。全國有一部分地區可以說缺點和錯誤是主要的，成績不是主要的。

劉少奇這一番基本符合實際情況的講話，等於直接承認中央要對大饑荒負責，間接支持了彭真。他的觀點引起與會地方幹部的共鳴，卻大大激怒了毛澤東，以為劉少奇、彭真和那些地方幹部之間，有了什麼政治合謀——這也是「文化大革命」中他老人家不滿足於打倒劉少奇等幾個中央大員，執意要整治一大批地方領導的重要原因。在當時眾怒難犯的情況下，毛澤東被迫後退，輕描淡寫地承擔了一些責任：

> 凡是中央犯的錯誤，直接的歸我負責，間接的我也有份，因為我是中央主席。

　　我不是要別人推卸責任，其他一些同志也有責任，但是，第一
　　負責的應當是我。

　　遺憾的是，執掌軍隊的林彪積極為毛澤東開脫，加上眾人幫腔，
會議只是點到為止，並沒有追究毛澤東的政治責任，以致留下後患，
讓毛澤東獲得喘息的機會，發動「文化大革命」，將黨和國家再次拖
進苦難的深淵。

　　在毛澤東看來，劉少奇和彭真都是二十年前在延安時期靠自己起
家的，會上所作所為無異於背叛。而劉少奇也囿於毛澤東的知遇之
恩，自己一無莫斯科背景，二無嫡系部隊，能夠走到「黨內二把手」
的位置，全靠毛澤東的看重和栽培，他也無意深究毛澤東的過失。如
果當時劉少奇接過彭真的話頭，要求嚴格執行黨的紀律，或形成一個
決議，是有可能獲得多數中央委員的支持，從而對毛澤東的不良言行
進行有效約束的。從這裡我們可以清楚看到，多年提倡的毛澤東思想
和實行的民主集中制，已從戰爭年代凝聚人心、士氣的正面作用，發
展到禁錮思想言行的負面作用。中共全黨已被一種神秘而濃厚的封建
政治倫理所左右。

　　但毛澤東並不領情，反而伺機報復。一九六二年晚些時候，他重
提「階級鬥爭」，要求人們警惕「中國的赫魯雪夫」。這兩個曾經的
親密同事，一個是黨中央主席，一個是國家主席，現在已經反目成
仇——準確地說，是毛澤東把劉少奇當作仇人了。

　　要把劉少奇搞下去並不容易。毛澤東發動的「四清」運動，本意
要揪一批走資派，但被劉少奇等人轉移了方向，變成了農村基層反
腐。劉少奇及其支持者本來只是想方設法要使毛澤東安分一些，不料
老人家又動肝火，拿著《憲法》質問：「我們這些人算不算中華人民
共和國的公民？如果算的話，那有沒有言論自由？准不准我們和你們

講幾句話？」也在這段時間，他氣呼呼地對劉少奇說：「你有什麼了不起，我動一個小指頭就可以把你打倒。」

關鍵時刻，劉少奇還是不組織有效反擊，眼睜睜看著彭真等一批幹將被清除，最後坐以待斃。他顯然沒有意識到，自一九五七年後，任何人以任何方式結束毛澤東的政治生命，都具有一定的正義性、合理性。直到在中南海被揪鬥時，他才拿出《憲法》表示抗議：

> 我是中華人民共和國的主席，你們怎樣對待我個人，這無關緊要，但我要捍衛國家主席的尊嚴。誰罷免了我國家主席？……我個人也是一個公民，為什麼不讓我講話？憲法保障每一個公民的人身權利不受侵犯。

六

這位戰爭年代九死一生，穿過敵人無數封鎖線的革命者，現在怎麼也無法穿過由毛澤東思想、民主集中制編織在一起的「封鎖線」。在生命的最後時刻，他才意識到公民權利的重要性。但在一個黨權大於憲法的時代，在一個高度人治的時代，一紙空文的《憲法》，不僅沒有捍衛這位國家主席的尊嚴，最終也沒有保護他的人身安全。

一九六九年，劉少奇帶著叛徒、內奸、工賊、騙子、中國的赫魯雪夫……一大堆侮辱性的帽子，悲慘地離開人世。他可能並不知道，因受其政治牽連，包括他的妻子、兒女在內，全國共有二點八萬人被逮捕入獄，其中很多人沒能活著出來。

由於資料缺乏，人們不知道劉少奇在三年幽禁的日子裡，對自己的一生有過怎樣的總結、反思。他想到過沒有：他個人和國家的災難究竟是怎樣產生的？革命為何讓幾十年的革命者家破人亡？如果他能

夠預知他和他的家人、他的支持者的命運，他還能滿腔熱情地宣揚毛澤東思想嗎？他還能孜孜不倦地堅持民主集中制嗎？他還能理直氣壯地要求人們做一個「馴服工具」嗎？在二十世紀六〇年代中期，中國兩位主席手持《憲法》討說法、要尊嚴的做法，有如紅色年代裡的黑色幽默，讓人怎麼也笑不起來。

一九七八年，中共召開具有轉折意義的十一屆三中全會，對過去長期存在的極左路線進行了深刻的反思。但在談到民主集中制時，會議《公報》指出：

> 由於在過去一個時期內，民主集中制沒有真正實行，離開民主講集中，民主太少，當前這個時期特別需要強調民主，強調民主和集中的辯證關係。

這個表述不盡準確。自新中國成立以來，「四個服從」的民主集中制一貫得到了中央的提倡和有效貫徹，正是因為在實際工作中得到不折不扣的貫徹執行，才發生了各種各樣嚴重的後果。在胡耀邦任總書記的黨的「十二大」和趙紫陽任總書記的黨的「十三大」都沒有出現「集中指導下的民主」這個提法，但到「十四大」以後的歷屆黨代會，又重新恢復這一提法，並延續至今。

著名學者應克復全面梳理了中共「民主集中制」的由來與演變，得出一些深刻的見解和結論。他指出「民主集中制」概念中的邏輯矛盾，使這一制度帶有先天性的缺陷：

> 民主作為一種制度，在運作過程中已經包含了集中。有哪一種民主最後沒有集中呢？除了無政府狀態的大民主，凡是制度化程式化的民主最後都必然產生集中。如作為民主最基本形式的選舉，最後必然產生集中：從候選人中產生正式當選人。如議

會通過一項法案，經過一定的民主程序最後也必然產生集中，通過或否定該項法案。既然民主本身已經包含著集中，因而沒有必要再加進一個「集中」的概念。

「集中指導下的民主」是中共「七大」由毛澤東和劉少奇提出來的，具有一些中國特色。應克復從新中國成立以來的歷史重大事件中，發現問題的關鍵在於：民主要由集中作指導，使它一開始乃至整個過程中不可能超越集中的框架與軌道，從而使得民主消失於集中之中，因而「集中指導下的民主」是嚴重違背民主原則與憲政精神的。所以在新中國政治生活中，總是走不出「你民主，我集中」、「群眾民主，領導集中」、「委員民主，書記集中」、「下級民主，上級集中」的怪圈──這也是新中國多次出現嚴重決策失誤，共和國主席劉少奇最終鬥不過黨中央主席毛澤東的根本原因。

從這個方面來看，共和國主席劉少奇本人作為「民主集中制」的熱心宣導者和闡述者，也要為自己的悲劇負一定的責任。

除蔡和森外，「民主集中制」之所以長期沒有受到黨內質疑，還與貌似民主的「群眾路線」有關，即從群眾中來，到群眾中去，以形成正確的領導意見。對此，應克復尖銳指出：

> 一個人有了權，如果沒有制度的約束，絕不可能像打天下的年代那樣兢兢業業地去走群眾路線。群眾路線的領導方法，在思想深處仍然沒有跳出「為民作主」的傳統理念，也就是說，毛澤東思想即使其成熟階段，在政治思想方面仍沒有超越被封建倫理家視為美德的「民本」思想。因為，在實行群眾路線過程中，其能動的主體始終是領導者，群眾始終是被動的客體。是誰從群眾中來，是誰到群眾中去？是誰將群眾的意見集中起來，是誰又到群眾中去作宣傳解釋，化為群眾的意見，使群眾

堅持下去、見之於行動？始終是領導者……群眾路線的領導方
法與民有、民治、民享為主旨的民主思想，不能不認為是大相
徑庭，有天地之別。

在二十一世紀的今天，聯繫到目前漏洞百出的幹部選拔制度，買
官賣官、權錢交易、權色交易早已不是新聞。如果寄望於依靠走「群
眾路線」以改變整個黨風，其出發點也許不錯，但實際可能只有短期
或局部的效果，實在讓人不敢有長期的樂觀。由此而產生的虛假，可
能有增無減、層出不窮。由此而產生的嚴重後果，也不是完全不可預
料。

二〇一三年七月十三日於成都

主要參考文獻

王貴秀　《論民主和民主集中制》　北京市　中國社會科學出版社　1995年版

王聿文　〈七千人大會五十周年的思考〉　載《炎黃春秋》　2012年第4期

中共中央文獻研究室編　《劉少奇年譜》　北京市　中央文獻出版社　1996年版

新四軍歷史叢刊社編　《劉少奇在抗日戰爭時期》　同濟大學出版社　1997年版

中共中央文獻研究室編　《毛澤東年譜》　北京市　中央文獻出版社　1993年版

中共中央黨史研究室著　《中國共產黨歷史》　北京市　中共黨史出版社　2011年版

金沖及主編　《劉少奇傳》　北京市　中央文獻出版社　1998年版

范進學　《民主集中制憲法原則研究》　上海市　東方出版中心　2011年版

劉少奇　《劉少奇選集》　北京市　人民出版社　1981年版

魯彬、馮來剛、黃愛文　《劉少奇在新中國成立後的20年》　瀋陽市　遼寧人民出版社　2011年版

應克復　〈“民主集中制”的由來與演變〉　載《炎黃春秋》　2012年第10期

《列寧、毛澤東和鄧小平論民主集中制》　北京市　中國方正出版社　1994年版

亳州篇三〇

從曹操評價談毛澤東讀史

　　渦河由河南向東流淌，進入安徽的第一個重鎮，便是有名的亳州。亳州之有名，在於這裡出現了中國歷史上的幾個重量級人物，如老子、莊子、張良、華佗、曹操、花木蘭⋯⋯仔細說來，亳州的人文古蹟由於年代久遠，損毀嚴重。存留至今的多是後人建造的紀念園之類的仿古建築，價值不大。

　　倒是亳州城內的曹操遺跡給人印象深刻：四十多座曹氏宗族墓群，遍佈老城東南五平方公里的範圍內，出土文物也有相當數量；一九三九年發現的曹操地下運兵道總長一萬二千多米，設計精巧，規模宏大，穿行其間如入歷史隧道。

　　曹操的事蹟，歷代多有述評，加之後來小說戲劇的渲染，更是家喻戶曉。一九四九年後，因為毛澤東酷愛讀史，對曹操也有不少點評，二十世紀五〇年代和七〇年代，便興起了兩次「曹操熱」。在毛澤東思想光輝的照耀下，曹操非常榮幸地成為一個「亮點」。

　　從毛澤東身上，我們可以看到來自曹操的政治、經濟、軍事、文學和處事風格等多方面的影響。由此出發，審視毛澤東讀史的特點、歷史觀點的形成與新中國的政治走向，是一件很有意義的事。

　　新中國成立後是毛澤東一生中讀史最勤奮、最系統的時期，留下的史評也最多。但我們必須注意到兩點：其一，他對同事、朋友雖有點滴溫馨的一面，卻在總體上淋漓盡致地展現了人性中最不好的一面，喜好「陽謀」的個人品質受到懷疑；其二，他在史評中雖不乏正

確的見解，但在現實政治中反其道而行之，從二十世紀五〇年代中期以後，推出一系列給中國人民帶來深重災難的弊政。每到一個歷史的十字路口，他都利用戰爭年代積累的個人權威，同時引經據典，執意作出最壞的決策。當個人權威壓不住時，他便接受和製造個人崇拜，「陽謀」與陰謀並舉──這種現象直至林彪事件後才稍有改變。

一

　　無論是作為一個普通人，還是作為一個大國領袖，毛澤東的勤於讀書有口皆碑。他對於書籍的酷愛，確實非常罕見。擁有的藏書量，也不亞於一個學者。毛澤東在中南海的故居菊香書屋，書櫥裡、木床上都擺滿了政治、歷史、文學、哲學等各類書籍，以備隨時翻閱。

　　與中國共產黨其他早期領袖如陳獨秀、瞿秋白、王明等人相比，毛澤東家庭經濟條件要差些，啟蒙教育也相對較晚，學習也不系統。幼年時斷斷續續讀過幾年私塾，十七歲才上東山高小，二十歲入湖南第一師範。但他也有自己的優點：讀書非常勤奮，針對性強，特別注意將讀書與實際相結合。到延安後開始系統學習，對指導中國革命產生巨大的積極作用。新中國成立後仍手不釋卷，但此時他已深居簡出，脫離實際，讀書走向務虛。

　　毛澤東對曹操的興趣，起源於對曹氏文學作品的喜好。他說：「曹操的文章詩詞，極為本色，直抒胸臆，豁達通脫，應當學習。」一九五四年，他到北戴河度假，寫下了著名的〈浪淘沙·北戴河〉。與曹詩相比，少了些悲涼，多了些雄渾，是難得的好詞。可能是愛屋及烏，他詳細研讀了陳壽撰寫、裴松之作注的《三國志》。後來他說：「曹操統一北方，創立魏國。那時黃河流域是全國的中心地區。他改革了東漢的許多惡政，抑制豪強，發展生產，實行屯田制，還督

促開荒，推行法制，提倡節儉，使遭受大破壞的社會開始穩定、恢復、發展。這些難道不該肯定？難道不是了不起？說曹操是白臉奸臣，書上這麼寫，劇裡這麼演，老百姓這麼說，那是封建正統觀念製造的冤案。還有那些反動士族，他們是封建文化的壟斷者，他們寫東西就是維護封建正統。這個案要翻。」

老人家略帶感情色彩的這些議論，大體符合實際，立即得到史學界的回應。郭沫若一九五九年寫了〈替曹操翻案〉等文章，隨後又推出歷史劇《蔡文姬》，高度評價曹操的歷史功績。歷史學家翦伯贊也發表了〈應該為曹操恢復名譽〉。在短短不到半年時間裡，全國共有一百四十多篇關於曹操的學術文章面世，聲勢浩大。但當時全國範圍的大饑荒已經開始，這個學術爭鳴的必要性和緊迫性需要大打折扣。

從純學術來看，這場爭鳴也沒有太多新意，因為最高領袖發了話，大家有意無意跟風而已。從曹操在世時起，到毛澤東發話為止，雖然南宋朱熹以下的理學家貶斥曹操，《三國演義》等小說戲劇醜化曹操，但源遠流長的中國史學從來沒有否定過曹操的能力和在歷史上的作用。曹操年輕時，許劭就稱他是「治世之能臣，亂世之奸雄」。此話寓貶於褒，曹操聽後大喜而去。死後不久，陳壽也說曹操是「非常之人，超世之傑」。隨後陸機、劉知幾、司馬光、洪邁、王夫之等史家都給了曹操較為公正客觀的評價。一九一七年胡適在談到曹操時，也表達了不能以藝術評價代替歷史評價的觀點。一九二七年，魯迅在廣州作題為〈魏晉風度及文章與藥及酒之關係〉的專題演講，從政治形勢、思想文化、社會風氣、寫史風格各方面梳理「曹操評價史」，視點獨特，對曹操總體評價非常高。由此可見，毛澤東只不過重複魯迅的觀點罷了，談不上「翻案」。在二十世紀七〇年代的「評法批儒」運動中，曹操又被塑造成法家代表，這一次的「曹操熱」已沒有任何學術性可言。

毛澤東喜歡讀史，博覽群書，但博而不精，雜而無序。他沒有受過嚴格的史學培訓，也沒有專門的史學著作或文章。他喜歡評論歷史事件和歷史人物，其史論往往在會議上即興發揮，或與人交談時簡短論及，常常興之所起，論之所至，隨意性很大。通觀毛澤東的史論，實際上並沒有體現出多少學術水準。對曹操、朱元璋、海瑞、李自成、曾國藩等歷史人物的評價大抵如此，除秦始皇外，毛澤東沒有自己的獨特評論。而一些「馬克思主義史學家」立刻「奉旨」行事，對毛的雜議加以闡述發揮。風向一變，他們也就死無葬身之地了。

二

毛澤東讀史，存在一個顯著的矛盾：他極力欣賞的歷史人物，一旦在現實生活中出現時，他便給予無情打擊，並實行廣泛的株連。他所讚美的歷史上的善政，在現實生活中一概摒棄不用；他所抨擊的歷史上的惡政，在現實生活中基本上全部照搬。反其道而行之的做法，使其讀史似有葉公好龍之嫌。

賈誼是西漢初年傑出的政論家。針對秦末暴政，他寫下了著名的〈過秦論〉，提醒封建統治者不能濫用民力、壓榨過度。針對漢文帝時代「天下已安已治矣」的歌功頌德風氣，他深感憂慮，認為「非愚則諛」。為此他寫下〈治安策〉，為國家的長治久安提出尖銳批評和中肯建議。毛澤東欣賞賈誼的膽識和才能，也同情賈誼的遭遇。他稱讚賈誼說：「〈治安策〉一文是西漢一代最好的政論。」「全文切中當時事理，有一種頗好的氣氛，值得一讀。」

對梁武帝時代的陳慶之、韋睿，漢武帝時代的趙充國，曹魏時代的郭嘉，武則天時代的姚崇、宋景、徐有功、朱敬則，明朝的海瑞等良臣，毛澤東也多有批註，對他們勇於直言、勇於任事的品格倍加讚

揚。但遺憾的是，當現實生活中的「良臣」就一些政治、經濟問題，向毛澤東委婉或直率地表示不同意見時，他便羅織種種罪名，予以冷嘲熱諷和無情打擊，如鄧子恢、彭德懷、張聞天、王稼祥、劉少奇、鄧小平、陶鑄等。

更具有諷刺意味的是，一九六九年六月三日，正是中共「九大」召開不久，毛澤東通過非正常方式，將劉少奇等從中央到地方的一大批黨內務實派無情清洗，親小人遠「良臣」達到登峰造極之際，他又一次翻開史書，讀到《南史·陳慶之傳》時，充滿深情地寫下批註：「再讀此傳，為之神往。」

毛澤東對曹操的評價也存在這個矛盾。曹操在政治上的縱橫捭闔、善於權謀，以及詩詞文章，毛澤東全面繼承，且青出於藍而勝於藍。但就毛澤東對曹操歷史功績的肯定來說，主要並不在權謀和文筆，而在下面兩點：一是革除漢末惡政，二是發展中原經濟。恰好在這兩方面，毛澤東明顯不如曹操。漢末惡政，如諸葛亮在其〈出師表〉中所言「遠賢臣親小人」，導致朝政腐敗、民不聊生，與毛澤東晚年的情形大體相當。曹操努力革除的，毛澤東無意中促成了。曹操發展中原經濟最主要的措施是打擊豪強勢力，將農業勞動力從豪強地主手中解放出來成為自耕農，從而提高農民的生產積極性，最終增加了國家財政收入。從毛澤東的動機來看，最初也是很好的。但他有「一萬年太久，只爭朝夕」的緊迫感，一九五三年朝鮮戰爭結束後，他將主要精力轉向國內，唯恐經濟發展太慢，於是他在城市消滅私有工商業，在農村成立人民公社，急功近利，竭澤而漁，以國家權力剝奪農民最基本的口糧，剝奪工人最基本的福利，從而使國家政權成為事實上的「豪強勢力」。這種做法違反經濟規律，也違反人性，其結果自然造成經濟形勢長期惡化。「大躍進」失敗和隨後的三年大饑荒，毛澤東很清楚認識到，他已經沒有能力領導中國的經濟建設了。

但他一不認錯,二不放權。以劉少奇為首的黨內務實派,只能在維持毛澤東建立的城鄉經濟體制的框架內,實施有限的調整。一九六二年初的七千人會議,劉少奇「三分天災,七分人禍」的說法引起與會者共鳴。就劉少奇而言,他仍在維護毛澤東威信。就毛澤東而言,他感到面臨失去權力的危險。違心承擔責任後,毛澤東人性中早已存在的不好的一面占了上風。於是他另闢路徑,從劉少奇、鄧小平不太注意的文化方面入手攻擊「政敵」,再一次將中國推入苦難的深淵。

就維護自己的權力而言,毛澤東成功了。就中共的政權基礎而言,毛澤東失敗了。所謂「無產階級專政下繼續革命」,完全是為了維護自己權力而想像出來的一個口號,沒有任何理論基礎。毛澤東也很清楚這麼做的嚴重後果,但他顧不得那麼多。在他的心目中,自己生前的權力第一,中共的利益第二,國家的利益只能排在第二了,至於人民的利益,他似乎從來就不在意。晚年的毛澤東,出爾反爾,敏感多疑,言而無信,好走極端。林彪的拔刀相向,主要是毛的逼迫,也出於自保。林彪是軍人,他不願像劉少奇那樣束手就擒。

林彪事件,使毛澤東開始一生中難得的反思。對林彪集團的人,他一個不殺,也沒有進行殘酷的政治迫害和廣泛的株連。寬容、妥協、退讓,使毛澤東最後五年內人性中好的一面有所恢復。就連鄧小平否定「文化大革命」的「右傾翻案風」,他也一忍再忍,甚至有點乞求鄧小平出面肯定「文化大革命」七分成績、三分錯誤,然後將最高權力交給鄧小平的意思。被鄧小平拒絕後,毛澤東雖然撤銷其職務,依然保留黨籍,為鄧小平的再次復出留下伏筆。一九四九年毛澤東執政中國時,意氣風發,舉國歡呼,一片生機;一九七六年他臨終時,孤獨無助,舉國迷茫,一片蕭條。億萬中國人例行公事辦完他老人家的喪事,歡呼著去迎接一個新時代的到來。與秦始皇、梁武帝、唐玄宗等雄才大略而晚節不保的人相比,到目前為止,毛澤東的結局

不算太壞。他的巨幅畫像，仍然掛在天安門城樓上。

很難想像，如果毛澤東時代的中共政權，與國民黨政權不是隔著寬闊的臺灣海峽，而是像魏、蜀、吳三國時代那樣，只是相隔一條河或一座山，中國的政治形勢會發生怎樣的變化。

三

儘管毛澤東的歷史知識略嫌雜碎，博而不精，沒有什麼學術水準，也不善於以史為鑒，從歷史中學習好的東西，但並不妨礙他有自己的歷史觀，更不妨礙他對歷史觀的堅持和自信。

早在延安時期的〈中國革命和中國共產黨〉中，毛澤東就斬釘截鐵作出一個重大論斷：「中國歷史上的農民起義和農民戰爭的規模之大，是世界歷史上所僅見的。在中國封建社會裡，只有這種農民的階級鬥爭、農民的起義和農民的戰爭，才是歷史發展的真正動力。」毛澤東的本意，可能是為了說明中共領導的以農民為主力的革命的合理性和正當性。但這個論斷還是顯得過於匆促，不僅缺乏史料和史實的支撐，而且與馬克思的基本觀點有較大的不同。馬克思雖然強調階級鬥爭的重要地位，但認為生產力的提高和生產方式的改變，才是推動歷史前進的根本動力。

毛澤東的這個重大論斷過於武斷，就方法論而言是典型的「以論帶史」、「重論輕史」，就認識論而言，是典型的唯心主義。以後毛澤東又提出：「階級鬥爭，一些階級勝利了，一些階級消滅了，這就是歷史，這就是幾千年的文明史。」從而形成了他的「階級鬥爭史觀」。

奪取全國政權後，民國時期成名的歷史學家，只能在這個框架內研究、解釋和撰寫歷史。他們要麼緊跟形勢如郭沫若、范文瀾等，要

麼把自己過去的論著罵得狗血噴頭如陳垣等,只有陳寅恪表示決不遵
奉馬克思主義觀點,始終保持沉默。

馬、恩、列、斯的史論,與毛澤東難免有不完全一致的地方。這
很好辦,一致的引用,不一致的則不引用,或強調中國的特殊性,或
稱之為「創造性地發展了馬克思主義」。總而言之,毛澤東的觀點和
史論完全正確。在這方面,范文瀾最為賣力。延安時期他的《中國通
史簡編》和新中國成立後的《中國近代史》,以「馬克思主義」的名
義,對毛澤東史觀進行具體闡述。毛澤東讚揚農民起義,他就痛罵曾
國藩,寫了〈漢奸劊子手曾國藩的一生〉,對太平天國胡亂吹捧一
氣。他理直氣壯地說:「學術一定要為政治服務。」他被譽為中國馬
克思主義史學權威,實則是依附於權力的封建思想濃厚的平庸學者,
沒有自己的獨立見解。郭沫若要聰明些,他一方面貶斥和修改自己新
中國成立前的著作,一方面在自己與毛澤東的共同點上做文章。早在
抗戰時期,他在重慶讀了毛澤東的一些史論,寫作了著名的《甲申三
百年祭》,對中共領導的革命不乏真誠和善意,毛澤東將其印發給全
黨作為整風檔。毛澤東要為曹操「翻案」,他全力配合,史學論文與
文學作品一齊發表。毛澤東喜歡李白,他便寫作〈李白與杜甫〉,證
明李白的詩作確實比杜甫要好些。當然他也得到不錯的回報,被中共
譽為革命文化繼魯迅之後的又一面旗幟。也許他內心並不同意毛澤東
的「階級鬥爭史觀」,所以始終不在農民起義和階級鬥爭這個問題上
做文章。毛澤東曾致信郭沫若:「倘能經過大手筆寫一篇太平軍經
驗,會是很有益的。」郭也認真收集了許多資料,多年過去了,他至
死沒有寫出一個字。他的「抗旨不遵」是否可以理解為,他看了這些
文字後,覺得太平天國實在沒有什麼值得讚揚的?

范文瀾、郭沫若、翦伯贊是毛澤東時代公認的三大馬克思主義史
學家,其中以翦伯贊的命運最為悲慘。一九六六年在經歷了無數次批

鬥仍無法過關之後，恩愛一生的夫妻枯坐無語，雙雙自殺。即使按照中共官方最嚴格的標準，他在治學道路上體現出的學識、史識、膽識，表明他是唯一經得起時間檢驗的馬克思主義史學家，一個真正的共產黨員。他的死，在於他太認真，敢於說破「皇帝的新衣」。

翦伯贊二十世紀三〇年代就以馬克思主義思想指導史學研究，一九三七年加入中共，著有《歷史哲學教程》和《中國史綱》等。新中國成立後任北京大學歷史系主任和北大副校長，積極參與對胡適學術思想的清算，反右時對向達、雷海宗的批判言辭激烈、火力更猛。但史學界日益突出的「以論帶史」現象引起他的思索和警惕，他也知道這與毛澤東的歷史觀有關。一九五九年在支持了毛澤東為曹操「翻案」的主張後，他連續發表〈目前歷史教學中的幾個問題〉、〈對處理若干歷史問題的初步意見〉、〈史與論〉等多篇文章，提倡「論從史出」、「史論結合」，強調歷史研究必須「從實際出發，從具體的史實出發，不能而且不允許從理論出發，從概念出發。」要求史學研究應當先從史料入手再下結論，不能先下結論，再找證據。具體到農民戰爭，他認為農民起義從來沒有把封建當作一個制度來反對、把地主當作一個階級來反對、把皇權當作一個主義來反對，不能強調農民戰爭的落後性、盲目性，也不該誇大它的組織性和自覺性。

就翦伯贊的本意來講，他的文章對事不對人，是在維護史學研究最後一道防線，維護馬克思主義史學的聲譽，維護一個歷史學家的尊嚴。就客觀效果來講，他對「空頭史學」的批判，無疑把毛澤東讀史、治史、論史的「硬傷」指給大家看。此時毛澤東因在經濟上的「大躍進」失敗而威信受損，在他頗為自信的文史領域又遭到翦伯贊的非議，內心的惱怒可想而知。戚本禹等人立刻撰文對翦伯贊進行圍攻，翦失去了話語權。翦伯贊史學上的糾偏，與劉少奇經濟上的糾偏，形成事實上的相互配合，加上翦伯贊到解放區時，首先與劉少奇

建立關係，這也使毛澤東將其劃線，成為「史學界的保皇黨」，這可能是翦沒有想到的。但毛澤東還沒有完成對劉少奇的戰略包抄，他老人家隱而不發，於一九六三年十一月在中南海滿面笑容與翦伯贊握手。「文化大革命」一到，翦伯贊在劫難逃。

翦伯贊死後並不孤獨，「文化大革命」初自殺的歷史學家還有吳晗、鄧拓等。深得毛澤東「空頭史學」精華的王力、關鋒、戚本禹、張春橋、姚文元，活躍於翦伯贊之後的史學界。

四

新中國成立後在毛澤東的倡議下，吳晗等組織一批學者，先後對《資治通鑑》、前四史和整個二十四史進行分段、標點、勘誤，又委託譚其驤主持編繪《中國歷史地圖集》。這些工作有益於古代文化普及，方便了讀史者的需要。

與此同時，晚年毛澤東以堅強的毅力和極大的熱情，通讀了二十四史，有些地方還留下了重讀的痕跡。作為一個歷史學家，這是必須要求的；作為一個知識份子，這是讓人讚歎的；作為一個普通公民，這是值得敬佩的。但是作為一個百廢待興的大國領袖，人民的溫飽還沒有解決，幾千萬人因饑餓而死亡，全國冤獄遍地，他老人家怎麼坐得住？怎麼能靜下心？他的勤奮讀書與他承擔的責任相比，多少顯得有點不分主次，不務正業。他雖然寫過〈矛盾論〉，這時已搞不清主要矛盾和次要矛盾了。

擴大到整個讀書生活，毛澤東的閱讀也有一些問題。概括起來，毛澤東讀書有三多三少：一是文學、歷史、哲學多，經濟、法律、社會學少；二是中國古代的多，中外現代尤其是現代西方民主政治方面的書籍少；三是對於所讀書籍只知大概、不求甚解，二三流或不入流

著作多，仔細研究、潛心領會的一流著作少。他一生沒有到過西方國家，有濃厚的小農意識，對西方現代經濟、法律、社會學、民主政治知之少，甚至有一種天然的排斥。即使現代政經方面的書籍，他也唯讀史達林《蘇聯社會主義經濟問題》、《聯共黨史》、《政治經濟學（教科書）》之類的簡易讀物，絕非好書。學生時代他曾看過一本《世界英傑傳》，知道了華盛頓、林肯、盧梭、孟德斯鳩等人的名字，但他並不瞭解這些人的思想精華，特別是他們的自由、民主、平等思想。新中國成立後正是現代知識的欠缺，又處於至高無上的地位，唯我獨尊，小資產階級的盲目衝動和小農意識的自私狹隘結合在一起，鑄成一個又一個大錯。從毛澤東身上，我們看到了德國學者庫薩的尼古拉所說的「有學識的無知」。所以他要批判馬寅初的人口論，他要反章伯鈞的民主政治，他要帶著一本康有為的《大同書》去成立人民公社，他要越過常識去搞「大躍進」、大煉鋼鐵。所以他為達到終極目的，屢屢越過人類道德的底線。

毛澤東讀書每有心得，喜歡向他的同事或部下推薦書籍。一九五八年成都會議期間，他向與會者每人發一部《華陽國志》，要求大家認真讀；同年到安徽，突然讀到《三國志》〈呂蒙傳〉，又推薦給羅瑞卿，要求全國公安幹警都要讀；一九六五年，他看了《後漢書》裡的〈黃瓊傳〉和〈李固傳〉，指名點姓要求劉少奇、周恩來、鄧小平、彭真、陳毅一閱；他送給許世友等人《紅樓夢》，要他們瞭解什麼是封建社會……。他的讀書治國，把他的同事和部下搞得頭暈腦脹、雲裡霧裡、手忙腳亂、不知何意，但還得認真應對。他的這些做法，看不出對提高水準和搞好工作有什麼好處，同時也有賣弄博學之嫌。

作為一個領導者，讀書固然重要，但國家治理的好壞與讀書的多少並無直接關係。康熙也酷愛學習，知識面之廣博和專業不在毛澤東

之下，且將國家治理得井井有條，與毛澤東治理國家一塌糊塗，形成鮮明對比。鄧小平讀書和寫文章肯定不如毛澤東，論其治國，遠勝毛澤東。

這就說明：一個國家要發展進步，要繁榮富強，不在於思想和主義，也不在於領導者要讀多少書而在於領導者的責任感，在於領導者有一顆仁慈、寬厚之心，善於體察民情、不違常理，善於吸取他人的思想和智慧，從而作出合乎實際的正確決策。

人類從千百年來的社會發展中總結出一個經驗：要避免重大決策失誤，確保最高領導盡可能都成為康熙和鄧小平，必須實行民主政治制度。在專制社會裡，康熙和鄧小平只是個案。在民主社會裡，能最大限度遏止領導者人性和作風中不好的東西，使毛澤東永遠保持戰爭年代那樣一種熱情友好、謙遜樸實、勤於思考、尊重他人、深入實際的精神風貌。如果毛澤東要幹荒唐事，人民就批評他、揭露他，甚至用選票請他休息，提早換上劉少奇或鄧小平。毛澤東也說過，他是「和尚打傘，無法無天」。他又說，史達林的做法在英美國家是行不通的，這說明他多少還是意識到民主的制約力量。毛澤東有個特點，在自己力量處於劣勢時，頭腦異常清醒，言行謹慎，作出的決策都比較符合實際。也就是說，在民主政治制度框架內，新中國成立後毛澤東完全有可能成為一個好的領導者。反之，毛澤東即使出現大的錯誤，也可能審時度勢，急流勇退，自己也能夠專心讀史，說不定還可以寫出幾篇像樣的學術著作來，至少不會出現「大躍進」的笑話，也不會讓「空頭歷史」觀氾濫成災而留下笑話，更不會出現「文化大革命」。這樣於國、於民、於毛澤東這類的領導者個人，都有好處。

果能如此，毛澤東在歷史上的地位要高得多。從這個角度來看，毛澤東既是專制政治的建立者、維護者，也是專制政治受害者。他最後二十年的所作所為，嚴重損害了共產黨和社會主義的聲譽，也嚴重

損毀了自己的英名。

毛澤東讀史，於外行他是內行，於內行他是外行；於學術破壞多於建設，於個人得不償失，於國家弊多利少。「讀史使人明智」——對晚年毛澤東來說，這句話不適用。

五

毛澤東對歷史人物多有評論，對秦皇漢武、唐宗宋祖、成吉思汗全不放在眼裡。但他也註定是一個被歷史品評的人物。千百年後，歷史將會如何評價毛澤東呢？

對於重大歷史人物，尤其是政治領袖人物的評價標準問題，應當將其放在全球範圍內，考察他對本國和世界的貢獻：一、其政治理念不僅在當時、而且對後世，不僅對本國、而且對他國具有普遍的適用價值，能夠在相當長的時間裡促進國家的強大和穩定，能及時發現、調整社會生活中出現的各種矛盾和問題；二、其政權建設對多元文化具有包容性和寬容性，個人價值、尤其是個人創造力可以得到最大限度的提倡和尊重，政權具有廣泛的民意基礎；三、個人在政權創立和建設過程中，顯出高超的政治眼光，並且在技術操作層面充滿智慧；四、與人為善，不以勢壓人，個人道德和執政風格不僅在當時，而且被後世的人公認為楷模。

毛澤東經歷了前期打天下和後期坐天下兩個階段。前期史詩般的革命旅程波瀾壯闊，行雲流水，充滿智慧，令人歎為觀止；後期獨斷專行，一錯再錯，自我損毀，令人不忍多看。前後反差之大，判若兩人——這種現象在歷史上極為罕見。

中國革命的成功離不開毛澤東的個人智慧，卻也是一批具有愛國民主思想、富於犧牲精神的志士仁人共同促成的，從宏觀歷史角度來

看，後者似乎更為重要。民主革命時期，毛澤東和他領導的中共準確把握和適應了歷史，以「民族獨立」和「自由民主」兩面大旗為號召，吸引和團結了絕大多數愛國者加入中共陣營，戰勝了蔣介石領導的國民黨政府。換句話說，沒有日本人的入侵，沒有國際政治勢力的角逐，沒有國民黨政府讓人失望的獨裁統治，沒有中共對自由民主的承諾，沒有中共以土地為獎品換取農民參軍，中共的勝利並非如其宣稱的那樣是「歷史的選擇」、「歷史的必然」。在整個二十世紀的國際共產主義運動中，一直宣稱十月革命以後建立無產階級政權是歷史的必然，社會主義戰勝資本主義也是歷史的必然。那麼蘇共的瓦解和蘇聯的崩潰，東歐各國政權的垮臺，是歷史的必然？還是那些自稱最無私、最先進的共產主義者的所作所為，讓歷史老人發了脾氣，作了另外的選擇？

延安時期，毛澤東對來訪的黃炎培說，中共已經找到了克服中國歷史治亂迴圈的武器，那就是「民主」。一九四九年春，毛澤東和他的戰友離開西柏坡時，很嚴肅地自稱為「進京趕考」。考試的結果眾所周知，肯定不及格。不及格的原因，主要在於違背了當初對「民主」的承諾。

要在毛澤東後期即執政時期，找到令人懷念的「閃光點」，是件非常困難的事。仔細翻閱歷史，勉為其難，拼湊了三條：

一是抗美援朝。就戰場勝負和戰略目的來看，中美打了個平手；就後果來看利弊幾乎相等。弊是加深了中蘇的政治、經濟聯繫，中國全面接受不好的影響，後來中蘇翻臉，但僵化的政經體制變得比蘇聯還極端；同時中斷了與世界科技、經濟最先進的美國的交流三十年（1949-1979），中國無法融入主流國際社會。朝鮮戰爭給中國帶來的最大好處是，中國以極其簡陋的裝備敢於與世界頭號經濟和軍事強國較量，大大提高了中國人的自信心。從此中國人與美國人打交道

時，佔有強大的心理優勢（儘管美國人可能不這麼認為），中國人對美國人不怵。朝鮮戰爭還有一個意外收穫，就是保全了臺灣。臺灣經濟發展、民主政治方面的成就，足以讓整個中國人自豪，同時成為大陸政經發展的參照對象。

二是中美關係改善。儘管毛澤東主要出於戰略上制衡蘇聯，無意借鑒美國先進的政經理念，但客觀上打通了中美交往的大門，為後來改革開放時與歐美西方國家的經濟文化合作鋪平了道路，值得肯定。八〇年代對極左路線的反思和對封建主義的批判，正是以經濟、文化高度發達的西方國家為參照對象。

三是林彪事件後，解放了一批務實的老幹部，對鄧小平的「右傾翻案風」也持寬容態度，為後來粉碎「四人幫」，實行面向西方國家的改革開放，保留了正面力量。

儘管毛澤東讀書甚多，歷史對此將不予任何評說。如此說來，毛澤東的歷史功過評判，以五五開比較合適。新中國成立前九分成績一分錯誤，新中國成立後九分錯誤一分成績。千百年後，毛澤東在中共黨史上的地位，將低於鄧小平。鄧小平的歷史功過，以二八開比較合適，兩分錯誤，八分成績。兩分錯誤中的一分體現在「文化大革命」前，毛澤東的全部錯誤中，包括鄧小平在內的所有中央委員以上的高級幹部，都要承擔一部分──這也是鄧小平本人的看法。他曾經說過，反右和「大躍進」的錯誤人人有分。兩分中的另一分，是改革開放以來形成經濟體制和政治體制的不同步。雖然他曾多次強調這個問題的迫切性，也許他年事已高、力不從心，也許他想用專制政治的優點推進經濟穩定發展到一定階段再說。後一個錯誤或許只是一個遺憾，是可以理解的。千百年後，對毛澤東的評價也可能低於陳獨秀。

千百年後在中國歷史上，毛澤東的地位將低於劉邦、劉秀、曹操、李世民、武則天、趙匡胤、成吉思汗、朱元璋、康熙、孫中山、

蔣介石、鄧小平、蔣經國等，大致與秦始皇、漢武帝、梁武帝、唐玄宗差不多。

千百年後在世界歷史上，毛澤東的地位將低於亞歷山大、彼得大帝、拿破崙、邱吉爾、羅斯福。毛澤東與克倫威爾、華盛頓、傑佛遜、林肯相差太多，可比性少。

六

毛澤東創建了一個獨立自主的中國。

鄧小平建設了一個獨立自主、經濟富強的中國。

誰能開創一個獨立自主、經濟富強、政治民主的中國？

社會主義應當比資本主義更加富強，也應當擁有更多的、更廣泛的民主。

誰能排除萬難，勇於犧牲，在中國政治體制方面實行卓有成效的改革，建立國家長治久安的根本制度，誰將成為中國的華盛頓？

借用毛澤東的一句話，寄語中國未來的領導者：「為有犧牲多壯志，敢叫日月換新天。」再借用毛澤東的一句話，寄語中國未來的華盛頓：「問蒼茫大地，誰主沉浮？」

二〇一二年八月三日於成都

主要參考文獻

于　濤　《走近曹操》　北京市　中華書局　2010年版

中國社會科學院近代史研究所編　《范文瀾歷史論文選集》　北京
　　　　市　中國社會科學出版社　1979年版

李　銳　《早年毛澤東》　瀋陽市　遼寧人民出版社　1993年版

佘樹民主編　《亳州之旅》　北京市　中國文化出版社　2009年版

南開大學歷史系編　《毛澤東論歷史科學》　1958年刊印

許冠三　《新史學九十年》　長沙市　岳麓書社　2003年版

張貽玖　《毛澤東讀史》　北京市　中國友誼出版公司　1991年版

張亞新　《曹操大傳》　北京市　中國文學出版社　1994年版

黎澍主編　《馬克思、恩格斯、列寧、史達林論歷史科學》　北京
　　　　市　人民出版社　1980年版

黎　澍　《黎澍自選集》　廣州市　廣東人民出版社　1998年版

龔育之、逄先知、石仲泉　《毛澤東的讀書生活》　北京市　生活・
　　　　讀書・新知三聯書店　1986年版

《翦伯贊紀念文集》　北京市　人民教育出版社　1998年版

文化生活叢書·藝文采風　1306010

皖遊札記
——解析中國近現代歷史上若干事件和人物的真實細節

作　　者　夏如秋

責任編輯　吳家嘉

特約校稿　陳漢傑

發 行 人　陳滿銘

總 經 理　梁錦興

總 編 輯　陳滿銘

副總編輯　張晏瑞

編 輯 所　萬卷樓圖書股份有限公司

排　　版　浩瀚電腦排版股份有限公司

印　　刷　百通科技股份有限公司

封面設計　斐類設計工作室

發　　行　萬卷樓圖書股份有限公司

　　　　　臺北市羅斯福路二段 41 號 6 樓之 3

　　　　　電話 (02)23216565

　　　　　傳真 (02)23218698

　　　　　電郵 SERVICE@WANJUAN.COM.TW

大陸經銷　廈門外圖臺灣書店有限公司

　　　　　電郵 JKB188@188.COM

ISBN 978-957-739-890-1

2019 年 11 月初版三刷

2015 年 1 月初版二刷

2014 年 12 月初版一刷

定價：新臺幣 720 元

如何購買本書：

1. 劃撥購書，請透過以下郵政劃撥帳號：

　 帳號：15624015

　 戶名：萬卷樓圖書股份有限公司

2. 轉帳購書，請透過以下帳戶

　 合作金庫銀行　古亭分行

　 戶名：萬卷樓圖書股份有限公司

　 帳號：0877717092596

3. 網路購書，請透過萬卷樓網站

　 網址 WWW.WANJUAN.COM.TW

大量購書，請直接聯繫我們，將有專人為您服務。客服：(02)23216565 分機 610

如有缺頁、破損或裝訂錯誤，請寄回更換

國家圖書館出版品預行編目資料

皖遊札記：解析中國近現代歷史上若干事件和人物的真實細節/ 夏如秋著.

-- 初版. -- 臺北市: 萬卷樓, 2014.12

面; 公分. -- (文化生活叢書)

ISBN 978-957-739-890-1(平裝)

1.言論集

078　　　　　　　　　　　　103020411